KU-717-037

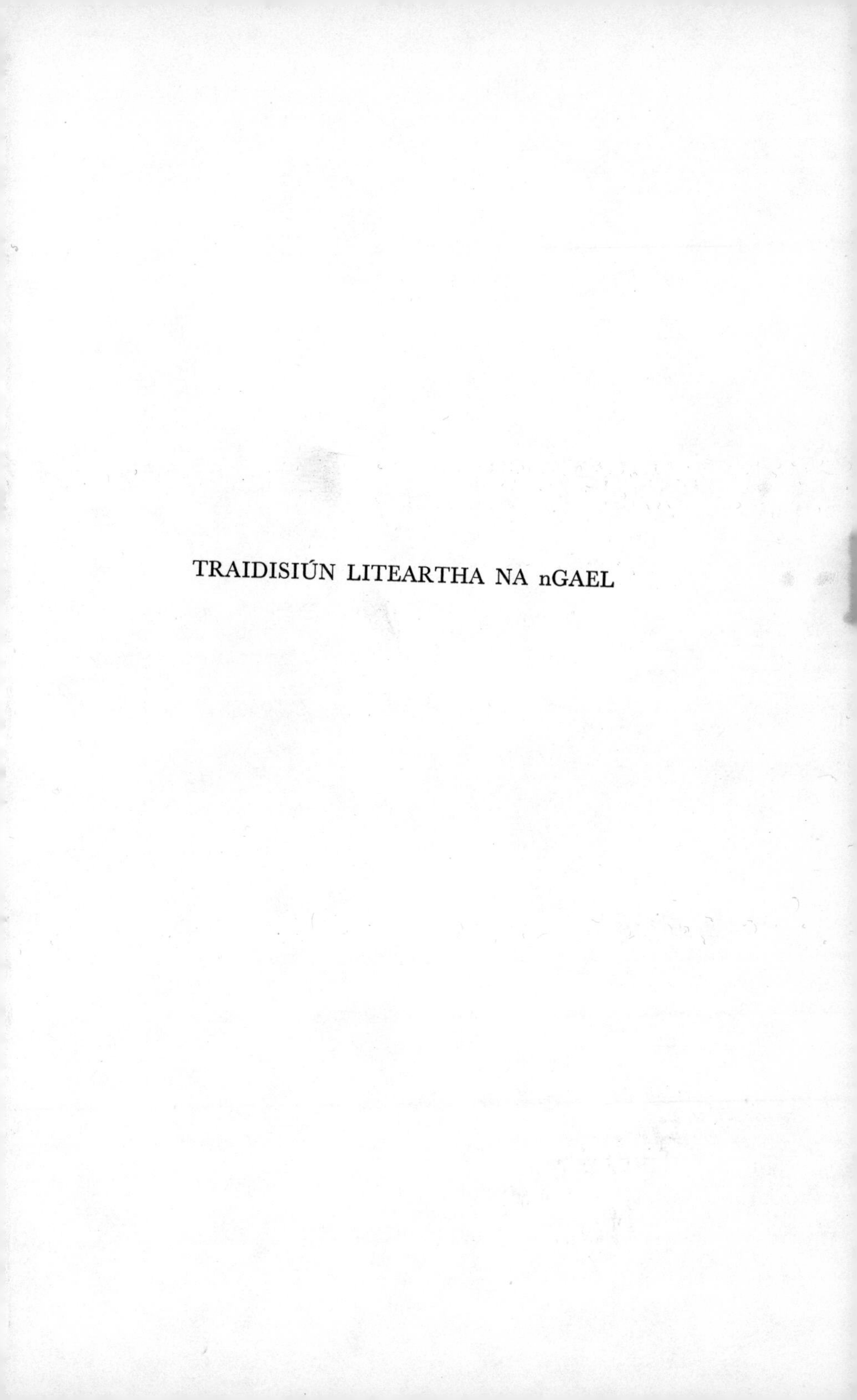

TRAIDISIÚN LITEARTHA NA nGAEL

Leabhair Thaighde
An 28ú hImleabhar

TRAIDISIÚN LITEARTHA NA nGAEL

J. E. Caerwyn Williams
agus
Máirín Ní Mhuiríosa

An Clóchomhar Tta
Baile Átha Cliath

An Chéad Chló 1979

Dundalgan Press a chlóbhuail

Do
THOMÁS DE BHALDRAITHE

BROLLACH

Séard atá sa leabhar seo, cuntas ar thraidisiún liteartha na nGael ón tús anuas go dtí le déanaí mar aon le tagairtí don taighde ar an traidisiún sin atá déanta ag scoláirí iomadúla le breis agus céad bliain anuas. Ó chríochnaíomar an leabhar tá roinnt scríbhneoirí nua ag saothrú, tá leabhair nua inmheasta tar éis teacht amach agus tá eagraíocht nua, Bord na Gaeilge, bunaithe ag an Rialtas chun cuidiú leis an teanga a chur chun cinn. Is oth linn nárbh acmhainn dúinn déileáil leis na nithe sin, ach níor mhian linn a thuilleadh moille a chur ar an bhfoilsiú.

Is maith is eol dúinn gur iomaí easnamh agus locht atá ar an saothar seo. Ina ainneoin sin táimid á chur os comhair an phobail de bhrí gur dóigh linn go bhfuil an t-ábhar féin an-tábhachtach agus gur mhithid é a phlé i nGaeilge. Táimid ag súil, áfach, gur éirigh linn léargas éigin a thabhairt ar mhórgacht agus ar éagsúlacht an traidisiúin liteartha i measc na nGael i gcaitheamh na n-aoiseanna. Is é ár ndóchas freisin go ndéanfaidh an cur síos seo daoine eile a spreagadh chun cuntais níos foirfe a chur ar fáil amach anseo ar an ábhar féin nó ar ghnéithe áirithe de.

Tá ár mbuíochas ag dul d'fhoireann na leabharlainne in Acadamh Ríoga na hÉireann agus don fhoireann sa Leabharlann Náisiúnta. Thug siad cúnamh go fial foighneach dúinn an fhad a bhí an saothar seo idir lámha againn. Ba mhaith linn freisin ár mbuíochas a chur in iúl do Stiofán Ó hAnnracháin as an mór-shaothar a chuir sé air féin ag cóiriú an téacs agus á ullmhú do na clódóirí.

Táimid faoi chomaoin ag na daoine seo a leanas a léigh an chéad dréacht den scríbhinn agus a thug comhairle dúinn faoi a lán pointí: Máirtín Ó Cadhain (nach maireann), Niall Ó Dónaill, an tOllamh Proinsias Mac Cana, an tOllamh Tomás Ó Máille agus an tOllamh Dáithí Ó hUaithne. Thar aon duine eile táimid faoi chomaoin ag an Ollamh Tomás de Bhaldraithe a chuir suim ó thús inár n-iarrachtaí. Thug sé comhairle dúinn, agus spreag sé sinn chun leanúint ar aghaidh leis an obair nuair a bhí an spreagadh sin ag teastáil go géar uainn. Ní hiad na daoine seo atá luaite againn ach sinne amháin atá freagrach as a bhfuil d'anchuma ar ár saothar.

J. E. CAERWYN WILLIAMS
MÁIRÍN NÍ MHUIRÍOSA

Samhain 1978

AN CLÁR

NODA

ARÉ:	*Annála Ríoghachta Éireann*
AU:	*Annála Uladh*
BÁC:	Baile Átha Cliath
BB:	*Leabhar Bhaile an Mhóta*
BM:	British Museum
DNB:	*The Dictionary of National Biography*
Ir. na G:	*Irisleabhar na Gaedhilge*
JRSAI:	*Journal of the Royal Society of Antiquaries of Ireland*
LU:	*Leabhar na hUidhre*
PRIA:	*Proceedings of the Royal Irish Academy*
RC:	*Revue Celtique*
RIA:	Royal Irish Academy
TCD:	Trinity College, Dublin
ZCP:	*Zeitschrift für Celtische Philologie*

AN RÉAMHRÁ

Má sheasann duine ar fhothracha Dhún Aonghasa ar chósta thiar Oileán Árann, ag dearcadh siar thar dhromchla na díleann i dtreo Mheiriceá taobh thall di, ní deacair dó cuimhneamh go raibh tráth ann nuair nach raibh iomrá ar bith ar an gcríoch ábhalmhór sin thiar ná aon eolas ar í a bheith ann. Agus nach cosúil go rithfidh an smaoineamh leis gur chreid na daoine a thóg an dún seo gur ar fhíorimeall thiar an domhain a bhí siad féin ? Dóibh siúd agus dá lán ina ndiaidh in Éirinn ba réasúnach a mheas gur soir uathu amháin a bhí cónaí an chine dhaonna.

Is deimhnitheach gur anoir, nó anoir aneas, a tháinig an chéad lucht gabháltais go hÉirinn. Shroich cuid acu Éire tuairim is dhá mhíle bliain roimh aimsir Chríost, agus is iomaí dream eile ina ndiaidh arbh í an tír seo i bhfíor-iarthar an domhain ba cheann scríbe dóibh freisin. Rud inspéise é staidéar a dhéanamh ar na hiarsmaí a d'fhág na dreamanna éagsúla seo ina ndiaidh sa tír; b'inspéise fós é dá bhféadfaimis eolas cruinn a chur ar na coimh-eascair a tharla eatarthu agus ar na teangacha a labhair siad. Am éigin roimh aimsir Chríost[1] tháinig ón Mór-roinn pobal a raibh teanga Cheilteach acu. Q-Cheiltis a thugann scoláirí an lae inniu ar an teanga sin chun idirdhealú a dhéanamh idir í agus an brainse eile den Cheiltis ar a dtugann siad P-Cheiltis. Léiríonn na téarmaí sin an fás difriúil a tháinig sa dá bhrainse den bhunCheiltis faoin

[1] Níl na heolaithe ar aon intinn faoin dáta. Creideann cuid acu gur timpeall dhá mhíle bliain roimh aimsir Chríost a tháinig an pobal Ceilteach seo go hÉirinn, ach is dóigh le heolaithe eile gur i bhfad níos déanaí a tháinig siad, is é sin, sa chéad aois roimh Chríost. Cuir i gcóimheas, mar shampla, na tuairimí a léiríonn Tomás Ó Rathile sa léacht a thug sé in ómós do Sir John Rhys, *The Goidels and their Predecessors* (London 1935) agus ina leabhar fíorthábhachtach, *Early Irish History and Mythology* (BÁC 1946) agus na tuairimí a chuireann an tOllamh Maolmuire Diolún os ár gcomhair sa léacht a thug sé don Chumann Seandál-aíochta i gColáiste na hOllscoile, Baile Átha Cliath, léacht a foilsíodh i *Maintaining a National Identity* (BÁC 1969) 85-8, agus sa leabhar a scríobh sé i gcomhar le Nóra Chadwick, *The Celtic Realms* (London 1967). Tugann H. Hencken coimriú úsáideach ar na tuairimí éagsúla seo san aiste ' Indo-European Languages and Archæology ', aiste atá le fáil in *American Anthropologist* lvii, vi.

bhfuaim Qu—san Ind-Eorpais.[2] Ba iad na Gaeil (lucht labhartha na Gaeilge) na Q-Cheiltigh. I mBéarla baintear feidhm as na téarmaí *Goídels* agus *Goídelic* nuair a bhítear ag trácht ar na Gaeil. Is téarmaí nuachumtha iad seo atá bunaithe ar an seanfhoirm de ainm an chine, Goídel. Agus, aisteach go leor, ní focal dúchasach é an t-ainm seo. Is ón mBreatnais *Gwyddel* a tháinig sé, chomh déanach, b'fhéidir, leis an 7ú haois A.D.[3]

Dála mar atá easaontas idir na scoláirí faoin dáta ar tháinig na Q-Cheiltigh go hÉirinn, tá siad ar malairt tuairime freisin faoin gceist arbh iad na Q-Cheiltigh an chéad chine Ceilteach a chuir fúthu sa tír seo, nó ar tháinig dream de lucht labartha na P-Cheiltise rompu. Cibé freagra atá ar an gceist sin, is réasúnach a mheas, ón bhfianaise atá ann, nárbh í an Q-Cheiltis an chéad teanga a labraíodh in Éirinn agus nach ndearnadh aonteanga na tíre uile di go ceann i bhfad.

Is cóir a mheabhrú ag an bpointe seo nár tháinig seandálaithe an lae inniu fós ar aon rian den ' tsaíocht Cheilteach ' in Éirinn roimh 300 roimh Chríost.[4] Chomh maith le sin, tá na teangeolaithe ar aon intinn faoi phointe amháin, is é sin, gur cosúil gur beag difríocht a bhí idir an Q-Cheiltis agus an P-Cheiltis san am inar tháinig an chéad dream de lucht labhartha na Ceiltise go hÉirinn. Agus ní miste a thabhairt chun cuimhne arís nárbh iad lucht labhartha na Q-Cheiltise, mar atá curtha in iúl cheana, a chéad thug *Goídil* orthu féin. Ba iad a gcomharsana ar an taobh thall de Mhuir Éireann a sholáthraigh an t-ainm sin dóibh.

Do réir mar a fhásann gach teanga tagann athruithe uirthi, agus is iomaí difríocht atá idir an *Goídelg* mar a bhí sí anallód agus Gaeilge an lae inniu. Mar an gcéanna, is iomaí difríocht atá idir an Ghaeilge mar a labhraítear in Éirinn í agus Gàidhlig na hAlban agus an Mhanannais, cé gurbh aon teanga amháin na trí cinn acu

[2]

Gaeilge	*Breatnais*
*c*eann	*p*en
*c*eathair	*p*edwar

Ceann de na rudaí eile ba chúis leis an malairt fáis faoin dá theanga ba ea an áit inar thit an bhéim sna focail. Ar an gcéad shiolla a thit sí sa Q-Cheiltis, ar an siolla leathdheireanach sa P-Cheiltis.

[3] Féach D. Greene, *The Irish Language, An Ghaeilge* (BÁC 1966) go háirithe 10-11.

[4] Tabhair faoi deara na tuairimí a nochtann na heolaithe seo a leanas: S. Piggot, *Ancient Europe* (1965) 222; T. G. E. Powell, *The Celts* (London 1967) 43-4, 55; J. Raftery (eag.), *The Celts* (BÁC 1967); E. Rynne ' The Introduction of La Tène into Ireland ', *Bericht u. den V Intern. Kongress fur Vor-und Fruhgeschichte, Hamburg* 1958 (Berlin 1961).

tráth, san am ar chuir Gaeil na hÉireann fúthu ar Oileán Mhanann agus in Albain, ag breith a dteanga féin leo thar sáile.

Chun dul siar beagáinín, dhealródh sé nach raibh, i dtosach ré na Críostaíochta, mórán difríochta idir an Q-Cheiltis a bhí á labhairt in Éirinn agus an teanga P-Cheilteach a bhí á labhairt sa Bhreatain. Leis an aimsir, áfach, d'éirigh difríochtaí suntasacha eatarthu. Is ón teanga P-Cheilteach a d'fhás an Bhreatnais agus an Bhriotáinis, atá beo fós, agus an Choirnis, a bhí á labhairt anuas go dtí dhá chéad bliain ó shin nó mar sin.

Mar a dúradh cheana, is ón teanga Q-Cheilteach a labhair na Goídil anallód a thagann an Ghaeilge mar a labhraítear inniu í, agus is mar seo a leanas a áirítear na céimeanna éagsúla i bhforás na teanga sin: SeanGhaeilge A.D. 700-950, MeánGhaeilge 950-1350, Mochré na NuaGhaeilge 1350-1650,[5] NuaGhaeilge 1650 anonn. Is beag eolas cruinn atá ar fáil faoi na Goídil,[6] ach is feasach dúinn go bhfuair siad an lámh in uachtar ar áititheoirí eile an oileáin agus gur éirigh leo ar deireadh pobal aon teanga, sea, agus aon chine amháin a dhéanamh díobh uile. Is fíor nach raibh sprid na náisiúntachta, mar a thuigimid inniu í, ag na seanGhaeil. Ach tuigeadh dóibh leis an aimsir go raibh an gheografaíocht agus an stair araon á dtáthú le chéile mar aon chine amháin agus d'aithin siad a n-aontacht mar náisiún i gcomórtas leis na ciníocha a lonnaigh i dtíortha eile. Agus de bhrí gur aithin siad é sin, chuir

[5] Ní mór a chur in iúl nach réitíonn na céimeanna seo leis na céimeanna a leag Thurneysen amach ina leabhar *A Grammar of Old Irish* (BÁC 1961) (aistrithe ón nGearmáinis ag D. A. Binchy agus Osborn Bergin), go háirithe i gcás tús ré na NuaGhaeilge. Is mar seo a roinn seisean na céimeanna: SeanGhaeilge anuas go dtí 900, MeánGhaeilge ó thimpeall 900 agus NuaGhaeilge ó thús an 17ú haois i leith. Ach i nóta ar leathanach 673 deireann na haistritheoirí go bhfuil an dáta atá curtha síos do ré na NuaGhaeilge ródhéanach. Is fíor go raibh scríbhneoirí ann, go fiú sa 17ú haois, a chleacht an chanúint ársa liteartha d'aonturas. Ach i dtéacs a scríobhadh chomh luath leis an mbliain 1475 (*Zeitschrift für celtische Philologie* (= ZCP) ii, 1 *et seq.*, 225 *et seq.*) níl aon rian de na sainghnéithe a idirdhealaíonn an MheánGhaeilge agus an NuaGhaeilge, rud a léiríonn go raibh an NuaGhaeilge ag teacht i réim faoin am seo.

[6] Cosúil leis an gcuid is mó de chiníocha an domhain, bhí traidisiúin áirithe ag na Gaeil faoina mbunús féin. Do réir na dtraidisiún seo, rinneadh ionradh ceithre huaire ar Éirinn, agus ba iad na *Goídil* an dream deireanach de na hionróirí sin. Féach *Lebor Gabála*, agus a bhfuil le rá ag Ó Rathile faoin leabhar sin in *Early Irish History and Mythology*, go háirithe 263 *et seq.* Féach freisin an cuntas a thug an tOllamh M. A. O'Brien ar ' Irish Origin-Legends " in M. Dillon (eag.), *Early Irish Society* (BÁC 1954) 36-51. Tá pointe amháin is fiú a lua anseo. Bhíodh de nós uair amháin ag seandálaithe trácht ar na hionraithe éagsúla a rinneadh ar an mBreatain. Faoi láthair, áfach, tá luí acu leis an tuairim nach ionraithe mar a thuigtear an focal de ghnáth a bhí iontu, ach áitíochta nó coilíneachtaí scaipthe.

siad rompu, glúin i ndiaidh glúine, cuimhne seanéachtaí agus sean-traidisiúin an chine a bhuanú mar oidhreacht dóibh siúd a thiocfadh ina ndiaidh. Maireann cuimhne na hoidhreachta sin fós gach áit ina maireann an Ghaeilge.

Le scéal na nGael a thuiscint i gceart is gá cuimhneamh gur cine iad atá ina gcónaí sa tír chéanna agus ag labhairt na teanga céanna le hachar ábhalfhada. Ní suarach an rud é i saol aon náisiúin gur ó aon tír amháin a dhiúg a mhuintir lón cothaithe dá gcorp agus dá n-intinn araon. Sin mar a tharla do na Gaeil. Níl aon chine eile sa taobh thiar thuaidh den Eoraip is sia atá ag cur fúthu sa tír chéanna ná iad. Ach dá thábhachtaí an tír ina lonnaíonn cine, is tábhachtaí fós an teanga a labhraíonn siad, an teanga atá ina gléas le heagar agus ord a chur ar an saol thart timpeall orthu agus atá mar mheán chun féinaithne agus féintuiscint a chothú iontu. Bíonn léargas ar fhéinaithne agus ar fhéintuiscint aon chine le fáil go speisialta i litríocht na teanga.

Tar éis do chine a bheith chomh fada sin san aon áit amháin agus atá na Gaeil is dual gur scáthán í a litríocht trína léirítear an tír sin go mion agus go beacht. Sléibhte, cnoic agus gleannta na hÉireann, a bhí mar shuíomh tráth do stair agus do sheanchas na nGael, tá a n-ainmneacha uile i dtaisce i litríocht na Gaeilge. Na coillte, na móinte, na lochanna, nach bhfuil aon stair ag gabháil leo, tá a n-ainmneacha siúd ar caomhnú freisin i bhfinscéalta agus in aislingí.

Agus nuair atá cúrsa chomh fada curtha díobh ag cine agus atá ag na Gaeil, ní ionadh a litríocht a bheith lán de thagairtí dá stair, agus ní dá stair amháin, ach dá bhfinscéalta chomh maith, mar i dtosach ré na litríochta ní féidir an dá rud a dheighilt óna chéile; déantar finscéal den stair agus stair den fhinscéal. Tá coibhneas idir dúil i dtraidisiún agus tuiscint sa stair, agus níl aon chine is mó a chothaigh an dúil agus an tuiscint sin ná na Gaeil, ná is fearr a thuig an tábhacht a bhaineann le nithe a tharla anallód, ní amháin san am inar tharla siad, ach san am i láthair chomh maith. Ní áibhéil a rá go raibh príomhionad riamh ag an stair i saol agus i litríocht na nGael.

Tá sé ina chúis maíte ag na Breatnaigh go bhfuil a litríocht siúd bunaithe go daingean ar thraidisiúin atá ag síneadh siar breis agus míle bliain. Ach is ársa fós ná sin, agus is aonchruthaí ar a lán bealaí, traidisiún liteartha na nGael. Ní dheachaigh an Impireacht

Rómhánach i bhfeidhm go díreach chor ar bith ar Éirinn, ach chuaigh sí go mór i bhfeidhm ar oileán na Breataine, ar shlí mhaireachtála, ar intinn, ar theanga agus ar litríocht na ndaoine. Sin ceann de na fáthanna ar fhás deighilt chomh mór sin idir teanga an Ghaeil agus teanga an Bhreatnaigh agus go léirítear ó thús i litríocht na Breatnaise saol atá éagsúil ar fad leis an saol a léirítear i litríocht na Gaeilge. Cibé cultúr dúchasach a bhí sa Bhreatain roimh theacht na Rómhánach, dhealródh sé nach raibh mórán brí ná fuinneamh ann ach amháin lasmuigh de theorainneacha na hImpireachta; laistigh díobh is cinnte go raibh sé easlán, easpach, seargtha.

Faoi scáth na hImpireachta Rómhánaí a tháinig an Chríostaíocht féin chun na Breataine, de thoradh a cuid arm agus ar shála a sibhialtachta. Ba ar a mhalairt de bhealach ar fad a tháinig sí go hÉirinn: ní de thoradh aon ghabháltais ná ar shála aon sibhialtachta eachtrannaí a tháinig sí. Le fírinne, bhí réim na hImpireachta geall le bheith thart nuair a tháinig sí. Ní foláir nó bhí saíocht dhúchais na hÉireann féin foirfe, borb, buacach san am. Ní féidir a rá go cruinn cén bhaint a bhí ag draoithe na hÉireann le caomhnú an chultúir sin roimh theacht na Críostaíochta, ach is cosúil go raibh córas léinn éifeachtach, ar nós an chórais a raibh baint ag draoithe na Gaille leis, i réim in Éirinn agus ina chúltaca seasta don chultúr dúchais.

Tháinig Naomh Pádraig faoi anáil an mhanachais a chéadeascair san Éigipt agus a leathnaigh ar fud na Gaille ó Lérins, oileán beag sa Mheánmhuir. Uaidh sin shroich sé oileán na Breataine am éigin sa 5ú haois. Chuir Naomh Pádraig fréamhacha na gluaiseachta sin in Éirinn, ach níor tháinig sí faoi lánbhláth sa tír seo go dtí go luath sa 6ú haois, nuair a chuaigh tionchar na manach agus na mainistreacha in iarthar na Breataine i bhfeidhm go mór ar na manaigh abhus.[7] Um dheireadh na haoise sin bhí an manachas faoi réim ar fud na hÉireann uile.

Bhí dhá ghné shuntasacha de mhanachas Lérins a caomhnaíodh go díograiseach sna mainistreacha in iarthar na Breataine (Breatain Bheag an lae inniu) agus in Éirinn, mar atá, an diansmacht d'fhonn foirfeacht an díthreabhaigh a bhaint amach agus an mhórdhúil i léann den uile chineál, dúil a bhí dírithe ar an léann clasaiceach, idir chríostaí agus phágánach.

[7] J. Ryan, *Irish Monasticism: origins and early development* (BÁC 1931). C. O'Rahilly, *Ireland and Wales: Their historical and literary relations* (London 1924).

In Éirinn bhí an dá ghné ar chomhchéim i saol na mainistreacha, agus ní foláir nó ba é an dara ceann is mó a spreag na manaigh chun dul i gcomórtas leis an éigse dhúchais i saothrú léann traidisiúnta na tíre. Bíodh sin mar atá, is cosúil nárbh ionann ar fad dearcadh na hEaglaise i leith chultúr págánach na hÉireann agus a gnáthdhearcadh i dtíortha eile. In ionad a bheith ina deargnamhaid don chultúr sin, is amhlaidh a bhí sí báúil leis; in ionad na seanscéalta a bhí mar chnámh droma don léann traidisiúnta a chur faoi chois, is amhlaidh a chuidigh sí lena dtaisciú agus lena gcur ar phár. Is ar an gcuma sin a nascadh an dá chultúr le chéile. Síoriomaíocht na héigse dúchasaí agus na scoláirí eaglaiseacha, iad ag síorghríosú a chéile chun saothair, sin é an fáth ar éirigh leo araon, ar feadh scaithimh, tearmann don léann, idir chríostaí agus chlasaiceach, a dhéanamh d'Éirinn, ar shlí a d'fhág ina hábhar tnútha í don chuid eile den domhan thiar.

Ón 6ú go dtí an 9ú haois a bhí Aois Órga na hÉireann ann. Mhéadaigh líon na misinéirí agus na scoláirí; tháinig athnuachan iontach faoin gcultúr agus faoin tsibhialtacht; bhí ealaíona na síochána faoi mhaise. Faraoir, is beag is fiú iad ealaíona na síochána in éadan ealaíona an chogaidh. Níor deimhníodh an méid sin chomh luath don Ghael agus a deimhníodh don Bhreataineach é agus eisean ag iarraidh an fód a sheasamh i gcoinne na nAnglach agus na Sacsan. Níos déanaí, ámh, idir 800 agus 1014, deimhníodh don Ghael freisin é nuair a tháinig na Lochlannaigh ag dúnmharú, ag loisceadh, ag scrios agus ag creachadh i ngach áit ina ndeachaigh siad.

Tháinig meath sealadach dá bharr sin ar shibhialtacht na nGael. B'éigean don phobal iad féin a atheagrú le seasamh i gcoinne ionsaithe an namhad; ach má rinne siad amhlaidh níor lig siad i ndíchuimhne ar fad an urraim ba dhual don oideachas agus don léann. Chuaigh scoileanna rafara na hEaglaise i léig, agus ina bhfochair na seanscoileanna tuata. Ach bímis buíoch gur tháinig teaghlaigh chun cinn arbh é a sainchúram an litríocht a shaothrú agus gur fhás cineál nua scoile, an scoil fhilíochta. Ba faoi chúram na scoileanna nua seo a bhí rialú agus stiúradh cúrsaí liteartha in Éirinn ar feadh na gcéadta bliain; ba iad ba chúltaca don traidisiún agus a rinne é a bhuanú ó ghlúin go glúin.

Deirtear gurbh iad na scoileanna a mhúnlaigh agus a dhealbhaigh litríocht na Breataine Bige; ní miste an rud céanna a rá faoi litríocht na hÉireann. Sa dá thír, meán araíonachta agus gairm, in éineacht, ba ea an fhilíocht. Feictear rian na haraíonachta go soiléir ar chomhaontacht litríocht na Gaeilge. Má chuirtear dán a cumadh i 1250 agus ceann a cumadh i 1650 i gcomparáid le chéile is ar éigean is féidir a rá, ón gcaint ná ón gceird iontu, cé acu is túisce a cumadh. Bealach eile leis an gcomhaontacht shuntasach seo a léiriú is ea dán a cumadh i gConnachta a chur i gcomparáid le dán a cumadh in Albain i gcaitheamh na tréimhse céanna. Is ar éigean a bheadh difríocht ar bith eatarthu sa chaint ná sa cheird.

Gan amhras ní mhairfeadh an t-aontas seo murach an traidisiún a bheith chomh dearbhchoimeádach is a bhí. Do réir na fianaise atá tagtha anuas chugainn, níor saothraíodh dáiríre sna scoileanna aon saghas meadarachta nach raibh aitheantas faighte aici: is ar éigean a admhaíodh go bhféadfaí filíocht a chumadh in aon saghas eile meadarachta. Fiú amháin nuair a glacadh le hábhair nua ón Mór-roinn—ar nós ábhar an *amour courtois*—feistíodh iad sa mheadaracht traidisiúnta. De bharr na filí a bheith chomh coimeádach seo tá easnamh éagsúlachta ar a gcuid filíochta, ach níorbh í an éagsúlacht ach an t-aonchineálachas a bhí mar chuspóir acu. Caithfear cuimhneamh freisin gur le linn na meánaoise ba mhó a bhí traidisiún fileata na hÉireann faoi réim agus dá réir sin gurbh iad smaointe na haimsire sin faoin bhfilíocht a d'fhág a rian air, d'ainneoin gur lean sé go dlúth lorg an tsinsir. Sin é an fáth a bhfuil tromlach na filíochta neamhphearsanta, is é sin le rá gur beag aitheantas a thugtar inti do phearsantacht ná d'fhadhbanna an fhile féin mar ábhar cuí ceapadóireachta. Chomh maith leis sin, tá sí níos prósúla ná an fhilíocht a cumadh níos déanaí, ní amháin toisc go bhfuil na hábhair féin neamhfhileata do réir intinn an lae inniu, ach freisin toisc gur annamh a bhaintí feidhm as seift na ráiteas indíreach nó as samhaltais chun smaointe a chur in iúl. Deimhniú ar dhaingne na scoileanna mar fhorais is ea gur éirigh leo bagairt ghabhaltas na Normanach a chur díobh ina n-óige agus a gcumhacht i gcúrsaí litríochta a chaomhnú agus a choinneáil go ceann breis agus ceithre chéad bliain. Bhí fuinneamh na hóige fós iontu nuair a sháraigh siad foghanna na dTiúdarach sa 16ú haois agus ní dheachaigh siad i léig ar fad go dtí aimsir Chromail i lár an 17ú haois.

Sa chéad leath den 17ú haois, tar éis Chath Chionn tSáile, thosaigh meath ag teacht de réir a chéile ar na Scoileanna, agus faoi lár na haoise céanna bhí siad ar an dé deiridh. Um dheireadh na haoise sin satlaíodh ar na Gaeil, idir íseal agus uasal, go ndearnadh daorphobal gan cheart, gan chóir den chine go léir. Ní ionadh gur tháinig um an dtaca céanna claochló agus malairt crutha ar an tsaíocht dhúchais. In ionad a bheith faoi réim i mbruíonta fairsinge na n-uaisle, ba í a cinniúint feasta a bheith á cothú i mbotháin chúnga na mbocht. Bíodh gur tháinig dá bharr sin laghdú ar réim na saíochta, d'éirigh léi greim níos láidre ná riamh a fháil ar intinn agus ar shamhlaíocht an ghnáthphobail. Agus más é an dealús agus an ainnise féin a bhí i ndán don phobal sin, mhúscail a gcultúr agus a litríocht iontu tírghrá agus mórtas cine nach bhfuil a leithéid le fáil ach go fíorannamh i stair aon chine eile. Caithfear a admháil, mar sin féin, gur mhór an cur siar ar an gcultúr dúchais na gléasanna uile rialtais agus oideachais a bheith i lámha Gall. Bheifí ag súil go rachadh an cló i bhfeidhm ar litríocht na Gaeilge mar a chuaigh ar an litríocht i dtíortha eile. Ach in Éirinn ba sna bailte móra amháin—daingne an Bhéarla—a bhí nuachtáin, leabhair agus córacha priontála, a bhformhór mór i lámha na Sasanach. Uime sin bhí na Gaeil ag brath ar fad, geall leis, ar lámhscríbhinní lena saothar liteartha a chaomhnú. Níor clódh ach méid beag leabhar i nGaeilge sa tír seo i gcaitheamh na gcúig chéad bliain ó theacht an chló anuas go dtí bunú Chonradh na Gaeilge. Sa 17ú agus san 18ú haois ba líonmhaire go mór na leabhair Ghaeilge a foilsíodh ar an Mór-roinn ná na cinn a tháinig amach in Éirinn. Dá bhrí sin, ní miste a rá gur fhan an chuid ba mhó de litríocht na Gaeilge ina litríocht lámhscríofa anuas go dtí tosach na haoise seo, níos sia ná aon litríocht eile, is dócha, san Eoraip. Léiríonn cás *Foras Feasa ar Éirinn* le Seathrún Céitinn an pointe sin go beacht. Sa chéad leath den 17ú haois a cumadh an mórshaothar sin, agus thuill sé clú ó thús. Mar chruthú ar an mórspéis a cuireadh ann tá na céadta cóip de le fáil i lámhscríbhinní. Chomh maith leis sin, rinneadh é a aistriú go Béarla cúpla uair, agus foilsíodh sleachta as, mar aon le haistriú agus nótaí.[8] Ach níor tosaíodh ar an téacs Gaeilge a fhoilsiú ina iomláine go dtí 1901.

Is mór atá cine Gael faoi chomaoin ag scríobhaithe na lámhscríbhinní, mar is iad a chinntigh, ó aois go haois, nach ligfí an litríocht i ndearmad. Ba mhaith a thuig siad féin go raibh baint acu le traidisiún ársa, agus is ar chruinneas cóipeála is mó a bhí a n-aire dírithe. Mar a deir Seosamh Ó Conchubhair[9]: ' Daoine

[8] R. K. Alspach, *Irish Poetry from the English Invasion to* 1798 (Univ. of Pennsylvania Press, Oxford Univ. Press, 1943) 81 *et seq.*

[9] *Béaloideas* xv, 121.

dáiríreacha dob eadh na Scríobhnóirí. Bhí stuaim acu do réir an chúraim thógadar orthu féin agus cúram lán-aimsireach ab eadh é sin. B'iad áilleacht peannaireachta agus cirte aithscríobhacháin an dá dhualgas ba mhó acu '.

Mar shampla den dúil sa chruinneas luann Seosamh Ó Conchubhair an ' gníomh aithreachais ' a scríobh Séamus Ó hAinle ' ar bharr leathanaigh de pheannaireacht nárbh fhéidir locht d'fhágháil air ':

> Luas láimhe agus pinn is fíor-adhbhar le haon dearmhad aineolach dá bhfuil anseo. Má tá aon nidh inbhéime ann gaibh mo leathscéal, a léightheoir an anama, óir do thugas iarracht ar gach ní dá raibh romham d'aithscríobhadh. Sírim agus aithchim ó chroidhe ortsa a léighfidh an méid seo im'dhiaidh beannacht do thabhairt ar anam an scríobhnóra, Séamus Ó hAinle. Ag Mainistir an Aonaigh, an cúigmheadh lá de December, insa bhliadhain d'aois Chríost, míle ocht gcéad agus cúig bliadhna déag. Amen.[10]

Breis is fiche bliain ó shin is ea a foilsíodh aiste Uí Chonchubhair, agus rinne sé tagairt ann freisin donar tharla dá lán de na lámh-scríbhinní a bhí le fáil ina cheantar dúchais caoga bliain roimhe sin:

> Bhí raidhse láimh-scríbhinní le fágháil amuigh ar an dtuaith mór-thimcheall Chilláirne leith-chéad bliain ó shoin ag an té a raghadh amach á lorg sara tógadh na tithe nua cinnslinne. Nuair a thréigeadh an líntighe an tsean-nead do chaithidís ar an dteine nó ar an gcarn aoiligh na sean-bhalcaisí agus na sean-pháipéirí nár mhaith leo thabhairt isteach 'san árus bhreagh nua. Is cúis dubhróin mhór d'aos léighinn an lae indiu an méid seoda scríbhte a cailleadh tré neamh-thuiscint ár n-aithreach. Ní raibh meas ar bith ag an aos Béarla ar Ghaedhilg ná ar shean-leabhra caithte nár thuigeadar.[11]

Ar ndóigh, ní sa cheantar sin amháin a bhí an scéal mar sin. Is iomaí áit eile inar tharla an rud céanna. Cuireann Énrí Ó Muirgheasa in iúl dúinn cad a bhain don bhailiúchán luachmhar de lámhscríbhinní Ultacha a d'fhág Mata Mórdha Graeme ina dhiaidh nuair a fuair sé bás i 1882. Bhain cailín aimsire feidhm as a bhfor-mhór mar ábhar tine![12] Agus bhí scéal truamhéileach eile le hinsint aige. ' Only the other day ', a deir sé, ' I was told in Meath of a certain house where a number of old books including several

[10] *Béaloideas* xv, 122.

[11] ibid. 22

[12] *Éigse* i, 184.

MSS. had been piled on the top of an old dresser, and the rain came in through the broken thatched roof, and the books and MSS. lay there water-soaked and became a rotten mass and had to be thrown out '.[13] Deimhníonn na samplaí seo cé chomh fíor agus a bhí an méid a bhí le rá ag Dubhghlas de hÍde nuair a luaigh sé an scrios millteanach a rinneadh ar lámhscríbhinní toisc nár thuig na daoine a luach.[14]

Is cóir a chur in iúl, ámh, nach raibh san fhaillí aineolach seo ach taobh amháin den scéal. Insíonn Seán Pléimeann dúinn[15] go mbíodh de nós ag cuid de na deoraithe a gcuid lámhscríbhinní agus leabhar Gaeilge a thabhairt leo agus iad ag dul ar imirce, rud a léiríonn cad é an meas a bhí acu ar a n-oidhreacht. Ina theannta sin bhí a lán den tseanlitríocht, scéalta, amhráin, paidreacha, de ghlanmheabhair ag a lán de na deoraithe a d'imigh ó gach aird den tír. Rinne roinnt daoine díograiseacha thall i Meiriceá iarrachtaí chun cuid den oidhreacht seo a bhailiú, a scríobh síos agus a fhoilsiú.[16]

Is follas, mar sin, nach i lámhscríbhinní amháin a mhair litríocht na Gaeilge. Mhair sí freisin san ionad is dual do gach litríocht a bheith beo, i gcuimhne an chine. Is deacair do dhaoine a tógadh le leabhair agus nach bhfuil acu ach ' cuimhne na leabhar ' aon tuiscint a bheith acu arna héachtaí atá i gcumas chuimhne an duine. Bhí, agus tá fós, samplaí de sin i measc mhuintir na nGaeltachtaí agus na mBreacGhaeltachtaí. Go dtí an lá inniu féin tá seanchaithe sna ceantair sin a bhfuil na scórtha de scéalta fada de ghlanmheabhair acu, gan trácht ar na Laoithe Fiannaíochta agus na seanamhráin.[17] Faraoir, is beag aird a thugann pobal na hÉireann anois ar na hiarsmaí seo de chultúr a sinsear. Éistimis lena bhfuil le rá ag an Ollamh Séamus Ó Duilearga faoin scéal:

> Níor tuigeadh—agus is mó duine fós ná tuigeann é—fíorthábhacht na teangan beo a mhaireann fós ar bhéal na sean-ionndúirithe sa Gaedhealtacht. Nuair a chaillfear iad beidh deireadh leis na

[13] *Journal of the Co. Louth Archæological Society* i, 56.

[14] D. Hyde, *A Literary History of Ireland* (London 1899) 634, n2.

[15] I lámhscríbhinn in Acadamh Ríoga na hÉireann (= RIA), 12 Q 13.

[16] Féach colúin *An Gaodhal* i Nua-Eabhrac agus na samplaí iomadúla i measc cháipéisí Sheáin Mhaig Fhlainn (eagarthóir an *Tuam News*) sa Leabharlann Náisiúnta, LS 3253.

[17] Tig leis an léitheoir tuairim éigin a fháil de shaibhreas an traidisiúin bhéil seo ó imleabhair *Béaloideas* agus ó na bailiúcháin éagsúla atá luaite againn i gCaibidil xiii, 357, fonóta 6.

> Meadhon-Aoiseanna in iarthar Eórpa, agus beidh an slabhra briste atá fós ina cheangal idir an ghlúin atá suas anois agus an chéad dream daoine a thóg seilbh in Éirinn riamh. Tá ar marthain fós ina measg cultúr ba leis an náisiún tráth go hiomlán. Is mór go léir an feall ná faghann siad an urraim agus an gradam is dual dóibh. B'fhéidir go dtiocfaidh sin nuair ná mairfidh siad a thuille.[18]

Deirtear ar uaire go raibh cultúr na nGael easpach de bhrí nár thug sé spreagadh d'ealaíona áirithe mar an ailtireacht, an phéintéireacht agus an dealbhóireacht. Ach is ealaíona iad sin a dteastaíonn rachmas agus rathúnas chun a bhforbartha, dhá bhuntáiste a séanadh ar feadh na n-aoiseanna ar mhuintir na hÉireann de bharr ionsaithe agus polasaí dearfa an eachtrannaigh. Níor cothaíodh, ach oiread, an dráma ná an gléascheol, dhá ealaín a éilíonn pobal líonmhar eagraithe den chineál a bhíonn i gcathracha agus i mbailte móra. Ach ba phobal tuaithe iad formhór na nGael, agus ní bhfuair a dteanga ná a gcultúr an lámh uachtair riamh i gcathracha ná i mbailte na hÉireann. Ar an ábhar sin díríodh cumas cruthaíoch an chine ar ealaíona eile mar an litríocht, an óráidíocht, an amhránaíocht. Agus tháinig barr ratha ar na healaíona sin de bhrí gur shásaigh siad dúil an phobail in áineas agus i gcaitheamh aimsire agus de bhrí, freisin, go mb'acmhainn don sclábhaí ba bhoichte iad a chleachtadh chomh maith leis an té ba shaibhre dá chomharsana. Nuair a bhí Éire faoi leatrom ní raibh gnáthphobal in iarthar na hEorpa is mó a raibh spéis acu ina gcuid litríochta ná cion acu uirthi.

Bíodh nach raibh an Ghaeilge riamh faoi réim mar theanga cheannais sa phríomhchathair ná go fiú sna bailte móra,[19] choimeád sí greim docht ar an gcuid is mó den tír go dtí tosach an 19ú haois. Is cosúil gur chuidigh coimeádacht na ndaoine agus a meon daonlathach lena ndílseacht dá dteanga a neartú d'ainneoin gach iarrachta chun í a stoitheadh uathu. Ach bhí níos mó ná sin ag spreagadh a ndílseachta dá dteanga. Tar éis an tsaoil, ba í eochair a seomra séad í, ba í a bhronn anáil na beatha ar a stair, ar a n-aislingí, ar a gcreideamh; agus ba í a chothaigh iontu an meas orthu féin a ba dhual dóibh; ba í an teanga a chruthaigh ina dtimpeall saol nach raibh i gcumas an eachtrannaigh é a réabadh uathu fad a mhair sí.

[18] S. Ó Duilearga, *Leabhar Sheáin Í Chonaill* (BÁC 1948).

[19] Ní ionann seo agus a rá, ámh, nach mbíodh an teanga le clos á labhairt sna bailte móra agus i mBaile Átha Cliath féin. Féach, *inter alia*, D. Piatt, *Mhaireadar san Ardchathair* (BÁC 1957).

Bagairt mharfach, ámh, ar bheatha an chine agus ar bheatha na teanga ba ea an Gorta Mór i mbliain 1847. Thug sé ainnis agus aicíd, bochtaineacht agus bás leis. Chaill Éire na milliúin duine dá dheasca. D'imigh siad leo bliain i ndiaidh bliana, mórchuid acu ag breith na teanga thar sáile nó isteach san uaigh leo. Lagaíodh neart agus fuinneamh an náisiúin, agus ba ródhóbair don teanga dul in éag. Níl sí marbh go fóill, ámh, ach ní fios inniu—breis agus céad bliain tar éis an Ghorta—an beatha nó bás atá i ndán di. Má chailltear í ní fios an éireoidh le muintir na hÉireann sainchultúr rafar dá gcuid féin a chruthú arís choíche.

Is follas gur thuig na Sasanaigh tábhacht na teanga dúchais i saol cine, mar rinne siad gach dícheall in Éirinn, mar a rinne siad sa Bhreatain Bheag, chun í a chur faoi chois. Is mairg nach raibh an tuiscint chéanna ag a lán de cheannairí na nGael. Tá an ráiteas seo a leanas ó bhéal Dhomhnaill Uí Chonaill faoin nGaeilge ina ainimh ar chlú duine a rinne mórán ar son an chine:

> I am sufficiently utilitarian not to regret its abandonment. A diversity of tongues is no benefit; it was first imposed on mankind as a curse at the building of Babel. It would be of vast advantage to mankind if all the inhabitants of the earth spoke the same language. Therefore, though the Irish language is connected with many recollections that twine round the hearts of Irishmen, yet the superior utility of the English tongue, as the medium of all modern communication is so great that I can witness without a sigh the gradual disuse of Irish.[20]

Bhí corrdhuine sa tír, ámh, ó am go chéile, a thuig tábhacht na teanga. Chomh fada siar leis an mbliain 1787 dúirt Daniel Thomas, Breatnach a raibh cónaí air in Éirinn ag an am, ' to destroy the vernacular is an attempt to annihilate the nation '.[21] Chuir Tomás Dáibhis freisin strus ar luach teanga mar chosaint ar náisiún. Dhearbhaigh sé gur threise í mar theorainn ná daingean nó abhainn. Cine gan teanga dá gcuid féin ní raibh iontu, dar leis, ach leathchine.

Ghlac Pádraig Mac Piarais teagasc an Dáibhisigh chuige féin. Éire Shaor agus Éire Ghaelach an cuspóir a bhí aigesean agus ag a lán de lucht a linne. Gnóthaíodh an tsaoirse pholaitiúil do shé chontae is fiche in Éirinn; faraoir nár tháinig an Gaelachas in athréim fós go fiú in aon chontae amháin sa tír.

[20] A. Houston, *Daniel O'Connell: His Early Life and Journal* (London 1906) 11.

[21] D. Thomas, *Observations on the Pamphlets published by the Bishop of Cloyne, Mr. Trant and Theophilus on one side and on those by Mr. O'Leary, Mr. Barber and Doctor Campbell on the other* (BÁC 1787) 28.

Ní thig linn a rá cad a tharlóidh do litríocht na Gaeilge amach anseo, ach is cinnte go bhfeofaidh sí má chailltear an teanga. Braitheann cinniúint na teanga agus na litríochta araon ar mhuintir na hÉireann féin, go mór mór ar an nglúin atá suas inniu. Is fiú don ghlúin sin aird a thabhairt ar fhocail an staraí Mrs A. Stopford Green:

> If we turn to Ireland . . . we find a country where for some 1,500 years, as far back as historic knowledge can reach, one national force has overshadowed and dominated all others. It has been the power of a great literary tradition. Political power was not centralised, and no single man was in a position to determine what the people should think, or believe, or do. But in the learned tradition of the race there was a determined order. In their intellectual and spiritual inheritance was the very essence of national life, the substance of its existence, the warrant of its value, the assurance of its continuity.[22]

[22] *History* (*The Quarterly Journal of the Historical Association*) New Series II April 1917-January 1918 (London 1918) 68-9.

CAIBIDIL I

AN SCÉALAÍOCHT

Is intuigthe go mbeadh baint idir an litríocht agus an pobal óna bhfásann sí, agus is minic a nochtar an tuairim go léiríonn stair na litríochta cuid de na hathruithe a tharla i saol an phobail.

In a lán de theangacha ársa an domhain tá cineál áirithe litríochta le fáil, idir phrós agus fhilíocht, ar a dtugtar litríocht laochais, is é sin le rá, litríocht a bhfuil baint aici le ré laochais i stair na tíre.[1] Deirtear gur i nGaeilge atá an cnuasach is toirtiúla agus is saibhre de scéalta laochais le fáil. Ní miste a mhaíomh go bhfuil na scéalta seo chun tosaigh, ní amháin de bharr a líonmhaire, ach de bharr ilchineálacht an ábhair iontu freisin.[2] Tá difríochtaí áirithe le tabhairt faoi deara idir an litríocht laochais sna teangacha éagsúla. Ní ionann foirm ná stíl dóibh i gcónaí, cuir i gcás, ach ar an iomlán, is féidir a rá go mbíonn an t-ábhar céanna iontu uile agus an dearcadh céanna mar bhunús leo.

De ghnáth léiríonn an litríocht laochais in aon teanga saol cine nó pobail nach bhfuil caighdeán ard sibhialtachta sroichte fós aige. Sa phobal seo is ón aicme mhíleata a shíolraíonn na laochra, agus is daoine iad a bhfuil glactha acu leis an tsaighdiúracht mar ghairm bheatha. Tugann siad seirbhís d'aon fhlaith amháin a bhíonn mar ardtiarna orthu, cé nach mbíonn mar cheangal idir iad agus an flaith sin ach a dtairise agus a ndílseacht dósan.

Taobh amuigh de na laochra, ní thugtar gradam sa phobal ach d'aicme amháin eile, an lucht fáistine, aicme a meastar cumhacht éigin osnádúrtha a bheith acu. Áirítear fáithe na nGiúdach, brahmanaigh na nIndiach agus *druides* nó *vātes* na gCeilteach ar an Mór-roinn san aicme sin. Is iad lucht na haicme seo, mar aon leis an aos oirfide i mbruíonta na n-uaisle, idir scéalaithe agus ceoltóirí, a chuireann litríocht an chine ar fáil. Uaireanta is féidir saothar an

[1] H. M. Chadwick, *The Heroic Age* (Cambridge 1926); H. M. and N. K. Chadwick, *The Growth of Literature* i, ii, iii (Cambridge 1932, 1936, 1940).

[2] N. K. Chadwick, 'Scéla Mucce Meic Dathó', *Scottish Gaelic Studies* viii (Nollaig 1958) 130.

lucht faistine agus an lucht oirfide a aithint thar a chéile, uaireanta is deacair nó is dodhéanta idirdhealú a dhéanamh eatarthu.

Mar a bheifí ag súil leis, is iad caighdeáin agus dearcadh na haicme míleata a léirítear sna scéalta. Tugtar tosaíocht do na laochra féin, agus cuirtear os ár gcomhair iad faoi chruth ídéalaithe. Ach bíodh go mbíonn lámh ag an gcinniúint i gcúrsaí a saoil, go bunúsach is daoine nádúrtha iad a mbraitheann toradh a ngníomhartha, ní ar thaisme, ná ar dhraíocht, ach ar a meon agus ar a dtréithe féin.[3] Aithnítear trí phríomhthréith sa laoch, mar atá, calmacht ar pháirc an chatha, dílseacht gan staonadh agus an cumas chun a ghealltanas a chomhlíonadh. Ní áirítear gur locht air a bheith maíteach bladhmannach, má sacmhainn dó beart a dhéanamh dá réir. Go hiondúil is duine meánaosta an flaith féin sna scéalta. I measc a lucht leanúna bíonn seanfhear a bhfuil ainm na críonnachta agus na heagna air agus macaomh a sháraíonn gach uile dhuine eile ar chrógacht agus ar ghaisce.

I gcuid de na teangacha is féidir idirdhealú a dhéanamh idir an litríocht laochais atá fíorársa agus an chuid sin a múnlaíodh le himeacht aimsire. Sa chineál ársa bíonn meascán de ghnéithe laochta agus neamhlaochta; bíonn nithe a bhaineann le cúrsaí an phobail i gcoitinne; ní den aicme mhíleata an laoch i gcónaí, agus is ar a ghníomhartha agus ní ar a phearsantacht ná a thréithe is mó a bhíonn trácht. Ní thugtar aird ar na mná sna scéalta ársa. Do réir mar bhí an cineál seo ceapadóireachta ag fás, ámh, tháinig athruithe áirithe ar an bhfoirm bhunaidh. Is lú aird a thugtaí as sin amach ar chúrsaí an phobail i gcoitinne; ba ó aicme na n-uaisle a shíolraigh an laoch i gcónaí agus ba ina thréithe agus ní ina ghníomhartha ba mhó a chuirtí suim. Tháinig na mná chun tosaigh agus ba thábhachtach an t-ionad a bhíodh acu i bhforbairt an scéil.[4]

Tá téamaí áirithe ann atá an-choitianta i litríocht laochais na dteangacha éagsúla. Ní gá ach cuid díobh a lua anseo, mar shampla, an dúil i gcomhrac aonair, an dúil i bhfoghail agus i gcreach (dúil a thuigtear nuair a chuimhnítear go mb'éigean don fhlaith a chuid laochra agus a lucht leanúna siúd a chothú) agus an dúil nár mheasartha i gceiliúradh agus i bhféasta. Maidir le scéalta na nGael, is éachtach an méid a itear agus a óltar iontu.[5]

[3] G. Murphy, *Saga and Myth in Ancient Ireland* (BÁC 1955) 26 *et seq.*

[4] *The Growth of Literature* iii, 748.

[5] *The Growth of Literature* i, 85-6, 91-2, 73. In *Early Irish History and Mythology*, 122 tá tagairt ag Ó Rathile don raidhse bia agus dí a chaitear sna seanscéalta.

Faoi mar atá i nGréigis agus i dteangacha eile, tá litríocht laochais i nGaeilge a léiríonn ré ar leith i stair na tíre. Ní féidir dáta cruinn a chur leis an ré sin in Éirinn ná a rá go dearfa cén fad a bhí inti. Ach dhealródh sé ón bhfianaise atá againn gur mhair sí tamall fada, níos sia b'fhéidir ná in aon cheann de na tíortha eile.[6]

Scéalta Laochais na Gaeilge

I measc na scéalta laochais i nGaeilge is í an tsraith is líonmhaire agus is tábhachtaí ná an mhóreipic Ultach *Táin Bó Cuailnge* agus na scéala iomadúla atá ag gabháil léi. Níl na scoláirí ar aon intinn faoin am inar mhair na laochra sna scéalta seo. Do réir traidisiúin ba sa chéad aois roimh Chríost a mhair siad. Ceapann scoláirí áirithe go bhfuil léiriú le fáil sna scéalta seo ar shaol shliocht Cheilteach La Tène a tháinig chun na tíre seo ón nGaill, go díreach ón tír sin nó tríd an mBreatain. Má ghlacaimid leis an tuairim sin, is féidir a shamhlú go raibh an traidisiún á mhúnlú am éigin sa tréimhse idir an dara haois roimh Chríost agus an ceathrú haois A.D. Má chuirimid san áireamh freisin go mb'fhéidir gur breacadh *Táin Bó Cuailnge* síos i scríbhinn chomh luath le lár an 7ú haois A.D. (Féach Thurneysen, ZCP, XIX, 193 *et seq.*), níl sé míréasúnach a chreidiúint gur sa 4ú haois, nó roimhe sin b'fhéidir, a chéadchumadh an scéal. Ní ionann sin agus a rá, áfach, gur pearsana stairiúla iad na carachtair sa scéal. Le fírinne, is é an tuairim is coitianta ina dtaobh ná nach bhfuil bunús stairiúil ar bith leo[7] agus nach bhfuil sna himeachtaí a tharlaíonn sa Táin ach finscéalta. Ar an láimh eile ní miste a chreidiúint go bhfuil cuma na fírinne ar an gcineál saoil a chuirtear os ár gcomhair sa scéal. Ní miste a chreidiúint, ach oiread, go raibh naimhdeas ann tráth idir na hUltaigh agus an chuid eile de mhuintir na hÉireann. Maidir le Cú Chulainn, Meadhbh agus Fearghas agus cuid de na carachtair eile sa scéal, is ró-dhócha gur déithe a bhí iontu tráth, go ndearnadh daoine daonna díobh le himeacht na págánachta agus, uime sin, gur leis an ré mhiotaseolaíoch a bhaineann siad.[8] Cibé ré lena mbaineann siad, ba ré bharbartha í, chomh barbartha le ré sheanscéalta na

[6] *The Growth of Literature* i, 15.

[7] Tá luí ag scoláirí an lae inniu leis an tuairim gurb é Niall Naoi nGiallach an chéad duine i seantraidisiún na nGael a bhfuil bunús stairiúil leis. Tá léiriú ar cheann amháin de na tuairimí is déanaí faoin gceist seo le fáil ag K. H. Jackson, *The Oldest Irish Tradition: A Window on the Iron Age* (Cambridge 1964) 44, 52-5 *et passim.*

[8] Ó Rathile, *Early Irish History and Mythology*, *passim.*

nGréigeach sa dara míle bliain roimh Chríost, tráth a bhféadfadh ceann-urra gradamach mar Aichill corp nocht Earcail a tharraingt mórthimpeall na Traí go sultmhar buach, agus athair Earcail ag breathnú air; tráth inar bhéas do na laochra bheith ag cómhaíomh agus ag maslú a chéile go bladhmannach sula gcuiridís tús le comhrac.[9]

Tá blas na barbarthachta ar bhladhmann seo an Ultaigh, Conall Cearnach: ' Tongu na-tongat mo thuath, ó ro-gabas gaí im laím nad-raba cen guin duine de C(h)onnachtaib cach óen laithi ocus orcain fri daigid cech n-óenaidchi, ocus niro-c(h)otlus riam cen c (h) enn Connachtaig fom glúin.[10] [Mionnaím an rud a mhionnaíonn mo thuath, ó ghabhas ga i mo láimh nár theip orm duine de na Connachtaigh a ghoin gach aon lá agus orgain trí thóiteán (a dhéanamh) gach aon oíche; agus níor chodail mé riamh gan cheann Chonnachtaigh faoi mo ghlúin.] Tá an chaint mhaíteach sin le fáil i *Scéla Mucce Meic Dathó* atá ar cheann de na scéalta laochais is fearr agus is ársa téama dá bhfuil ar marthain sa Ghaeilge. Tharla, do réir an scéil seo, go raibh cú iomráiteach ag Mac Da Thó, rí Laighean, agus gur tháinig teachtairí faoi seach ó Chonchubhar mac Neasa i gCúige Uladh agus ó Aileall agus Meadhbh i gConnachta á iarraidh air an chú a thabhairt dóibh. Níor theastaigh ó Mhac Da Thó an chú a thabhairt uaidh agus, ar chomhairle a mhná, thug sé cuireadh chun fleá do na hUltaigh agus do na Connachtaigh araon le súil go n-éireodh mioscais eatarthu agus iad ag iarraidh a shocrú cé gheobhadh an chú. Mharaigh sé muc shainiúil mar príomhábhar béile do na haíonna, agus tá cuntas sa scéal ar an iomarbhá a tharla idir na hUltaigh agus na Connachtaigh le linn na fleá agus ar an gcoimheascar fuilteach a lean an iomarbhá sin.

Is é tuairim na n-eolaithe gur timpeall na bliana 800 A.D. a cuireadh an scéal seo le chéile san fhoirm atá ar eolas againn inniu, ach is follas go bhfuil gnéithe fíorársa ann, mar shampla, an mhír is fearr den fheoil á bronnadh ar an ngaiscíoch ab fhíochmhaire i gcomhlann, an iomarbhá mhaíteach a lean an bronnadh sin agus

[9] G. Ó Murchadha, ' St. Patrick and the Civilising of Ireland ', *Irish Ecclesiastical Record* (March 1953).

[10] R. Thurneysen, *Scéla Mucce Meic Dathó* (BÁC 1935) 15-16. Féach freisin *Scottish Gaelic Studies* viii (Nollaig 1958) 130 *et seq.*; *Early Irish History* . . ., 485 agus 120-23 agus M. Dillon (eag.), *Irish Sagas* (BÁC 1959) 79 *et seq.*

an chríoch a cuireadh leis an argóint nuair a chaith Conall Cearnach isteach i measc na cuideachta ceann duine de na Connachtaigh díreach tar éis é a bhaint den chorp.

'Is fir', ol Cet, 'at ferr do lāēch indó-sa. Mad Anluan no-beth is'taig, do bērad comram ar araile duit. Is ainim dún nad-fil is'taig. 'Atá im*murgu*', ol Conall, oc tabairt chinn Anlūain as a chriss; ocus do-lēici do Chet dara bruinni co. rrōemid a loim fola fora beolu.[11] ['Is fíor', arsa Ceat (duine de laochra Chonnacht), gur fearr de ghaiscíoch mise ná tusa. Dá mba é Anluan a bhí sa teach bhéarfadh sé iomarbhá do dhiongbhála dhuit. Is aineamh (.i. míbhuntáiste) dúinn nach bhfuil sé sa teach'. 'Tá sé, ar ndó', arsa Conall, ag tógáil ceann Anluain as a chrios; agus chaith sé chuig Ceat thar a bhruinn é ionas gur bhrúcht loim fola ar a bheola.] Sin freagra a bhfuil séala na barbarachta air, freagra a bhféadfadh Aichill agus a chomhlaochra é a thuiscint agus aithris a dhéanamh air go héasca.

Scéal iomráiteach eile is ea *Fled Bricrend*[12] (Fleadh Bhricriu). Duine nimhtheangach a bhí i mBricriu, agus mórdhúil aige i gcothú mioscaise agus achrainn. Thóg sé bruíon mhór thaibhseach oll-mhaisithe agus thug cuireadh do laochra Uladh teacht chun fleá inti. D'fhonn mioscais a chothú eatarthu gheall sé roimh ré do thriúr de na laochra faoi seach, Cú Chulainn, Conall Cearnach agus Laoghaire Buadhach, gur dó a thabharfaí an mhír ab fhearr (an churadhmhír) le linn na fleá. Níor leor leis an méid sin, ach d'fhéach sé le hachrann a chur ar siúl i measc na mban freisin, agus is ón iarracht seo a d'fhás an chuid sin den scéal ar a dtugtar *Briatharchath na mBan*. Tháinig oíche na fleá, bhí na laochra go léir i láthair, agus d'éirigh an t-achrann idir an triúr faoin gcuradhmhír, díreach mar a bhí beartaithe ag Bricriu. Ach níor réitíodh an cheist an oíche sin, agus cinneadh ar í a chur faoi bhráid Chon Roí mhic Dháire i ndeisceart na Mumhan agus faoi bhráid Ailealla agus Mheidhbhe i gCruachain. Ach theip orthu go léir teacht ar réiteach a shásódh an triúr faoi bhronnadh na curadhmhíre, agus d'fhill na hUltaigh abhaile. Tamall ina dhiaidh sin bhí na laochra uile, ach amháin an triúr, bailithe i mbruíon an rí ag Eamhain Mhacha agus iad tuirseach traochta tar éis aonaigh agus cluichí.

[11] Thurneysen, *op. cit.*, 16.

[12] E. Windisch, *Irische Texte* i (1880). Tá leagan NuaGhaeilge ag Cormac Ó Cadhlaigh, *An Rúraíocht* (BÁC 1956) 173 *et seq.* agus ag an Athair Peadar Ó Laoghaire faoin teideal *Bricriu* (BÁC 1915). Féach freisin *Irish Sagas* (BÁC 1959) 66 *et seq.*

Bátar iomorro formna lath n-gaile fer n-Ulad ol chena. Amal ro-bátar and tráth nóna deód lái, co n-accatar bachlach mór forgrainne chucu isa tech. Indar leó, ní rabi la Ultu láth gaile rosassad leth méite fair. Bá úathmhar ocus bá granni a innas in bachlaig. Senchodal fría chnes ocus brat dub lachtna imbi, ocus dos bili mór fair, méit gamlias hi tallat *trichait* n-gamna. Súilí cichurda budi inna cind, méit chore rodaim cechtar de na dá sula sin fria chend anechtair. Remithir dóit láma neich aile cach mér día méraib. Cepp ina láim chlí irraibe ere fichet cuinge do damaib. Biáil ina láim deis i n-deochtár trí *ceocait* bruthdamna, búi feidm chuinge sesrige ina samthaig, no thesabad finna fri gaíth ar altnideacht.[13]

I ndeireadh an tráthnóna thiar, do chonaiceadar chucu isteach an bachlach mór forghránna. Ní raibh, dar leo, ag Ultaigh laoch gaile do shroichfeadh leath a mhéid. Dob uafar gránna an dealramh a bhí air, agus seanléine lena chneas is brat dubh lachtna uime, agus dos bile mór air chomh mór le lios geimhridh ina dtoillfeadh tríocha gamhain. Bolgshúile cíocracha buí ina cheann agus gach súil acu chomh mór leis an gcoire a mbruithfí damh mór ann. Gach méar dá mhéireanna chomh ramhar le dóid láimhe duine eile. Ceap ina láimh chlé a raibh ualach fiche cuingí de dhaimh. Biail ina láimh dheis ina ndeachadar trí caogaid bruthdhamhna. Bhí feidhm chuinge seisrí ina sáfaigh. Bhí sí chomh géar sin, do theascfadh sí fionna in aghaidh ghaoithe.[14]

Bhagair an bachlach comhrac aonair ar an laoch a raibh curadhmhír na nUltach dlite dó, agus b'éigean do Laoghaire Buadhach, do Chonall Cearnach agus do Chú Chulainn, toiliú le troid ina choinne mar nach raibh sé socair go cinnte fós cé acu den triúr a raibh an mhír tuillte aige. I ndeireadh na dála ba é Cú Chulainn a rug bua ar an mbachlach, agus is aige a fágadh curadhmhír na nUltach gan freasúra as sin amach.

Baineann *Fled Bricrend* agus *Scéla Mucce Meic Dathó* (an ceann deireanach díobh go speisialta) leis an tsraith scéalta a léiríonn an naimhdeas idir na hUltaigh agus na Connachtaigh, an naimhdeas sin atá mar bhunchloch ag an mórscéal *Táin Bó Cuailnge*.[15] Is iad na hUltaigh an príomhchine sna scéalta, cé go raibh gach gradam agus tosaíocht mar chine caillte acu i bhfad sula léiríonn an stair

[13] G. Henderson, *Fled Bricrend* (London 1898) 116.

[14] *An Rúraíocht*, 191.

[15] E. Windisch, *Die altirische Heldensage Táin Bó Cúailnge* (Leipzig 1905); J. Strachan, J. G. O'Keeffe, *The Táin Bó Cúailnge from the Yellow book of Lecan* (Supplement to *Ériu* i-iii, vi (1904-1912); *An Rúraíocht*, 298-368. Bhunaigh an tAthair Peadar Ó Laoghaire dráma ar ábhar na Tána (BÁC 1915).

cúrsaí na tíre dúinn, agus i bhfad sular ghabh na scéalta féin an fhoirm atá ar eolas againn inniu. Bhí a lán de na gnáis a chleachtaí sna scéalta imithe i léig roimh aimsir na staire, i dtreo nach féidir teacht ar a macasamhla gan dul siar go dtí na tuairiscí a scríobh na húdair chlasaiceacha faoi Cheiltigh na Mór-roinne. Samplaí de na gnáis sin is ea ceann duine a bhaint de mar chreach chogaidh, an troid i gcarbaid chatha, an cuireadh chun comhraic aonair, an maíomh bladhmannach agus bronnadh na curadhmhíre. Bhí na gnáis sin faoi réim i measc na nGailleach ar an Mór-roinn roimh thosach ré na Críostaíochta.[16]

Ag scríobh dó timpeall caoga bliain roimh bhreith Chríost, thug an staraí Diodorus Siculus an cuntas seo a leanas ar fhleánna na nGailleach:

> Nuair a bhíonn béile á chaitheamh acu . . . bíonn tinteáin acu a mbíonn tinte móra orthu agus coirí agus bioranna luchtaithe le spólaí móra feola. Mar chomhartha ómóis d'fhir chéimiúla tugann siad na míreanna is fearr den fheoil dóibh. . . . Agus le linn dóibh bheith ag caitheamh bia is minic a tharlaíonn iomarbhá idir cuid den chomhluadar, agus tugann siad cuireadh dá chéile chun comhraic aonair—is neamhní leo an bás. . . . Nuair a bhíonn aon duine sásta glacadh leis an gcuireadh cromann siad ar ghaisce a sinsear a mhóradh agus ar mhaíomh as a gcrógacht féin; agus san am céanna caitheann siad drochmheas ar a gcéile comhraic agus déanann fonóid faoi, ag iarraidh, de bharr a n-aithise, a bhfuil de mhisneach ina chroí a bhaint de.[17]

Thart faoin am céanna, bhí an méid seo a leanas le rá ag Posidonius (*c.* 135-*c.* 51 roimh aimsir Chríost) sa 23ú leabhar dá Startha: ' Uaireanta le linn fleánna cleachtann na Ceiltigh an comhrac aonair. Ag brú i gcoinne a chéile tugann siad fogha faoina chéile ag ligean orthu gur ag cogaíocht atá siad, agus ar uaire téann an bhréag-choimhlint chomh fada sin go ngoineann siad a chéile. Ansin, agus iad lasta le feirg, níor leasc leo leanúint den troid nó go marófaí duine éigin mura scarfadh an lucht féachana

[16] G. Dottin, *Manuel pour servir à l'étude de l'Antiquité Celtique* (Paris 1915) 262, 270, 275. Tá cur síos ar staid na comhdhaonnachta i gcoitinne ag Windisch ina eagrán siúd den *Táin* agus ag W. Ridgeway, ' The Date of the First Shaping of the Cuchulainn Saga ', *Proceedings of the British Academy* ii (1905) 135-68. Tá cnuasach de sheanchuntais ar na Gailligh le fáil i *Recueil des Historiens des Gaules et de la France* i (Paris 1869), in eagar ag Dom Martin Bouquet. Féach freisin E. Hull, ' Observations of Classical Writers on the Habits of The Celtic Nations, as illustrated from Irish Records ', *The Celtic Review* iii (1907) 62-76, 138-54.

[17] Diodorus Siculus, V. xxviii, 4-6.

óna chéile iad'.[18] Ag trácht dó ar a dtarlaíodh in aoiseanna roimhe sin, deir Posidonius nuair a chuirtí na spólaí feola os comhair na n-aíonna gur ghnáth don fhear ba chalma an cheathrú a ghlacadh. Ansin, dá gcuirfeadh aon daoine eile sa chuideachta in aghaidh a éilimh, d'éirídís agus shocraídís an cheist trí chomhrac aonair go bás.

Nuair a léimid an cuntas i *Scéla Mucce Meic Dathó* faoi Chonall Cearnach ag caitheamh ceann Anluain chuig Ceat cuirtear i gcuimhne dúinn sliocht eile as saothar Posidonius: 'Le cois a ndíomais tá nós brúidiúil díchéillí acu (i.e. ag na Ceiltigh) nós atá coitianta i measc a lán de chiníocha an tuaiscirt. Crochann siad cinn a naimhde as muinéal a n-each ag filleadh abhaile dóibh ón gcath agus, nuair a shroicheann siad an baile, tairneálaid iad (i.e. na cinn) os comhair a ndoirse mar thaispeántas'.[19]

Maidir leis an gcineál saoil agus sibhialtachta a léirítear sna scéalta, is é tuairim scoláirí áirithe gur mhair sé gan mórán athraithe anuas go dtí an 6ú haois A.D. Mar thaca leis an tuairim sin luaitear an scéal faoi chath Dhún Bolg sa bhliain 594 A.D.[20] Is beag rian de shéimhe na sibhialtachta ná d'anáil na Críostaíochta atá le sonrú ar imeachtaí an chatha sin ná ar iompar na ríthe a bhí páirteach ann, iad garbh, cruálach, maslach, chomh fuilteach i ngníomh agus chomh neamhshrianta i ndearcadh le Ceat agus Conall agus a gcomhlaochra i *Scéla Mucce Meic Dathó*.[21]

An tSraith Ultach

Nuair a thráchtar ar na scéalta Ultacha[22] is gá cuimhneamh nach é Cúige Uladh mar is eol dúinn anois é atá i gceist, ach limistéar cúng sa chuid thoir thuaidh den tír anuas go dtí an dúiche thart faoi Dhún Dealgan.[23] Is é Conchubhar mac Neasa a bhí ina rí ar an limistéar seo nuair a tharla na himeachtaí a ríomhtar sna príomhscéalta, agus is in Eamhain Mhacha a bhí a áras ríoga.

[18] W. Dinan, *Monumenta Historica-Celtica* i (London 1911) 332-3; *Irish Sagas*, 78.

[19] *ibid.*, 346-7.

[20] J. O'Donovan, *Annála Ríoghachta Éireann* i (BÁC 1848-51) 218, ad. ann. 594, nóta h; W. M. Hennessy, *Annals of Ulster* i (BÁC 1887) 76, ad ann. 597; *Yellow Book of Lecan*, fcs. 207b37; C. Plummer, *Lives of the Irish Saints* ii (Oxford 1922) 223 §§ 139-41 = *Vitae Sanctorum Hiberniae* ii (Oxford 1910) 161 § lv; A. Maniet, 'Cath Belaig Duin Bolc', *Éigse* vii, 95-111.

[21] 'St. Patrick and the Civilising of Ireland', *Irish Ecclesiastical Record* (March 1953) 195.

[22] Tá leagan NuaGhaeilge dá lán de na scéalta sa tsraith seo le fáil in C. Ó Cadhlaigh, *An Rúraíocht* (BÁC 1956).

[23] Féach a bhfuil le rá ag Ó Rathile faoin gCúige agus faoin gcine, *Early Irish History* . . ., 7, 341, 346 *et seq.*, 485, 528. Féach freisin E. Hull, *A Textbook of Irish Literature* i (BÁC 1906) 24-5.

D'imir Conchubhar feall ar thriúr mac Uisnigh[24] agus ba é an feall sin ba chúis le bás Dheirdre. De bharr an fhill seo, freisin, thréig cuid dá lucht leanúna féin é, agus ghabh siad lena naimhde Aileall agus Meadhbh, rí agus banríon Chonnacht. Ghlac siad páirt i gcoinne Chonchubhair agus na nUltach san ionsaí ar a dtugtar ' Táin Bó Cuailnge '.

Ba é siocair an ionsaithe seo ná comhrá ' cinnchearchaille '[25] a tharla oíche amháin idir Aileall agus Meadhbh. Tar éis dóibh a ríleaba a chóiriú i gCruachain chrom an bheirt acu ar labhairt faoin ionmhas agus faoin maoin a bhí acu. Ba chothrom, comhionann an méid a bhí acu araon, ach go raibh tarbh sainiúil, Finnbheannach a ainm, ag Aileall, nach raibh a shamhail ag Meadhbh. Ba chúis mhór mhíshásaimh do Mheadhbh é sin, go mór mór ó ba lao bó dá cuid féin Finnbheannach. Tharla, ámh, nár mhaith leis an mbeithíoch bheith faoi smacht mná, agus d'imigh sé leis ar measc bhó an rí. Nuair a cuireadh in iúl do Mheadhbh go raibh tarbh a bhí inchurtha le Finnbheannach ag fear darbh ainm Dáire mac Fachtna i dtríocha céad Chuailnge i gCúige Uladh, chuir sí teachtaí chuige á iarraidh air an tarbh sin, Donn Cuailnge, a thabhairt ar iasacht di ar feadh bliana. Dhiúltaigh Mac Fachtna an tarbh a thabhairt uaidh, agus chinn Meadhbh ar an gcúige a ionsaí agus an tarbh a thógáil de láimh láidir.

Nuair a thosaigh an t-ionsaí bhí na hUltaigh uile, ach amháin an macaomh Cú Chulainn, sínte go faon de bhrí go raibh an galar ar a dtugtaí ' ceas naíon '[26] ag goilleadh orthu. Ar feadh tamaill fhada b'éigean do Chú Chulainn troid ina aonar i gcoinne na gConnachtach agus an cúige a chosaint orthu. I ndeireadh na dála tháinig feabhas ar fhir Uladh agus d'éirigh leo an bua a fháil ar na Connachtaigh agus iad a ruaigeadh. Maidir leis an dá tharbh ba chúis leis an gcoimheascar go léir, is amhlaidh a mharaigh siad a chéile.[27]

[24] Is cosúil gur Uisliu, g. Uisleann, foirm bhunúsach an ainm. Ní fios conas a d'fhás an fhoirm Uisneach, g. Uisnigh. Féach V. Hull, *Longes Mac n-Uislenn* (New York, London 1949) 4 *et seq.* Féach freisin *Irish Sagas,* 51 *et seq.*

[25] *An Rúraíocht,* 292 *et seq.*

[26] T. Ó Broin, ' What is the " Debility " of the Ulstermen ', *Éigse* x, 286 *et seq.*; ' The Word *cess* ', *Éigse,* xii, 109 *et seq.*; ' The Word *noínden* ', *Éigse* xiii, 165; V. Hull, ' Noínden Ulad: The Debility of the Ultonians ', *Celtica* viii, 1 *et seq.*

[27] *An Rúraíocht,* 367 *et seq.*; *Irish Sagas,* 94 *et seq.* Féach freisin M. Dillon, *Early Irish Literature* (Chicago 1948) mar a bhfuil cuntas ar an tSraith Ultach mar aon le achoimre ar chuid de na scéalta.

Sin lomchoimriú ar an scéal is iomráití i litríocht na hÉireann, ach níl ann ach scéal amháin i sraith de scéalta tábhachtacha mar gheall ar Chonchubhar mac Neasa agus Cú Chulainn, Conall Cearnach agus Laoghaire Buadhach, Bricriu agus Fearghas mac Róigh, Aileall agus Meadhbh agus a n-iníon siúd, Fionnabhair, agus a lán daoine eile nárbh iad. Tá cnuasach ann de scéalta a thráchtann ar rudaí a tharla sular thosaigh Táin Bó Cuailnge. *Réamhscéalta* a thugtar orthu sin, agus tá liostaí díobh le fáil i gcuid de na seanlámhscríbhinní e.g. Leabhar Laighean a scríobhadh sa 12ú haois agus RIA D 4.2, a scríobhadh timpeall 1300. (Is gá a rá nach go rómhaith a réitíonn na liostaí seo le chéile.) Má ghlacaimid leis gur ' réamhscéal ' aon scéal a chuireann síos ar nithe a tharla roimh an Táin, bheadh an dá scéal atá luaite cheana againn, *Fled Bricrend* agus *Scéla Mucce Meic Dathó* le cur san áireamh. (Níl aon tagairt do Chú Chulainn sa scéal deireanach sin.) Mar aon leo sin tá na scéalta a chuireann síos ar bhreith Chú Chulainn (*Compert Con Culainn*) agus Chonchubhair (*Compert Conchobair*), na scéalta a léiríonn conas a d'fhás an naimhdeas idir Fearghas agus Conchubhar (*Longes mac nUislenn, Fochonn Loingse Fergusa mac Roig*) agus na cuntais ar Thána eile, (*Táin Bó Dartada, Táin Bó Regamna, Táin Bó Fliadais*). Tá cuntais freisin ar an mbealach inar athaimsíodh an scéal *Táin Bó Cuailnge* tar éis é a bheith caillte ar feadh na gcianta. (*Faillsigud Tána Bó Cuailnge* agus *Imtheacht na Tromdáime*, a mbeimid ag trácht air níos déanaí.) Mar a bheifí ag súil leis, tá roinnt mhaith scéalta ann faoi nithe a tharla i ndiaidh na Tána.[28] Ina measc siúd tá na cuntais ar bhás cuid de na laochra, mar shampla *Aided Con Roi*, *Aided Conchobuir*, agus tá cuntas ar bhás Chú Chulainn sa dá scéal *Aided Con Culainn* agus *Brislech Mór Maige Muirthemne*. Le cur san áireamh freisin bheadh scéalta ar nós *Cath Ruis na Ríg*, *Mesca Uladh*, *Togail Bruidne Da Choca* agus *Siaburcharpat Con Culainn*.

Ós rud é go raibh scéalta faoi chúrsaí suirí coitianta sa tseanlitríocht, ní ionadh go bhfuil cuntas le fáil ar an mbealach ina bhfuair Cú Chulainn a bhean (*Tochmarc Emire*). Tá sé seo ar cheann den dá thochmarc is iomráití i litríocht na Gaeilge. (Is é *Tochmarc Étaíne* an dara ceann, ach is leis an ré mhiotaseolaíoch a bhaineann sé sin.) Dá shuntasaí *Tochmarc Emire*, ámh, is suntasaí fós an scéal a insíonn conas a tharla go raibh Cú Chulainn freagrach as marú a aonmhic (*Aided Oenfhir Aoife*).

[28] E. Hull, *op. cit.* i, 61 *et seq.*, 65 *et seq.*

Maidir leis na himeachtaí in *Táin Bó Cuailnge* féin, is i gcampa Aileallа agus Mheidhbhe a tharlaíonn siad, nó sna háiteanna éagsúla ina dteagmhaíonn Cú Chulainn lena chéilí comhraic. Sna scéalta eile, is i mbruíon Chonchubhair nó i mbruíon Aileallа agus Mheidhbhe nó in áras cónaithe Chú Chulainn is mó a thiteann siad amach. Uaireanta is é suíomh an scéil ná áras cónaithe duine de na huaisle nuair a thagann an rí chuige ar chuireadh, nó nuair a bhíonn sé ar timchuairt. Sna scéalta déanacha is i mbruíon an rí féin nó ar pháirc an chatha a tharlaíonn na himeachtaí. Fágann sin gur beag léargas a thugtar dúinn ar ghnáthshaol na ndaoine ná ar ghnáthchúrsaí an lae.

Do réir an phictiúir a chuirtear os ár gcomhair sna scéalta bhí an saol i mbruíonta ríthe na hÉireann lán de shearmanais agus de dheasghnátha, agus bhí cuid de na deasghnátha sin barbarach go leor. Ní hiad na searmanais féin, ámh, is mó a léirítear, ach na tubaistí a tharlaíonn nuair a thiteann na searmanais sin ar lár.[29] Dhealródh sé nach annamh a tharla a leithéid, agus cá hionadh sin, mar is ar chomhdhaonnacht óg atáthar ag trácht, comhdhaonnacht atá lán de bheocht agus de bhrí na hóige. Is furasta a thuiscint, mar sin, claonadh a bheith sna laochra, dá uaisle iad, a ndínit a ligean uathu agus páirt a ghlacadh i rancás ar ócáidí nuair ba chuí an stuaim agus an discréid. Claonadh nádúrtha ba ea é sin, óir ba iad príomhchuspóirí na comhdhaonnachta coimhlint agus cogadh agus ba sna cúrsaí sin ba mhó a chuirtí suim. Is furasta a thuiscint freisin go mbeadh ionad tábhachtach sna scéalta ag eachra na laochra agus ag a ngléasanna troda, gléasanna mar *gaí bulga* Chú Chulainn agus *caladbolg* Fhearghais.[30]

Is cosúil gur bhreá leis na scéalaithe trácht ar chuma agus ar fheisteas na laochra agus na n-uaisle, idir fhir agus mhná, mar is iomaí cur síos den chineál sin atá le fáil sna seanscéalta. Is é an cur síos is cáiliúla orthu go léir, b'fhéidir, an ceann ar Éadaoin (Étaín) atá i dtosach *Togail Bruidne Da Derga*.[31] Go hiondúil is féidir a rá

[29] *The Growth of Literature* i, 70.

[30] *ibid.* 73. Féach freisin *Early Irish History . . ., Gaí Bulga,* 58 *et seq.; in caladbolg,* 68 *et seq.*

[31] B'fhéidir nach cóir an scéal seo a áireamh anseo. Cé go ndéantar tagairt do chuid de laochra Uladh ann, is é tuairim scoláirí go bhfuil an scéal féin bunaithe ar traidisiúin Laighneacha. Féach E. Knott, *Togail Bruidne Da Derga* (BÁC 1936) x-xi. Féach freisin G. Murphy, *Saga and Myth in Ancient Ireland* (BÁC 1955) 57 *et seq.* agus *Irish Sagas,* 107 *et seq.*

nach bhfuil mórán úire sna cuntais seo. Tá cuma stílithe ar an gcuid is mó acu, agus is iad na tréithe agus na gnéithe céanna a ríomhtar iontu, ionas gur léir go mbíodh an scéalaí ag cloí le gnás liteartha in ionad bheith ag iarraidh fíorphictiúr cruinn de dhuine áirithe a chur os ár gcomhair.

Sraith na Ríthe

Chomh maith leis an tSraith Ultach, tá cnuasach eile de scéalta laochais ar a dtugtar an tSraith Stairiúil, nó, chun an teideal is coitianta inniu a úsáid, Sraith na Ríthe.[32] Scéalta iad seo a cumadh faoi ríthe ársa na hÉireann ó Labhraidh Loingseach, an rí bréag-stairiúil a mhair, do réir an traidisiúin sna croinicí, sa 3ú haois roimh Chríost, anuas go dtí Brian Bóramha, ardrí na hÉireann ó 1002 go 1014.[33] De ghnáth, áfach, áirítear an cuntas ar Chath Almhaine, a troideadh i dtosach an 8ú haois[34] ar an scéal deireanach a bhaineann ó cheart leis an tsraith seo, mar, cé go bhfuil roinnt bheag scéalta ann i dtaobh ríthe áirithe a mhair tar éis an dáta sin ní scéalta ar an sean-nós iad. Meastar go raibh dhá chúis leis an athrú seo a tháinig um thosach an 8ú haois, mar atá, go raibh na croiniceoirí ag éirí róchriticiúil chun scéalta ar an seandéanamh a chumadh faoi ríthe comhaimsireacha agus gur tháinig, do réir a chéile, le leathnú na Críostaíochta, athrú ar iompar na ríthe féin i dtreo nach raibh mianach a thuilleadh ina mbeatha do scéal laochais.[35]

[32] M. Dillon, *The Cycles of the Kings* (Oxford 1946); idem, *Early Irish Literature* (Chicago 1948); P. Mac Cana agus T. Ó Floinn, *Scéalaíocht na Ríthe* (BÁC 1956).

[33] Bíodh go bhfuil tagairt do Bhrian Bóramha i scéal amháin níl aon chnuasach scéalta cumtha faoi. Is é an scéal stairiúil is déanaí ná *Airecc Menman Uraird Mac Coise.* Cé go nglacann Domhnall mac Muircheartaigh (d'éag 980) páirt ann, ní bhaineann an scéal ó cheart le sraith na ríthe. Féach *The Cycles of the Kings*, 115, 117.

[34] Féach *The Cycles of the Kings*, 99-102 (Tá nóta faoi dháta an chatha ag bun leathanach 99); P. Walsh, 'The Dating of the Irish Annals', *Irish Historical Studies* ii, 355 *et seq.; Saga and Myth in Ancient Ireland*, 47.

[35] *Saga and Myth in Ancient Ireland*, 56-7. Ceapann an tOllamh Ó Murchadha gur sna scéalta Ultacha amháin atá fíorsprid an laochais le fáil. Baineann scéalta na ríthe, dar leis, le dar leis, le roinn eile scéalaíochta. *ibid.*, 47.

I measc na scéalta is iomráití sa tsraith seo tá *Orgain Denna Ríg,*[36] *Cath Maige Mucrama,*[37] *Esnada Tige Buchet,*[38] *Scél Bailí Binnbérlaig,*[39] *Aided Maele Fothartaigh maic Rónáin,*[40] agus *Buile Shuibhne.*[41]

Ní mór tagairt freisin do scéalta áirithe eile nach scéalta laochais iad, ach a bhaineann, ó thaobh dáta de, leis an linn seo.[42] Orthu siúd tá na scéalta faoi na naoimh anallód agus a gcuid míorúiltí agus fáistine, ar nós na scéalta atá le fáil i mBeatha Cholm Cille le hAdhamhnán[43] agus ar an taobh eile na cinn i dtaobh fáithe, lucht draíochta agus pearsana eile a gcuirtear cumhachtaí neamhchoitianta osnádúrtha síos dóibh, bíodh nach naoimh iad. Scéalta den saghas seo is ea an ceann faoi Nede agus Ferchertne[44] agus an ceann cáiliúil úd *Echtra Cormaic i Tír Tairngirí.*[45]

Dealbh na Seanscéalta Gaeilge

I nGréigis agus sna teangacha Tiútonacha ba í an eipic véarsaíochta an bhundeilbh liteartha sna scéalta laochais. Sa Ghaeilge, áfach, ba i bprós a chéadchumadh a bhformhór mór.[46] Ach cuireadh isteach sleachta véarsaíochta sa leagan próis nuair ba ghá mothuithe doimhne neamhchoitianta nó imeachtaí drámata a léiriú. Ba ghnáth culaith mheadarach a chur ar óráid nó ráiteas

[36] W. Stokes, ' Orgain Din Rig ', ZCP iii, 1 *et seq.*, 225.

[37] S. H. O'Grady, ' Cath Maige Mucrama ', *Silva Gadelica* 1-11 (1892); W. Stokes, ' The Battle of Mag Mucrima ', *Revue Celtique* (= RC) xiii (1892) 426 *et seq.*; M. Ó Dulainge ' Cath Mhuighe Macroimhe ', *Ir. na G.* xvii (1907), xviii (1908); *Irish Sagas,* 152 *et seq.*

[38] W. Stokes, ' Esnada Tige Buchet ', RC xxv (1904) 18 *et seq.*, 225 *et seq.;* ' Ceolta Tí Bhuichid ', *Scéalaíocht na Ríthe,* 49 *et seq.*

[39] K. Meyer, ' Scél Bailí Binnberlaig ', RC xiii, 220 *et seq.;* corrigenda, *ibid*· xvii, 319.

[40] K. Meyer, ' Fingal Rónáin ', RC xiii, 368 *et seq.; Scéalaíocht na Ríthe,* 79 *et seq.;* S. Ó Néill, *Iníon Rí Dhún Sobhairce* (dráma, BÁC 1960); *Irish Sagas,* 167 *et seq.*

[41] J. G. O'Keeffe, *Buile Suibhne* (London 1910); idem, *Buile Shuibhne* (BÁC 1932).

[42] *The Growth of Literature* i, 96 *et seq.*

[43] W. Reeves, *The Life of St. Columba . . . by Adamnan* (BÁC 1857); J. T. Fowler, *Adamnani Vita S. Columbae* (Oxford 1894).

[44] W. Stokes, *The Colloquy of the Two Sages* (Immaccallam in dá thuaradh) (Paris 1905). Athchló ó *Revue Celtique* xxvi, 4-64.

[45] Stokes, *Irish Texte* iii (Leipzig 1891) 183-229, 283; *Scéalaíocht na Ríthe,* 57 *et seq.*

[46] Dealródh sé gurb é *Imram Snédgusa ocus Maic Riagla* an t-aon sampla amháin atá ar fáil de scéal a chéadchumadh i véarsaíocht agus ar shíolraigh leagan próis ón mbunleagan meadarachta. Féach Thurneysen, *Zwei Versionen d. mittelirischen Legende von Snedgus u. M.R.* (Halle 1904). Corrigenda, ZCP v, 418; vi, 234; van Hamel, *Immrama* (BÁC 1941), 78; RC ix, 14; xxvi, 132. Bergin and Marstrander, *Miscellany presented to Kuno Meyer* (Halle 1912) 307.

a mbeadh fáistine nó fís nó marbhna nó machnamh ann. Tá na scéalta Gaeilge cosúil ar an gcuma seo le cuid de na seanscéalta sa Sanskrit. Ba é Windisch an chéad scoláire a thug an chosúlacht seo chun solais, agus tháinig sé ar an tuairim go bhfuil deilbh na scéalta Gaeilge bunaithe ar thraisidiún ársa Ind-Eorpach.[47] Is dóigh, ar a laghad, go ngabhann an deilbh siar go dtí seantraidisiún comh-Cheilteach.[48] Mar thaca leis an tuairim sin is féidir an tsraith ranna (*englynion*) atá le fáil i seanlámhscríbhinní Breatnacha a lua, go háirithe na cinn a thugann dúinn an comhrá idir Trystan agus Esyllt agus iad siúd atá ceangailte le hainmneacha Llywarch Hen agus Heledd. Séard atá sna *englynion* seo, dar le Sir Ivor Williams, ná sleachta véarsaíochta as seanscéalta próis, nach raibh iontu ach an t-iarmhar a bhí fágtha nuair a bhí an prós a shnaidhmigh le chéile iad caillte.[49] Ní miste a chreidiúint gur tharla an rud céanna in Éirinn. Níl ar marthain anois, cuir i gcás, den seanscéal *Comracc Líadaine ocus Cuirithir*[50] ach an fhilíocht agus beagán beag d'abairtí scaoilte i bprós.[51] Baineann sé le dealramh gur ghlac na Lochlannaigh an dealbh seo scéalaíochta ó na Gaeil agus go bhfuair muintir na hÍoslainne ó na Lochlannaigh ní ba dhéanaí é.

Go hiondúil is ar eachtraí nó, mar a thugamar le tuiscint cheana, ar na toscaí drámata a fhásann as na heachtraí sin, is mó a thráchtar i litríocht laochais na nGael. Is follas gur chun pléisiúr agus caitheamh aimsire a thabhairt a cumadh an chuid is mó di, ach tá roinnt bheag próis agus filíochta ann a bhfuil an teagasc mar phríomhchuspóir aige. Ní fios cé chum tromlach na litríochta seo, taobh amuigh de dhornán dréacht a chantaí ar ócáidí speisialta.

Tá na sleachta véarsaíochta sna scéalta laochais cumtha i meadarachtaí éagsúla a léiríonn na céimeanna i bhforás ealaín na meadarachta, ón gcineál ársa simplí, nach bhfuil d'ornáid ann ach an uaim, go dtí an cineál atá maisithe le huimhir áirithe siollaí sa líne agus le rím, agus a bhfuil an rann mar aonad ann. *Retoiric*[52] a

[47] Windisch, *Táin Bó Cúailnge*, xlviii-xlix; *Geschichte der Sanskritphilologie* ii (Strassburg, 1920-) 404.

[48] Féach M. Dillon (eag.), *Early Irish Society*, 28-9.

[49] *The Poems of Llywarch Hen* (Sir John Rhys Memorial Lecture, 1932); *Canu Llywarch Hen*, xxxvii *et seq.; Lectures on Early Welsh Poetry* (BÁC 1944) 35 *et seq.*

[50] K. Meyer, *Liadain and Cuirithir* (London 1902).

[51] Ní mór a mheabhrú go n-abrann an tOllamh Ní Maoilchróin gurb iad na dánta a chéadchumadh sa scéal ' Caithréim Cheallaigh ' agus nach bhfuil sa phrós ach gléas chun an scéal a choinneáil ar siúl ó dhán go chéile. K. Mulchrone, *Caithréim Cellaig* (BÁC 1933) xi. Tá leagan NuaGhaeilge den scéal seo le fáil i *Scéalaíocht na Ríthe*, 143 *et seq.*

[52] Thurneysen, *Scéla Mucce Meic Dathó*, 14.

thugtar ar an gcineál ársa, ón Laidin (*ars*) *rhetorica*. Ina leabhar *Early Irish Metrics* déanann an tOllamh Gearóid Ó Murchadha idirdhealú idir dhá chineál (1) Retoiric sa chiall teoranta, retoiric ina bhfuil éagsúlacht mhór i rithim na línte agus easpa ionannais i bpatrún na huaime (sampla de sin is ea an dán iomráiteach ó *Eachtra Chonli*) agus (2) retoiric ina bhfuil línte gearra tríd síos, an rithim chéanna, geall leis, iontu agus uaim rialta. Sampla maith den chineál sin is ea beannú Cheit do Chonall Cearnach i *Scéla Mucce Meic Dathó*:

Fo-chen Conall,	Fáilte roimh Chonall,
cride licce,	croí cloiche,
londbruth loga,	teas láidir tine,
luchair ega,	loinnir oighir,
guss flann ferge,	mothú láidir feirge,
fo chích curad	i gcléibh laoich,
créchtaig cathbúadaigh	chreachtaigh, chathbhuaigh,
At-chomas mac Findchoíme frim.	Beannacht uaimse do mhac Fhindchoím.

Ba í an tslat tomhais a bhí ag Thurneysen le haghaidh na retoirice ná doiléire stíleach a chleachtaí d'aon ghnó e.g. ráite ina mbíodh an file, dar leis an Ollamh Ó Murchadha, ag labhairt mar fháidh. Ní réitíonn na tuairimí seo go rómhaith leis an méid a bhí le rá ag an Ollamh Proinsias Mac Cana ina aiste ' On the use of the term Retoiric '.[53] Is é a thuairim siúd (1) nach bhfuil aon fhianaise ann a chruthódh gur tugadh ' retoiric ' ar aon fhoirm nó *genre* faoi leith i litríocht na Gaeilge roimh an 11ú haois; (2) an nod *R.* sna lámhscríbhinní ar glacadh go forleathan leis mar ghiorrú ar retoiric, gurb é a bhí ann go fírinneach ná giorrú ar an bhfocal rosc (*roscad*); (3) go ndealraíonn sé go mbaintí feidhm go teicniúil as an téarma ' retoiric ' chun cur síos ar (*a*) óráidí i véarsaí a raibh línte gearra gan rím iontu, (*b*) óráidí i véarsaí a raibh línte fada gan rím iontu agus (*c*) óráidí a raibh friotal doiléir mínádúrtha iontu. Tá sé míchruinn ' retoiric ' a thabhairt ar (*a*) agus (*b*) mar, go bunúsach, is ranna meadaracha iad agus ní retoiric iad ach sa chiall gur retoiric gach aitheasc i véarsaíocht. Maidir leis an doiléire a luaiter i (*c*) is cosúil, dar leis an Ollamh, go raibh dhá chineál ann, an doiléire réamhbheartaithe a chleachtadh an file ina cháilíocht mar fháidh agus an doiléire arbh é an truailliú sa téacs ba chúis léi. San aiste seo tá léirithe ag an Ollamh Mac Cana nach

[53] *Celtica* vii, 65 *et seq.*

bhfuil an téarma retoiric chomh hársa agus nach raibh ciall chomh leathan leis agus a cheaptaí go coitianta go nuige seo.

Ní féidir a rá go cinnte cad as a dtáinig an mheadaracht ársa shimplí seo. Ba dhóigh le scoláirí áirithe gur ó phrós rithimeach na Laidine a shíolraigh sí, ach bhí scoláirí eile ann nach raibh sásta aontú leis an tuairim sin. Ba é tuairim Thurneysen,[54] mar shampla, go mb'fhéidir gur ó ráite doiléire na seanfháithe a tháinig sí agus is cosúil go raibh an tOllamh Ó Murchadha ar aon intinn leis faoi sin.[55]

I gcás na meadarachtaí siollacha, áfach, ba dhóigh leis an mbeirt scoláire seo gur tháinig siad siúd i réim nuair a chrom na filí ar aithris a dhéanamh ar na meadarachtaí sna hiomainn Laidine. Níl an tOllamh Calvert Watkins sásta go bhfuil an ceart acu sa mhéid sin. In aiste leis a foilsíodh i 1963[56] dúirt seisean gur cinnte go bhfuil na meadarachtaí a d'úsáidtí sa tSeanGhaeilge níos ársa go mór ná sin. Mar thaca don tuairim sin scrúdaigh sé na seanmheadarachtaí a bhíodh in úsáid sa Ghréigis, sa Vedic agus sa Slavic, agus thaispeáin sé an chosúlacht atá idir iad sin agus seanmheadarachtaí na Gaeilge, cosúlacht a léireodh, dar leis, gur ó fhoinse coiteann, foinse IndEorpach, a tháinig siad go léir. Mar a deir sé féin:[57] ' We can now add Irish to the list of languages, Greek, Vedic and Slavic, which have preserved the metrical form of IndoEuropean poetry. Taken together with the cultural context of *filidecht* in ancient Ireland, we have yet another instance of the extraordinary archaism of the Irish tradition '. Is cóir a rá, áfach, nach n-aontódh na scoláirí go léir leis an Ollamh Watkins faoin bhfoinse ónar shíolraigh seanmheadarachtaí na Gaeilge. Tá tuairimí suimiúla léirithe ag an Ollamh Ó Ceithearnaigh (Carney) faoi na meadarachtaí sin in aiste leis.[58] Is fiú freisin aird a thabhairt ar thuairimí G. Turville-Petre in aiste[59] faoin teideal ' Poetry of the Scalds and of the Filid '.

Stair nó Finscéalaíocht ?

Léirítear na himeachtaí sna scéalta mar nithe a tharla san am a bhí thart, ach ní chuirtear in iúl cad é an méid aimsire a bhí imithe

[54] *Heldensage* (1921) 55.

[55] *op. cit.*, 7.

[56] ' Indo-European Metrics and Archaic Irish Verse ', *Celtica* vi, 194 *et seq.*

[57] *ibid.*, 249.

[58] *Ériu* xxii, 23 *et seq.*, go háirithe san Appendix, 53 *et seq.*

[59] *ibid.*, 1 *et seq.*

thart ó tharla siad. Is é is dóichí nach raibh aon choinne ag an lucht éisteachta le faisnéis chroineolaíoch den saghas sin. Cibé scéal é, caithfear a mheabhrú go raibh ionad bainte amach dóibh féin ag a lán de na laochra sna scéalta i nginealaigh na bpríomhtheanglach agus gur dócha gur mhinic baill de na teaghlaigh sin mar chuid den lucht éisteachta.

As sin tagann an cheist, cé mhéad den fhírinne stairiúil atá sna scéalta ? I gcás Sraith na Ríthe is é an tuairim is coitianta inniu go bhfuil a bheag nó a mhór de bhunús na staire leo. Mar shampla, is é an tOllamh Diolún an té a thug dúinn an tuairisc is iomláine go nuige seo ar an tsraith sin, agus is dóigh leis siúd, tar éis dó staidéar a dhéanamh ar na ginealaigh, na hannála agus na croinicí stairiúla, go bhfuil scair mhaith den stair sna scéalta.[60] Bhí a mhalairt de thuairim ar fad ag an Ollamh Ó Rathile. Níor chreid seisean go raibh aon chuid d'fhírinne na staire iontu; ní raibh i gCormac mac Airt, dar leis, ach pearsa neamhstairiúil ar fad.[61]

Tá an t-easaontas céanna le tabhairt faoi deara i measc na scoláirí faoin tSraith Ultach freisin, cuid acu a cheapann go bhfuil bunús éigin staire leis an tSraith agus cuid eile ar malairt tuairime.[62] Dar le Ó Rathile, níl coibhneas dá laghad idir na scéalta Ultacha agus aon rud a bhféadfaí stair a thabhairt air, ach amháin gur tarraingíodh isteach i gcuid acu (go háirithe in *Táin Bó Cuailnge*) na traidisiúin a bhí beo faoi chogadh idir na hUltaigh agus na Connachtaigh. Is é a thuairim freisin gur féidir a thaispeáint nach raibh i gCú Chulainn ach athghin ar *Lug* nó *Lugaid* (seandia na gréine), agus nach raibh sna príomhcharachtair eile, mar Cú Roí, Fearghas, Bricriu agus Meadhbh, ach déithe ar cuireadh cruth daonna orthu.[63]

Tá tacaíocht láidir don tuairim seo le fáil ón Ollamh D. A. Binchy san aiste iomráiteach ' Patrick and his Biographers: Ancient and Modern '.[64] San aiste seo taispeánann an tOllamh nach bhfuil ach fíorbheagán eolais chinnte againn faoin 5ú haois, gan trácht ar na haoiseanna roimhe sin, agus nach bhfuil tábhacht ar bith, ó thaobh na staire de, leis na hiontráileacha sna hAnnála don 5ú agus don

[60] *Cycles of the Kings*, 118. Cf. *The Growth of Literature* i, 179.
[61] *Early Irish History* . . ., 283-5.
[62] *ibid.*, 269-71, mar a ndéantar tuairimí na scoláirí éagsúla a lua agus a phlé.
[63] *ibid.*, 271.
[64] *Studia Hibernica* 2 (1962) 7 *et seq.*

6ú haois, cé go bhfuil siad sin stuama go leor i gcomparáid lena lán eile.

Ábhar eile easaontais is ea foinsí agus foirm bhunaidh na seanscéalta. Is dóigh le scoláirí áirithe gur ábhar ársa traidisiúnta atá iontu, ábhar a caomhnaíodh trí bhéalaithris ar feadh na n-aiseanna.[65] Aontaíonn an tOllamh Séamus Ó Ceithearnaigh gur dócha gur ar an gcuma seo a caomhnaíodh cuid díobh, ach is dóigh leis gur cumadóireacht chomhfhiosach liteartha atá ina bhformhór, agus gur scríbhneoirí gairmiúla a chum iad. Bhí intinn na scríbhneoirí seo múnlaithe, dar leis, ag litríocht na Críostaíochta agus na n-údar clasaiceach, agus chuaigh an múnlú sin i bhfeidhm ar an ábhar traidisiúnta a bhí á láimhsiú acu.[66]

Tá sé róluath fós, b'fhéidir, chun breithiúnas údarásach a thabhairt ar an gceist seo. Beidh gá le breis taighde agus meá sula bhféadfar a rá go dearfa cad a bhí ar siúl, cuir i gcás, ag an té a chuir crot scríofa don chéad uair riamh ar *Táin Bó Cuailnge*. An scríobhaí a bhí ann, a bhreac síos ábhar ársa a bhí ar marthain ón gcianaimsir ar bhéala na seanchaithe agus i gcuimhne an phobail ? Nó ar scríbhneoir é, a chuir a intleacht agus a shamhlaíocht féin ag obair ar iarmhar de sheanábhar, a raibh an stair, an fhinscéalaíocht agus an mhiotaseolaíocht measctha tríd, scríbhneoir a thug beocht agus athnuachan do phearsana ar mhair a n-ainm ar imeall chuimhne an chine, ach nárbh eol d'aon duine um an dtaca sin ar dhéithe nó dhaoine tráth iad?

[65] *Saga and Myth in Ancient Ireland*, 5 *et seq*.

[66] J. Carney, *Studies in Irish Literature and History* (BÁC 1955) vii agus viii. Cf. léirmheas leis an Ollamh Ó Murchadha ar an leabhar seo in *Éigse* viii, 152-164.

CAIBIDIL II

AN FILE

Rinneadh tagairt cheana don dá aicme a sholáthraíodh litríocht an chine i ré an laochais, aicme amháin díobh ag cur pléisiúir agus caitheamh aimsire ar fáil agus an dara haicme arbh é a ngnó teagasc a thabhairt. Níl an difríocht idir saothar an dá aicme seo le feiceáil chomh soiléir i litríocht laochais na Gaeilge agus atá i litríochtaí laochais eile. Ní furasta, ón ábhar atá tagtha anuas chugainn, an difríocht eatarthu a léiriú mar um dheireadh ré an laochais in Éirinn níl ach pearsa tábhachtach amháin ar stáitse na litríochta, agus sin an file (SeanGhaeilge *fili*, iol. *filid.*).

Tá an chiall chéanna leis an bhfocal ' file ' sa NuaGhaeilge agus atá leis an bhfocal Béarla ' poet ', ach bhí a mhalairt de chiall leis sa tSeanGhaeilge, nó chun é a rá ar bhealach eile, bhí a lán dualgais eile seachas ceapadh na filíochta mar chúram ar ' fhile ' na gcianaoiseanna.[1]

Baineann sé le dealramh go dtagann an focal ' file ' ón bhfréamh céanna leis an bhfocal Breatnaise *gweled* (feiceáil). Is cosúil mar sin gur fáidh de chineál éigin ba bhrí leis ar dtús.[2] Ní ionadh mar sin gurbh ionann an file agus an fáidh (nó gur meascadh iad) i gcuid de na seanscéalta. Mar shampla, in *Immacallam in dá thuarad*[3] cuir-

[1] Féach *Saga and Myth in Ancient Ireland,* 12; *Early Irish Society,* 24 *et seq.* Sna hAnnála Bliantúla déantar idirdhealú idir trí shaghas *ollamh* (an grád ab airde de na filí): *ollamh re filideacht, ollamh re brethamnas, ollamh re senchas.*

[2] Is é tuairim H. M. agus N. K. Chadwick go mb'fhéidir go bhfuil foirm ársa bhainiscneach den fhréamh chéanna caomhnaithe san ainm *Velda* (banfháidh) atá luaite ag Tacitus (*Hist.* iv, 61 etc.). Mheas na Rómhánaigh, dar leo, gur ainm díleas a bhí ann in ionad ainm coitianta ar bhanfháidh (*The Growth of Literature* i, 606). Is éigean a rá, áfach, nach réitíonn an fhoirm *Velda* leis na foirmeacha i nGaeilge agus i mBreatnais. Cuireann Thurneysen *fili,* (tuis. ginide *filed*) i gcomparáid leis an seanghinide *velitas* atá le fáil in inscríbhinn oghaim. Féach *Heldensage* i, 67, n.4.

[3] RC xxvi, 50, § 272.

tear fáidh (S.Gh. *fáith*) mar ainm ar an bhfile agus in *Táin Bó Cuailnge* tugtar banfhile ar uaire ar an mbanfháidh.[4]

Ina theannta sin, leagtar bua na fáistine (SeanGhaeilge *fáithsine*) ar an bhfile i seantráchtas dlí.[5] Uaidh sin uile dhealródh sé gur den aicme céanna an file agus an fáidh go bunúsach.[6] Dhealródh sé freisin gurbh ionann an aicme sin agus an aicme léannta sa Ghaill ar thug na Rómhánaigh *vātes* agus na Gréigigh οὐάτεις nó μάντεις orthu, mar, ó thaobh na teangeolaíochta de, freagraíonn *vātes* agus οὐάτεις do *fátha* (uatha *fáith*). Má b'ionann na filí in Éirinn agus na *vātes* sa Ghaill, ansin ní miste glacadh leis an tuairim a nochtar go coitianta gurbh ionann ' draoithe ' na hÉireann (dream a léirítear de ghnáth mar naimhde don Chríostaíocht) agus an t-ord sagartúil sa Ghaill a dtugann Cæsar *druides* agus Lucan *druidae* orthu.[7]

Aontaíonn na tuairiscí clasaiceacha go léir go raibh cúraimí creidimh agus íobartha ar na *druides;* níl siad chomh mór sin ar aon intinn faoin bpáirt a ghlac na *vātes* i gcúrsaí íobartha. Ós rud é go ngabhann an chiall ' fáistine ', ' inspioráid ', ' tairngreacht ' agus ' filíocht ' leis an bhfocal *vātes* agus lena chomhfhocail sna teangacha Ceilteacha[8] agus i dteangacha eile, tá bunús leis an tuairim gur mar aos fáistine a bhí na *vātes* i láthair nuair a bhíodh íobairtí á n-ofráil do na déithe agus gurbh iad na *druides* a ghníomhaíodh mar shagairt san íobairt.[9] Réitíonn sé sin le cuntas Cæsar, agus tá bealach amháin trínar féidir an t-easaontas agus an neamhchruinneas faoi dhualgais na *vātes* agus na *druides* sna cuntais eile a mhíniú, is é sin, glacadh leis nach raibh an dá aicme neamhspleách ar fad ar a chéile.

Bíodh sin mar atá, níl aon amhras ná go raibh ionad na bhfilí sa chomhdhaonnacht Ghaelach, nuair a thagann an chomhdhaonnacht sin don chéad uair faoi sholas na staire, níos airde ná

[4] *The Growth of Literature* i, 613. Sa leagan is ársa is bean ó Chonnachta í agus deirtear go raibh sí tar éis an fhilíocht a fhoghlaim sa Bhreatain, ach sa Leabhar Laighneach deirtear gur ó shíodh Chruachan a tháinig sí, rud a thabharfadh le tuiscint gur dhuine den aos draíochta a bhí inti.

[5] *Laws* (i.e. *Ancient Laws of Ireland* i-vi (Dublin 1865-1901)) iii, 30. Cf. E. Mac Néill, *RIA Proc.* xxxvi C, 273, n.2.

[6] Cf. *The Growth of Literature* i, 613.

[7] Le haghaidh cuntais ar na draoithe féach *ibid.* i, 607; T. D. Kendrick, *The Druids* (1927); J. Zwicker, *Fontes Historiae Religionis Celticae*, in *Fontes Historiae-Religionum ex Auctoribus Graecis et Latinis Collectos* v, i (Berlin 1934), ii, iii, (Bonn 1935-6).

[8] H. Pedersen, *Vergleichende Grammatik der Keltischen Sprachen* i, 408. Cf. *LEW* 17.

[9] Cf *The Growth of Literature* i, 610.

ionad na ndraoithe. Sa tráchtas dlí *Uraicecht Becc* áirítear na filí sa rann céanna leis na flatha agus na heaspaig mar *soírnemid*,[10] tráth a n-áirítear na draoithe le gaibhne agus ceardaithe eile mar *doírnemid*.[11]

B'fhéidir go raibh ionad an draoi[12] sa chomhdhaonnacht Ghaelach ar chomhchéim tráth le hionad a mhacasamhla (na *druides*) ar an Mór-roinn; déanta na fírinne, baineann sé le dealramh gurb amhlaidh a bhí, agus is deacair gan a chreidiúint gurb é teacht na Críostaíochta go hÉirinn ba chúis le hísliú a ghradaim. Tá a fhios againn gurb é a bhí i ndán dó ar deireadh ná titim i léig agus i ndearmad, ach is cosúil nach ndearna sé é sin gan scair nár bheag dá chúram a leagan ar an bhfile. B'fhéidir, mar shampla, gur thit cuid dá dhualgais mar chaomhnóir an traidisiúin ar ghuaillí an fhile. Is féidir glacadh leis an tuairim sin gan dul chomh fada le Mac Néill a dhearbhaíonn nach bhfuil sna focail ' draoi ' agus ' file ' ach dhá ainm ar aon oifig amháin.[13] Is cinnte gur ghnáth leis an dá dhream crot meadarachta a chur ar a gcuid léinn[14] de bhrí, mar is fiú a mheabhrú, ' nach raibh aon eolas ann sna cianaoiseanna nárbh fhéidir crot meadarachta a chur air '.[15]

Dála mar ab airde na filí sa chomhdhaonnacht ná na draoithe, b'airde freisin iad ná na baird. Tuilleann an focal ' bard ' spéis ar leith mar tá sé le fáil, ní amháin i nGaeilge agus i mBreatnais, ach i nGaillis chomh maith. Sin é freisin an téarma a úsáideann na scríbhneoirí clasaiceacha agus iad ag trácht ar aos dána na gCeilteach ar an Mór-roinn. (βᾰ́ρδοι i nGréigis, *bardi* i Laidin). Is dealraitheach gurb é bunchiall an fhocail *bardos*[16] ná ' duine a chanann dánta molta ', agus bhí baird na hÉireann cosúil le *bardi* na Mór-roinne sa mhéid gurbh é a bpríomhghnó dánta molta a chumadh.

In Éirinn, áfach, mar a dúradh cheana, níor tugadh mórán gradaim do na baird; dhealródh sé gur bhain na filí a dtosaíocht

[10] *Laws* v, 14. Is é is brí le *nemid* (uimhir uatha *nemed*), ' persons (or class of persons) possessing legal status or privileges '. Féach *RIA Contribb.*

[11] *Laws* v, 14, 90. Féach freisin *Early Irish Society*, 85.

[12] SeanGhaeilge *druí*. Cf. *A Grammar of Old Irish;* Breatnais *dryw;* J. Lloyd-Jones, *Geirfa*, 394a; agus ' derwydd ', *ibid.*, 313b. Tá iarmbunús an fhocail *druides* faoi chaibidil in *The Growth of Literature* i, 611, gus n.1.

[13] E. Mac Neill, *Early Irish Laws and Institutions* (London 1935) 82.

[14] Is é tuairisc a thugann Cæsar ar na *druides:* ' mangum ibi numerum versuum ediscere dicuntur ', *De Bello Gallico* vi, 14.

[15] Cf. MacNeill, *op. cit.*, 104.

[16] *The Bulletin of the Board of Celtic Studies* xi, 138-40 (nóta ar iarmbunús an fhocail leis an Ollamh D. M. Jones).

díobh. Do réir traidisiúin amháin níorbh fhiú eineachlann baird ach a leath d'eineachlann file.[17] Deirtear sa téacs MeánGhaeilge *Leabhar na gCeart* nach dual don bhard, ach gur dual don fhile, eolas a bheith aige ar gach rí agus a chuid pribhléidí:

ní dír baird, acht dír fileadh
Fis cach righ is a dhlighedh.[18]

Agus deir fear dlí den aois chéanna gur duine é an bard nach bhfuil aon chall aige chun foghlama, ach é ag brath ar a intleacht féin. (' Bard, dno, cin dliged fogluime acht indtleacht fadeisin '.[19])

Go dtí gur tháinig Pádraig go hÉirinn, do réir seanscéil amháin, níor cheadaithe urlabhra phoiblí ach do thriúr, mar atá, an seanchaí chun tarlóga a aithris agus scéalta a insint, an file chun moladh agus cáineadh a dhéanamh agus an breitheamh chun breith a thabhairt do réir traidisiúin agus gnáis.[20] Thabharfadh sé sin le tuiscint go raibh difríochtaí dearfa cinnte idir dualgais an tseanchaí, an fhile agus an bhreithimh. Ach ní réitíonn teist an traidisiúin go hiomlán leis sin, agus is follas nach furasta gnó an tseanchaí a dhealú ó ghnó an fhile. Is fíor go bhfuil leide le fáil in *Immacallam in dá thuarad* go raibh dualgais an fhile agus dualgais an bhreithimh deighilte go beacht óna chéile roimh theacht na Críostaíochta,[21] ach dhealródh sé nach raibh an deighilt sin éifeachtach ná buan, mar leagadh ar an bhfile gnó an bhreithimh chomh maith le gnó an tseanchaí, tar éis teacht na Críostaíochta.

Ní furasta ó na tuairiscí in aghaidh a chéile atá tagtha anuas chugainn, pictiúr cruinn a shamhlú de dhualgais na bhfeidhmeannach éagsúla seo, ná dá n-ionad sa chomhdhaonnacht. Tá teoiric ag an Ollamh Diolún, ámh, a chuideodh leis an éiginnteacht agus an meascán go léir a mhíniú.[22] I dtuairim an Ollaimh bhain an file, an breitheamh, an seanchaí agus an draoi go bunúsach leis an aon aicme phribhléidithe amháin, aicme cosúil le brahmanaigh na hIndia, agus tá, dar leis, tacaíocht don tuairim sin sa mhéid a chruthaigh an tOllamh Vendryes[23] tamall maith ó shin, is é sin le

[17] BB 296 B 16; Thurneysen, *Mittelirische Verslehren* (*Irische Texte* iii) [1]107.

[18] J. O Donovan (eag.), *Leabhar na gCeart* (BÁC 1847) 182.

[19] *Laws* iv, 360. Cf. Thurneysen, *loc. cit.*

[20] *Laws* i, 18.

[21] Cf. *The Colloquy of the Two Sages* (RC xxvi) agus Kenney, *Sources for the Early History of Ireland* i (New York 1929) 2.

[22] M. Dillon, *The Archaism of Irish Tradition* (The Sir John Rhŷs Memorial Lecture, 1947) 17-18.

[23] *Mémoires de la société de linguistique de Paris* xx, 275.

rá, go raibh traidisiún suntasach amháin ann a bhí coiteann don India, don Róimh agus don Ghaill Cheilteach, traidisiún trínar tugadh aitheantas agus cothú sa Stát d'aicme phribhléidithe amháin de shagairt, brahman na hIndia, pontifex na Róimhe agus draoi na Gaille Ceiltí.

Is inchreidte go raibh aicme phribhléidithe den chineál seo faoi réim in Éirinn sna cianaoiseanna agus a sainchúramaí féin ar na feidhmeannaigh éagsúla a bhain léi, ach gur tháinig forás leis an aimsir a chuir deireadh leis an deighilt mhór a bhí idir na dreamanna éagsúla i dtreo nár tuigeadh go cruinn níos déanaí cad iad na difríochtaí beachta a bhíodh eatarthu tráth. Is furasta a shamhlú, freisin, go méadófaí tábhacht dreama amháin agus go laghdófaí tábhacht dreama nó dreamanna eile díobh, de bharr an fhoráis nádúrtha seo, nó fiú amháin go rachadh dream amháin acu i léig ar fad. Cibé acu ghlactar leis an míniú seo nó nach nglactar, tá rud amháin soiléir, is é sin, gurbh é an file, mar a dúradh cheana, an príomhfheidhmeannach i litríocht na Gaeilge san am a lonraíonn solas na staire uirthi don chéad uair. Is follas go raibh ionad sainiúil gradamach bainte amach aige dó féin um an dtaca sin.

Bhí na filí roinnte i ngrádanna do réir a n-acmhainne agus a ngradaim. Do réir na dtuairiscí, bhí buíon dá chuid féin ag gach file a chuaigh i líonmhaire do réir mar a mhéadaigh a ghradam. Mar shampla, bhí tríocha fear i mbuíon an phríomhfhile (*ollamh* a thugtaí air siúd), agus cúig dhuine dhéag i mbuíon an fhile ba neasa dó (*ánrud*, nó *ánruth*) agus líon níos lú, ag freagairt dá ngrád, ag na filí[24] eile. Dála an *pencerdd* sa Bhreatain Bheag, bhí sain-chathaoir dá chuid féin (*cathaír ollaman*) in áirithe don phríomhfhile san áras ríoga,[25] agus ba ghnáth leis ball éadaigh nó culaith speisialta a chaitheamh ar a dtugtaí *tuigen*. Mínítear i *Sanas Cormaic* go raibh an ball éadaigh seo déanta de chraicne éan fionn ioldathach ón gcrios síos agus de bhráighde cailleadh lochain agus dá gcuircí ón gcrios suas go dtí an bhráid.[26] Más inchreite an cuntas seo dheal-ródh sé go mbíodh na filí feistithe i gculaith a bhí déanta nó breac-dhéanta de chlúmh. Ach is deacair gan a mheas go bhfuil an cuntas

[24] *Amra Choluimb Chille*, RC xx, 38 *et seq.* LU 11. Ach cf. BB 332 B mar a luaitear 24 i mbuíon an *ollaimh*.

[25] RC xxvi, 12 *et seq.* (*The Colloquy of the Two Sages*, § 8). Ní hé seo an taon chomhartha amháin gurbh ionann an *pencerdd* sa Bhreatain Bheag agus an t-*ollamh* in Éirinn.

[26] O'Donovan and Stokes, *Sanas Chormaic: Cormac's Glossary* (Calcutta 1868). Féach freisin *RIA Contribb.* faoi *tuigen*.

bunaithe ar mhíthuiscint faoi bhunbhrí an fhocail *tuigen.* B'é tuairim Chormaic gur ó *tuige-én* (i.e. tuí éan) a tháinig sé, agus is cosúil gur sholáthraigh sé an míniú dá réir sin. Mar sin, is fearr glacadh leis go gcaitheadh na filí sainchulaith de chineál éigin, ach nach fios go cruinn cad é an saghas culaithe a bhí inti.

Dhealródh sé gur fhan cuid de na filí dílis don aon rí amháin. Léirítear Ferchertne, cuir i gcás, mar fhile i seirbhís Chon Roí mhic Dháire. Ach is follas nach raibh ceangal orthu é sin a dhéanamh; ba cheadaithe dóibh cuairt a thabhairt ar ríthe éagsúla agus gan a bheith i dtuilleamaí aon duine acu. Glactar Athirne mar shampla. Ultach ba ea é siúd, ach ina ainneoin sin, bhí sé neamhspleách go maith agus é ag déileáil le rí Uladh, Conchubhar. Baineann sé le dealramh nár dhuine aonair, ag gníomhú ar a chonlán féin, an file, ach gur bhall é d'ord eagraithe a bhí faoi réim ar fud na tíre go léir agus ardfhile nó ardollamh mar cheann ar an ord. Go teoiriciúil, bheadh breis comhachta ag ord a bhí eagraithe ar an gcuma seo; ní fios, áfach, an amhlaidh a bhí.

Bhí claonadh ann trína ndeachaigh gairm an fhile agus go fiú oifig an ollaimh le hoidhreacht i gclanna áirithe. In *Immacallam in dá thuarad*[27] insítear gur tháinig Nede, mac an ollaimh Adna, chun ionad a athar a éileamh nuair a fuair sé scéala go raibh a athair tar éis bháis, agus is cosúil gurbh fhíor an rud céanna i gcás an ' bhaird ' freisin. Sa chéad tráchtas ar mheadaracht i *Leabhar Bhaile an Mhóta,* luaitear *bard áne,* is é sin, bard nach bhfuil oilte ar a cheird de bhrí gur thit an ghairm mar oidhreacht chuige óna athair.[28] In ainneoin an chlaonta seo, ámh, ní gá a chreidiúint go raibh sé coiscthe ar dhaoine ón taobh amuigh ionad a ghnóthú i measc ranganna an aos dána, mar tá samplaí le fáil sa tréimhse mhiotaseolaíoch de thaoisigh nó de fhlatha a raibh an teideal ' file ' nó ' ollamh ' acu; cuimhnítear ar Fhinn Fili, ar mhaígh ríthe Laighean gur uaidh a shíolraigh siad agus ar Ollamh Fódla, fear dlí iomráiteach, ach é miotaseolaíoch do réir gach dealraimh, i nginealach ríoga na nUltach.[29]

Aontaíonn na cuntais go léir go raibh cúrsa fada iomlán foghlama le déanamh ag na filí, ach ní réitíonn siad faoin méid ama ba

[27] RC xxvi, 9 §§ 2, 3. Cf. O'Curry, *MS Materials* (Dublin 1861) 383.

[28] Thurneysen, *Mittelirische Verslehren,* 24 (cf. 4) 108.

[29] O'Curry, *Manners and Customs of the Ancient Irish* ii (London, New York, Dublin, 1873) 8.

riachtanach a chaitheamh ag gabháil don chúrsa sin.[30] Do réir tráchtais amháin dhéanadh an file agus an bard an cúrsa céanna i dtosach, ach d'éiríodh an bard as foghlaim i gceann seacht mbliana, agus théadh an file ar aghaidh chun breis staidéir a dhéanamh. Is cosúil gurbh éigean cúrsa dhá bhliain déag a dhéanamh sula mbaintí amach an teideal ' ollamh '.

Ní miste a chreidiúint gur chuir an mac léinn eolas ar na seanscéalta agus ar ghnéithe eile den ársaíocht, ar an bhfilíocht agus ar na meadarachtaí éagsúla arbh éigean dó a bheith oilte orthu. Agus is spéisiúil a thabhairt faoi deara nárbh iad na meadarachtaí céanna a chleachtadh an bard agus an file. Is cosúil gur le linn na mblianta deireanacha dá chúrsa a d'fhaigheadh an file teagasc sna meadarachtaí ba dhual dó féin. Is cosúil freisin gur i gcaitheamh na tréimhse céanna a d'fhoghlaim sé fáistine agus briocht.[31]

I gcúrsa den chineál seo bheadh gá le hoideas lánoilte, agus is é is dóichí go mbíodh na filí cáilithe ag gníomhú mar oidí,[32] ag tabhairt teagaisc do mhic léinn ar mhian leo dul le gairm na filíochta, agus do mhic léinn eile ar uaire, freisin. (Creidtear de ghnáth gur file a bhí i nGemmán, an t-oide a bhfuair Colm Cille a chuid oideachais uaidh.[33]) Ba trí bhéalaithris, do réir gach dealraimh, a thugtaí an teagasc, cé go mbíodh de dhualgas ar an ábhar file caoga *ogam* a fhoghlaim gach bliain le linn na mblianta tosaigh dá chúrsa.[34] Is trua nach bhfuil níos mó faisnéise againn mar gheall ar an dualgas seo, mar níl ach fíorbheagán eolais againn ar staid ealaín na scríbhneoireachta sa tír roimh theacht na Críostaíochta.

Bhí i gcumas na bhfilí pribhléidí iomadúla a éileamh de dheasca a n-oifige agus a gcuid léinn. D'éilídís íocaíocht as gach dán dá gcumaidís, agus bhraitheadh méid na híocaíochta ar chineál na meadarachta sa dán.[35] Dá dheacracht an mheadaracht is ea ab airde an luach saothair agus, mar a cuireadh in iúl cheana, bhí meadarachtaí áirithe nár chuí don fhile lánch※áilithe aird a thabhairt

[30] Cf. Thurneysen, *Mittelirische Verslehren,* 29 *et seq.;* 110 *et seq.*

[31] Thurneysen, *Mittelirische Verslehren,* 117-19 agus N. K. Chadwick, *Scottish Gaelic Studies* iv, 103-4; E. Hull, *A Textbook of Irish Literature* i, 190 *et seq.*

[32] Féach Kenney, *op. cit.* i, 3.

[33] Reeves, *The Life of St. Columba . . . by Adamnan,* 137.

[34] Thurneysen, *Mittelirische Verslehren,* 115, 116.

[35] Ar na meadarachtaí *dechnad* agus *sétnad* d'fhaighthí cúig ghamhnach; ar *oll(bairdne)* dhá ghamhnach agus samhaisc amháin; ar *randaigecht* samhaisc amháin agus ar *debide* dairt amháin. *Mittelirische Verslehren,* 109.

orthu, ná feidhm a bhaint astu; meadarachtaí nár oir ach do na gráid ab ísle den aos dána.[36]

Nuair a chuimhnítear go raibh oiliúint i gcúrsaí draíochta agus briochta faighte ag na filí agus gur creideadh go coitianta go raibh ina gcumas galair, agus go fiú an bháis féin, a thuaradh tuigtear cén fáth ar leasc le daoine aon iarratas dá ndéanfaidís a dhiúltú. Is léir freisin gur thuig siad féin méid a gcumhachta agus go raibh siad lánullamh chun leas a bhaint aisti. Mar shampla d'iarratas ainmheasartha tá cás an fhile Athirne[37] a d'iarr ar an rí aonsúileach Eochaidh an t-aon súil sin a thabhairt dó. Thug an rí an tsúil uaidh, agus insítear sa scéal gur chúitigh Dia a fhéile leis trí dhá shúil nua a bhronnadh air. Mar shampla eile de chumhacht na bhfilí tá bagairt an fhile, Forgall, ar an rí Mongán. Dúirt an file go n-aorfadh sé é lena dhánta cáinte agus go n-aorfadh sé a athair agus a mháthair agus a sheanathair agus go gcanfadh sé (i.e. go n-imreodh sé draíocht) ar a n-uisce ionas nach bhfaighfí iasc ina n-inbhearaibh. Chanfadh sé ar a bhfeadhaibh ionas nach dtabhairfidís toradh, ar a maighibh ionas go mbeidís choíche aimrid gan toradh.[38] Chun an bhagairt seo a sheachaint, gheall Mongán trian nó leath a fhearainn don fhile, ina dhiaidh sin a chuid fearainn go léir. I ndeireadh na dála bhí sé sásta gach uile rud dá raibh aige a thabhairt uaidh ach go bhfágfaí a saoirse aige féin agus ag a bhean.

Chuaigh dánaíocht na bhfilí thar fóir leis an aimsir i dtreo gur tosaíodh ar scéalta a chumadh fúthu á n-aoradh. Scéal den chineál sin is ea *Tromdám Guaire* nó *Imtheacht na Tromdáime*.[39] Tráchtar ann ar bhuíon filí a chuaigh i bhfochair an phríomhfhile, Seanchán Torpéist, ar cuairt chuig Guaire, Rí Chonnacht. Bhí éilimh na buíona seo chomh hiomadúil agus chomh dána sin gur chúis tranglaim agus uafáis don chomhluadar a dteacht. Mar a deirtear sa scéal, ' b'éigean bia ina aonar agus leaba ar leith a sholáthar do gach duine acu; ní ligidís aon oíche thart gan tormas, agus ní éirídís aon mhaidin gan mian éagsúil doirbh dofhála a theagmháil do neach éigin acu '. Agus mura bhfaighidís na mianta ba mhí-

[36] Taispeánann Thurneysen nár mhair aon chuimhne sna tráchtais mheadarachta ar dhifríocht idir meadarachtaí na bhfilí agus meadarachtaí na mbard. *ibid.*, 167.

[37] Stokes, *The Battle of Howth*, RC viii, 47 *et seq.* Cf. O'Curry, *MS Materials*, 267. Féach freisin Dillon, *The Archaism of Irish Tradition*, 4.

[38] *Voyage of Bran* i, 46.

[39] M. Joynt, *Tromdámh Guaire* (BÁC 1941). Tá eagrán níos luaithe ag Owen Connellan, *Imtheacht na Tromdáimhe* (*Trans. Oss. Soc.* v, BÁC 1860).

réasúnta taobh istigh de cheithre uair is fiche bhagraídís aor agus cáineadh. Líonadh croí an rí chomh mór sin le huamhan agus le héadóchas go ndeachaigh sé ar a ghlúna agus gur impigh ar Dhia an bás a chur chuige sula dtuillfeadh sé cáineadh ó dhream chomh confach santach sin.

Ní miste a thuairimiú ó scéalta den chineál seo gur minic a bhíodh imreas agus achrann idir na filí agus na ríthe. Deirtear gur díbríodh as an tír trí huaire iad. Is ródhócha freisin le teacht na Críostaíochta gur laghdaíodh go mór ar an urraim ba ghnáth a thabhairt dóibh go nuige sin agus go ndeachaigh sé sin chun sochair do na ríthe ina gcoimheascar leo. Cibé scéal é is cosúil gur shroich an naimhdeas eatarthu barrchéim ag Mórdháil Droma Ceat[40] sa bhliain 573.[41]

Do réir traidisiúin[42] ba é Aodh mhac Ainmireach a threoraigh lucht leanúna na ríthe, agus bhí Eochaidh Dallán Forgaill i gceannas na bhfilí.[43] Míníonn Seathrún Céitinn go beacht fáth an easaontais idir an dá dhream nuair a deir sé:

> Is le hAodh mhac Ainmireach do commóradh Mórdháil Droma Ceat, mar a raibh comhdháil uaisle agus eagailse Éireann, agus trí hadhbhair phrinsiopálta do bhí ag Aodh ré cruinniughadh na comhdhála soin. An chéadadhbhar dhíobh, do dhíbirt na bhfileadh a hÉirinn ar a méad do mhuirear, agus ar a dheacracht a riar. Óir do bhíodh tríochad i mbuidhin an ollaimh, agus chúig fhir dhéag i mbuidhin an ánroth .i. an té fá goire céim san bhfilidheacht don ollamh, agus do bhádar fán am soin beag nach trian bhfear nÉireann ré filidheacht, agus do bhídís ó Shamhain go Bealltaine ar coinnmheadh ar fhearaibh Éireann. Arna mheas d'Aodh mhac Ainmireach gur throm an t-ualach d'Éirinn iad, do chuir roimhe a ndíbirt as an ríoghdhacht uile. Adhbhar oile fós do bhí ag Aodh ré dhíbirt na bhfileadh, mar do-chuadar d'iarraidh deilg óir do bhí i mbrat Aodha, agus is é iarraidh an deilg go hainmianach do ghríosuigh Aodh réna n-athchor, gur hionnarbadh go Dál Riada Uladh iad. . .[44]

[40] Do shuíomh na háite seo féach E. Hogan, S.J., *Onomasticon Goedelicum* (BÁC, London 1910).

[41] Seo an dáta a nglactar leis go coitianta, cé go dtugann AU 573 agus AC 587. Féach Reeves, *The Life of St. Columba. . . by Adamnan*, 37 nóta b.

[42] Bhí Thurneysen i bhfabhar glacadh leis an traidisiún seo. Féach ZCP xx, 373. Cf. W. D. Simpson, *The Historical Saint Columba* (Aberdeen 1963) 58.

[43] Colgan, *Acta Sanctorum Hiberniae* xxix Januarii (Photographic Reprs. BÁC, 1948) 203-5. Féach freisin O'Connell, *The Schools and Scholars of Breiffne* (BÁC 1942) 1-13.

[44] O. Bergin, *Sgéalaigheacht Chéitinn* (Stories from Keating's History of Ireland) (BÁC, London 1930) 36.

Fear éifeachtach de bhunadh údarásach ba ea Eochaidh Dallán Forgaill, agus fear a bhí lánoilte ar cheird na filíochta. Ach ba é Colm Cille a chuir bagairt an Ardrí, Aodh, ar neamhní agus a rug bua do na filí. Insíonn Céitinn dúinn cad é an socrú a rinneadh ag an gComhdháil ar chomhairle an naoimh:

> Adubhairt Colam ris an rígh gomadh cóir mórán dona fileadhaibh do chor ar gcúl ar a líonmhaire do bhádar ann. Gidheadh, adubhairt ris file do bheith iona ard-ollamh aige féin ar aithris na ríogh roimhe, agus ollamh do bheith ag gach rígh cóigidh, agus fós ollamh do bheith ag gach tighearna triúcha chéad nó tuaithe i nÉirinn, agus do cinneadh ar an gcomhairle sin lé Colam, agus aontuighis Aodh é.[45]

Ag dearcadh siar anois feictear nach miste do Ghaeil urraim ar leith a thabhairt do Cholm Cille, mar is dósan thar aon duine eile atá an chreidiúint ag dul nár bádh an cultúr dúchasach faoi thuile an chultúir eachtrannaigh a tháinig isteach leis an gcreideamh nua.

Dhealródh sé gur ar Dhallán Forgaill a cuireadh an cúram ord na bhfilí a atheagrú do réir an tsocraithe a bhí molta ag Colm Cille. Thabharfadh stair Dhalláin le tuiscint dúinn nárbh fhada gur maolaíodh ar an naimhdeas idir na filí agus an Chríostaíocht. Is dósan atá ' Amhra Choluim Cille '[46] curtha síos (dán i meadaracht an *retoiric* atá fíorársa ó thaobh stíle de cibé duine a chum é) agus deirtear gur chum sé dréachtaí do dhaoine eile den chléir freisin um an dtaca céanna.

Nuair a tharla an sos idir na filí agus lucht an chreidimh nua bheifí ag súil go mbrisfí gach ceangal leis an seanchreideamh págánach agus go ruaigfí gach rian de as an litríocht dhúchasach. Ina ionad sin, áfach, is cosúil nach ndearna na filí ach éirí as tagairt do na déithe págánacha mar neacha neamhshaolta osnádúrtha agus gur chuir siad síos orthu as sin amach mar dhaoine daonna a raibh cáilíochtaí agus tréithe neamhchoitianta acu.

Dhealródh sé freisin nár tharla sos iomlán idir lucht an tseanchreidimh agus lucht an chreidimh nua go hobann. Tá scéalta áirithe ann a nglactar leo mar fhianaise gur mhair an naimhdeas

[45] *ibid.*, 40. Cf. O'Curry, *Manners and Customs* ii, 77 *et seq.* Luann Adamnán Droim Ceat (Dorsum Cette) trí huaire in *Betha Colaim Chille* ach ní dhéanann sé tagairt ar bith don chonspóid seo. Reeves, *op. cit.*, 37, 91, 113.

[46] W. Stokes, '*The Bodleian Amra Choluimb Chille*', RC xx, 31-55, 132-83, 248-89, 400-37; xxi, 133-6. O'Beirne Crowe, *The Amra Choluim Chille of Dallán Forgaill* (BÁC 1871). Tá Meyer, ' Miscellania Hibernica ', *University of Illinois Studies* ii, 25, i bhfabhar aontú le Zimmer agus glacadh leis an dáta traidisiúnta ' pending a minute linguistic investigation '.

eatarthu ar feadh scaithimh. Ceann de na scéalta sin is ea an ceann gairid mar gheall ar fhile darbh ainm Eochaidh nó Eochu Rígh-éigeas.[47] Do réir foinse áirithe b'ionann an tEochaidh seo agus an (Eochaidh) Dallán Forgaill dár thagraíomar cheana,[48] ach ní réitíonn na foinsí go léir faoi sin. Cibé scéal é, fuair Eochaidh cuireadh ó Rí Uladh teacht chuig a áras ríoga chun filíocht a cheapadh dó. Ba leasc le hEochaidh glacadh leis an gcuireadh, óir bhí mac darbh ainm Mongán ag an rí agus sháraigh an mac seo gach uile dhuine in Éirinn ar eolas agus ar léann. Mheas Eochaidh go mbeadh Mongán ag insint scéalta agus ag teagasc agus go bhfásfadh easaontas idir an bheirt acu dá bharr sin. Ansin, ar seisean leis an rí, ' Cuirfeadsa mallacht air, agus beidh sé sin ina ábhar aighnis idir mise agus tusa '. I ndeireadh na dála, áfach, ghéill Eochaidh d'iarratas an rí, agus chuaigh chun na bruíne ríoga. Thit amach díreach mar bhí tuartha aige.

Tuilleann Mongán spéis ar leith mar glacann sé an phríomhpháirt i ndréachtaí áirithe a bhfuil blas na págántachta orthu. Níorbh fhéidir mionchuntas a thabhairt anseo ar na dréachtaí sin go léir; is leor an ceann is iomráití orthu a lua, is é sin, dán atá le fáil sa scéal *Imram Brain maic Febail*.[49] Tá an dán seo roinnte i dtrí chuid. Sa chéad chuid tráchtar ar ' Mag Mell ' (ceann de na hainmneacha a thugtaí ar ' Athshaol ' na seanGhael), agus cuirtear síos ar áille agus ar aoibhneas an ionaid shuairc seo. Cuireann an tOllamh agus Mrs Chadwick an tuairim os ár gcomhair go léiríonn an pictiúr seo gné amháin den iomaíocht idir na filí agus an Chríostaíocht. Ní hé a dtuairim gur cruthaíodh an t-' Athshaol ' seo mar lomaithris ar theagasc na Críostaíochta faoi Neamh, ach is dóigh leo go mb'fhéidir gur múnlaíodh an pictiúr de Pharthas págánach agus go ndearnadh é a fhorbairt d'aonghnó le go bhféadfadh an phágántacht dul i gcomórtas, mar a déarfá, leis an gcreideamh nua, trí athshaol taitneamhach suairc a gheallúint.[50]

[47] E. Knott. ' Why Mongán was deprived of noble issue ', *Ériu* viii, 155 *et seq.* Féach freisin O'Curry, *Manners and Customs* ii, 85. Cf. an scéal faoi Mhongán agus Forgall, Meyer and Nutt, *The Voyage of Bran* i (London 1897) 45 *et seq.* Féach freisin D. Hyde, *The Literary History of Ireland* (London 1901) 410-11.

[48] M. Joynt, *Tromdámh Guaire* (BÁC 1941) I. Pearsana éagsúla is ea iad sa réamhrá ar *Amra Choluimb Chille*, RC xx, 42, 18. Deir Céitinn gurbh ionann Eochaidh Éigeas agus Dallán Forgaill. *Foras Feasa ar Éirinn* iii, 95. Le haghaidh nóta ar an ainm Eochu-Eochaidh féach *Ériu* xi, 140 *et seq.*

[49] Meyer and Nutt, *The Voyage of Bran* i, 9, 17-29. Féach freisin *Scéalaíocht na Ríthe*, 95 *et seq.*

[50] *The Growth of Literature* i, 469-70.

Sa dara cuid den dán déantar tagairt do theacht Chríost. Níl aon cheangal idir an sliocht seo agus cuid a haon nó cuid a trí den dán, agus is dóigh le heolaithe áirithe gur cuireadh isteach níos déanaí é, d'aonturas chun blas na págántachta a bhaint den chuid eile den saothar. Sa tríú cuid faightear tairngreacht faoi bhreith, beatha agus bás Mhongáin.[51] Léirítear nadúir Mhongáin mar a leanas i bhfocail a chuirfeadh cuid de ráitis an fhile Bhreatnaigh Taliesin i gcuimhne dúinn:

Biaid i fethol cech míl	Beidh sé ann i gcruth gach míl
itir glasmuir ocus tír,	idir ghlas-mhuir agus tír,
bíd drauc ré m-buidnibh	ina dhraig roimh bhuíonta
i froiss,	i dtréis,
bíd cú allaid cech indroiss.[52]	ina chú allaidh gach fionn-rois.[53]

Dréacht a thuilleann suim agus staidéar is ea *Imram Brain maic Febail*, ní amháin mar gheall ar na buanna liteartha a ghabhann leis, ach ina theannta sin toisc an t-ábhar ann a bheith ina chnámh spairne i measc scoláirí. Tagraíodh cheana do thuairim an Ollaimh agus Mrs Chadwick. Flaith a bhí báúil le smaointe páganacha ba ea Mongán, dar leo, agus ghlac na filí leis mar laoch agus mar ábhar dóchais agus iad ag iarraidh seasamh i gcoinne na Críostaíochta. Níor mhair an seasamh seo i bhfad, áfach, agus sin é an fáth ar tarraingíodh isteach tagairt do Chríost in *Imram Brain* agus go léirítear Mongán in áiteanna eile mar chara do Cholm Cille.

A mhalairt de thuairim ar fad atá ag an Ollamh Ó Ceithearnaigh. Is dóigh leis siúd go bhfuil séala na Críostaíochta le feiceáil go soiléir ar *Imram Brain.* Maidir leis an bpictiúr den athshaol ann, is pictiúr é den saol aoibhinn a bhí i ndán don chine daonna, dar le muintir na meánaoise, mura mbeadh gur pheacaigh Ádhamh.[54] Tar éis dó gnéithe éagsúla an scéil iomlán a mheas, nochtann an tOllamh an tuairim gur fáithscéal Críostaí atá ann.[55]

Cé go n-admhaíonn an tOllamh Gearóid Ó Murchadha go bhfuil a lán pointí tábhachtacha cíortha ag an Ollamh Ó Ceithearnaigh sa léiriú atá déanta aige ar *Imram Brain*, pointí a bheadh úsáideach do lucht taighde amach anseo, ní aontaíonn sé ar aon

[51] Is suimiúil an rud é gurbh é Manannán Mac Lir athair Mhongáin sa scéal seo. Cf. ' Ginniúint Mhongáin agus a Ghrá do Dhubh Locha ', *Scéalaíocht na Ríthe,* 113 *et seq.*

[52] *Imram Brain* i, 25. Cf. C. M. Bowra, *Heroic Poetry* (London 1952) 18.

[53] *Scéalaíocht na Ríthe*, 108.

[54] J. Carney, *Studies in Irish Literature and History* (BÁC 1955) 286.

[55] *ibid.*, 293.

chor leis an teoiric atá bunaithe ag an Ollamh ar na pointí sin.[56] Níl an tOllamh Mac Cana, ach oiread, ar aon intinn leis an Ollamh Ó Ceithearnaigh. Tá a thuairim siúd curtha síos go gonta aige nuair a deir sé ' that the other world of Immram Brain, when due allowance is made for the literary and idealogical pull of its texture setting, reflects fairly a traditional concept and is not dependent on christian or classical analogues.[57]

Bhí leagan den scéal ' Imram Brain ' i *Leabhar Droma Snechta*. Tá an lámhscríbhinn seo caillte anois, ach is eol dúinn méid áirithe den ábhar a bhí ann, agus tá a fhios againn go raibh ceithre scéal faoi Mhongán ann chomh maith le scéalta eile a raibh cuntais ar fhíseanna agus ar thairngreachtaí iontu. Má tá an ceart ag an Ollamh agus Mrs Chadwick go raibh dream filí dígeanta ann a sheas i gcoinne na Críostaíochta agus a ghlac Mongán mar éarlamh, b'fhéidir gur cnuasach dá gcuid scéalta sin a bhí i *Leabhar Droma Snechta*.

Creidtear gur scríobh file éigin an lámhscríbhinn sa chéad leath den 8ú haois agus go raibh an chuid ba mhó den ábhar ann cumtha sula ndearna seisean é a bhreacadh síos.[58] Mar shampla, creidtear gur um dheireadh an 7ú haois a cumadh *Imram Brain*.[59] Ós rud é gur éag Mongán sa bhliain 624 do réir na nAnnála, dhealródh sé gur tosaíodh ar scéalta a chumadh mar gheall air tamall gairid tar éis a bháis. Is fíor, áfach, go raibh beirt ann a raibh Mongán mar ainm orthu, agus tá bunús éigin leis an tuairim gur glacadh sean-scéalta a bhí ann ón gcianaimsir mar gheall ar phearsa miotas-eolaíoch a raibh Mongán mar ainm air agus gur athfhíodh iad thart ar an taoiseach stairiúil den ainm chéanna a mhair i dtosach an 7ú haois.[60]

[56] *Éigse* viii, 162.

[57] ' The Sinless Otherworld of Immram Brain ', *Ériu* xxvii, 115. Féach freisin idem, ' Mongán Mac Fiachna and Immram Brain ', *Ériu* xxiii, 102 *et seq.* agus ' On the " Prehistory " of Immram Brain ', *Ériu* xxvi, 33 *et seq.*

[58] Thurneysen, *Heldensage* i, 15 *et seq.*; *Zu irischen Handschriften und Literaturdenkmälern* i (Berlin 1912) 23 *et seq.*

[59] Cf. K. Meyer, *Selections from Ancient Irish Poetry* (London 1911) 111.

[60] Meyer and Nutt, *Imram Brain* i, 45 *et seq.* Is cosúil go raibh éiginnteacht faoi Mhongán in intinn cuid de na seanscéalaithe. Mar shampla, i scéal amháin tugtar le tuiscint gurbh ionann Mongán agus Fionn mac Cumhaill—' Scél asa m-berar co m-bad Find Mac Cumaill Mongán '. *ibid.*, 45.

An File Mar Fháidh

I gcuid de sheanlitríochtaí an domhain tá cuntais le fáil ar shaothar filí a raibh cumhacht éigin rúndiamhrach acu, cumhacht a chuir ar a gcumas a gcruth a athrú, cuir i gcás, nó teacht ar cibé eolas folaithe a bhí de dhíth orthu trí mheán na draíochta.[1] Saothar fíorársa is ea an saothar seo a raibh lámh ag an draíocht ann, agus tá samplaí de le fáil i nGaeilge chomh maith le teangacha eile.

Do réir na fianaise atá le fáil sna seantéacsanna Gaeilge bhí an fháistine ar cheann de phríomhdhualgais an fhile anallód. In alt iomráiteach i *Sanas Cormaic* tá cur síos ar cheann de na deasghnátha a chleachtadh an file d'fhonn fáistine a dhéanamh nó chun réamh-eolas a chur ar nithe faoi leith. *Imbas forosnaí*[2] (is é sin, olleolas a léiríonn) a thugtar mar ainm ar an deasghnáth agus, do réir an chuntais, is mar seo a chleachtaí é: chogain an file mír d'fheoil dhearg mhuice nó chon nó chait agus iar sin chuir sé ar leac í ar chúl na comhla agus chan ortha uirthi, agus ansin rinne sé í a íobairt d'íoldéithe, á nglaoch siúd chuige. Agus ní bhfaigheann sé iad lárnamhárach, agus canann sé iar sin ar a dhá bhos agus glaonn chuige íoldéithe, chun nach gcuirfear cosc ar a chodladh. Agus cuireann sé a dhá bhos um a dhá leaca agus codlaíonn sé, agus bítear ag faire air ionas nach gcuirfidh éinne isteach air. Ansin, taispeántar dó an rud a mbíonn plé aige leis go ceann *nómad* (i.e. tréimhse naoi lá) nó dhá nó trí *nómad* do réir an mhéid ama a chaith sé ag an íobairt. . . . Dhíbir Pádraig an nós seo agus an *teinm laída*, agus d'fhógair nár de neamh ná de thalamh an té a chleachtfadh iad, óir ba dhiúltadh baiste iad. Cheadaigh sé, áfach, *díchetal do chennaib* (ortha i bhfoirm ceapóige) a choimeád sa chóras filíochta toisc nárbh éigean íobairt do dheamhain ann agus toisc go bhfuarthas an fhaisnéis ar an toirt de bharr méaranna an fhile.

I *Macgnímartha Find*[3] deirtear go raibh *imbas forosnaí, teinm laída* agus *díchetal do chennaib* ar eolas ag Fionn, agus cuirtear in iúl gurbh

[1] C. M. Bowra, *Heroic Poetry* (London 1952) 18; Cf. N. K. Chadwick, *Poetry and Prophecy* (Cambridge 1942) *passim.*

[2] O'Donovan, Stokes, *Cormac's Glossary* (Calcutta 1868) 94-5; Stokes, *Three Irish Glossaries* (London 1862) 25; Meyer, *Archæological Review* i (1888) 303n; *Sanas Cormaic* (*Anecdota from Irish Manuscripts* iv (Halle 1912)) 756. Féach freisin *Early Irish History*, 323, 339, Thurneysen, ZCP xix, 163 *et seq.*; N. K. Chadwick ' Imbas forosnaí ', *Scottish Gaelic Studies* iv, 97 *et seq.* Féach freisin *RIA Contribb.* faoi *imbas* agus *forosna.*

[3] In eagar ag K. Meyer, RC v, 195-204. Corrigenda, *Archiv für Celtische Lexikographie* I, 482. Leagan Béarla in *Ériu* i, 180 *et seq.*

iad na trí nithe sin ba riachtanach chun gradam file a chinntiú.[4] Tá an fhianaise chéanna le fáil sna dlíthe: ' tredi dlegair dun ollamain filead .i. teinm laeghda ocus imus forosnadh ocus dicedal do cennaib '.[5]

Thuigfí ón gcuntas i *Sanas Cormaic* gurb é is ciall do *imbas forosnaí* ná an módh a chleachtadh an file chun teacht ar eolas áirithe. Ach go bunúsach, is é an t-eolas féin atá i gceist, agus is é bunchiall an téarma ná an eagna nó an t-eolas inspioráidithe is dual don fháidh.[6] Sin an chiall atá leis sa *Táin* nuair a fhiafraíonn Meadhbh den bhanfháidh Feidhealm an bhfuil *imbas forosnaí* aici.[7]

Tá sé léirithe ag an Dochtúir Ó Rathile[8] gur ' cogaint an smúsaigh ' (nó an laí) is ciall don téarma *teinm laída*, agus is dóigh leis gurb é sin an deasghnáth a bhí á chleachtadh ag Fionn mac Cumhaill nuair ' do chuir an órdóg ionna bhéal agus cognus go cnámh í agus assin go smior agus assin go smúsach agus do foílsígheadh eólus dó '.[9] Tá an fhoirmle seo an-choitianta fós i scéalta na ndaoine.

Modh eile fáistine ba ea an *tairbhfheis*.[10] Deirtear go mbaintí feidhm as sin chun réamheolas a fháil faoin té ar dhlite dó bheith ina chéad rí eile i dTeamhair.[11] Dhéantaí tarbh a mharú agus an fheoil agus an anraith a thabhairt do dhuine áirithe le hithe. Ansin thitfeadh a chodladh ar an duine sin, agus d'fheicfeadh sé an chéad rí eile i bhfís. Ní miste é seo a chur i gcomparáid leis an nós atá curtha síos ag Céitinn do na draoithe anallód:

> Dála na ndruadh is é feidhm do-nídís do sheicheadhaibh na dtarbh n-iodhbarta a gcoimhéad ré hucht bheith ag déanamh *conjuration* nó ag cur na ndeamhan fá gheasaibh, agus is iomdha céim ar a gcuiridís geasa orra, mar atá, sílleadh ar a scáile féin in uisce nó re hamharc ar néallaibh nimhe nó ré foghar gaoithe nó glór éan do chlos. Gidheadh, an tan do cheileadh gach áisig díobh sin orra agus fá héigean dóibh a ndícheall do dhéanamh is eadh do-nídís cruinnchliatha caorthainn do dhéanamh agus

[4] O'Rahilly, *Early Irish History and Mythology*, 340. Cf. *Ériu* xvii, 89.

[5] *Laws* v, 56, 2a. Comm.

[6] *Early Irish History and Mythology*, 339.

[7] LU, 4527.

[8] *op. cit.*, 336 *et seq.*

[9] K. Meyer, *Cath Finntrága* (Oxford 1885) 62.

[10] O'Rahilly, *op. cit.*, 323-4; Thurneysen, *Heldensage* i, 421, ' stierschlafen '; O'Curry, *Manners and Customs* ii, 199. Cf. *RIA Contribb.* s.n.

[11] ' do-gníther . . . tarbfes leo andsin co fiastais esti cia dia tibertais rigi '. LU 3448. (SC. 22).

seicheadha na dtarbh n-iodhbarta do leathadh orra agus an taobh do bhíodh ris an bhfeoil do chur in uachtar díobh agus dul mar sin i muinighin a ngeasa do thoghairm na ndeamhan do bhuain scéal díobh amhail do-ní an togharmach san chiorcaill aniú, gonadh de sin do lean an sean-fhocal ó shoin adeir go dtéid neach ar a chliathaibh fis an tan do-ní dícheall ar scéala d'fhágháil.[12]

Rinneadh tagairt cheana don bhanfháidh Feidhealm sa *Táin*. Sa leagan is déanaí den scéal deirtear gur bhean ó Chonnachta í agus go raibh sí tar éis filíocht a fhoghlaim in Albain. Tháinig sí i láthair Mheidhbhe ag Cruachain nuair a bhí an bhanríon agus a sluaite bailithe agus ullamh chun gluaiseachta i gcoinne na nUltach. Nuair a d'fhiafraigh Meadhbh di conas a d'éireodh leis an bhfeachtas a bhí rompu d'fhreagair sí ' Chím fordhearg, chím rua ', á chur in iúl go mbeadh mórdhortadh fola ann. Bhí Meadhbh tar éis scéala a fháil go raibh laochra Uladh i gceas naíon, agus shíl sé go n-éireodh léi iad a chloí gan aon dua. Dá bhrí sin níor chreid sí ráiteas an bhanfháidh. Ach ' lean Feidhealm den fháistine fola agus, sar ar imigh sí, do thairngir sí ár agus éirleach d'imirt ar na sluaite ó Choin Chulainn '.[13]

Tá fáistine de chineál níos coitianta le fáil in *Immacallam in dá thuarad*. Do réir an scéil seo tharla iomarbhá nó iomagallamh idir beirt shaoi, an seanfhile cáiliúil Ferchertne agus an file óg Nede mac Adnai. Nuair a d'éag Adnae, príomhfhile Uladh, bronnadh a thuighean suadh ar Fherchertne. Ba chomhartha é sin go raibh sé á roghnú mar ollamh[14] nó príomhfhile. Bhí Nede san am ag foghlaim filíochta in Albain agus, nuair a chuala sé faoin mbronnadh ghabh míshásamh agus fearg é, agus d'fhill sé go hÉirinn ar an toirt chun tuighean a athar a éileamh. Cuireadh iomarbhá fáistineachta ar siúl idir é féin agus Ferchertne d'fhonn ceist an tuighin (agus na hollúnachta mar aon léi) a shocrú. San iomarbhá thrácht Nede ar na sochair a bhí ann leis an linn sin, agus d'fhreagair Ferchertne é le tairngreacht faoi na dochair a tharlódh san am a bhí le teacht, an tart, an dealús, an chreach, etc. De bharr na tairngreachta

[12] *Foras Feasa ar Éirinn* ii, 348-50. Cuirtear i gcuimhne dúinn an scéal Breatnaise faoi Bhrutus ina luí ina chodladh ar sheiche na heilite báine. H. Lewis, *Brut Dingestow* (Caerdydd 1942) 14. Cf. an nós a bhíodh á chleachtadh in Albain chomh déanach leis an dara leath den 17ú haois. Martin, *A Description of the Western Islands of Scotland circa* 1695 (eagrán 1934) 172 *et seq.*

[13] *An Rúraíocht*, 300; Windisch, *Táin Bó Cúailnge*, 27 *et seq.*

[14] Séard atá san fhocal *ollamh*, dar leis an Dr Binchy, ná breischéim na haidiachta ' oll '. *Ériu* xvii. Cf. *Sanas Cormaic.*

seo d'admhaigh Nede gur ag an seanfhile a bhí an bua. ' Is eol dom ', ar seisean, ' gur mórfhile agus fáidh Ferchertne '.[15]

Mar a thugamar le tuiscint cheana, bhí tábhacht ar leith ag roinnt le tairngreacht faoi chomharbas ríthe na hÉireann. Tá dhá sheantéacs ann atá bunaithe ar an ábhar sin. Sa chéad cheann *Baile Chuind Chétchathaig*,[16] is é Conn féin a dhéanann an tairngreacht; sa dara ceann, *Baile in Scáil*,[17] is é an taibhse (nó an scáil), mar is follas ón teideal, a dhéanann í. Deir Thurneysen go raibh leagan den chéad scéal le fáil i *Leabhar Droma Sneachta*. Is cosúil go bhfuil *Baile in Scáil* freisin bunaithe ar sheanleagan. Níl an leagan atá tagtha anuas chugainn, ámh, níos sine ná an t-aonú haois déag.[18]

Mallacht agus Aoir

Ní furasta i gcónaí idirdhealú a dhéanamh idir mallacht agus aoir sa litríocht de bhrí gur minic a dhéantar iad a mheascadh agus de bhrí freisin gur ábhar uamhain iad araon don té a thuilleann iad.[19]

Insítear scéal faoi Eochaidh, mac Rí Laighean, a bhí ina phríosúnach agus ina ghiall ag an Ardrí, Niall, ag Teamhair. I gceann tamaill d'éirigh le hEochaidh éalú agus ar a bhealach abhaile dó lorgaigh sé aíocht i dtigh an fhile Laidcenn. Diúltaíodh lóistín agus bia dó, agus b'éigean dó imeacht leis agus é go traochta ocrach. Nuair a shroich sé áras a athar bhailigh sé buíon dá lucht leanúna, agus chuaigh siad ar ais chuig Laidcenn. Loisc siad teach an fhile, agus dhúnmharaigh siad a aonmhac. Mar dhíoltas ar an ngníomh sin rinne Laidcenn fir Laighean a aoradh ar feadh bliana gan staonadh, agus mar thoradh ar an aoir sin deirtear nár fhás arbhar ná féar ná duilliúr sa chúige i gcaitheamh na bliana go léir.[20] Sa scéal *Oidheadh Chloinne Uisnigh* cuirtear in iúl gur chuir Cathbhadh mallacht ar Eamhain Mhacha i ngeall ar dhúnmharú Naoise agus a bheirt deartháir.[21]

[15] RC xxvi, 50.

[16] O'Curry, *MS Materials*, 385 *et seq.;* Thurneysen, *Zu ir. Hdschr.* i, 48; ZCP xx, 217-18; G. Murphy, *Ériu* xvi, 145 *et seq.*

[17] In eagar ag Meyer, ZCP iii, 457 *et seq.;* Féach freisin O'Curry, *op. cit.*, 618.

[18] Tá tagairt ann do Mhaelsheachlainn a d'éag 1022. In *Éigse* i, 42 *et seq.* tugtar cuntas ar an aisling fháistiniúil. Ní miste a mheas gurb é seo an saghas ceapadóireachta a chleachtadh an ' fáidh-fhile '.

[19] O'Curry, *Manners and Customs* ii, 216 *et seq.; Leabhar Bhaile an Mhóta*, 13a; *Irische Texte* iii, 96 *et seq.* Féach freisin Howard Meroney, ' Studies in Early Irish Satire ', *The Journal of Celtic Studies* i, 199-226; ii, 59 *et seq.*

[20] O'Curry, *Manners and Customs* ii, 69, 70. Féach freisin K. Meyer, *Ancient Gaelic Poetry* (Lecture to Ossianic Society, Glasgow, 1906) 7, mar a n-ainmnítear an file Athirne.

[21] S. Ua Ceallaigh (Sceilg), *Trí Truagha na Scéaluidheachta* (BÁC 1932) 88.

Tá sampla de mhallacht le fáil i *Sanas Cormaic*[22] faoin bhfocal *gaire*, focal a chiallaíonn (do réir mínithe Chormaic) *gair-re*, nó *ré gair*, is é sin, gearrshaol. Insíonn Cormac scéal a léiríonn cén fáth ar cuireadh an mhallacht seo ar dhuine áirithe. Do réir an scéil, thit bean Cháier, rí Chonnacht, i ngrá le Nede mac Adnai, an file ar ar tráchtadh ó chianaibh. Uncail do Nede ba ea Cáier, agus d'áitigh bean Cháier ar an bhfile aoir a dhéanamh ar an rí, i dtreo go dtiocfadh ainimh air agus go mbeadh air, dá bharr sin, éirí as a ríocht agus í a fhágáil i seilbh a nia. Rinne Nede aoir den chineál ar a dtugtaí *glám ndíceand*. Tugann Cormac focail na haoire dúinn mar aon le míniú ar chuid de na focail a bhí ársa agus dothuigthe, go fiú lena linn féin.[23] Ag seo brí na mallachta: ' Olc, bás, gearr-shaol do Cháier; go mbuailidh ga catha Cáier . . . Cáier faoi úir; faoi bhábhúin, faoi chlocha go raibh Cáier '. Cheapfaí ó na focail sin gurbh é an bás a bheadh i ndán do Cháier ar an toirt, ach níorbh ea. Ina ionad sin d'fhás trí bholg ar a ghruanna, agus b'éigean dó teitheadh as a ríocht faoi náire.

Deirtear linn gur chleacht gach grád de na filí a shainchineál féin de *glám ndíceand*,[24] agus gur ghnáth é a chumadh i meadaracht ar a dtugtaí an *laíd*.

Faoi mar a tugadh le tuiscint cheana, d'fhoghlaim na filí orthaí nó deismireachtaí mar ghnáthchuid rialta dá dteagasc. Tá samplaí díobh le fáil i *Leabhar Bhaile an Mhóta*, ach is fíordheacair iad a thuiscint.[25] Do réir mar is féidir a dhéanamh amach, ortha is ea ceann acu a d'úsáidtí chun eallach fuadaithe a fháil ar ais. B'éigean í seo a chanadh ar lorg na mbeithíoch a bhí fuadaithe nó, mura bhféadfaí é sin a dhéanamh, chantaí é trí dhorn deas an té a bhain-feadh feidhm aisti. Ansin thaispeánfaí na gadaithe don té sin i mbrionglóid.

Ceann de na horthaí is spéisiúla is ea an ceann as a mbaintí feidhm chun fad saoil a dheimhniú; *cétnad n-áise* a thugtaí uirthi.

[22] Meyer, *Sanas Cormaic*, 698; Stokes, *Three Irish Glossaries*, xxxvi *et seq.* Cf. Thurneysen, *Heldensage* i, 523 *et seq.;* O'Curry, *Manners and Customs* ii, 217 *et seq.; Leabhar Bhaile an Mhóta*, 294 B.

[23] Mali, bari, gare Caie(u)r,
Cotmbeotur cealtru catha Cáer
Cáier diba, Cáier dira, Cáier fu ró,
fu mara, fu chara Cáer.

Maile didiu, .i. olc, dindí as malum; bari .i. bás; gare .i. garsecclae; Cáeur .i. do Cháieur; cealt(r)a catha .i. gaí, inde dicitur díchealtair .i. crand gaí cen iarn fair. Fu ró- .i. fo úr .i. imord fedha; fo chora .i. fo chlocha.

[24] *RIA Contribb.* s.n. glám; RC xii, 120-21; *ibid.* xx, 420.

[25] Windisch, *Irische Texte* iii, 51 *et seq.*, 117 *et seq.*

Tosaíonn sí leis an impí seo ar sheacht n-iníonacha na mara (*secht n-ingena trethan*):

Trí bhás uaim go dtugtar
Trí aois dom go dtugtar.

Ansin impítear ar phearsa éigin darbh ainm *Senach sechtamserach* ' Ná báitear mo sheacht gcoinnle '. Tagann iar sin sraith línte a léiríonn (nó a chinntíonn) buaine an té atá ag canadh:

Is dún doscriosta mé
Is aill anschuiche mé,
Is leac luachmhar mé. . . .

Cuirtear críoch leis an ortha leis an achainí seo a leanas:

Go mairead go ceann céad céad bliain,
Gach céad díobh fo seach.[26]

An File mar Bhreitheamh agus Fhear Dlí

Níl aon ghanntanas fianaise ann a léireodh gurbh achmhainn don fhile feadhmannas an bhreithimh a chomhlíonadh.[27] Sa réamhrá ar *Seanchas Mór* deirtear gur thionól Pádraig comhdháil faoi cheannas an Ardrí Laoghaire chun Reachta na hÉireann a thabhairt ar aon dul leis an gCríostaíocht. Ba ar an bhfile Dubhthach, do réir cosúlachta, a leagadh an cúram seanreachtanna agus seannósanna na tíre a idirmhíniú don Chomhdháil. Do réir cuntais eile[28] ceapadh coiste naonúir chun na chéad reachtanna a eagrú, mar atá, triúr rí (agus Laoghaire ina measc), triúr easpag (agus Pádraig ina measc) agus triúr file. Níl aon tagairt don choiste seo, áfach, sna tuairiscí is seanda, agus is é tuairim scoláirí áirithe nach bhfuil aon bhunús stairiúil leis an scéal.[29] Ar an láimh eile, tá cuntas i seanscéal eile ar scoláire darbh ainm Ceann Fhaoladh (Cenn Faelad), cuntas a thugann léargas dúinn ar an bpáirt a ghlac na filí i gcóiriú na ndlíthe. Do réir traidisiúin, mhair Ceann Fhaoladh

[26] Windisch, *ibid.* iii, 53 *et seq.* Tá an téacs le fáil freisin mar aon le haistriúchán ag Meyer, *An Old Irish Prayer for Long Life* (Repr. from *A Miscellany Presented to J. M. Mackay* (1914)). Féach freisin, R. J. Best, ' Some Irish Charms ', *Ériu* xxi, 27-32.

[27] Do réir traidisiúin ba *bhreitheamh* agus *file* an phearsa mhiotaseolaíoch, Amergin. Cf. O'Curry, *Manners and Customs* ii, 3 agus 20.

[28] *Laws* i, 16, Cf. O'Curry, *Manners and Customs* ii, 25. MacNeill, *Studies* xi, 23; E. Hull, *A Textbook of Irish Literature* i, 179. Do réir an Ollaimh D. A. Binchy, ' At first in Ireland, as in Ancient Gaul, law was in the hands of the Druids, and when eventually a separate caste of jurors hived off from them, they carried with them something of the old aura of mystery and supernatural powers '. *Early Irish Society*, 63.

[29] MacNeill, ' A Pioneer of Nations ', *Studies* xi, 13 *et seq.*, 435 *et seq.*

sa 7ú haois. Fear dlí agus file ba ea é, agus d'fhreastail sé ar an scoil Laidine i gCorcaigh. Tuilleann sé ionad an-tábhachtach i stair na litríochta mar is cosúil go ndearna sé cuid mhór chun an fál idir cultúr dúchasach na hÉireann agus cultúr na Laidine a leagan agus an dá chultúr a nascadh le chéile.[30]

Deirtear gur chaill na filí leis an aimsir a n-údarás mar bhreithimh, toisc go raibh de nós acu friotal doiléir a chleachtadh, sa chaoi nárbh fhéidir a mbreithiúnais a thuiscint. Tráchtar ar an doiléire sin sa tagairt atá sa *Seanchas Mór* don scéal a luadh cheana, *Immacallam in dá thuarad.* Ba dhorcha, do réir an chuntais, an friotal a labhair an bheirt fhile, Nede agus Ferchertne, i dtreo gur theip ar na flatha a bhí i láthair iad a thuiscint.[31] Agus cuimhnítear ar ráiteas an rí in *Tromdámh Guaire.* ' Is maith an duan ', ol in Rí, ' gibé do tuicfadh hi '.[32] Bhí an gearán céanna ag an rí in *Oidheadh Chloinne Tuireann:* ' Is maith an dán sin ', adeir sé, ' acht ná tuigim aon fhocal dá chéill '.[33]

Thugtaí *bélre na filed*[34] mar ainm ar an bhfriotal seo agus is follas gur bhua an doiléire, dar leis na filí, agus is cosúil gur d'aon ghnó a chleachtaidís í. Dhealródh sé go raibh eolas ag Eimhear agus ag Cú Chulainn ar an gcanúint liteartha seo mar in *Tochmarc Emire*[35] insítear gur labhair an bheirt acu le chéile i bhfriotal nár thuig aon duine eile den chomhluadar. Is suimiúil a thabhairt faoi deara gur cosúil go raibh dúil ag éigse na Breataine Bige sa doiléire freisin. Sa scéal *Breuddwyd Rhonabwy*, a cumadh am éigin sa 12ú haois, chonacthas i mbrionglóid baird ag teacht go dtí cúirt Artúir chun amhrán a chanadh don rí agus deirtear nár thuig ach fear amháin sa chomhluadar an t-amhrán ach go raibh a fhios ag an gcuid eile gur moladh d'Artúr a bhí ann.[36]

Mheas éigse na nGael anallód nach raibh aon chineál eolais nó léinn ann nach bhféadfaí crot meadarach a chur air, agus níor

[30] Mac Neill, *loc. cit.*

[31] *Laws* i, 18. Cf. O'Curry, *MS Materials*, 45, 511. Féach freisin *Manners and Customs* ii, 20, 21; Hull, *op. cit.* i, 183.

[32] Joynt, *Tromdámh Guaire*, 3.

[33] O'Curry, *Atlantis* iv, 198. Ua Ceallaigh (.i. Sceilg), *Trí Truagha na Scéaluidheachta*, 26.

[34] ZCP v, 482 *et seq.;* viii, 557. Cf. *segantus briathar* atá luaite sa scéal ' Erchoitmed Ingine Gulidi ' atá curtha in eagar ag K. Meyer, *Hibernica Minora* (Oxford 1894) 65 *et seq.*

[35] Curtha in eagar ag Meyer, *Archæological Review* i (1888); aistrithe go Béarla ag E. Hull, *The Cuchullin Saga*, 57 *et seq.*

[36] M. Richards, *Breudwyt Ronabwy* (Caerdydd 1948) 20.

thaise do dhlíthe na tíre é. Tugann an Dr Mac Néill cuntas ar na sleachta véarsaíochta sna dlíthe, sleachta nach miste a chreidiúint, dar leis, gurb é an fear léinn Ceann Fhaoladh a chum iad.[37] Is follas, mar sin, go bhfuil siad an-ársa.

Téacs dlí a bhfuil crot meadarach ar an gcuid is mó de is ea an bailiúchán ar a dtugtar *Leabhar na gCeart*.[38] Tá tosach an téacs seo roinnte i seacht gcuid, cuid amháin do gach ceann de na ríochtaí seo a leanas: Caiseal, Connachta, Aileach, Oirghialla, Ulaidh, Teamhair agus Laighin. I ndiaidh na gcodanna sin tagann (*a*) dán ar Lochlannaigh Bhaile Átha Cliath; (*b*) beannacht Phádraig ar na Gaeil; (*c*) dán ar dhualgas an fhile agus (*d*) dán neamhiomlán ar Theamhair agus na foríochtaí, a bhréagnaíonn a bhfuil ráite sna codanna tosaigh. Tá dhá dhán le fáil go hiondúil i ngach ceann de na seacht gcodanna ar na ríochtaí éagsúla, sa chéad cheann áirítear na cíosanna agus na cánacha a bhí dlite don Ardrí agus do ríthe na gcúigí éagsúla ó thaoisigh na dtuatha, sa dara ceann luaitear an tuarastal ba chóir do na ríthe sin a thabhairt uathu mar chúiteamh ar na seirbhísí a thug na taoisigh dóibh. Tá coimre i bprós mar réamhrá ar gach dán. Ní leantar den fhoirmle sin sa roinn ar ríocht Chaisil, ná sa roinn ar Oirghialla. Níl an t-ábhar go hiomlán ar aon dul leis an ábhar sna dánta ar na ríochtaí eile.

Ceapadh ar feadh i bhfad gur thart faoi 900 A.D. a chéad-chuireadh *Leabhar na gCeart* le chéile, ach níl scoláirí an lae inniu sásta dáta chomh luath sin a chur síos dó. Is é tuairim an Dr Binchy nach fíorphictiúr d'eagras ársa na tíre a thugtar dúinn sa phríomh-théacs ach pictiúr den eagras mar a bhí sé san 11ú haois.[39] Tá an Dr Diolún ar aon aigne leis faoi sin. Tá léirithe aigesean gur bailiúchán de théacsanna neamhspleácha atá i *Leabhar na gCeart* agus is é a thuairim gur am éigin go déanach san 11ú haois a cumadh an príomhthéacs, gur file Muimhneach a chum é agus go ndearnadh an bailiúchán a chur le chéile faoi spreagadh an Aiséirí Léinn san 11ú haois, aiséirí ónar shíolraigh dréachtaí móra eile mar *Cóir Anmann*, *Dindshenchus*, agus *Lebor Gabála*.[40]

[37] Mac Neill, *Studies* xi (1922) 13 *et seq*., 435 *et seq*. Tá aois na sleachta sin faoi chaibidil in ZCP xviii, 102.

[38] O'Donovan, *Leabhar na gCeart or the Book of Rights* (BÁC 1847); MacNeill, 'The Book of Rights' *New Ireland Review* xxv (1906) 65-80, 206-16, 348-62; *Celtic Ireland* (BÁC 1921) Caib. vi.

[39] *Early Irish Society*, 55.

[40] 'On the Date and Authorship of the Book of Rights', *Celtica* iv, 239 *et seq*.

Dréachtaí Seanfhoclacha

Tá méid áirithe cosúlachta idir na leaganacha meadaracha de na dlíthe agus dánta de chineál eile ina bhfaightear teagasc nó comhairle. Dréachtaí seanfhoclacha[41] (*gnomic*) a thugtar orthu, agus is roinn ar leith den tseanlitríocht iad. Tá an cnuasach is seanda díobh curtha síos don bhreitheamh miotaiseolaíoch, Morann mac Maoin, a bhí ina fhile freisin. *Audacht* nó *Auraicept* nó *Tecosc Morainn* a thugtar ar an gcnuasach, agus ó fhoirm na teanga ann dhealródh sé gur cuireadh le chéile é am éigin go luath san ochtú haois.[42] Ba sa chéad leath den 9ú haois ar a dhéanaí a rinneadh an cnuasach ar a dtugtar *Tecosca Cormaic*[43] a dhíolaim. 'Briatharthecosc Conculaind' a thugtar ar shliocht as an scéal *Serglige Conculaind*.[44] Sa sliocht seo tá an teagasc a thug an laoch dá dhalta Lughaidh le fáil. Tá spéis ar leith ag roinnt leis an gcnuasach ar a dtugtar *Senbriathra* nó *Senráite Fíthail*. Do réir traidisiúin bhí cónaí ar an mbreitheamh Fíthal (nó Fíthel) in áras ríoga Chormaic mhic Airt.[45] I lámhscríbhinní áirithe, áfach, tá cuid dá sheanráite curtha síos do dhuine darbh ainm Flann Fína mac Ossu. B'shin an t-ainm a thug na Gaeil ar Aldfrith, mac Ossu agus Rí Nortumbair[46] (685-705).

Ginealaigh agus Logdhánta

Tá dhá chineál eile de dhánta léannta ar chuid de dhualgas na bhfilí é iad a chumadh. Tá na tráchtais ina dtugtar craobh coibhneas rí nó flatha áirithe.[47] Samplaí de dhréachtaí den chineál seo is mó atá curtha in eagar ag Meyer in *Über die älteste irische Dichtung*. Ríomhtar iontu ginealaigh ríúla Chúige Laighean agus na Mumhan. Creidtear gur sa 7ú haois a céadchuireadh cuid acu le chéile.[48]

[41] *The Growth of Literature* i, 393 *et seq.*

[42] Tá an téacs curtha in eagar ag Thurneysen, ZCP xi, 80 *et seq.* Tá aois an téacs faoi chaibidil *op. cit.* xi, 78-9; xiii, 43 *et seq.*; 298; J. Strachan, *Contribution to the History of the Deponent Verb in Irish* (London 1894) 50; Meyer, *The Instructions of Cormac mac Airt* (BÁC, 1909) v.

[43] Meyer, *op. cit.* xi.

[44] Windisch, *Irische Texte* i, 213-14.

[45] Gairmthear *file* don bhreitheamh seo in *Echtra Cormaic i Tír Tairngiri*, *Irische Texte* iii, 257.

[46] Cf. Flower, *The Irish Tradition*, 12 *et seq.*; Meyer, *Anecdota from Irish MSS* iii, 13; ZCP vi, 261; Thurneysen, *Zu irischen Handschriften und Literaturdenkmälern* i, 16.

[47] *The Growth of Literature* i, 273.

[48] *ibid.*

I gcoitinne is féidir a rá go n-aontaíonn na dréachtaí meadaracha seo leis na bunghinealaigh féin. Is fiú a thabhairt faoi deara go bhfaightear, chomh luath leis an 7ú haois, srathanna d'ainmneacha as na craobhacha coibhneasa i Leabhar Geinisis curtha isteach sna ginealaigh dhúchasacha agus go raibh ainmneacha clasaiceacha agus ainmneacha as foinsí eile Laidine le fáil ina measc freisin.

Tá na craobhacha coibhneasa an-líonmhar i nGaeilge, agus tá cuid díobh go fíorársa. Ceann de na cnuasaigh is tábhachtaí is ea an ceann ar a dtugtar anois *Ginealaigh Laud.* Síolraíonn tromlach an chnuasaigh seo ó bhuntéacs de chuid an 8ú haois, agus níl aon amhras ná go raibh an téacs sin féin bunaithe ar liostaí a cuireadh le chéile i bhfad roimhe sin agus a caomhnaíodh trí bhéalaithris.[49] Ní foláir nó gur ar na liostaí sin a bunaíodh na scéimeanna croin-eolaíocha a cumadh sa 7ú haois. Ba ar an bhfile a thit an cúram na liostaí seo a chaomhnú.

Is é an dara cineál dréachta atá an-líonmhar i litríocht na Gaeilge, na cinn a chuireann síos ar logainmneacha.[50] Tá sléibhte is cnoic is aibhne le fáil go flúirseach in Éirinn; tá raidhse sean-iarsmaí, idir rátha, dúnta, cromleaca, etc., scaipithe ar fuaid na tíre. Cumadh scéalta faoina bhformhór siúd, á gceangal le hainmneacha ríthe nó laochra, cuid acu miotaiseolaíoch, cuid acu stairiúil.[51] Bhí de dhualgas ar an bhfile na scéalta uile a léirigh brí agus bunús gach logainm a bheith ar eolas aige.[52]

Sa *Leabhar Laighneach* tá bailiúchán de dhréachtaí nach bhfuil iontu ach crot meadarach curtha ar an eolas traidisiúnta seo. Tá breis agus céad díobh ann—cuid acu curtha síos d'fhilí aithnide den 9ú, den 10ú agus den 11ú haois, ach is údair anaithnid a chum a bhformhór.[53] Tugtar an t-ainm dinnsheanchas (is é sin le rá, seanchas faoi áiteanna iomráiteacha[54]) ar an mbailiúchán féin agus ar na scéalta aonair idir phrós agus véarsaíocht. Tá ar fáil, freisin, dhá bhailiúchán a d'eascair níos déanaí as an mbailiúchán sa *Leabhar*

[49] Féach ZCP viii, 291-338, 411-18, 418-19; ix, 471-85; x, 81-96.

[50] Thurneysen, *Heldensage* i, 36-46; *The Growth of Literature* i, 283.

[51] *ibid.* i, 299 *et seq.*

[52] O'Curry, *Manners and Customs* ii, 99.

[53] Le haghaidh liosta d'ainmneacha filí aithnide a chum dréachtaí ar chúrsaí staire agus ar logainmneacha féach MacNeill, *Celtic Ireland*, 39 agus E. J. Gwynn, *The Metrical Dindshenchas* v (BÁC 1935) 93. Féach freisin *ibid.* i (BÁC 1903), iii (1913), iv (1924) agus M. O'Daly, ' The Metrical Dindshenchas ' in J. Carney (eag.) *Early Irish Poetry* (Cork 1965) 59 *et seq.*

[54] Féach *RIA Contribb.*, s.n. dind.

Laighneach, ach is leagan próis atá ar an gcuid is mó de na scéalta sa dá bhailiúchán sin.

Ar ndóigh, tá eolas measartha maith ar an mbealach inar fhás a lán de na scéalta faoi logainmneacha. Baintear feidhm scaití as ainmneacha laochra cáiliúla chun ainm a sholáthar d'áiteanna; scaití eile is é an áit a bhronnann ainm ar an laoch, agus b'fhéidir gur mar sin a tharla níos minicí ná mar a cheaptar. Ar aon nós, níor mhór clú agus cáil a bheith ar laoch sula ndéanfaí a ainm a cheangal le haon áit. Sna logdhánta bhaintí feidhm de ghnáth as ainm laoich nó duine iomráitigh eile agus as eachtra éigin a bhain dó chun brí an logainm a mhíniú. Mar shampla den spéis a cuireadh i logainmneacha agus de na hiarrachtaí a rinneadh chun ainm duine a cheangal leo le na mhíniú, tá an scéal faoi Ráth Cruachan atá le fáil i gceann amháin de na bailiúcháin a luadh cheana.[55] Do réir an scéil seo, nuair a d'fhuadaigh an dia Midhir Éadaoin óna fear céile Eochaidh Airemh thóg sise a bhean fhreastail ina teannta. Cróchan nó Cruachan ab ainm don bhean fhreastail. Ar a n-aistear dóibh shroich an triúr ráth sí. D'fhiafraigh Cruachan de Mhidhir an san áit sin a bhí cónaí air, agus d'fhreagair seisean nárbh ea. Ansin chuir sí ceist air an dtiocfadh léi a hainm féin a thabhairt ar an áit. Cheadaigh Midhir di é sin a dhéanamh, agus thiomnaigh sé an ráth di mar chúiteamh ar an turas.

Tabharfar faoi deara go bhfuil cosúlacht áirithe idir cumadóireacht den chineál seo agus na dréachtaí Breatnaise ar a dtugtar *englynion y beddau* atá le fáil i Leabhar Dubh Caerfyrddin. Cuireann na *henglynion* seo i gcuimhne dúinn an dréacht dar teideal ' Fianna bátar i nEamain ', dréacht a leagtar ar uaire ar an bhfile Cinaédh Ua hArtagáin a fuair bás sa bhliain 975. Bhí Thurneysen den tuairim, áfach, nár cumadh an dán seo roimh an chéad leath den dara haois déag,[56] ach deir an tOllamh Ó Murchadha nach miste a chreidiúint gurb é Ua hArtagáin féin a chum é is go mbaineann sé, dá bhrí sin, leis an 10ú haois.[57] Tráchtar ann ar bhás, agus uaireanta, ar uaigh laochra éagsúla, ó aimsir Fhearghasa mhic Leide anuas to dtí Cath Almhaine, nó níos déanaí.

[55] *The Growth of Literature* i, 283.
[56] Thurneysen, *Heldensage* i, 20-21. Cf. *The Growth of Literature* i, 282.
[57] *Ériu* xvi, 151-5.

Ba as an spéis in ainmneacha a d'fhás freisin an mórshaothar ar a dtugtar *Cóir Anmann.*[58] Míniú ar bhrí ainmneacha daoine atá sa saothar seo, idir dhaoine stairiúla agus neamhstairiúla. Ní féidir a rá go cinnte cathain a cumadh é.

An File mar Scéalaí

Is léir gur riachtanach don té ar mhian leis bheith oilte sa seanchas a ghabh le logainmneacha eolas beacht a bheith aige ar na seanscéalta, agus b'iad na filí na heolaithe sa dá shaghas sin léinn.[59] Ar an gcéad dearcadh ní bheifí ag súil go mbeadh na filí ag plé le scéalta, mar níor chaitheamh aimsire ach teagasc ba phríomhchuspóir dá saothar siúd.[60] Ach is cosúil gur cuireadh orthu, nó gur thógadar orthu féin dualgais an *scélaige*[61] chomh maith leis na dualgais liteartha eile a bhí le comhlíonadh acu, mar is iomaí tagairt atá ann á dheimhniú gur chuid thábhachtach dá gcúram é ón gcianaimsir eolas a bheith acu ar uimhir nár bheag de scéalta.[62] Mar adeirtear sa seanrann, ' Ní ba dúnad cen rigi, ní ba fili cen scéla '.[63]

I gceann de na scéalta faoi Mhongán a bhí sa lámhscríbhinn chaillte *Leabhar Droma Sneachta* deirtear go raibh file darbh ainm Forgall ag an rí agus go raibh i gcumas an fhile sin a mhalairt de scéal a aithris gach uile oíche ó Shamhain go Bealtaine.[64] Do réir

[58] *Irische Texte* iii, 285-444, 557; *Heldensage* i, 48-50; *The Growth of Literature* i, 282 *et seq.;* M. E. Dobbs, *Sidelights on the Táin Age* (Dundalk 1917) 57 *et seq.*

[59] Deirtear linn in áit amháin gur chuid de chúrsa staidéir an fhile é eolas a chur ar 20 scéal sa chéad bhliain, 30 sa dara bliain, 40 sa tríú bliain agus mar sin ar aghaidh nó gur fhoghlaim sé 140 sa bhliain deireanach. Thurneysen, *Mittelirische Verslehren* (*Irishe Texte* iii) 31 *et seq.* Cf. *Laws* i, 44 *et seq.*

[60] *The Growth of Literature* i, 595. Roinneann an tOllamh agus Mrs Chadwick litríocht an ré laochais i dtrí chuid, (1) litríocht a raibh d'aidhm aici pléisiúr nó caitheamh aimsire a sholáthar, (2) litríocht a raibh an teagasc mar chuspóir aici agus (3) litríocht a léirigh faisniú pearsanta. Baineann an chuid is mó de shaothar na bhfilí in Éirinn le roinn (2).

[61] Sa leagan de *Longes mac nUislenn* atá le fáil sa *Leabhar Laighneach* deirtear gur scéalaí do Chonchubhar a bhí i bhFeidhlimidh mac Daill, athair Dheirdre. Más cruinn an léiriú a thugtar sa scéal seo, is cosúil go raibh an oiread céanna ómóis agus gradaim ag dul don scéalaí sa chomhluadar agus a bhí ag dul don fhile. V. Hull, *Loinges mac nUislenn* (New York 1949) 43. Féach *Saga and Myth,* 11. Is é tuairim Thurneysen nach miste a chreidiúint go raibh cuid mhaith de na filí nó na scéalaithe dall agus, mar thacaíocht don tuairim sin, luann sé an Feidhlimidh seo a fuair, do réir dealraimh, a lán dá shaíocht óna athair a bhí dall, agus luann sé freisin Dallán, an file a chum dán molta do Cholm Cille, Lugaid Dall-éces (deartháir Ailealla in *Aided Fergusa mac Roig*) agus Dall Mathghamhna a chum caoineadh ar Mhathghamhain rí na Mumhan, d'éag 976. *Heldensage* i, 65.

[62] Thurneysen, *Mittelirische Verslehren* (*Irische Texte* iii) 32, 34, 36 *et seq.*

[63] O'Curry, *Manners and Customs* ii, 172.

[64] ZCP xviii, 416.

an scéil *Cath Almaine*[65] chuaigh Fearghal mac Maoile Dúin rí Leath Choinn d'ionsaí Laighean, agus bhí fear óg darbh ainm Donn Bó[66] ina fhochair. B'é gnó an fhir óig seo caitheamh aimsire a sholáthar don rí agus dá chuid laochra, agus is eisean a bhí cáilithe go maith chun an ghnótha sin mar nach raibh fear a dhiongbhála in Éirinn mar cheoltóir agus scéalaí. An oíche sular cuireadh an cath d'iarr an rí ar Dhonn Bó ceol a dhéanamh don chomhluadar, agus d'fhreagair an fear óg nach bhféadfadh sé ceol a dhéanamh an oíche sin ach go ndéanfadh sé don Rí é an oíche dár gcionn, cibé áit ina mbeadh sé. Ansin tugadh fear eile, Ua Maighlinne, chucu agus ríomh seisean cathanna agus comhlanna Leath Choinn in aghaidh na Laighneach don chomhluadar. Troideadh an cath lá ar na mhárach, briseadh ar mhuintir Leath Choinn, agus maraíodh an Rí Fearghal, agus Donn Bó agus na filí eile go léir. Ar pháirc an áir an oíche sin chualathas Donn Bó agus na filí eile ag déanamh ceoil dá dtiarna Fearghal. Chuaigh duine de na Laighnigh amach agus rug ar cheann Donn Bó a bhí bainte dá chorp. Thug isteach leis é go dtí an teach ina raibh na Laighnigh chaithréimeacha ag ól agus ag ragairne agus chuir iachall air ceol a dhéanamh dóibhsin mar a bhí déanta aige dá thiarna cheana. ' D'iompaigh Donn Bó ansin a aghaidh le balla an tí ó scalladh an tsolais, agus thóg a ghuth ós ard gur bhinne é ná ceol ar bith ar bhlár talún. . . .'[67] Léiríonn an scéal seo chomh maith le haon cheann eile an cúlra sóisialta a bhí ag na scéalta, agus níl sé an-tábhachtach breithiúnas a thabhairt ar an gceist, an file a bhí i nDonn Bó nó nach ea; is follas go bhféadfadh an t-aon duine amháin gníomhú mar scéalaí agus mar bhard[68] (nó a bheith ina scéalaí agus ina bhard).

Tá léargas le fáil in *Cath Almhaine* ar thábhacht na scéalta i saol an chine, agus tugtar le tuiscint dúinn ann freisin go bhféadfadh an t-aon duine amháin gníomhú mar fhile, mar scéalaí agus mar cheoltóir.[69] Ach is sa scéal *Airecc Menman Uraird maic Coise*[70] is fearr

[65] O'Donovan, *Annals of Ireland. Three Fragments* (Brussels 5301-20) 32-51; Stokes, RC xxiv, 41 *et seq. Scéalaíocht na Ríthe,* 211 *et seq.*

[66] Féach *Scottish Gaelic Studies* iv, 22 *et seq.*

[67] *Scéalaíocht na Ríthe,* 218.

[68] Féach, áfach, *The Growth of Literature* i, 586 *et seq.*

[69] Cf. *The Growth of Literature* i, 586 *et seq.* áit a nochtar an tuairim go mb'fhéidir nárbh iad na *filid* amháin a chleacht an fhilíocht agus an scéalaíocht i dteannta a chéile.

[70] M. E. Byrne, *Anecdota from Irish MSS* ii, 42 *et seq.* Féach freisin, O'Curry, *Manners and Customs* ii, 130 *et seq.;* Thurneysen, *Heldensage* i, 21. Cf. áfach, C. Ó Lochlainn, ' Poems on the Battle of Clontarf ', *Éigse* iii, 208 *et seq.*; iv, 33 *et seq.*

a nochtar an file ag feidhmiú mar scéalaí. Tharla gur scrios Cenél Eoghain teach an fhile, Urard mac Coise (d'éag 990), agus chuaigh an file chun gearán a chur i láthair Rí Teamhrach, Domhnall mac Muircheartaigh uí Néill (d'éag 980). Sula raibh deis aige a ghearán a dhéanamh, d'iarr an rí air scéal a insint dó. Thoiligh an file é sin a dhéanamh ach go luafadh an rí an scéal ba rogha leis féin. Ansin d'fhiafraigh an rí de cad iad na scéalta a bhí ar eolas aige agus d'ainmnigh sé sraith fhada díobh, iad roinnte mar a leanas do réir a n-ábhair: *gnáthscéla*, *tána*, *eachtraí*, *coimperta*, *catha*, *togla*, *fesa* (feiseanna), *buili*, *tochmarca*, *aithid* (teichead leannán), roinn eile de *thogla*, *tomadman* (tomhadhma nó tuilte), *físi*, *serca*, *slúagid*, *tochomlada* agus *orcni* (airgne).

I ndiaidh na roinne deireanaí luann an file ainm scéil nach bhfuil ar eolas ag an rí, ' Orgain Cathrach Mail Milscothaigh maic Anma Airmiten maic Sochoisc Sochuide maic Ollaman Airchetail maic Dána Dligedaig maic Lugdach Ildánaig maic Rúaid Rofhesa maic Creidme In Spirda Naím Athar Sceo Maic '. Toghann an rí an scéal seo. Séard atá ann ná cuntas ar ar tharla don fhile féin, Urard mac Coise, *alias* Mael Milscothach. Tá an cuntas i bhfoirm fáithscéil nó algaire—an chéad sampla, b'fhéidir, den ghné ceapadóireachta seo i litríocht tuata na Gaeilge—agus ní furasta don rí é a thuiscint. Nuair a nochtar brí rúnda an scéil dó, áfach, tugann sé cuireadh do bhreithiúna agus do sheanchaithe teacht le chéile chun a shocrú cad é an fhineáil ba chóir a ghearradh agus cad é an eineachlann ba chóir a thabhairt i ngeall ar an drochghníomh a bhí déanta. Ainmníonn siad siúd Flann, fear léinn ó Chluain Mhac Nóis chun an gnó sin a dhéanamh. Is é deireadh an scéil go n-aontaíonn na saoithe go léir go bhfuil cúiteamh iomlán tuillte ag Mael Milscothach. Ina theannta sin tugann siad breith gur chóir eineachlann ar chomhchéim le heineachlann Rí Teamhrach a bheith ag aon fhile a bhfuil ina chumas na trí gnáis, *imbas forosnaí*, *díchetal do chollaib cenn* agus *teinm laída*,[71] a chleachtadh.

Tá an liosta sin de chineáil scéalta an-tábhachtach,[72] mar níl ach liosta amháin eile dá leithéid tagtha anuas chugainn, is é sin, an ceann atá le fáil sa Leabhar Laighneach.[73] Dhá roinn déag atá

[71] Féach Thurneysen, ZCP xix, 163, N. K. Chadwick, *Scottish Gaelic Studies* iv, 97; O'Rahilly, *Early Irish History and Mythology*, 323, 336, *et seq.*

[72] Thurneysen, *Heldensage* i, 21-4.

[73] *Leabhar Laighneach*, Facs. 189 b. Cf. O'Curry, *MS Materials*, 584-93. Féach freisin B. O'Looney, ' On Ancient Historic Tales in the Irish Language ', *PRIA* (2nd series I, 1879) 215 *et seq.*, go háirithe 216.

ann, mar atá, *togla*, *tána*, *tochmarca*, *catha*, *uatha*, *imrama*, *aideda* (oidheadha), *fessa* (feiseanna), *forbaisi* (forbhasa), *echtrada*, *aitheid* (teicheadh leannán), agus *airgne*.[74] I ndiaidh an liosta tugtar ainmneacha na bpríomhscéalta i ngach roinn díobh sin thuas. Mar a fheictear, tá cosúlacht áirithe idir an dá liosta. Tá siad araon beagáinín lom; ní thugann siad aon mhionfhaisnéis dúinn. Mar sin féin tuigimid uathu cad iad na hábhair a raibh dúil agus spéis ag na scéalaithe agus ag an bpobal iontu.

Do réir cuntais amháin bhí de dhualgas ar an *ollam* (an príomhfhile) trí chéad go leith (i.e. secht coicait) scéalta a bheith ar eolas aige; b'éigean don *ánrud* nó *ánruth* eolas a bheith aige ar leath an mhéid sin. Ansin tagann an *cliú* agus ochtó scéal mar chúram air, an *cana* le seasca, an *doss* le caoga, *mac fuirmid* le daichead, *fochlocon* le tríocha, *driseach* le fiche, *taman* le deich agus *oblairi* le seacht gcinn.[75]

Ní furasta a shamhlú go cruinn cad é an t-ionad a bhí ag na seanscéalta seo sa chultúr dúchasach. Ar uaire, ámh, faighimid leide a chuirfeadh ina luí orainn go raibh ionad an-tábhachtach acu. Mar shampla, ceann de na trí hiontais a bhí ag baint le *Táin Bó Cuailnge* ba ea go raibh coimhde nó cosaint le fáil go ceann bliana ag an té dá n-insítí é.[76] Is suimiúil an rud é gur gealladh beannachtaí agus buntáistí den saghas céanna don té a d'éistfeadh le seanscéalta na hIndia.[77]

An file a d'aithris na scéalta seo, ní foláir nó ghlac sé leo mar fhíorstair.[78] Ba chuid dá stóras liteartha iad i dteannta na nginealach agus an dinnsheanchais.

Níorbh aon ró-ualach ar chuimhne an ollaimh 350 scéal a bheith ar eolas aige; bhí daoine sa Ghaeltacht go dtí le fíordhéanaí a raibh níos mó dréachtaí ná sin de ghlanmheabhair acu. Ach dealraíonn sé go raibh dualgas sa bhreis ar na filí i leith na scéalta seachas iad a mheabhrú agus a aithris, dualgas atá curtha in iúl mar seo:

[74] I ndiaidh an liosta tugtar teidil na bpríomhscéalta i ngach roinn díobh sin thuas. Ní thugtar ach 204 theideal cé gur gealladh 250.

[75] I *Leabhar Bhaile an Mhóta*, 299 B 45, tá tráchtas suimiúil dar teideal *Leabhar Ollamhan*. Tá coimre ar a bhfuil ann le fáil ag O'Curry, *Manners and Customs* ii, 171 *et seq*. Féach freisin E. Hull, *A Textbook of Irish Literature* i, 189 *et seq.*; *Encyclopædia Brittanica* (14 ed.) xii, 639.

[76] K. Meyer, *Triads of Ireland* (BÁC 1906) 8—' intí dia n-aisnéther, coimge bliadna dó '.

[77] M. Dillon, *The Archaism of Irish Tradition*, 5.

[78] I dtíortha eile freisin anallód creideadh go raibh seanscéalta an chine fíor. Féach C. M. Bowra, *Heroic Poetry*, 40; *Early Irish Society*, 26.

Ní fili nad chomgne comarthnad scéla uile. Glacadh leis ar feadh i bhfad gurbh é ba chiall leis an méid sin ná go raibh de chúram ar an bhfile sioncroineacht a sholáthar idir na scéalta.[79] Ach ní réitíonn Seán Mac Airt leis an míniú seo.[80] Cuireann sé in iúl go raibh na téarmaí *comaimsearad* agus *coimaimsirdacht* ann cheana féin ar ' shioncroineacht '. Ansin léiríonn sé go bhfuil lúb ar lár éigin, ó thaobh comhréire de, san abairt mar atá sí, agus is dóigh leis gur mar seo ba chóir í a bheith: *Ní fili nád comathar chomgne nád na scéla uile*, is é sin le rá, ' ní file (an té) nach gcaomhnaíonn coimgne nó na scéalta uile '. Fágann sin an deacracht, cad is brí leis an téarma ' coimgne '. Admhaíonn Mac Airt nach furasta é a mhíniú go beacht, ach ó na na samplaí éagsúla is dóigh leis go gciallaíonn sé rud éigin mar ' olleolas ' nó ' comheolas ' agus gurb é a bhí ann ná aon chineál ceapadóireachta a raibh eolas traidisiúnta mar bhunús léi, eolas a bhain ar bhealach éigin le stair chine. Is é a thuairim mar sin, nach miste glacadh leis gur cáipéis a bhí sa choimgne a bhféadfaí úsáid a bhaint aisti i gcúirt dlí chun cirt áirithe a shuíomh. Is féidir an léiriú atá déanta aige ar an gceist a chur i mbeagán focal. Is dóigh leis go mbaintí leas as na scéalta mar fhoinse staire agus gur ar an bhfile a thit sé mar chúram é sin a dhéanamh.

Gnéithe Eile de Shaothar an Fhile

Sa tuairisc atá tugtha againn go nuige seo ar ghnéithe éagsúla de shaothar na bhfilí is ar éigean a thráchtamar ar aon rud a léireodh ionannas dá laghad idir an saothar sin agus ceapadóireacht aos dána in aoiseanna níos déanaí. Ní cuí, áfach, dearmad a dhéanamh ar na dréachtaí iomadúla atá le fáil sna scéalta agus in áiteanna eile,[81] dréachtaí nach bhfuil aon rian den acadúlacht nó den oifigiúlacht ag roinnt leo. Is cuid de chumadóireacht na bhfilí iad sin freisin. Is beag tagairt a rinneamar, ach oiread, d'aon rud a thaispeánfadh cosúlacht idir saothar na bhfilí in Éirinn agus saothar na *bardoi*[82] sa Ghaill. Is follas, áfach, ó na cuntais a scríobh na Gréigigh agus na Rómhánaigh ar mhuintir na Gaille go raibh pointí áirithe ionannais idir saothar na *bardoi* thall agus na mbard abhus.

[79] O'Curry, *MS Materials*, 593; MacNeill, *Celtic Ireland*, 37 *et seq.*

[80] ' Filidheacht and Coimgne ', *Ériu* xviii, 139 *et seq.*

[81] Féach G. Murphy, *Early Irish Lyrics* (Oxford 1956). Cf. *Early Irish Society*, 33 *et seq.*

[82] Féach Holder, *Altceltischer Sprachschatz* (Leipzig 1891-1913) s.v. *bardos.*

‘ I measc na nGailleach ’, adeir Diodorus Siculus (v.31), agus é ag scríobh thart faoi lár an aonú haois roimh Chríost, ‘ tá filí liriciúla[83] ar a dtugtar *bardoi*. Cumann siad dánta molta do dhaoine áirithe agus aortha ar dhaoine eile, agus déanann siad a gcuid cantana le tionlacan ar chruit de chineál éigin ’.

Tugann an scríbhneoir Posidonius an tuairisc seo a leanas dúinn ar an gcéad *bardos* a bhfuil trácht air sa stair, *bardos* a mhair sa dara haois roimh Chríost. Lá amháin thug Lovernios, rí na nAverni sa Ghaill, féasta mór, agus bhí de mhí-ádh ar dhuine de na *bardoi* bheith ró-dhéanach. Nuair a tháinig sé i láthair bhí an féasta thart agus an rí ar tí imeachta. Lean an bard é agus, le linn dó bheith ag rith le taobh an charbaid chatha, d’aithris sé dán ag míniú cén fáth a raibh sé déanach agus ag moladh an rí go hard. Thaitin an dán chomh mór sin leis an rí gur chaith sé a sparán chuig an mbard. Ghabh seisean a bhuíochas mar a leanas: ‘ Is ag iompar óir agus sochar atá na loirg a fhágann tú agus tú ag tiomáint thar an talamh ’.[84]

Níorbh aon chúis iontais scéal mar seo a bheith á insint i dtaobh file sa Bhreatain Bheag nó in Éirinn sna meánaoiseanna. Is fíor gur cosúil nár chuid de dhualgas an fhile go bunúsach é dánta molta a chumadh.[85] Ba ar na baird a thit an cúram sin sa chianaimsir. Le himeacht aimsire, ámh, chrom na filí ar shuim a chur sa chineál seo ceapadóireachta, agus tá sleachta as a gcuid dréachtaí le fáil sna tráchtais ghramadaí a cuireadh le chéile sna meánaoiseanna.[86] Baineann cuid de na dréachtaí seo, is cosúil, le deireadh ré an laochais, ach is le haoiseanna is déanaí ná sin a bhaineann a bhformhór mór.

Ceann de na dánta molta is iomráití i litríocht na Gaeilge is ea an ceann a chum an príomhfhile Dallán mac Móire do chlaíomh Chearbhaill, rí Laighean (*c.* 885-909). Léiríonn an file ann buanna agus dea-thréithe an rí agus a shinsir trí éachtaí an chlaímh a mhóradh:

[83] Ποιηταὶ μελῶν: ‘ composers of songs ’, an t-aistriú atá ag H. M. agus N. K. Chadwick air seo, agus cuireann siad leis á rá, ‘ We understand μελῶν to mean poetry accompanied by instrumental music ’, *The Growth of Literature* i, 607.

[84] *Athenaeus* 4, 37. Féach freisin Holder, *op. cit.*, s.v. *Lovernios*. Cf. Meyer, *Ancient Gaelic Poetry* (London 1913) 6.

[85] *Early Irish Society*, 22 *et seq.* Tá léiriú suimiúil ar chuid de dhualgais an fhile le fáil san aiste le S. Mac Airt, ‘ Filidhecht and Coimgne ’, *Ériu* xviii, 139 *et seq.*

[86] E. C. Quiggin, *Prolegomena to the study of the later Irish Bards*, 1200-1500 (proc. Brit. Academy v, London 1913).

Mochen, a chlaidib Cherbaill!
bát menic i mornglaim,
bát menic ac cur chatha
ac dichennad ardfhlatha.

Raspat menic ac dul chrech
il-lámaib rig no robreth,
bát menic ac raind tána
ac degrig do dingbála.[87]

Go luath tar éis bhás Chearbhaill is ea a cumadh an dán seo, agus is ar Dhallán mac Móire, ollamh nó príomhfhile an rí, atá sé leagtha.

I bhfoirm agus i meon tá dánta molta seo na nGael cosúil leis na cinn sna hinscríbhinní Gapta, agus ní miste a rá go bhfaightear iontu macalla ó na hamhráin a chum baird na Gaille, na hamhráin sin a bhfuil cur síos orthu ag Posidonius agus ag Diodorus Siculus, agus dhealródh sé gurb é an dream céanna den aos dána a chum iad.

Dualgas sóisialta a bhí á chomhlíonadh ag an bhfile, ní foláir, agus dánta den saghas seo á chumadh aige. Is féidir an rud céanna a rá faoi na dánta gríosaithe. Tá sampla an-mhaith díobh sin i scéal Cheallacháin Chaisil,[88] sa dréacht ag gríosú laochra na Mumhan chun fogha a thabhairt faoi chathair Luimnigh a bhí san am sin i seilbh na Lochlannach.

Ticidh cu Luimnech na long
a clainn Eogainn na n-ard-
n-ardglonn;
a timceall Cheallachain cain
gu Luimnech na cloch cengail.

Cosnaigh bhur crich dileas dil,
a clainn Oiliolla inmuin
ag cath Luimnigh na long luath
saeraid Mhumain na
morthuath.

Nuair a ghabh an *pencerdd* sa Bhreatain Bheag agus an file (nó an bard) in Éirinn air féin a rí nó a thaoiseach a mholadh i ndán, bhí siad araon, ar nós an *bardos* sa Ghaill agus file na hIndia, ag cleachtadh nóis a raibh a fhréamhacha bunaithe go domhain in ithir na litríochta ón gcianaimsir.[89]

[87] In eagar le haistriúchán Béarla ag K. Meyer, RC xx, 7 *et seq.; Irisleabhar na Gaedhilge* x, 613 *et seq.;* Leagan Béarla, *Ancient Irish Poetry* (1911) 72 *et seq.*

[88] Bugge, *Caithréim Cellacháin Caisil* (Christiania 1905) 5. Féach freisin *The Growth of Literature* i, 350; Rev. John Ryan, S.J., 'The Historical Content of Caithréim Ceallacháin Chaisil', *Journal of the Royal Society of Antiquaries of Ireland* (= JRSAI) 1941, 89 *et seq.;* C. Ó Lochlainn 'Poems on the Battle of Clontarf', Part II. *Éigse* iv, 46; D. Ó Corráin, 'Caithréim Chellacháin Chaisil: History or Propaganda', *Ériu* xxv, 1 *et seq.*

[89] M. Dillon, *The Archaism of Irish Tradition,* 18.

CAIBIDIL III

AN LITRÍOCHT: 5ú - 12ú hAOIS

Do réir na nAnnála ba sa bhliain 431 A.D. a tháinig Palladius go hÉirinn, agus áirítear gurb é seo an chéad dáta i stair na tíre a bhfuil aon údarás nó cinnteacht ag roinnt leis.[1] Ní deacair a thuiscint cén fáth go bhfuil an scéal amhlaidh. Ní féidir fíorstair a bheith ann in éagmais nós na scríbhneoireachta, agus níor tháinig an nós sin i réim in Éirinn nó gur tháinig an Chríostaíocht chun na tíre, agus an cultúr Laidineach maille léi.[2]

Is fíor go raibh módh áirithe scríbhneoireachta ann roimh theacht na Críostaíochta, agus tá samplaí de le fáil fós sna hinscríbhinní Oghaim[3] atá caomhnaithe ar chlocha. Is i ndeisceart na hÉireann atá an chuid is mó de na hinscríbhinní seo le fáil, ach tá méid áirithe díobh le fáil freisin sa Bhreatain Bheag, go háirithe sa chúinne thiar theas den tír, agus cúpla ceann in Albain agus ar Oileán Mhanann.[4] Is féidir a rá ó fhoirmeacha na teanga sna hinscríbhinní seo gur canúint Q-Cheilteach, nó SeanGhaeilge, atá ina bhformhór mór agus gur leis an 4ú, an 5ú agus an 6ú haois a bhaineann siad. Sa Bhreatain Bheag ní annamh a fhaightear inscríbhinn Laidine i litreacha Rómhánacha in éineacht leis an gceann in Ogham. Déantar tagairt go minic sna scéalta d'úsáid an Oghaim. Cuirtear in iúl gur gearradh ainm laoich in Ogham ar leacht ar ócáid a adhlactha, nó gur baineadh feidhm as an Ogham

[1] Dillon, *Early Irish Society*, 36. Féach áfach a bhfuil le rá ag an Ollamh Binchy faoi údarás nó cruinneas na nAnnála sa 5ú haois. *Studia Hibernica* 2 (1962) 71.

[2] R. Flower, *The Irish Tradition*, 73; E. MacNeill, *Celtic Ireland*, 9.

[3] Calder, *Auraicept na n-Éces* (1917) 1 *et seq.*, 270 *et seq.*; Vendreyes, ' L'Écriture Ogamique et Ses Origines ', *Études Celtiques* iv, 83 *et seq.*

[4] R. A. S. Macalister, *Corpus Inscriptionum Insularum Celticarum* (i, 1945; ii, 1949); Nash-Williams, *The Early Christian Monuments of Wales;* K. H. Jackson, ' Notes on the Ogam Inscriptions of Southern Britain ', *The Early Culture of North West Europe* (Cambridge 1950) 199-213; Thurneysen, *Grammar*, 10-11; Rhŷs, *Lectures on Welsh Philology* 2 (1879) 272 *et seq.*

chun orthaí a scríobh ar airm nó ar ghléasanna cogaidh agus a leithéid. In *Táin Bó Cuailnge* is in Ogham a sheolann Cú Chulainn teachtaireachtaí chuig na Connachtaigh,[5] agus is é Fearghas a léann agus a mhíníonn na teachtaireachtaí sin, rud a thabharfadh le tuiscint nárbh iad na filí amháin a bhí oilte ar an gcineál seo scríbhneoireachta, bíodh gur chuid thábhachtach dá gcúrsaí staidéir é eolas a chur uirthi.

Sa téacs *Baile mac Buain*, scéal a bhfuil baint aige le haimsir Airt, athair Chormaic, luaitear ' tabhall na bhfilí ' ar scríobhadh scéalta Ultacha den uile chineál uirthi, idir fhíseanna, fheiseanna, shearca agus thochmharca,[6] agus deirtear in *Imram Brain* gur scríobh Bran ranna in Ogham.[7] Ní fios cén fad a leanadh de scríobh an Oghaim tar éis teacht an nua-nóis scríbhneoireachta, ach is suimiúil an rud é go ndúradh faoi Chormac mac Cuilleanáin, a mhair san 9ú haois, go raibh sé oilte ar an dá nós:

Tragaid im righ Ratha Bicli
Na litri is na Feadha.[8]

Meabhraíonn an líne dheireanach sin dúinn gur ón Laidin a tháinig na téarmaí Gaeilge go léir a bhaineann le léamh agus le scríobh[9] (cé is moite de *dhubh*, i.e. dubhach), agus gur focail dhúchasacha Cheilteacha iad téarmaí uile an Oghaim.[10]

In ainneoin na dtagairtí líonmhara don Ogham sna scéalta, áfach, is deacair a chreidiúint go mbaintí feidhm go forleathan mar ghléas liteartha as modh scríbhneoireachta a bhí chomh ciotach liobarnach sin, ná níl aon fhianaise ann gur baineadh feidhm as chun stair a bhreacadh síos ach oiread. Is féidir glacadh leis gur trí bhéalaithris a caomhnaíodh an tsaíocht dhúchasach roimh theacht na Críostaíochta agus gur mhair an bhéalaithris go ceann i bhfad ina dhiaidh sin. Ní ionann sin agus a rá, áfach, go ndearnadh dearmad ar an Ogham. Tá cóipeanna den aibítir le fáil i lámhscríbhinní éagsúla, agus is luachmhar an t-eolas a thugtar dúinn faoi i Leabhar Bhaile an Mhóta. Ní i measc lucht léinn amháin a mhair cuimhne ar an Ogham, ach i measc na gnáth-

[5] Windisch, *Táin Bó Cúailnge*, 69.565, 71.582.

[6] Téacs agus aistriúchán ag O'Curry, *MS Materials*, 472 *et seq*. Cf. 464 *et seq.*; Meyer, ' Scél Baili Binnbérlaig ', RC xiii, 220 *et seq*., Corrigenda, xvii, 319.

[7] Meyer, Nutt, *The Voyage of Bran* i, 34; *Scéalaíocht na Ríthe*, iii.

[8] O'Curry, *op. cit*., 468.

[9] Dillon, *Early Irish Society*, 16; MacNeill, *Celtic Ireland*, 9.

[10] MacNeill, ' A Pioneer of Nations ', *Studies* xi, 19-20.

mhuintire freisin. Mar a deir an tOllamh R. A. S. Macalister, ' it was preserved in the traditional memory of the country folk down at least to the first half of the century ".[11] Deimhniú amháin gur fíor é sin is ea an inscríbhinn a gearradh ar leac uaighe i gContae Thiobraid Árann sa bhliain 1802. Sa chuntas a scríobh Barry Raftery ar an inscríbhinn sin[12] bhí an méid seo le rá aige: ' In this lonely Tipperary graveyard we have an example of many facets of Irish life. The man who carved the Ogham so carefully on the Ahenny stone was carrying on a venerable tradition which dates from the time of St. Patrick at least and may indeed reach farther back into the Pagan period in Ireland '.

' Légend ' (léann) ón Laidin *legendum* an t-ainm a tugadh ar an tsaíocht Chríostaí, agus léiríonn an t-ainm sin go beacht ceann de na difríochtaí idir an dá shaíocht. Ba le pár agus dubhach a caomhnaíodh an nua-shaíocht; trí chuimhne agus bhéalaithris a caomhnaíodh an tsaíocht dhúchasach. Ach ní raibh ansin ach difríocht amháin. Is mó ábhar easaontais agus conspóide a bhí idir na filí agus na scoláirí eaglasta, agus ceann d'iontais stair na litríochta i nGaeilge is ea an maolú a tháinig leis an aimsir ar an achrann idir an dá dhream agus an toradh bláfar a tháinig nuair a tharla cleamhnas liteartha idir an sean agus an nua.[13]

Faoi mar atá léirithe cheana againn, ba dhual do na filí bheith dílis don seanchreideamh págánach; níorbh ionadh mar sin doicheall, agus go fiú naimhdis, a bheith idir iad agus teachtaí an chreidimh nua. Más fíor an traidisiún,[14] dhealródh sé go ndearna Naomh Pádraig iarracht ar idirdhealú a dhéanamh idir an dá ghné d'fheadhmannais an fhile, idir a dhualgais mar chaomhnóir an phágánachais ar thaobh amháin agus a dhualgais mar chaomhnóir na saíochta dúchasaí ar an taobh eile. Ba mhian leis an naomh gnéithe an phágánachais a chur ar neamhní, ach gan aon chur isteach a dhéanamh ar an tsaíocht. Ní ba dhéanaí fós, faighimid Colm Cille ag teacht i gcabhair ar ord na bhfilí, ord a raibh sé féin ina bhall de tráth, más cruinn na tuairiscí. Agus deirtear gurbh eisean a chosain an t-ord ó dhíothú ag Mórdháil Droma Ceat mar

[11] *op. cit.* iv.

[12] ' A Late Ogham Inscription from Co. Tipperary ', *Journal of the Royal Society of Antiquaries of Ireland* 99 (1969) 161 *et seq.*

[13] E. MacNeill, ' Beginnings of Latin Culture in Ireland ', *Studies* xx, 39 *et seq.*; 449 *et seq.*

[14] *Supra*, 32, 37.

a chonaiceamar cheana. De bharr na treorach a thug daoine mar Phádraig agus Colm Cille d'éirigh leis an Eaglais beart a dhéanamh in Éirinn ar theip uirthi é a dhéanamh i dtíortha eile, is é sin, deighilt a dhéanamh idir an seanchreideamh agus an tseansaíocht.

Is deacair a rá go cinnte, ámh, arbh iad cléir na hÉireann, agus an chléir amháin, a bhí freagrach as an bhforás seo. Is fíor gur furasta an iomad creidiúna a thabhairt don tsaíocht dhúchasach agus don teacht aniar a bhí i gcomhdhaonnacht na nGael. Má tá an léiriú a rinneamar sa chéad chaibidil i ngar do bheith cruinn, bhí sibhialtacht na comhdhaonnachta sin barbarach go leor roimh theacht na Críostaíochta. San am céanna, in ainneoin na barbarachta sin, is cuí a rá gur cosúil go raibh saíocht an chine fréamhaithe go domhain agus go raibh toradh na saíochta sin scaipthe go forleathan. D'fhéadfadh go ndeachaigh fuinneamh na saíochta seo i bhfeidhm ar an gcléir agus gur spreag sé iad chun suim a chur sa litríocht thuata i gcoitinne.

Thart faoin am seo cumadh téacsanna áirithe ar fiú suntas a thabhairt dóibh, is iad sin na téacsanna Hispeireacha, go háirithe an ceann ar a dtugtar *Hisperica Famina*,[15] atá scríofa i Laidin mhínádúrtha a bhfuil cuma canúna rúnda uirthi. Ba é tuairim eolaithe áirithe gur in Éirinn a scríobhadh na téacsanna seo agus gur dream scoláirí clasaiceacha ón nGaill a chum iad, tar éis dóibh teitheadh roimh ruathar na dtreabhacha Gearmánacha, nuair bhí an Impireacht Rómhánach ar an dé deiridh. Ceann de na fáthanna a bhí leis an tuairim gur in Éirinn a cumadh iad ba ea an tagairt do labhairt na Gaeilge san *Hisperica Famina*. Is é tuairim scoláirí eile, ámh, gur in iarthar na Breataine Bige a cumadh iad agus gur as fuíoll an chultúir chlasaicigh sa limistéar sin a d'fhás siad.[16] Maidir leis an tagairt do labhairt na Gaeilge, níorbh aon chúis iontais an teanga sin a bheith le cloisteáil ag an am sa chúinne thiar theas den Breatain Bheag.[17] Deir an tOllamh Bieler gur deacair a rá go cinnte cé acu in Éirinn nó sa Bhreatain Bheag a cumadh iad ach gur ró-dhealraitheach gur ó na hoileáin seo a tháinig siad am éigin sa 6ú nó sa 7ú haois.[18]

[15] Kenney, *Sources* i, 255 *et seq.;* Macalister, *The Secret Languages of Ireland*, caib. a 2; L. Bieler, ' Hibernian Latin ', *Studies* (1954) 92 *et seq.* agus go háirithe P. Grosjean, ' Confusa Caligo ', *Celtica* iii, 35 *et seq.*

[16] E. MacNeill, ' A Pioneer of Nations ', *loc. cit.*

[17] J. E. Lloyd, *A History of Wales* i (London 1948) 121 *et seq.;* C. O'Rahilly, *Ireland and Wales.*

[18] *Ireland, Harbinger of the Middle Ages* (Oxford 1963) 13.

Cibé ionad ónar tháinig na téacsanna seo tá cuma orthu gur i gcomhluadar scoláiriúil Críostaí a cumadh iad, ach tá blas saolta, nó tuata, chomh láidir sin orthu gur ró-dhócha nach ó na mainistreacha, a bunaíodh sa 5ú haois agus a bhí chomh mór faoi bhláth san 6ú haois in Éirinn, a tháinig siad. Nuair a bhrisfí an ceangal leis an nGaill, leis an Spáinn agus leis an mBreatain, ní bheadh i ndán do chomhluadar den chineál seo ach dul i léig, gan ach rian neamhdhíreach a fhágáil ar léann Laidine na mainistreacha agus ar shaíocht dhúchasach na bhfilí in Éirinn.

Le méadú agus le fás na mainistreacha d'eascair mórshaothar intleachtúil faoi scáth na hEaglaise. D'éirigh léi séala an chreidimh agus na díograise a chur i bhfeidhm ar gach gné den léann tuata, agus sin é an fáth, nuair a tháinig na Dubhaoiseanna, gurbh iad na Gaeil ba phríomhthacaí don léann clasaiceach a d'fhág an Ghréig agus an Róimh mar oidhreacht ag an Eoraip uile.[19] Mar a deir an tOllamh Bieler: ' During the centuries between Christian antiquity and the Carolingian revival, when the foundations of medieval Europe were being laid, only the Irish had something to contribute which was new as well as lasting '.[20]

Saothrú na Laidine ag Gaeil

Ón 6ú haois amach, mar a dúradh cheana, bhí an manachas i réim in Éirinn. Bhí na mainistreacha go líonmhar ar fud na tíre,[21] na manaigh iontu faoi riail agus faoi smacht, agus iad ag freastal ar riachtanais spioradálta an phobail ina dtimpeall. Ina theannta sin, de bharr a mórdhúile i staidéar (dúil a cothaíodh faoi anáil na manach sa Bhreatain Bheag), bhí an léann á shaothrú go dúthrachtach acu. Bhí scoil ag gabháil le gach mainistir mhór, agus roimh dheireadh an 6ú haois bhí cáil cheana féin ar na scoileanna ag Beannchar, Ard Mhacha, Magh Bhile agus Doire i gCúige Uladh, ag Cluain Iorairid sa Mhí, ag Cluain Mhac Nóis agus Cluain Fearta ar an tSionainn agus ag Gleann Dá Loch in oirthear na tíre. D'fhás a lán scoileanna iomráiteacha eile sna haoiseanna ina dhiaidh sin.

[19] H. Zimmer, *The Irish Element in Mediæval Culture* (ais. ag J. L. Edmunds, New York, London 1891); S. J. Crawford, *Anglo Saxon Influence on Western Christendom* (London 1933) 88 *et seq.*

[20] *op. cit.*, vii.

[21] Féach ' Ecclesiastical Map of Ireland in the Early Middle Ages ', Kenney, *Sources*, ag deireadh an leabhair.

Chomh maith leis an scoil (agus, do réir gach cosúlachta, i gceangal léi) bhí *scriptorium*[22] i ngach mainistir mhór. Is follas go ndearnadh cúram speisialta den obair a bhíodh ar siúl sna *scriptoria* (árais scríbhneoireachta) seo, mar is astu a tháinig lámhscríbhinní iomadúla a raibh an pheannaireacht agus an t-ornáideachas iontu ar fheabhas. ' Mais ', arsa Dom Louis Gougaud, ' les mains irlandaises du moyen age n'ont nulle part fait preuve de plus de dexterité, d'ingéniosité, de souplesse et d'initiative que dans l'art de transcrire et d'orner les manuscrits religieux, dont plusieurs méritent à étre classés parmi les plus belle productions extante de calligraphie et de la miniature '.[23]

Is é Leabhar Cheanannais an sampla is suntasaí dá bhfuil tagtha anuas chugainn de shaothar a rinneadh i *scriptoria* na hÉireann. Um dheireadh an 8ú haois agus i dtosach an 9ú haois is ea a scríobhadh é. Sa sliocht seo a leanas, as an tuairisc a scríobh An Dochtúir Françoise Henry air, faighimid léargas, ní amháin ar *Leabhar Cheanannais* féin, ach ar shaothar eile ón mainistir chéanna chomh maith:

> Le manuscrit représente probablement le travail d'un scriptorium tout entier pendant une assez longue période. Ce scriptorium a sans doute enluminé d'autres manuscrits d'une virtuosité analogue, et l'Evangéliaire de Bobbio, qui a presque complètement disparu dans l'incendie de la Bibliothèque de Turin, avait probablement été apporté d'Iona ou de Kells au monastère irlandais d'Italie. Avec quelques différences de style, il montre la même somptuosité de décor et le même goût pour un foisonnement lyrique d'ornements ![24]

Séard atá i *Leabhar Cheanannais*[25] ná leagan Laidine de na Ceithre Soiscéal mar aon le réamhráití do na Soiscéil, achoimrí (*breves causae*), táblaí d'uimhreacha tagartha (*canóna Eusebius*) agus gluais ag míniú cuid de na hainmneacha Eabhraise. Fágadh cuid de na leathanaigh bán agus orthu sin scríobhadh isteach níos déanaí cairteacha i nGaeilge de thailte a bronnadh ar an mainistir san

[22] Féach K. Hughes, ' The Distribution of Irish Scriptoria and Centres of Learning from 730 to 1111 ' in N. Chadwick (eag.), *Studies in the Early British Church* (Cambridge 1958) 243 *et seq.*

[23] *Les Chrétientés Celtiques* (Paris 1911) 361.

[24] *L'Art Irlandais* (BÁC 1954) 54.

[25] *Codex Cenannensis. The Book of Kells* (Bern 1950-51). Féach freisin *Sources* i, 754-6.

11ú agus sa 12ú haois.[26] Tá an lámhscríbhinn ar caomhnú anois i gColáiste na Tríonóide i mBaile Átha Cliath.

Is i gColáiste na Tríonóide freisin atá an lámhscríbhinn ar a dtugtar *Leabhar Dharmhaighe*[27] a bhfuil leagan iomlán Laidine de na ceithre Soiscéal ann mar aon le cairt amháin i nGaeilge.[28] Tá Darmhagh ceithre mhíle taobh ó thuaidh den Tulach Mhór, agus bhunaigh Colm Cille mainistir ann i lár an 6ú haois, agus ba eisean an chéad ab. Tar éis dó imeacht ó Éirinn i 563, rialaigh sé féin, agus a chomharbaí ina dhiaidh ar Oileán Í, cúrsaí na mainistreach ag Darmhagh go ceann na gcéadta bliain. Is ann, am éigin sa dara leath den 7ú haois, a scríobhadh an lámhscríbhinn seo nach bhfuil a sárú le fáil, ó thaobh maisiúcháin de, ach i *Leabhar Cheanannais* agus *Leabhar Lindisfarne*.

Do réir traidisiúin ba é Colm Cille féin a scríobh an tSaltair Laidine ar a dtugtar *Cathach Cholmcille*,[29] agus cuireadh na focail seo a leanas i mbéal an naoimh á mhíniú gurbh é féin a bhronn an leabhar ar na Conallaigh:

Do fhácbus ag cloind Conaill
mo cathach, mo cochall gleri.[30]

Deir seanúdair áirithe gurbh é an leabhar seo ba chúis le cath Chúil Dreimhne. Is mar seo a insíonn an Céitinneach an scéal dúinn:

> Cuiridh Leabhar Dubh Mo Laga adhbhar oile síos fá dtugadh cath Cúile Dreimhne, mar atá trésan gclaoinbhreith rug Diarmaid i n-aghaidh Cholaim Chille, an tan ro sgríobh an soisgéal a leabhar Fhionntain gan fhios, agus adubhairt Fionntan gur leis féin an maicleabhar do sgríobhadh as a leabhar féin. Uime sin do thoghadar leath ar leath Diarmaid 'na bhreitheamh eatorra agus is í breath rug Diarmaid, gurab leis gach boin a boinín, agus gurab leis gach leabhar a mhaic-leabhar. Gonadh é sin an dara hadhbhar fa dtugadh cath Cúile Dreimhne.[31]

Is é an fáth ar tugadh ' Cathach ' mar ainm ar an leabhar ná gur ghnáth do na Conallaigh é a bhreith leo agus iad ag dul chun catha

[26] J. O'Donovan, ' The Irish Charters in the Book of Kells ', *Miscellany of the Irish Archæological Society* i (1846) 127 *et seq.;* G. Mac Niocaill, *Notitiae as Leabhar Cheanannais* (BÁC 1961).

[27] *Codex Durmachensis. The Book of Durrow*, i, ii (Olten Lausanne, Freiburg I. Br. 1960).

[28] R. I. Best, ' An Early Monastic Grant in the Book of Durrow ', *Ériu* x, 135 *et seq.*

[29] *Sources* i, 629-30; L. Bieler, *op. cit.*, 11.

[30] Kelleher, G. Schoepperle, *Betha Colaim Chille* (Illinois 1918) 286.

[31] O. Bergin, *Sgéalaigheacht Chéitinn* (BÁC 1930) 38.

lena chinntiú go mbéarfaidís bua sa chath. Tá an cuntas seo a leanas ar an nós sin, mar aon le cur síos ar an seanchumhdach a bhí ar an leabhar le fáil in *Betha Colaim Chille* le Maghnas Ó Domhnaill:

> An Cathuch, imorro, ainm an leabhuir sin triasa tugadh an cath, as é is airdmhind do Cholam Cille a crich Cineoil Conaill Gulban. Agus atá sé cumdaigthe d'airged fa or, agus ni dleghur a fhoscludh. Agus da cuirther tri huaire desiul a timchell sluaigh Cineoil Conaill é, ag dul docum catha doib, is dual co ticfadh slan fa buaidh agus is a n-ucht comhorba no clerich can pecadh marbtha air, mar is ferr is éidir leis, as coir an Cathuch do bheith ag techt timchell an tsluaigh sin.[32]

Dála a lán de na seanlámhscríbhinní eile, bhí stair an-suimiúil ag an gCathach, agus ní miste a rá gur trí thionóisc a tháinig sé slán. Ag deireadh an 17ú haois bhí sé i seilbh duine de na Conallaigh, Domhnall Ó Domhnaill, agus tar éis Chonradh Luimnigh thug seisean leis don Fhrainc é, agus fuair cumhdach nua ansin dó lena chaomhnú. D'fhan an Cathach san Fhrainc ar feadh breis agus céad bliain agus ansin i 1802 tugadh ar ais go hÉirinn é. Sa bhliain 1843 fágadh an leabhar agus an cumhdach in Acadamh Ríoga na hÉireann, agus is ann atá an leabhar ó shin. Tá an cumhdach in ArdMhúsaem na hÉireann. Ba é tuairim an Dr H. J. Lawlor, a rinne mionscrúdú ar an leabhar,[33] gur roimh 650 A.D. a scríobhadh é. B'fhéidir, dar leis, gur sa dara leath den 6ú nó sa chéad leath den 7ú haois a scríobhadh é. Más cruinn an tuairim sin, d'fhéadfadh bunús a bheith leis an traidisiún gurbh é Colm Cille féin a bhreac síos é.

Lámhscríbhinn eile atá tagtha anuas chugainn ón ré réamh-Normanach agus atá anois ar caomhnú in Éirinn is ea *Leabhar Aifrinn Stowe*,[34] ina bhfuil sleachta as Soiscéal Naomh Eoin agus Coitiantacht an Aifrinn i Laidin mar aon le tráchtas i nGaeilge ar an Eocairist agus cnuasach d'orthaí i nGaeilge. Sa mhainistir ag Tamhlacht i gCo. Bhaile Átha Cliath is ea a scríobhadh é am éigin idir 792 agus 812. Um dheireadh an 14ú haois bhí sé i mainistir Lothra in Urmhumhain, agus nuair a cuireadh an mhainistir sin faoi chois i lár an 16ú haois is cosúil gur cuireadh an leabhar i bhfolach, mar san 18ú haois fuarthas go slán istigh i mballa é. Sa

[32] Kelleher agus Schopperrle, *op. cit.*, 182-4.

[33] 'The Cathach of St. Columba', *PRIA* (C), 33 (1916-17) 241 *et seq.*

[34] *Sources* i, 692: T. F. O'Rahilly, 'The History of the Stowe Missal' *Ériu* x 95 *et seq.;* Stokes agus Strachan, *Thesauraus Paleohibernicus* ii (1903) xxvii agus 252 *et seq.*

bhliain 1819 bhí sé i seilbh Mharcais Bhuckingham ag Stowe, agus tá sé in Acadamh Ríoga na hÉireann anois.

Is in Éirinn freisin atá *Leabhar Ard Mhacha,* ar cuireadh tús leis roimh 807 agus a críochnaíodh thart faoi 846, an bhliain a bhfuair an scríobhaí bás. Tá trí roinn ann (i) cáipéisí a bhaineann le Naomh Pádraig, (ii) an Tiomna Nua agus (iii) Beatha Naoimh Mháirtín as Tours le Sulpicius Severus, iad seo uile i Laidin. Ach tá roinnt SeanGhaeilge ann freisin, mar atá, gluaiseanna gearra ar an Laidin sna Soiscéil agus i nGníomhartha na nAspal,[35] agus aguisíní curtha leis an leagan Laidine de bheatha Phádraig a scríobh Tíreachán.[36]

Sa chianaimsir cuireadh mar chúram ar theaghlach áirithe aire a thabhairt don leabhar, agus tugadh ' maor na canóine '[37] ar an té a raibh an cúram sin air. Tharla, de thoradh na hoifige sin, gur tugadh Mac Maoir (Mac Moure nó Wyre i mBéarla), mar shloinneadh ar an teaghlach. Sa bhliain 1680 nuair a bhí an maor deireanach, Flaithrí Mac Maoir, ar tí imeacht go Londain chun fianaise bhréige a thabhairt in aghaidh Olibhéir Pluincéad, Ard-easpag Ard Mhacha, chuir sé an leabhar i ngeall ar chúig phunt agus níor éirigh leis féin ná lena shliocht é a fháil ar ais riamh. Tar éis don scoláire Breatnach, Edward Lhuyd, a bheith in Éirinn in 1707 chuir sé in iúl go raibh an leabhar i seilbh an Honourable Arthur Brownlow sa Lorgain. Sa bhliain 1846 bhronn duine dá shliocht siúd, an tUrr. Francis Brownlow, an Leabhar ar Acadamh Ríoga na hÉireann, agus tá sé anois i gColáiste na Tríonóide.

Is i gColáiste Naomh Eoin ag Cambridge atá an lámhscríbhinn ar a dtugtar *Saltair Southampton.*[38] Do réir an nóis Ghaelaigh tá na Sailm roinnte i dtrí chaoga sa lámhscríbhinn seo, agus tá an maisiúchán freisin do réir an nóis Ghaelaigh. Tá roinnt gluaiseanna Sean-Ghaeilge inti, cuid díobh níos ársa ná aois na lámhscríbhinne féin.

Tá gluais amháin SeanGhaeilge le fáil i lámhscríbhinn eile, *Soiscéil Mhic Dhurnáin,*[39] atá anois ar caomhnú i bPálás Lambeth i Londain. Tá maisiúchán ornáideach ar an nós Gaelach ann freisin.

[35] J. Gwynn, *Liber Ardmachanus. The Book of Armagh edited with introduction and appendices* (BÁC 1913); *Sources* i, 337, 642, 668, 702.

[36] *Thes. Pal.* i (1901) 494 *et seq.*

[37] *ibid.*, ii, 45, 238 *et seq.*

[38] *Sources* i, 645-6; *Thes. Pal.* i, 4 *et seq.*

[39] *Sources* i, 644-5. Tá an ghluais i gcló i *Thes. Pal.* i, 484.

Níorbh fhada gur ghnóthaigh scoileanna agus leabharlanna na hÉireann cáil i gcéin is i gcóngar.[40] Tháinig na sluaite mac léinn ag triall ar an tír seo ar lorg teagaisc. I litir a scríobh sé chuig Eadfrid, Easpag Lindisfarne, dúirt Naomh Aldhelm, Easpag Sherborne, go mbíodh lastaí long de mhic léinn ag triall ón mBreatain go hÉirinn.[41] Tugann Beda an tuairisc chéanna.[42] Agus is spéisiúil an rud é gur fhoghlaim a lán de na mic léinn seo an Ghaeilge óna n-oidí, nó ó mhic léinn Ghaelacha, le linn dóibh a bheith abhus agus gur fhoghlaim cuid acu go maith í. Deirtear gur éirigh le Oswald, Rí Nortumbair, eolas chomh cruinn sin a chur ar an teanga go raibh ina chumas gníomhú mar fhear teanga idir na huaisle ina chúirt féin agus Naomh Aidan, nuair tháinig an naomh ó Éirinn chun fírinní na Críostaíochta a mhúineadh dóibh.[43] Bhí eolas ag Cedd, easpag Londain, ar an nGaeilge[44] agus ag Oswy (rí Nortumbair 42-71) agus ag a mhacsan, Aldfrith.[45] Bhí Aldfrith chomh hoilte sin ar an teanga go ndeirtear go ndearna sé ceapadóireacht inti. Ní amháin sin, ach bhí sainainm Gaelach ag na Gaeil air, Flann Fína mac Ossu.

Bhí ainm an léinn agus na heagna ar Aldfrith. Bhí ardmheas ag Beda agus ag Aldhelm air, agus níor lú ná sin an meas a bhí ag na Gaeil air—' in t-ecnaid amra, dalta Adamnain '[46] agus ' ard-suí Érenn eolusa ' a thug siad air. Níorbh ionadh dúil a bheith ag Aldfrith in Éirinn agus i dteanga na hÉireann, óir ba Ghael a mháthair,[47] agus chomh maith leis sin, bhí buanchaidreamh idir muintir na hÉireann agus a athair Oswy.[48] (' Ossu ' nó ' Ossa ' an fhoirm a chuir na Gaeil ar a ainm siúd.)

[40] Is mar seo a thráchtann Naomh Aldhelm ar chlú liteartha na hÉireann sa seachtú haois: ' Quamvis enim praedictum Hiberniae rus discentium opulens vernansque pascuosa . . . numerositate lectorum, quem admodum poli cardines astriferis micantium ornentur vibraminibus siderum. . . .". Migne, *Patrologia Latine*, lxxxix, 94.

[41] ' Hibernia quo catervatim isthinc lectores classibus advecti confluunt ', Migne, *loc. cit.*

[42] *Historia Ecclesiastica* iii, 27. J. M. Wallace Hadrill, ' St. Aidan in England ' in J. Ryan, S.J. (eag.), *Irish Monks in the Golden Age* (BÁC 1963) 37.

[43] *Historia Ecclesiastica* iii, 3.

[44] *ibid.* iii, 25.

[45] *ibid.* iii, 25.

[46] Mar is intuigthe ón ainm seo, rinne Aldfrith staidéar ar Oileán Í freisin, faoi threoir Adhamhnáin.

[47] Joyce, *History of Ireland* i, 413; Fowler, *Adamnani Vita S. Columbae*, 73; Beda, *Historia Ecclesiastica* iv, 26.

[48] A. S. Cook, ' King Oswy and Caedmon's Hymn ', *Speculum* ii, 67 *et seq.*

Ní miste a lua ag an bpointe seo gur follas óna shaothar go raibh eolas maith ag an Urramach Beda ar chúrsaí na hÉireann, agus is cosúil freisin gur mhair cuimhne ar a chuid scríbhinní siúd i measc na nGael mar, níos déanaí, rinneadh leagan Gaeilge de chuid de na scríbhinní sin.[49] Ina theannta sin, tá scríbhinní leis le fáil i gcúpla lámhscríbhinn ar an Mór-roinn (*Codex Carolshruhanus* a bhí tráth sa mhainistir ag Reichenau agus atá anois sa leabharlann ag Carlsruhe agus *Codex Vedae Vindobonensis* atá sa Leabharlann Ríoga ag Vín), scríbhinní a bhfuil gluaiseanna i nGaeilge curtha leo.[50]

Le linn do mhic léinn iomadúla ón gcoigrích a bheith ag teacht go hÉirinn, bhí cuid mhór Gael ag fágáil na tíre chun dul ag saothrú mar mhisinéirí agus mar oidí sa Bhreatain agus ar an Mór-roinn,[51] ag craobhscaoileadh an chreidimh agus an léinn in éineacht. Níorbh fhéidir anseo trácht ar na ' hoilithrigh ' ghníomhacha go léir a bhfuil eolas ar fáil fúthu. Is leor, b'fhéidir, cur síos ar Cholumbán, duine de na daoine is iomráití agus is ábalta orthu, mar léiriú ar an gcineál saothair ba dhual dóibh a dhéanamh.

Rugadh Columbanus[52] nó Columbán i gCúige Laighean am éigin idir 530 agus 545 A.D. Chuaigh sé isteach mar mhanach sa Mhainistir ag Beannchar a bhí bunaithe ag Naomh Comhghall le tamall gairid roimhe sin. Timpeall na bliana 590, nuair a bhí Columbán tuairim is caoga bliain d'aois, d'imigh sé féin agus dáréag compánach ina theannta ' ar a oilithreacht '.[53] Ghabh siad tríd an mBreatain agus trasna chun iarthair na Gaille agus uaidh sin go

[49] O. J. Bergin, ' A Middle-Irish fragment of Bede's Ecclesiastical History ', *Anecdota from Irish MSS* iii (Halle 1910) 63 *et seq.*; E. G. Cox, ' A Middle-Irish fragment of Bede's Ecclesiastical History ', *Studies in Language and Literature in honour of J. M. Hart* (New York 1910) 122 *et seq.*; V. E. Hull, ' The Middle-Irish Version of Bede's *De Locis Sanctis* ', ZCP xvii, 225 *et seq.*

[50] *Thes. Pal.* ii, lgh x, xi, 10 *et seq.*; M. Dillon, ' The Vienna Glosses on Bede ', *Celtica* iii, 340 *et seq.*

[51] Gougaud, *Les Chrétientés Celtiques*, 239-294, *Cinniri Gaedhaelacha na Criostaidheachta* (BÁC 1939), leagan Gaeilge le L. S. Gógan ar *Gaelic Pioneers of Christianity*; L. Bieler, *op. cit.*, 12. Zimmer, *The Irish Element in Mediæval Culture;* Murphy, ' Scotti Peregrini. The Irish on the Continent in the time of Charles the Bald ', *Studies* xvii, 39-50, 229-44; Cahill, ' Influence of Irish on Mediæval Europe ', *The Irish Ecclesiastical Record* xlvi, 464-76; *Sources* i, 486 *et seq.*

[52] Kenney, *Sources* i, 186 *et seq.*; *Irish Monks in the Golden Age*, 44-58.

[53] ' It should be noted that " peregrinatio " did not mean pilgrimage in the usual modern signification of the word; in fact through all the early middle ages the Latin word " peregrinus " as used in Ireland and the Irish word " deórad " meant not the man who went on a definite journey to a definite shrine . . . but the man who, for his soul's good, departed from his homeland to dwell for a space of years or for the rest of his life in strange countries '. *Sources* i, 488.

go dtí an Bhurgúin. Chuir sé féin agus a chompánaigh fúthu ag áit darbh ainm Annegray sa cheantar foraoiseach ar a dtugtar Haute-Saone inniu. Bhunaigh siad dhá mhainistir eile sa chomharsanacht, ceann ag Fontaine agus ceann eile ag Luxeuil. Is ar an gceann deireanach seo is mó atá cuimhne agus cáil inniu. I gceann achair ghairid bhí na manaigh á gcur féin i bhfeidhm chomh láidir sin ar mhuintir na háite gur cuireadh olc ar na húdaráis, agus faoi dheireadh chuir Thierry, Rí na Burgúine, oifigeach chun Columbán a ruaigeadh as an tír agus é a chur ar ais go hÉirinn. Níor éirigh leis an oifigeach, ámh, é a chur ar bhord loinge, agus thug an naomh aghaidh ar chúirt Clothaire, Rí Neustria, agus cúirt Theodebert, Rí Austrasia. Uaidh sin chuaigh sé go dtí an Eilbhéis agus trasna na nAlp go dtí Milano mar ar chuir Agilulf agus Theodelinda, rí agus banríon na Lombardach, fáilte roimhe. Thug siad bronntanas talún dó agus is ar an talamh sin a bhunaigh sé mainistir cháiliúil Bhobbio.

Is dearbh gur fhág Columbán a rian ar an Eaglais in iarthar na hEorpa sna meánaoiseanna. Trí chloí le gnás a thíre féin agus iarracht a dhéanamh na mainistreacha a choimeád neamhspleách ar na hEaspaig thionscain sé córas eagraíochta a raibh lámh aige i múnlú shaol na hEaglaise go ceann na gcéadta bliain ina dhiaidh sin. Agus níl ansin ach gné amháin dá thionchar ar chúrsaí na hEorpa. Is dealraitheach, freisin, go ndearna sé a lán chun an cultúr clasaiceach a choimeád beo. Bhí eolas beacht aige ar shaothar na n-údar clasaiceach; chomh maith leis sin bhí sé lánoilte ar ealaín na cumadóireachta i Laidin[54] mar is follas óna chuid dánta sa teanga sin atá tagtha anuas chugainn. Chun teacht ar fhear a dhiongbhála níor mhór dul siar go dtí aimsir Sidonius Appolinaris nó ar aghaidh míle bliain, geall leis, go dtí scoláirí an Aiséirí Léinn. Ba chomhaimsirigh é féin agus Greagóir as Tours ach bhí difríocht bhunúsach idir cultúr na beirte.[55]

Níorbh acmhainn dúinn anseo cur síos ar na mainistreacha go léir san Eoraip a raibh baint ag Gaeil leo i dtosach na meánaoiseanna,[56] ach faoi mar a ghlacamar le saothar duine amháin mar léiriú ar na céadta *Scotti peregrini* a chuaigh chun na Mór-roinne,

[54] G. S. M. Walker, *Sancti Columbani Opera* (BÁC 1957).

[55] *ibid.*, an réamhrá, go háirithe xxxi *et seq.*

[56] Féach ' Map of External relations of Irish Church in the Early Middle Ages ', Kenney, *Sources* i, ag deireadh an leabhair.

ní miste, b'fhéidir, scéal mainistreach amháin a thoghadh mar shampla de na mainistreacha go léir ar fhág manaigh as Éirinn a rian orthu.

Tá stair na mainistreach ag St Gall ríomhtha ag J. M. Clarke ina leabhar *The Abbey of St. Gall.*[57] Sa sliocht seo a leanas as an leabhar sin cuirtear in iúl go cruinn gonta dúinn an pháirt thábhachtach a ghlac na Gaeil sa stair sin:

> It will be seen that quite apart from the continual stream of Irish pilgrims who passed through St. Gall on their journey to and from Rome, there were three successive waves of Irish immigration at St. Gall. First, there was the seventh century, the age of missionary effort; second, the ninth century, in which a general exodus from Ireland took place on account of the depredations of the Danes; this was the flood-tide of Irish influence on the Continent. Lastly, in the twelfth century, the current flowed again, this time from the congregation of Irish Monasteries in Bavaria. The first period is associated with Bangor, the second with Kildare, and possibly Iona; the third with Ratisbon and Wurzburg.[58]

Nuair a d'fhág na misinéirí agus na scoláirí Éire thug siad mórchuid lámhscríbhinní leo, agus ar bhealach, ní miste a bheith buíoch gur thug, mar de bharr creach na Lochlannach ar mhainistreacha na hÉireann, scriosadh formhór na lámhscríbhinní a bhí fágtha sa tír seo ionas gur beag atá ar marthain inniu den mhéid a scríobhadh roimh an deichiú haois. Taobh amuigh de na leabhair atá luaite cheana againn, is ar an Mór-roinn atá formhór na lámhscríbhinní a scríobhadh in Éirinn idir an 7ú agus an 10ú haois.[59]

Is í an Laidin teanga na lámhscríbhinní seo, agus is ábhar diaga nó gramadúil is mó atá iontu. Faightear i gcuid díobh, áfach, gluaiseanna i nGaeilge, is é sin, focail nó abairtí anseo is ansiúd ag aistriú nó ag míniú na Laidine. Tá corrshampla le fáil freisin de shleachta próis atá measartha fada agus fiú amháin roinnt filíochta i nGaeilge. I measc na lámhscríbhinní a bhfuil Gaeilge iontu tá *Codex Ambrosianus C.301*,[60] atá anois ag Milano. Míniú i Laidin ar na Sailm agus ábhar eile atá ann agus gluaiseanna i nGaeilge curtha leis an

[57] J. M. Clarke, *The Abbey of St. Gall* (Cambridge 1926). Féach freisin *Irish Monks in the Golden Age*, 59-72.

[58] *ibid.*, 54.

[59] Tugann Kenney cuntas ar na príomhchnuasaigh lámhscríbhinní as Éirinn atá anois ar an Mór-roinn, *Sources* i, 84 *et seq.*

[60] Stokes, J. Strachan, *Thesaurus Palaeohibernicus* i (Cambridge 1901), xiv-xxi, 7-483.

míniú. Ba ó Bhobbio a tháinig an lámhscríbhinn seo go Milano, ach is ró-dhealraitheach gur in Éirinn féin a scríobhadh í am éigin sa chéad leath den 9ú haois. Tá an lámhscríbhinn ar a dtugtar *Codex Paulinus Wirziburgensis*[61] níos ársa fós. Tá sí le fáil anois i leabharlann na hOllscoile ag Würzburg. Leagan Laidine ar thrí cinn déag d'Eipistlí Naomh Pól atá ann, mar aon le sliocht as an Eipistil chuig na hEabhraigh anuas go dtí xii. 24. Is cosúil ón bpeannaireacht go raibh baint ag triúr le gluaiseanna a sholáthar i nGaeilge don téacs Laidine, mar atá, an té a rinne an chóip den bhuntéacs agus beirt eile ina dhiaidh. Aithnítear ó fhoirmeacha na teanga sna gluaiseanna gur i lár an 8ú haois a bhí an chéad duine ag scríobh.

Lámhscríbhinn a thuilleann suim ar leith, mar gheall ar an méid filíochta i nGaeilge atá inti, is ea *Codex Sancti Pauli*[62] atá le fáil i mainistir Naomh Pól ag Carinthia. Gael anaithnid a scríobh ar an Mór-roinn í sa dara leath den 9ú haois. Tá an fhilíocht Ghaeilge inti beagán níos déanaí ná sin.

Cléirigh agus manaigh as Éirinn a bhí tumtha i gcultúr Laidine na hEaglaise a scríobh na lámhscríbhinní seo, agus a lán eile nárbh iad. I scríbhinní diaga agus i ngramadach (is é sin, gramadach na Laidine) ba mhó a bhí a ndúil, mar a dúramar cheana. Ach is follas nach sna nithe sin amháin a chuir iad suim.

Léiríonn a saothar dúinn chomh hoilte is a bhí cuid acu agus iad ag soláthar gnéithe eile den litríocht i Laidin. Chum siad flúirse iomann sa teanga sin agus bhain siad feidhm iontu as meadarachtaí a bhí éagsúil le meadarachtaí na n-iomann Laidine a bhí á gcumadh ar an Mór-roinn. Cé go bhfuil méid áirithe taighde déanta cheana ar an gceist,[63] ní thuigtear go cruinn fós múnlú na meadarachtaí seo i lámha na nGael. Is féidir an méid seo a rá fúthu, ámh, nach dtugtar aird ar fhad na siollaí, ach gur ar uimhir nó ar líon na siollaí i ngach líne nó leathlíne atá an mheadaracht bunaithe agus go mbíonn rithim áirithe i ndeireadh gach líne. Uaireanta faightear rím agus uaithne agus uaim, ach níl na hornáidí breise seo riachtanach.[64]

[61] *ibid.* i, xxiii-xxv, 499-714.

[62] *ibid.* ii (Cambridge 1903) xxxii-xxxiv, 293-5.

[63] Wilhelm Meyer, ' Die Verskunst der Iren in rythmischen lateinischen Gedichten ', *Nachrichten v.d. kgl. Gesellschaft d. Wissenschaften z. Göttingen philol.-hist. Kl.*, 1916, 605-44. Féach freisin Thomas FitzHugh, *The Old Latin and Old Irish Monuments of Verse* (Univ. of Virginia 1919); Bieler, *op. cit.*, 14-15.

[64] *Sources* i, 253.

Scríobh na manaigh Éireannacha beathaí naomh i Laidin freisin. Ar na cinn is fearr a bhfuil eolas orthu tá beatha Bhríde le Cogitosus,[65] an dá chuntas ar Cholm Cille, ceann amháin le Cuimíne Ailbhe[66] agus an ceann eile le hAdhamhnán,[67] na dréachtaí a scríobh Tíreachán[68] agus Muir-chú[69] ar Phádraig agus an *Vita Tripartita*[70] a bhfuil trí sheanmóir ar an naomh céanna ann. Ba sa 9ú haois a scríobhadh an saothar deireanach seo, ach tá sleachta ann a mheastar a bheith níos déanaí ná sin.

Ceann de na dréachtaí is suimiúla dár cumadh i Laidin in Éirinn is ea an litir fhada a scríobh Cummian, ab Dharmhaighe, am éigin idir 632 agus 636. Léiríonn an teideal a thugtar ar an litir, *De Controversia Paschali*,[71] cad é an t-ábhar a bhí faoi chaibidil inti. I dtrátha an ama seo bhí ceist dháta na Cásca (mar aon le ceisteanna eile a bhain leis an liotúirge, leis an gcorann etc.) ina cnámh spairne i measc na n-eaglaiseach sna hoileáin seo. Is cosúil go raibh Cummian féin idir dhá chomhairle i dtosach, mar d'fhan sé ag machnamh go ceann bliana ar cheist dháta na Cásca sular sheol sé an litir fhada seo chuig Segene, ab na mainistreach ar Oileán Í, á áiteamh air glacadh le dáta na Róimhe. (Bhain an dá mhainistir le *paruchia* nó *familia* Cholm Cille. Ar an ábhar sin is cinnte go mbíodh ceangal agus caidreamh leanúnach eatarthu.) Mar thacaíocht dá chuid argóintí thagair Cummian do na díospóireachtaí a bhí ar siúl agus do na socraithe ar glacadh leo ag comhairleacha agus ag seanaid na hEaglaise ar fud an domhain Chríostaí, agus léirigh sé na tuairimí a bhí nochta faoin gceist ag a lán de shaoithe na hEaglaise. Ansin scríobh sé an méid seo: *Quid autem pravius sentiri potest de ecclesia matre, quam si dicamus Roma errat, Hierosolyma errat, Alexandria errat, Antiocha errat, totus mundus errat: soli tantum Scoti et Britones sapiunt.* Tuilleann an litir seo suim ar leith mar shampla de cheapadóireacht Laidine in Éirinn sa chéad leath den 7ú haois agus toisc gur follas uaithi go raibh eolas cruinn ag

[65] *ibid.*, 359-60.

[66] *ibid.*, 428-9.

[67] *ibid.*, 429-33.

[68] *ibid.*, 329-31, 334-5.

[69] *ibid.*, 331-4.

[70] *ibid.*, 342-5; K. Mulchrone, Die Abfassungzeit und Überlieferung der *Vita Tripartita* ', ZCP xvi, 1-94, 411-51; *Bethu Phátraic* (BÁC 1939).

[71] *Sources* i, 220-21; *Annála Uladh* iv, cxxxv *et seq.*; Ussher, *Works* iv, 432 *et seq.* Féach freisin Rev. D. J. O'Connell, S.J., ' Easter Cycles in the Early Irish Church ', *JRSAI*, lxvi (1936), 67 *et seq.*

Cummian ar chursaí na hEaglaise i gcéin agus i gcóngar agus gur follas freisin gur cosúil go raibh leabharlann mhór faoina lámh aige i nDarmhagh.

Gael eile ar cosúil go raibh a lán leabhar ina sheilbh ba ea Adhamhnán, a rugadh *c.* 624 i ndeisceart Thír Chonaill agus a scríobh beatha Cholm Cille, mar atá ráite cheana againn. Le linn d'Adhamhnán bheith ina ab ar Oileán Í tharla nuair a bhí easpag ón nGaill darbh ainm Arculf ag filleadh ó oilithreacht go dtí na hIonaid Naofa, gur briseadh an soitheach air ar chósta Í. Chaith sé tamall sa mhainistir ar an oileán, agus thug sé cuntas d'Adhamhnán ar a thuras go dtí an t-oirthear agus ar na háiteanna agus na nithe a bhí feicthe aige. Níor ghlac Adhamhnán gan cheist le tuairisc Arculf, ach rinne sé a lán den fhaisnéis a phromhadh ó leabhair a bhí ina sheilbh féin. Ansin scríobh sé cuntas i Laidin, *De Locis Sanctis*,[72] ar na hIonaid Naofa agus, uair dá raibh sé ar cuairt ag a chara, Rí Aldfrith, bhronn sé cóip den chuntas air. Scaipeadh an cuntas go forleathan ina dhiaidh sin, agus ghnóthaigh sé cáil ar fud Shasana agus ar an Mór-roinn, áit a ndearnadh cóipeanna iomadúla de. Bhí an oiread sin measa ag an staraí AnglaSacsanach, Beda, ar chuntas Adhamhnáin go ndearna sé achoimre de (achoimre a bhfuil an teideal céanna uirthi), agus gur chuir sé a lán den eolas a bhí ann isteach ina leabhar staire féin.

Chomh maith le hiomainn agus beathaí naomh agus dréachtaí éagsúla eile ar chursaí creidimh agus diagachta i Laidin, sholáthraigh na manaigh freisin corrphíosa ceapadóireachta atá, mar a déarfá, ar an teorainn idir scéal cráifeach agus *románs* saolta, de bhrí go bhfuil tréithe a bhaineann leis an dá roinn measctha tríd. Cumadóireacht den saghas sin is ea *Navigatio Sancti Brendani*.[73]

Gael a scríobh an *Navigatio* agus tá sé geall le bheith cinnte gur in Éirinn féin a scríobh sé í am éigin sa chéad leath den 10ú haois. Tugtar cúntas sa scéal ar thuras nó oilithreacht Bhréanainn agus é ar lorg *tír tairngiri*. Ní hí tír tairngire na Scrioptúr atá i gceist ag an údar, áfach, ach an t-athshaol mar a samhlaíodh do Cheiltigh an Iarthair é. Ní ionadh, mar sin, go bhfaightear nithe sa *Navigatio* atá le fáil freisin i seanscéalta áirithe i nGaeilge ar a dtugtar *immrama* (iomramha), scéalta mar *Immram Curraig Ua Corra*,

[72] D. Meehan, *Adamnan's De Locis Sanctis* (BÁC 1958); *Sources* i, 285-6.

[73] *Sources* i, 411, 414-17.

Immram Snédgusa agus Maic Riagla agus *Immram Curaig Maíle Dúin.*[74] Mar a deir an Dr Kenney,[75] ní miste a shamhlú gur shíolraigh scéalta den chineál seo ó bhéaloideas na muintire ar chósta thiar na hÉireann, muintir a raibh mistéir na Farraige Móire á síormhealladh ó thosach aimsire.

Is é *Immram Curaig Maíle Dúin* an scéal is ársa de na trí cinn a luadh thuas, agus taispeánann Zimmer[76] gurb é an scéal seo an bhunphréamh ónar fhás an *Navigatio.*[77] Bhain údar an *Navigatio* feidhm ní amháin as béaloideas agus litríocht na hÉireann ach as béaloideas agus litríocht iarthar na hEorpa freisin. Ní dhearna sé faillí, ach oiread, i gcuspóir cráifeach an scéil. Thug sé mionléiriú ar ghnáis agus ar riail na manach. Tá an t-iomlán fite le chéile go healaíonta aige i dtreo gur saothar snasta fíorliteartha atá ann, an saothar is tábhachtaí, b'fhéidir, dár bhronn na Gaeil ar litríocht mheánaoiseach na hEorpa—eipic, sea, agus Odyssey na seaneaglaise Gaelaí.[78] Ach dá thábhachtaí an *Navigatio* mar shaothar Laidine, tá sé tábhachtach freisin ó thaobh na litríochta i nGaeilge, óir nochtann sé duine den chléir, a hoileadh faoi anáil an chultúir eachtrannaigh, ag baint leasa ina shaothar Laidine as foinsí dúchasacha a thíre féin.

Is é an *Navigatio* an mórshaothar deireanach dár chum cléir na hÉireann i Laidin. Uaidh sin amach ba í an Ghaeilge a bpríomhtheanga liteartha. Deimhníonn sé sin an pointe atá luaite níos mó ná uair amháin cheana againn, is é sin, go raibh suim i gcónaí ag eaglaisigh na hÉireann san oidhreacht dúchais. Dá oilteacht a bhí siad ag cothú agus ag saothrú na Laidine, agus dá mhéid a móráil as an oilteacht sin, bhí siad réidh ó thosach chun feidhm a bhaint as an nGaeilge féin agus as an taisce litríochta a ghabh léi. Ar an gcuma sin cothaíodh agus saibhríodh litríocht na Gaeilge, agus d'fhág an litríocht sin a rian ar scríbhinní Laidine na hÉireann.[79]

[74] Tá na trí scéal foilsithe ag A. G. Van Hamel, *Immrama* (BÁC 1941). Féach freisin D. N. Dumville, ' Echtrae and Immram: Some Problems of Definition ', *Ériu* xxvii, 73 *et seq.* agus H. P. A. Oskamp, *The Voyage of Maél Dúin. A study in Early Irish Voyage Literature* (Groningan 1970).

[75] *Sources, loc. cit.*

[76] *Zeitschrift für Deutches Alterthum* xxxiii, 176 *et seq.*

[77] Féach áfach, M. Esposito, ' An Apocryphal Book of Enoch and Elias as a possible source of Navigatio Sancti Brendani ', *Celtica* v, 192 *et seq.*

[78] *Sources* i, 415.

[79] Cahill, ' Irish in the Early Middle Ages ', *The Irish Ecclesiastical Record,* v Ser., xlvi, 363 *et seq.*

Saothrú na Gaeilge in Éirinn

Nuair a chuaigh na manaigh i mbun ceapadóireachta i nGaeilge is é is dóichí go raibh de chuspóir acu, don chéad ásc, ábhar deabhóideach a sholáthar do na daoine ina dteanga féin. Ní ionadh mar sin gur thosaigh siad leis an ngné is túisce a bheireann greim ar shamhlaíocht an phobail, na hiomainn. Ba sa 7ú nó b'fhéidir chomh luath leis an 6ú haois, a cuireadh na chéad iomainn ar fáil.[1] Cuid de na dréachtaí a dtugtar iomainn orthu, is urnaithe iad a bhfuil cruth meadarach curtha orthu, ar nós na *loricae* (lúireacha). Dhealródh sé freisin gur ghnáthach iomainn a chumadh in onóir na naomh. Mar shampla is cosúil gur bhain Tíreachán agus Muir-chú feidhm as seanábhar i dtaobh Phádraig a bhí i bhfoirm véarsaíochta, nuair a thug siad faoi chuntas a scríobh ar bheatha an naoimh. Agus luann Adhamhnán canadh iomann i nGaeilge in onóir do Cholm Cille, amhail is dá mba nós coitianta a bhí ann.[2] Ar aon nós, is in onóir don naomh seo a cumadh an sampla is sine dá bhfuil ar marthain, mar atá, *Amra Choluim Chille*.[3] Mar a dúramar cheana, tá an mheadaracht san *Amra* an-ársa, agus tá an teanga ann ársa freisin, i dtreo gur deacair cuid di a thuiscint. Dhealródh sé go bhfuil eolaithe an lae inniu sásta go bhféadfadh sé gurbh é Dallán Forgaill a chum é timpeall 597, an bhliain a d'éag Colm Cille. Fágann sin gurb é an saothar Gaeilge is sine é ar féidir dáta cruinn a lua leis.

Do réir traidisiúin, chum Fiacc, easpag Shléibhte, iomann in onóir do Phádraig.[4] Ní féidir glacadh leis an traidisiún, áfach, óir ba chomhaimsirigh Fiacc agus Pádraig, agus is ródhealraitheach ó fhoirm na teanga ann nár cumadh an t-iomann go dtí tuairim na bliana 800 A.D.

Ba i dtrátha an ama chéanna, do réir fianaise na teanga ann, a cumadh *Félire Oengusso*.[5] Cnuasach de cheathrúna nó de ranna[6]

[1] *Sources* i, 254.

[2] *ibid.*, 432-3.

[3] V. E. Hull, ' Amra Choluim Chille ', ZCP xxviii, 242 *et seq.*; D. Binchy, ' The Background of Early Irish Literature ', *Studia Hibernica* 1 (1961) 18.

[4] *Sources* i, 339-40.

[5] W. Stokes, *Félire Oengusso Céli De. The Martyrology of Oengus, the Culdee.* (London 1905). Féach freisin *idem*, *Three Irish Glossaries* (London 1862) agus *Sources* i, 479 *et seq.*

[6] Tá éiginnteacht ag baint le brí an dá fhocal seo. De ghnáth thugtaí ' rann ' ar véarsa ceithre líne, agus ' ceathrúin ' ar gach líne ann. Sna seantráchtais ar mheadaracht, áfach, thugtaí ' rann ' ar an líne. Féach E. Knott, *Introduction to Irish Syllabic Poetry* (1928) 11. Inniu déanann an dá fhocal uanaíocht ar a chéile agus is ' véarsa ' is ciall leo.

atá san Fhéilire, rann don uile lá den bhliain ón gcéad lá d'Eanáir ar aghaidh. Tugtar i ngach rann ainm an naoimh (nó na naomh) a mbíodh a fhéile á comóradh ar an lá áirithe sin. De ghnáth, ní bhíonn ach aidiacht nó nath cainte coinbhinseanach curtha le hainm an naoimh, ach anois agus arís cuirtear giota seanchais nó faisnéis stairiúil leis freisin. Naoimh na hÉireann is mó atá luaite san Fhéilire, ach tá corrthagairt ann do naomh ón gcoigrích. Tá réamhshliocht agus iarshliocht curtha leis an bhFéilire féin ina ndéantar tagairt do na naoimh i gcoitinne agus do réim agus do bhua phobail Dé in Éirinn agus in áiteanna eile. Tá sé scríofa sa mheadaracht chasta ar a dtugtar *rindaird.* Tuilleann an Féilire suim ar leith toisc gurb í an Ghaeilge a tharraing an t-údar chuige féin chun mórshaothar véarsaíochta ar chúrsaí creidimh a chur ar fáil. Chun teacht ar shaothar eile atá incurtha leis ó thaobh scóip agus fairsinge ní mór fanacht go dtí deireadh an 10ú haois nuair a cumadh *Saltair na Rann.*

Mar is intuigthe óna hainm, bhí céad go leith rann sa bhunleagan de *Saltair na Rann,*[7] ach cuireadh dhá rann déag sa bhreis léi ní ba dhéanaí. Chuir an t-údar roimhe cuntas a thabhairt ar stair naofa an domhain ón gCruthú go dtí Lá an Bhrátha. Chomh maith le feidhm a bhaint as na Scrioptúir, bhain sé feidhm freisin as cuid mhaith ábhair apacrafúil. Tá staidéar déanta ag an Dr Urr. St John D. Seymour[8] ar na foinsí apacrafúla a bhí ag údar na Saltrach, agus cuireann sé in iúl nár chloígh an t-údar go dlúth i gcónaí leis na foinsí sin, ach go ndearna sé méid áirithe athraithe orthu, do réir mar a d'oir dó. (Mar a fheicfimid ar ball, bhí an nós céanna seo ag formhór na ndaoine a sholáthraigh leaganacha Gaeilge den ábhar a tháinig isteach ón Eoraip.) Is follas, dar leis an Dr Seymour, ón ábhar i *Saltair na Rann* agus i ndréachtaí eile, go raibh eolas maith ag na Gaeil ar a raibh á scríobh i Sasana agus san Eoraip agus go raibh a lán eolais neamhchoitianta agus ábhair dá gcuid féin acu freisin. In aiste a scríobh sé tamall ó shin luaigh Gearóid Mac Eoin[9] na fáthanna a thug air a mheas go mb'fhéidir

[7] W. Stokes, *Saltair na Rann* (Oxford 1883). Tá sliocht as an Saltair aistrithe go NuaGhaeilge at T. Ó Floinn in *Athbheo* (BÁC 1955) 69 *et seq.* Féach freisin *Early Irish Lyrics,* uimh. 16 agus lch 188 agus *Sources* i, 736-7.

[8] 'The Book of Adam and Eve in Ireland', *PRIA,* xxxvi C (1922), 121 *et seq.; idem,* 'The signs of Doomsday in the *Saltair na Rann*', *ibid.* (1923) 154 *et seq.* Cf. D. Greene, F. Kelly, *The Irish Adam and Eve Story from Saltair na Rann* i (BÁC 1976), ii (commentary le B. O. Murdoch, BÁC 1976); Thurneysen, RC vi, 104.

[9] 'The Date and Authorship of *Saltair na Rann*', ZCP xxviii, 51 *et seq.*

gurbh é Airbertach mac Cosse, nó mac Cosse Dobhráin (a bhí ina fhear léinn agus ina aircinneach sa mhainistir ag Ros Ailithir) a chum *Saltair na Rann*. Sa bhliain 1016 is ea d'éag mac Cosse.

Dealraíonn sé go raibh tionchar ag na hiomainn Laidine ar mheadaracht na n-iomann Gaeilge agus tríothu sin ar mheadaracht fhilíocht na Gaeilge i gcoitinne.[10] Do réir thuairisc Kuno Meyer ní raibh rím ná rithim le fáil i meadaracht ársa na Gaeilge; ní raibh mar ornáid inti ach uaim shimplí as ar baineadh feidhm chun beagán focal a cheangal le chéile.[11] Ansin d'fhás cineál rithime neamhrialta agus tá roinnt samplaí den rím le fáil roimh dheireadh an 6ú haois. I gcaitheamh an 7ú haois bhí modhanna nua á dtriail go dícheallach, do réir cosúlachta, na húdair ag cleachtadh agus ag forbairt an nua agus á nascadh leis an sean.[12] Ní furasta, ámh, cúrsa an fhoráis a leanúint go cruinn. Bhaintí feidhm as rithim i dteannta ríme nó ina héagmais. Faightear samplaí go leor de líne rithimeach gan rím san fhoirm v\ v\ vv sna tráchtais dlí agus sna seanscéalta anuas go dtí aimsir na MeánGhaeilge féin. Is é is dóichí gur le linn an 7ú haois a cuireadh tús leis an deilbh a bhraitheann ar uimhir áirithe siollaí sa líne in ionad na rithime a bhí mar bhun ag na seandealbha. Ar aon nós, do réir a chéile, múnlaíodh an deilbh le huimhir áirithe siollaí sa líne, le comhardadh nó rím, agus leis an gceathrú mar aonad. Ag cur leis sin, tugadh isteach an ornáid dhúchasach a bhí ann cheana, an uaim. Is ar an gcuma sin a d'fhás na meadarachtaí siollacha a bhí i réim i bhfilíocht na Gaeilge ón 8ú go dtí an 16ú haois agus níos déanaí fós ná sin.[13] I dtosach ní raibh na filí, do réir cosúlachta, sásta na meadarachtaí seo a chleachtadh, ach oiread is a bhí siad sásta glacadh leis na téamaí i gceapadóireacht na cléire. ' Nua-chrutha ' a thugaidís ar na meadarachtaí, mar théarma tarcaisne. Bhí na ' nua-chrutha ' seo, dar leo,

[10] Thurneysen, ' Zur irischen Accent—und Verslehre ', RC vi, 309 *et seq.* Cf. A. de Jubainville agus G. Paris, ' La versification irlandaise et la versification Romane ', *Romania* ix, 177 *et seq.*

[11] K. Meyer *Uber die älteste irische Dichtung* (Abhandl, der kgl. Preuss. Akad. der Wissench. 11, No. 10) 4. B'fhéidir gur i gCúige Laighean amháin a cumadh na dréachtaí neamhrithimeacha. Féach *op. cit.* 1 (no. 6), 7 n.1.

[12] Tá cuntas gairid beacht ar fhorás na meadarachta i bhfilíocht na Gaeilge le fáil sa réamhrá a scríobh an tOllamh Gearóid Ó Murchadha dá leabhar *Early Irish Metrics* (BÁC 1961). Féach, freisin, F. J. Byrne, ' Latin Poetry in Ireland ', in J. Carney (eag.), *Early Irish Poetry* (Cork 1965) 29 *et seq.*

[13] Féach G. Murphy, *Early Irish Lyrics* (Oxford 1956); *idem.* ' The Origins of Irish Nature Poetry ', *Studies* xx, 87 *et seq.*; *idem.* ' Bards and Filidh ', *Éigse* ii, 200 *et seq.*; E. Knott, *op. cit.*

oiriúnach go leor do na baird,[14] ach níorbh fhiú leo féin feidhm a bhaint astu. Agus cén fáth go mbainfidís nuair nach raibh, mar a chuireadar féin in iúl go soiléir, aon luach saothair luaite sa dlí don té a chumfadh dán iontu.[15]

In ainneoin sheasamh na bhfilí leathnaigh réim agus scóip na nua-mheadarachtaí go dtí gurbh iad amháin a bhí in úsáid i bhfilíocht na Gaeilge taobh amuigh, b'fhéidir, de chorrdhréacht sna sean-scéalta nuair ba é saol na cianaimsire a bhí á léiriú.[16] Ghlac na filí féin leo i ndeireadh na dála chomh maith le gach dream eile den aos dána.

Is inspéise an rud é go bhfuil na nua-mheadarachtaí le fáil go luath i scríbhinní a bhfuil baint acu le Cúige Uladh, ar nós na ndréachtaí a chum Ceann Fhaoladh,[17] agus in *Imram Brain*, ina bhfaightear an rann le huimhir áirithe siollaí sa líne, an rím go rialta ann agus an uaim do réir mar a oireann.[18] I scríbhinní an deiscirt, ámh, mhair an seanchineál meadarachta go ceann i bhfad, gluaiseacht na líne ag brath ar bhéim an ghuta agus uaim mar nasc idir na focail. Sin í an mheadaracht a bhíonn le fáil go coitianta i nginealaigh Chúige Laighean agus na Mumhan, agus dhealródh gur sa Mhumhain is mó a bhaintí feidhm aisti.

Ag an am céanna, ní mór suntas a thabhairt do shaothar an fhile, Colmán mac Lénéni, Muimhneach a d'iompaigh ina mhanach agus é ag druidim anonn in aois. Ar an gcuma sin, tháinig sé faoi anáil na saíochta dúchasaí agus an nualéinn in éineacht, agus chum sé dánta i nGaeilge a bhfuil rian mheadarachtaí na Laidine orthu. Tá an beagán dá shaothar atá ar marthain bailithe ag Thurneysen,[19]

[14] Sna tráchtais MheánGhaeilge ar chúrsaí meadarachta atá curtha in eagar ag Thurneysen (' Mittelirische Verslehren ', *Irische Texte* iii) luaitear meadarachtaí áirithe ar a dtugtar *báirdne*, is é sin, meadarachtaí a bhí oiriúnach do na *báird*. Meadarachtaí an Dána Dhírigh iad uile, geall leis, na cinn a bhí in úsáid ag na filí ó aimsir na SeanGhaeilge i leith. Is follas mar sin go raibh an t-idirdhealú idir na file agus an bard tite ar lár sular cuireadh na tráchtais le chéile, é sin nó go bhfuil iarsma de sheanchaomhantacht na bhfilí le fáil sa téacs.

[15] *Mittelirische Verslehren*, 1 §§ 4 agus 68; 11 §§ 93. Féach freisin *ibid.*, 107, 112, 168.

[16] G. Murphy, ' St. Patrick and the Civilizing of Ireland ', *Irish Ecclesiastical Record*, v ser., lxxix (1953) 194 *et seq.*

[17] Féach Flower, *The Irish Tradition*, 17 *et seq.* Tá sleachta as dréachtaí an fhile seo le fáil sna hAnnála. Féach ARÉ, ad ann. 499, 527. Is ar na catha a throid a mhuintir féin, Uí Néill an tuaiscirt, is mó a thráchtann Ceann Fhaoladh ina chuid dréachtaí.

[18] Meyer and Nutt, *The Voyage of Bran* i, 4 *et seq.*

[19] ' Colmán Mac Lénéni und Senchán Torpéist ', ZCP xix, 193 *et seq.*

agus is é a thuairim siúd gur breacadh síos na dánta sin i scríbhinn díreach ar tráth a gcumtha. Más cruinn an tuairim sin, bhí an Ghaeilge á scríobh cheana féin i gCúige Mumhan ón mbliain 600 amach, nó roimhe sin, b'fhéidir.[20] Fuair Colmán bás sa bhliain 604.

Comhaimsirigh ba ea Colmán mac Lénéni agus Columbán, agus bhí Colmán ar dhuine de na filí ba thúisce a bhain feidhm i nGaeilge as an gcineál ríme a chleacht Columbán ina dhréachtaí Laidine.[21] Mar léiriú air sin ag seo ar dtús sliocht as dréacht a chum Columbán:

De terrenis eleva
tui cordis oculos,
ama amantissimos
angelorum populos.

I ndréachtaí na Mór-roinne, ba sa siolla dheireanach neamh-aiceanta a bhíodh an rím, agus is ansin atá sé le fáil tríd síos in *Altus* Cholm Cille (d'éag 597). Faightear an cineál sin ríme go forleathan freisin i saothar Cholumbáin (d'éag 616), ach in áiteanna ina shaothair siúd tá samplaí de rím a ghabhann thar dhá nó trí shiolla, ar nós *oculos* agus *populos* thuas, nó *habitat* agus *vagitat* in áit eile. Tá rímeanna cosúil leo seo sa sliocht seo a leanas as dán a chum Colmán mac Lénéni do rí darbh ainm Domhnall a bhí ina rí ar Theamhair san am agus a bhí tar éis claíomh a bhronnadh air:

Luin oc elaib
ungi oc dírnaib
crotha ban n-athech
oc ródaib rígnaib,
Ríg oc Domnall
dord oc aidbse
adand oc caindill
calg oc mo chailg-se.[22]

(Luin i gcomparáid le healaí, uingeacha i gcomparáid le díornaí, crotha ban athach i gcomparáid le ríona uaibhreacha, ríthe i

[20] Féach J. Carney, ' Three Old-Irish Accentual Poems ', *Ériu* xxii, 23 *et seq.*, go háirithe 63 *et seq.* mar a dtráchtann an tOllamh ar Cholmán Mac Lénéni. Is dóigh leis an Ollamh gur féidir glacadh leis gur timpeall na bliana 565 a chum Colmán an dán *Luin oc elaib* do Dhomhnall, rí Teamhrach, ag gabháil buíochais leis as claíomh a bhronnadh air. (Féach *infra* 153, n. 22.) D'fhágfadh sin gur tosaíodh ar an nGaeilge a scríobh síos in aibítir na Laidine breis is tríocha bliain roimh an dáta 600 A.D.a bhí curtha síos ag Thurneysen.

[21] Cf. G. Murphy, ' St. Patrick and the Civilizing of Ireland ', *Irish Ecclesiastical Record*, v. Ser., lxxix (1953) 194 *et seq.*, go háirithe 198-9.

[22] ZCP xix, 198.

gcomparáid le Domhnall, dord i gcomparáid le cantain, adhann i gcomparáid le coinneál, (is mar sin atá) gach claíomh eile i gcomparáid lem chlaíomhse.)

Tabhair faoi deara an rím idir *dírnaib* agus *rígnaib* agus idir *aidbse* agus *chailgse*. Samplaí iad seo den chineál ríme a d'éirigh an-choitianta i bhfilíocht na Gaeilge.

Ábhair Nua i bhFilíocht na Gaeilge

Má tháinig athrú réabhlóideach ar mheadarachtaí na Gaeilge i gcaitheamh an 6ú agus an 7ú haois, ba réabhlóidí fós an t-athrú a tháinig ar ábhar agus ar sprid na filíochta, agus ós rud é gurb iad na scríbhneoirí eaglasta nó na manaigh a thionscnaigh an réabhlóid i gcúrsaí meadarachta, ní miste a chreidiúint gurb iad freisin a chéadláimhsigh na hábhair nua.

Is cinnte go ndeachaigh an Chríostaíocht i bhfeidhm go mór ar mhuintir na hÉireann. Faoina hanáil leathnaíodh intinn an Ghaeil, doimhníodh a mheon, beodh a sprid. Agus is san fhilíocht nua is fearr a léirítear an forás sin. Chonaiceamar cheana cad é an saghas ceapadóireachta ba dhual don fhile roimh theacht na Críostaíochta, tráchtais dlí, ginealaigh, dinnsheanchas, etc., ceapadóireacht oifigiúil neamhphearsanta nach dtabharfaí filíocht uirthi inniu ar chor ar bith. Níor tugadh cúl le ceapadóireacht den chineál sin le teacht na Críostaíochta; is amhlaidh, áfach, a cothaíodh, faoi anáil na scríbhneoirí eaglasta, dúil i saothar pearsanta liriciúil freisin agus is iad na dánta a thráchtann ar ghné éigin den dúlra an chuid is inspéise agus is taitneamhaí den saothar sin.

Tá sé léirithe ag an Ollamh Gearóid Ó Murchadha[23] nach nochtar aon dúil sa dúlra ná a áilleacht i seanfhilíocht na bhfilí ná sna scéalta is ársa. Taobh amuigh de roinnt dréachtaí atá curtha síos do Dheirdre, ach a cumadh go déanach, is ar éigin atá aon rian de dhúil i gcúrsaí an dúlra sa tSraith Ultach, sa tSraith Mhiotaseolaíoch ná sna scéalta is seanda i Sraith na Ríthe. Tá sí le fáil go fairsing, áfach, sna scéalta a cumadh faoi Shuibhne Geilt, an rí a n-insítear faoi gur chaill sé a mheabhair agus gur imigh ar gealtacht tar éis dó bheith gonta ag cath Maighe Rátha. Tá sí le fáil sna scéalta a cumadh faoi Fhionn mac Cumhaill sa 9ú haois agus sna haoiseanna ina dhiaidh sin, scéalta a d'eascair as traidisiún an ghnáthphobail faoi fhianna éagsúla agus as fuíoll na scéalta Ultacha

[23] 'The Origin of Irish Nature Poetry', *Studies* xx, 87 *et seq.* Cf. K. H. Jackson, *Studies in Early Celtic Poetry* (Cambridge 1935).

mar gheall ar Chú Chulainn. Tá rian den Chríostaíocht ar na scéalta seo. Glacann na naoimh, go háirithe Pádraig agus Mo Ling, páirt thábhachtach i gcuid acu. I gceann amháin acu cuirtear cuma leathchríostúil ar laochra na Féinne féin trí chuid de shéimh-thréithe na Críostaíochta, an fhéile, an dúil i bhfírinne agus an dúil i léann, cuir i gcás, a bhronnadh orthu. Ar an iomlán, mar sin, is féidir a rá go bhfuil blas na págántachta ar na scéalta a bhfuil an dúil sa dúlra in easnamh orthu agus rian éigin d'anáil na Críostaíochta ar na cinn ina bhfaightear í.

Maidir leis na liricí pearsanta, níor tugadh an oiread spáis dóibh sna lámhscríbhinní agus a tugadh do shaothar acadúil na bhfilí. Mar sin féin, tá go leor díobh ar fáil lena chur ar ár gcumas breithiúnas measartha cruinn a thabhairt orthu agus a rá go ngabhann trí bhua go speisialta leo, mar atá, úire smaointe, cruinneas sa chur síos agus ceardúlacht chríochnaithe.

Tá cnuasach de na liricí seo curtha in eagar agus aistrithe go Béarla, mar aon le nótaí agus réamhrá, ag an Ollamh Gearóid Ó Murchadha sa leabhar a luadh cheana, *Early Irish Lyrics.*[24] Feicfear ó na samplaí sa leabhar seo gurb iomaí téama a suathadh sna liricí seo—i bhfocail an Ollaimh Ó Murchadha, ' themes ranging from an old woman's sorrow as she recounts her loves of days gone by to description of a blackbird's beauty or rebuke of a lady for exaggeratting the loss suffered when her pet goose died '.

Is iad na liricí a thráchtann ar an saol amuigh faoin aer na cinn is suimiúla agus is neamhchoitianta. Is iad, freisin, is fearr a nochtann an coibhneas leis an gCríostaíocht mar, nuair a thugadh scríbhneoirí an 9ú haois agus na n-aoiseanna ina dhiaidh sin faoi dhréachtaí a cheapadh ag moladh gnéithe éigin den dúlra, ba mhinic a chuiridís na dréachtaí sin i mbéal naoimh nó manaigh nó díthreabhaigh a mhair san 6ú nó san 7ú haois, daoine mar Cholm Cille, Mo Ling, Manchán, Ceallach agus Marbhán. Is fiú a lua freisin go dtráchtar i mbeathaí cuid de na naoimh (mar Cholumbán agus Colm Cille) ar an gcion a bhí acu ar an dúlra agus ar ainmhithe. Insítear scéalta chomh maith faoi naoimh eile a raibh cion as cuimse acu ar ainmhithe den uile chineál idir fhiáin agus cheansa, go háirithe Mo Ling, ar dúradh ina thaobh go gcothaíodh sé na

[24] Tá dornán díobh tiontaithe go NuaGhaeilge ag Tomás Ó Floinn in *Athbheo* (BÁC 1955).

hainmhithe mar chomhartha ómóis do Dhia (*fera animalia et domestica consuebat in honore conditoris suorum alere*).[25]

I measc na liricí pearsanta is é ' Messe ocus Pangur Bán '[26] an ceann is fearr a bhfuil eolas air, agus is é freisin an sampla is túisce dá bhfuil le fáil i lámhscríbhinn ó Éirinn de scríbhneoir ag plé ábhair phearsanta, ábhar a bhaineann leis féin amháin. Tá an dán le fáil ar imeall cheann de na lámhscríbhinní dár thagraíomar cheana, an ceann i Mainistir Naomh Pól ag Carinthia i ndeisceart na hOstaire. Cat is ea Pangur Bán, agus tá comparáid déanta ag an údar idir é féin agus é ag gabháil don léann agus an cat a bhíonn ag cleachtadh a cheirde féin go hoilte agus go sásta. Tá an t-ábhar sin láimhsithe go gonta néata agus an friotal go snasta.

Messe [ocus] Pangur bán, cechtar nathar fria saindán; bíth a menma-sam fri seilgg, mu menma céin im saincheirdd.	Mise agus Pangur bán, Dúinn ár ndís ní hionann dáil; Seilg is mian leis sin de ghnáth Lem shaincéird dom féin gach tráth.
Caraim-se fós, ferr cach clú, oc mu lebrán léir ingnu; ní foirmtech frimm Pangur bán, caraid cesin a maccdán.	Caraimse fós—fearr ná clú— Ag mo leabhar á léirscrúdú Éad ní bhíonn ag Pangur liom, A ghnó geal féin a dhéanann.
Ó ru-biam—scél cén scís— innar tegdais ar n-oéndís, táithiunn—díchríchide clius— ní fris 'tarddam ar n-áthius.	Nuair a bhímid—scéal gan scís— 'Nár mbothán féin 'nár n-éindís Imrimid na céata cleas— Sás lúthaíochta dúinn is feas.
Gnáth-huaraib ar greassaib gal glenaid luch ina lín-sam; os me, du-fuit im lín chéin dliged ndoraid cu n-dronchéill.	Gnáth ar uaire gaisce is gal; Gabhtar luch ina liontán-san; Titeann domsa im liontán féin Focal fite nach soiléir.
Fúachaid-sem fri frega fál a rosc a nglése comlán; fúachimm chéin fri fégi fis mu rosc réil, cesu imdis.	Tugann sin le fraigh is fál Aire léir na rosc comhlán; Tugaim féin le géire fis Mo rosc ba léir, gidh faon anois.
Fáelid-sem cu n-déne dul, hi nglen luch ina gérchrub; hi-tucu cheist n-doraid n-dil, os mé chene am fáelid.	Meanmach sin—is dian a dhul— Nuair gabhtar luch 'na ghéar-chrobh; Tuigim féin an deacair dil, Is ann bím lán de mheanmain.

[25] Plummer, *Vitae SS. Hiberniae* ii, 201.

[26] Thurneysen. *Old Irish Reader*, 40, 41; *Thesaurus Palaeohibernicus* ii, 293, 294. *Irische Texte* i, 316; *Early Irish Lyrics*, 2.

Cia beimmi amin nach ré ní derban cách a chéle; maith le cechtar nár a dán subaigthius a óenurán.	Amhlaidh sin dúinn: uair ar bith Ní cuirtear neach dá ghnáth-rith; Maith le cách den dís a dhán, Sona leis an aonarán.
Hé fesin as choimsid dáu in muid du-n-gní cach óenláu; do thabairt doraid du glé for mumud céin am messe.	Pangur féin a chinneann dó Modh a shaothair gach aon ló; Cinnimse mo shain-mhodh féin Deacair docht a thabhairt soiléir.[27]

Ní miste a chur in iúl gur ainm Breatnaise atá ar an gcat. Séard atá in *Pangur* ná foirm ársa den fhocal Breatnaise *pannwr* a chiallaíonn ' úcaire '. Agus is maith a oireann an t-ainm don chat mar tá sé bán, ar aon dath leis an úcaire nuair a bhíonn sé i mbun gnó. Cuireann an tOllamh Ó Murchadha an smaoineamh os ár gcomhair go mb'fhéidir go bhfuair údar an dáin an cat (agus an t-ainm, ar ndóigh) uair éigin nuair a bhí sé ag gabháil tríd an mBreatain Bheag agus é ar a bhealach chun na Mór-roinne.[28] Nó b'fhéidir gur ar a bhealach ar ais a bhí sé.

Sa lámhscríbhinn chéanna tá dán Gaeilge eile ar a dtugtar ' Barr Edin ' (Barr Eidhin), a thosaíonn leis an líne ' M'airiuclán hi Tuaim Inbir '. Os cionn an dáin ar an taobh chlé den leathanach tá na focail ' Suibhne Geilt '. Thagraíomar cheana do Shuibhne. Do réir na dtuairiscí ba rí ar Dhál Araidhe é, agus d'imigh sé i ngealtachas tar éis chath Maighe Rátha (637 A.D.), agus lonnaigh iar sin ar bharr na gcrann amuigh sa díthreabh.[29] Is i mbéal Shuibhne a cuireadh a lán de na dánta a cumadh ag móradh aoibhneas an tsaoil amuigh faoin aer, níos mó ná mar a cuireadh síos dá chomhgheilt, Myrddin Wyllt, i litríocht na Breatnaise. Thart faoin 9ú haois is ea a cumadh an dán ' Barr Edin '.[30] Tráchtann an file ann ar dheiseacht an árais atá aige amuigh faoin aer i dTuaim Inbhir. Is é Dia a rinne an t-áras agus a chuir díon air; is iad an ghrian agus an ghealach a thugann solas ann.

[27] P. Ó Domhnaill in S. Ó Céilleachair (eag.), *Nua-Fhilí* (BÁC 1956). Tá leagan eile NuaGhaeilge ag T. Ó Donnchadha (Torna), *Ériu* i, 66 agus ceann eile ag S. Ó Néill, *Dánta do Pháistí*.

[28] *Early Irish Lyrics*, 172.

[29] Féach J. Carney ' " Suibhne Geilt " and " The Children of Lir " ', *Éigse* vi; *Studies in Irish Literature and History*, 129 *et seq.*; 385 *et seq.* Féach freisin A. O. H. Jarman, *Llen Cymru* i, 201 agus K. H. Jackson, ' A Further Note on Suibhne Geilt and Merlin ', *Éigse* vii, 112 *et seq.* Tá leagan NuaGhaeilge den dán in *Athbheo*, 48-9.

[30] *O.Ir. Reader*, 39-40.

M'airiuclán hi Tuaim Inbir:
ni lántechdais bes séstu—
Cona rétglannaib a réir,
cona gréin, con a éscu.

Gobán du-rigni in sin
(co n-écestar dúib a stoir);
mu chridecán, Dia du nim,
is hé tugatóir rod-toig.

Tech inná fera flechod,
maigen 'na aigder rindi;
soilsidir bid hi lugburt,
os é cen udnucht n-imbi.[31]

I lámhscríbhinn Laidine atá ar caomhnú anois sa Stiftsbibliothek ag St Gall san Eilbhéis, ach a scríobhadh do réir eolaithe áirithe i mainistir éigin in Éirinn sa chéad leath den 9ú haois, breacadh síos a lán gluaiseanna agus roinnt bheag dréachtaí filíochta i nGaeilge.[32] I ndréacht amháin ' Domfarcai fidbaidae fál '—tá mar a bheadh cuntas ar an scríobhaí i mbun a chuid oibre amuigh faoin aer, fál crann ina thimpeall, an lon ag canadh dó agus os cionn a leabhráin línithe tá ceiliúr séiseach na n-éan le cloisteáil.[33]

Dom-farcai fidbaidae fál
fom-chain loíd luin—lúad nad-cél—
húas mo lebrán ind línech
fom-chain trírech inna n-én.

Fomm-chain coí menn—medair mass—
hi mbrot glass de dindgnaib doss.
débrad, nom-choimmdiu coíma,
caín scríbaimm fo roída r(oss).

Ceann de na dánta dúlra is sia agus is iomráití i seanfhilíocht na Gaeilge is ea an ceann a cumadh sa 9ú nó sa 10ú haoise ach atá curtha síos do dhuine darbh ainm Marbhán, díthreabhach a mhair san 7ú haois. Deartháir do Ghuaire, rí Chonnacht (d'éag 663 nó

[31] *Early Irish Lyrics*, 112.

[32] Codex Sangallensis 904. Féach *Thesaurus Palaeohibernicus* ii, réamhrá, xix *et seq.;* 49 *et seq.*

[33] *Early Irish Lyrics* 4; Thurneysen, *Old Irish Reader*, 39; *Thesaurus Palaeohibernicus* ii, 290. Tá leagan Béarla den dán ag R. Flower, *Poems and Translations* (London 1931) 116. Tá leagan Breatnaise ag T. Gwynn Jones, *Awen y Gwyddyl* (Caerdydd 1922) 30-31, agus leagan NuaGhaeilge in *Athbheo*, 34-5.

666), ba ea Marbhán, más cruinn an traidisiún.[34] D'éirigh sé bréan de shaol na cúirte agus chuaigh amach chun cónaithe sa díthreabh. Ba mhinic a théadh Guaire amach ansin chuige ag lorg comhairle nuair a bhíodh ceist achrannach éigin ag déanamh buartha dó. Do réir an dáin[35] seo chuaigh Guaire amach uair amháin agus d'fhiafraigh dá dheartháir cén fáth nach gcodlaíodh sé ar leaba; ba ghnáthaí le Marbhán, dar leis, an oíche a chaitheamh amuigh agus a cheann ar an talamh. D'fhreagair Marbhán é trí mhion-chuntas a thabhairt dó ar an aoibhneas a bhí ag roinnt lena shaol faoin aer: é i bhfad ó chaidreamh daoine, cantain bhinn na n-éan agus ceol na gaoithe agus na n-eas le cloisteáil aige, comhluadar na n-ainmhithe aige, torthúlacht na bplandaí agus na luibheanna le tabhairt faoi deara agus na crainn agus na toir mar chuideachta aige. Gabhann sé buíochas le Críost, a bhronn na nithe sin go léir air.

Faighimid léargas sa dán seo ar chuid de na smaointe ba dhual do sheanfhilíocht dúlra na Gaeilge i gcoitinne. Ar an gcéad ásc, tá na dánta seo go léir bunaithe ar an bprionsabal gurb é Dia an Cruthaitheoir agus gur Leis gach neach is gach ní dár cruthaíodh.

Adram in Coimdid	Adhraimis an Tiarna
cusnaib aicdib amraib,	lena oibreacha iontacha
nem gelmár do n-ainglib,	neamh gheal mhór le haingil,
ler tonnbān for talmain,[36]	Muir thonnbhán ar talamh.

a dúirt file éigin sa 9ú haois, agus sa rann sin bhí bunsmaoineamh a chomhfhilí go léir á dhearbhú aige. Níor bhéas leis na filí seo mistéir an dúlra a scrúdú ná a mhíniú; níor fhéach siad le iad féin a bhrú isteach sa mhistéir sin. Is amhlaidh a ghlac siad go humhal leis an smaoineamh gur le Dia gach uile rud. Sin fáth na cinnteachta agus an neamhcheistiúcháin ina saothar.

[34] Is gá a lua, ámh, go bhfuil cuid de scoláirí an lae inniu in amhras faoi chruinneas an traidisiúin seo. Is dóigh leis an Ollamh Carney gurb é atá i Marbhán ná macasamhail lánGhaelach den naomh Gael-Bhreataineach Kentigern. (*Studies in Irish Literature and History*, 161 *et seq.*, 165 *et seq.* Cf. 180 *et seq.*) Is dóigh leis an Ollamh Proinsias Mac Cana nach miste a chreidiúint gur cruthaíodh ainm Mharbháin as scéal atá le fáil sa *Vita Tripartita.* Sa scéal seo tháinig duine ar ais ó shlua na marbh; *in marb* (i.e. an marbh) a thugtar air. Ní deacair a shamhlú, dar leis an ollamh, go ndearnadh ainm dílis den ainm coitianta tríd an díspeagadh —án a chur leis. (*Bulletin of the Board of Celtic Studies* xix, 1-6.)

[35] K. Meyer, *King and Hermit, A Colloquy between King Guaire of Aidne agus his brother Marban* (London 1901). Leagan Béarla ag K. Meyer, *Selections from Ancient Irish Poetry.* Leagan Gaeilge agus Béarla ag G. Murphy, *Early Irish Lyrics*, 10*et seq.* Leagan NuaGhaeilge ag Tomás Ó Floinn, *Athbheo*, 40 *et seq.* agus leagan Breatnaise ag T. Gwynn Jones, *Awen y Gwyddyl*, 26-30.

[36] *Early Irish Lyrics*, 4.

Tugtar faoi deara freisin sna dánta seo an t-eolas cruinn a bhí ag na filí ar ilghnéithe an dúlra. Níor dhaoine iad a chuaigh amach agus a d'fhéach ar chrann, ar shruth, ar ainmhí le súile rómánsacha. Ba dhaoine iad a raibh taithí acu ar bheith amuigh faoin aer agus a d'aithin go beacht gach ní ar ar fhéach siad. Thráchtamar cheana ar an gcion a bhí acu ar ainmhithe. Níor chion maoithneach forbhríoch a bhí ann, ach cion a bhí bunaithe ar thuiscint agus ar bhá. Ba bheag a ndúil, do réir dealraimh, i mbláthanna. Ba bhreá leo, áfach, glaise an duilliúir ar chrann agus ar thor, gile ghlé uisce na sruthanna agus na n-aibhneacha agus cantain bhinn na n-éan. Chomh maith le dánta ag moladh Dé cumadh dánta freisin in onóir na Maighdine Muire. Mar shampla amháin díobh sin tá na véarsaí seo a leanas as dán atá curtha síos do Cholm Cille a cumadh san 11ú haois:

A Máire mín, maithingen, tabhair fortacht dún a chríol cuirp choimdeta, a chomrair na rún	A Mhuire mhín, iníon mhaith tabhair fortacht dúinn, a chóifrín choirp an tiarna, a scrín na rún . . . .
A rígdorus rogaide triasar chin i crí grian taitnemach thogaide Ísu Mac Dé bí.[37]	A rídhorais den chéad scoth trínar saolaíodh i gcorp grian thaitneamhach shármhaith Íosa Mac Dé bhí.

Tamall ó shin tháinig an tOllamh Carney ar roinnt dánta Sean-Ghaeilge i lámhscríbhinn sa Leabharlann Náisiúnta i mBaile Átha Cliath, agus ina measc bhí cúpla ceann in onóir don Mhaighdean Mhuire. I gceann amháin díobh, curtha i gcló anois ag an Ollamh, léiríonn sé an tuairim go mb'fhéidir gur san 7ú haois a cumadh é.[38] Roimh an mbliain 900 an dáta atá curtha síos ag an Dr Ó Cuív do dhán eile don Mhaighdean Mhuire.[39] Dealraíonn sé mar sin gur tosaíodh go luath i measc na nGael ar Mhuire a mhóradh i ndán.

Tríd is tríd, is ródhócha gur tosaíodh go luath ar litríocht dhiaga den uile chineál a chumadh i nGaeilge. Seachas na hiomainn atá luaite cheana againn, na dánta ag guí Dé a bhfuil cuma iomann orthu agus na cinn ag moladh Dé agus na Maighdine, tá dánta

[37] *Early Irish Lyrics*, 46 *et seq*. An tSeanGhaeilge mar aon le leagan NuaGhaeilge ag S. S. Ó Conghaile agus S. Ó Ríordáin in *Rí na nUile* (BÁC 1964) 46 *et seq*.

[38] *Ériu* xviii, 4. Tá an cnuasach iomlán in eagar ag an Ollamh Carney, *The Poems of Blathmac* (I.T.S. xlvii, 1964).

[39] ' An Early Irish Poem of Invocation to Our Lady ', *Studies* (1955), 207 *et seq*.

cráifeacha de chineáil eile le fáil freisin. Sampla amháin díobh sin is ea ' Is mebul dom imrádud a mét élas uaimm ' (Mo náire iad mo smaointe, a mhéid a éalaíonn siad uaim), ina gcáineann an file a chuid smaointe toisc go mbíonn siad de shíor ag fánaíocht agus nach féidir leis greim a choinneáil orthu.

Is mebul dom imrādud
a mēt ēlas ūaimm:
atāgur a imgōbud
il-lō brātha buain.

Mo náire iad mo chuid smaointe
mar a théid ar fán uaim;
is cúis imeagla dom a mbagairt
ar lá an bhrátha bhuain.

Tresna Salmu sētaigid
for conair nach cōir,
rethid, būaidrid, bētaigid
fiad roscaib Dē mōir

Le linn na salm téid ar seachrán
ar chosán nach bhfuil cóir;
rithid, buairid, cleachtaid drochiompar
os comhair súile Dé Mhóir.

Trē airechtu athluma
trē buidnib ban mbōeth
trē cholltib, trē chathracha
is luaithiu nā in gōeth.

Trí thionól dhíocasacha,
trí bhuíona ban mbaoth,
trí choillte, trí chathracha
is luaithe iad ná an ghaoth.

Sa 10ú haois a cumadh an dréacht seo más cruinn tuairim an eagarthóra, Kuno Meyer.[40]

Mar achoimriú ar shaothar na cléire in Éirinn sna haoiseanna tar éis teacht na Críostaíochta is féidir na pointí seo a leanas a athlua: níorbh iomainn amháin a chum siad i nGaeilge; chuir siad ar fáil freisin dréachtaí diaga agus deabhóideacha agus beathaí naomh sa teanga sin. Chomh maith leis sin, ba iad ba mhó a chothaigh dúil i gcúrsaí an dúlra mar ábhar litríochta. I Laidin is ea a scríobhaidís ar dtús ach do réir a chéile ghlac siad an Ghaeilge chucu féin mar ghléas ceapadóireachta go dtí nárbh fhada go raibh siad ag baint feidhme go fairsing agus go forleathan aisti. Mar a chonaiceamar, ba é *Navigatio Sancti Brendani* (ón gcéad leath den 10ú haois) an mórshaothar deireanach dár cumadh i Laidin in Éirinn, agus tháinig an saothar sin féin go mór faoi anáil shean-*immrama*[41] na bhfilí. Rud eile is cóir a athlua is ea an t-athrú bunúsach a tháinig ar mheadarachtaí na Gaeilge de thoradh chumadóireacht Laidine na cléire.

[40] *Ériu* iii, 13 *et seq.* I gcló in *Early Irish Lyrics*, 38 *et seq.* agus i *Rí na nUile*, 34 *et seq.*

[41] Le haghaidh cuntais ar scéalta den chineál seo féach H. Zimmer, *Zeitschrift für Deutsches Alterthum* xxxiii, 129, 257.

Is ar shaothar na cléire, nó na scoláirí eaglasta, is mó a bhí trácht go nuige seo sa chaibidil seo. Is cóir anois breathnú siar chun cás na bhfilí a scrúdú, féachaint conas a d'éirigh leo féin agus lena saothar tar éis teacht na Críostaíochta agus an nualéinn. Ní mór, i dtosach, an difríocht shuntasach idir córas na bhfilí agus córas na cléire a thabhairt chun cuimhne, an bhéalaithris mar mheán chaomhnaithe ag an gcéad dream, an breacadh síos ag an dara dream. I bhforás aon sibhialtachta is follas gurb é an focal scríofa is faide a mhairfidh, agus is ródhócha nach mbeadh i ndán do shaothar na bhfilí in Éirinn ach dul i léig leis an aimsir mura mbeadh gur chrom siad ar leas a bhaint as nós na scríbhneoireachta. Faighimid léargas ar ar tharla sa scéal a insítear i dtaobh an fhile atá luaite cheana againn, Ceann Fhaoladh.[42]

Nia don ardrí ba ea Ceann Fhaoladh agus dála Shuibhne Geilt, deirtear gur throid sé ag cath Maighe Rátha (637) agus gur scoilteadh a chloigeann sa chath. Chun leigheas a fháil ar an gcneá tugadh é go teach duine darbh ainm Bricíne ag Tuaim Dreacuin, áit a bhfuair sé cóireáil mháinliach.[43] De thoradh na cneá,[44] nó de thoradh na cóireála,[45] tharla, do réir an scéil, gur baineadh a ' inchinn dearmaid ' as a cheann.

Bhí trí scoil san áit seo, scoil léinn, scoil fhéineachais agus scoil fhilíochta, is é sin le rá, scoil amháin Laidine agus dhá scoil Ghaelacha.[46] D'fhreastal Ceann Fhaoladh ar na trí cinn agus gach ní dá gcloiseadh sé iontu i rith an lae bhíodh sé de ghlanmheabhair aige gach oíche toisc a ' inchinn dearmaid ' a bheith caillte aige. Chuireadh sé cruth filíochta ar na nithe sin go léir, agus scríobhadh sé síos ar leaca agus ar thaibhlí iad agus bhreacadh síos i gcairtleabhair iad ('. . . ocus do chuirsium glonsnaithi filidhechta fuithib, ocus do scribsum iat a lecaib ocus i tuiblib, ocus ro cuir seic a cairtliubair ').[47]

Is é tábhacht an scéil seo, mar atá meabhraithe ag an Ollamh Mac Néill, go raibh talamh úr á bhriseadh ag Ceann Fhaoladh nuair a bhreac sé síos an t-ábhar a bhíodh faoi chaibidil sa dá scoil

[42] E. MacNeill, ' A Pioneer of Nations ', *Studies* xi, 13 *et seq.*, 435 *et seq.* agus féach *supra* 37-8.

[43] Féach ' The University of Tuaim Drecuin ' in O'Connell, *The Schools and Scholars of Breiffne*, 13 *et seq.*

[44] *Laws* iii, 88; G. Calder, *Auraicept na n-Éces* (Edinburgh 1917) 7.

[45] J. O'Donovan, ' The Battle of Mag Rath ', *Irish Archæological Society* (1842) 278 *et seq.*

[46] MacNeill, *Early Irish Laws and Institutions*, 84 *et seq.;* O'Curry, *MS Materials*, 51, 513; *Manners and Customs* ii, 92 *et seq.*

[47] *Laws* iii, 88.

Ghaelacha.[48] Gnáthnós ba ea é sin sa scoil Laidine; gníomh réabhlóideadh ba ea é sna scoileanna Gaelacha.

Ní fios go cruinn arbh fhile gairmiúil é Ceann Fhaoladh nó nárbh ea, ach is follas go raibh sé lánoilte ar cheird an fhile. Tuata ba ea é, ar aon nós, ach dhealródh sé gur mhanach nó dhuine den chléir a bhí i mBricíne,[49] óir tugadh ómós dó mar naomh ní ba dhéanaí.

Má ba réabhlóideach an gníomh a rinne Ceann Fhaoladh nuair a scríobh sé síos a raibh curtha de ghlanmheabhair aige sa dá scoil Ghaelacha, b'fhéidir nach aon áibhéil a rá go ndearna sé gníomh ní ba réabhlóidí fós más fíor gurb eisean a chum an leabhar ar ghramadach na Gaeilge atá curtha síos dó.[50] Ní miste éacht litríochta a thabhairt air sin, mar ba bheag aird a thugadh scoláirí na hEorpa sa 7ú haois ar ghramadach na dteangacha dúchais. Ba ar an Laidin agus ar an nGréigis amháin a dhírídís a n-aire. Tá sleachta as an leabhar atá curtha síos do Cheann Fhaoladh le fáil fós, iad i dtaisce i dtéacs ar a dtugtar *Auraicept na nÉces*,[51] agus más cruinn an tuairim atá ag eolaithe áirithe gurb eisean a chum iad, is follas go raibh sé oilte ní amháin ar a theanga dhúchais féin ach ar an eolas traidisiúnta clasaiceach faoi phrionsabail na gramadaí. Tá sleachta áirithe sa saothar seo atá bunaithe ar an saothar dar teideal *Origines* a chum Naomh Isadóir as Seville (d'éag 636), rud a thabharfadh le tuiscint go raibh eolas ag scoláirí na hÉireann sa 7ú haois ar shaothar a gcomhaimsireach ar an Mór-roinn.

Tá dhá leabhar eile a bhaineann le cúrsaí dlí curtha síos do Cheann Fhaoladh freisin, mar atá *Bretha Etged* agus *Dúil Roscad*. Ina theannta sin, chum sé dréachtaí stairiúla ag móradh cathanna agus gníomhartha gaisce a mhuintire féin, na Niallaigh, agus ba eisean an chéad fhile ar tugadh sleachta as a chuid dánta sna hAnnála.[52] Ní ionadh, dá bhrí sin, gur bronnadh an teideal *sapiens* air sna hAnnála, cé nár dhuine den chléir é. Teideal teicniúil is ea *sapiens*, do réir dealraimh, a chiallaíonn príomhoide nó oide i scoil mhainistreach.[53] Thabharfadh an méid sin go léir le tuiscint

[48] *Studies* xi, 13 *et seq.*, 435 *et seq.*

[49] Sampla eile den chaidreamh idir saoi dúchasach agus duine den chléir is ea cás an fhile Dubthach moccu Luigir agus a dhalta sin, an tEaspag Fiacc. *Sources* i, 340.

[50] Féach Calder, *Auraicept na n-Éces* xxxi, *et seq.*

[51] Calder, *Auraicept na n-Éces* xxvi, *et seq.*

[52] Táid le fáil in *Annála Ríoghachta Éireann* faoi na blianta, 499, 507, 527.

[53] *The Irish Tradition*, II.

dúinn gur chuidigh sé ina phearsa féin chun an bhearna a bhí idir na filí dúchasacha agus na scoláirí eaglasta a chúngú nó a dhúnadh. Ba sa bhliain 679 a fuair sé bás.[54]

Maidir leis na scoláirí eaglasta, is cosúil go raibh siad ag éirí ní ba thábhachtaí i saol liteartha an chine sa dara leath den 7ú haois. I dtrátha an ama seo is ea a tosaíodh ar dháta báis *sapientes* a bhreacadh síos sna hAnnála. Roimh an mbliain 700 A.D. mar a mheabhraíonn an Dr Flower dúinn,[55] luaitear ainmneacha na *sapientes* seo a leanas in Annála Uladh: Cuimmíne Fota as Cluain Fearta[56] (d'éag *c.* 664; dalta do Cholmán Moccu Chluasaig[57] ba ea Cuimmíne, an Colmán céanna ar a leagtar ceann de na hiomainn Ghaeilge is túisce dár cumadh agus a d'éag 663); Sarán Ua Critáin as Tisaran (d'éag 663), Airerán (nó Ailerán) as Cluain Iorairdl[58] (d'éag 665), agus Lochéne, ab Chill Dara (d'éag 696). Comhaimsirigh do Cheann Fhaoladh ba ea na scoláirí seo go léir, agus a lán eile, ní foláir, nach bhfuil a n-ainmneacha luaite. Is fiú a mheabhrú gurb é seo an tréimhse, do réir fhianaise Beda,[59] a raibh mic léinn ó Shasana ag teannadh ina sluaite ar Éirinn. Is inspéise an rud é freisin go raibh gaol ag Ceann Fhaoladh le hAldfrith, mac Ossu, rí Nortumbair, dár thagraíomar cheana.[60]

Nuair a thóg na *sapientes* agus na filí orthu féin seanchas traidisiúnta na nGael a ullmhú chun a bhreactha síos, ní foláir nó bhí fadhb achrannach le réiteach acu, go háirithe nuair a chrom siad ar na seanscéalta a láimhsiú. Is gá cuimhneamh nár scéalta amháin a bhí sna dréachtaí seo, dar leis na daoine a d'aithris iad agus a d'éist leo, ach cuntais fhírinneacha ar stair ársa agus ar shinsir na nGael. Bhí rogha ag na scríbhneoirí glacadh leis na scéalta mar fhinscéalta gan bunús na fírinne, nó glacadh leo mar stair údarásach. Ba é an dara rud a rinne siad. Ach ansin d'éirigh an cheist, conas ab fhéidir fírinne na scéalta a dheimhniú ó tharla gan údarás a bheith leo toisc nár scríobhadh síos roimhe sin iad. Cinneadh ar réiteach an-simplí ar an gceist sin. Tugadh ar ais ó shlua na marbh nó ón Athshaol duine éigin de na laochra ón sean-

[54] 678 an dáta atá tugtha go mí-chruinn in AU (Féach AU iv, lch xcvi).
[55] *The Irish Tradition*, 11.
[56] *Sources i*, 420-21.
[57] *ibid.*, 726-7.
[58] *ibid.*, 279-81.
[59] *Hist. Eccl.* iii, xxvii.
[60] Flower, *op. cit.*, 13.

am a bhí páirteach in imeachtaí na scéalta, agus rinne seisean na scéalta a aithris do phearsa éigin stairiúil. Tríd an tseift seo soláthraíodh na hAgallaimh idir Pádraig agus Oisín faoi imeachtaí na Féinne, taibhseamh osnádúrtha Chon Chulainn do Phádraig agus do Laoghaire[61] agus an scéal *Faillsigud Tána Bó Cuailnge*, ina n-insítear conas mar a tháinig Fearghas mac Róigh ar ais ó na mairbh chun scéal na Tána a aithris do Sheanchán. Ar dtús ní raibh Thurneysen sásta a chreidiúint go mb'fhéidir gur tosaíodh ar sheanchas na nGael a scríobh síos chomh luath le lár an 7ú haois[62] ach d'athraigh sé a thuairim faoin bpointe sin ní ba dhéanaí.[63]

Tá ar a laghad trí leagan den scéal faoi fhoilsiú (fionnachtain) na Tána tagtha anuas chugainn.[64] Tá dhá cheann acu le fáil sa *Leabhar Laighneach.*[65] Sa chéad cheann deirtear gur iarr Seanchán ar a mhac Muirgein agus ar Émine hua Ninnine dul ar lorg an scéil *Táin Bó Cuailnge*, toisc nach raibh eolas ag an éigse um an dtaca sin ach ar ' bhlogha ' de. Agus ní raibh aon chóip scríofa fágtha in Éirinn de bhrí gur cuireadh an chóip dheireanach dá raibh ar fáil thar sáile soir mar mhalairt ar chóip de leabhar darbh ainm *An Cuilmen.* (Is ródhócha gur chóip de *Origines* Naomh Isadóir a bhí sa *Cuilmen.*[66]) Ar a n-aistear dóibh sroicheann Muirgein agus Émine hua Ninnine uaigh Fhearghais mhic Róigh, nochtann Fearghas é féin agus caitheann sé trí lá agus teora oíche ag aithris na Tána do Mhuirghein amháin, agus ceo trom thart ar an mbeirt acu á gceilt. Sin é an chéad ghearrleagan.[67] Díreach ina dhiaidh sin sa lámhscríbhinn tá sliocht gairid ina gcuirtear in iúl go ndeir údair eile gur do Sheanchán a insíodh an scéal nuair a bhí troscadh déanta ag naoimh de shíol Fhearghais. Bhí fonn ar an scríobhaí an tuairisc dheireanach sin a chreidiúint mar deir sé ' níorbh ionadh dá mb'amhlaidh a bheadh ' (*níba machtad cid samlaid nobeth*).

[61] *Heldensage* i, 567; Ó Cadhlaigh, *Rúraíocht*, 128 *et seq.;* J. O'Beirne Crowe, *Siaburcharpat Conculaind* (1871); *The Irish Tradition*, 6.

[62] *Heldensage* i, 111.

[63] *Kuhns Zeitschrift für vergl. Sprachforschung* lix, 9; ZCP xix, 209.

[64] *Studies in Irish Literature and History*, 165 *et seq.; Heldensage* i, 251 *et seq.;* Zimmer, *Kuhns Z. für vergl. Sprachforschung* xxviii, 426 *et seq.*

[65] 245 B.

[66] *Heldensage* i, 252, n.4; T. Ó Máille, ' The Authorship of the Culmen ', *Ériu* ix, 71 *et seq.;* Ó Rathile, *Ériu* x, 109.

[67] I gcló ag K. Meyer, *Archiv für Celtische Lexikographie* iii, 4. Féach freisin *Heldensage* i, 111 agus cf. ZCP xix, 209.

Tá a mhalairt de leagan i lámhscríbhinn i Músaem na Breataine.[68] Sa leagan seo téann Seanchán agus mórshlua d'fhilí na hÉireann, agus a mná agus a gclann mar aon leo, ar cuairt chuig Guaire, rí Chonnacht. Fanann siad ansin go ceann bliana agus míosa, agus ag deireadh an ama sin déanann siad iarracht ar ainm na féile a bhaint de Ghuaire trí mianta do-fhaighte a iarraidh air. Tagann Marbhán i gcabhair ar Ghuaire. Iarrann sé ar na filí *Táin Bó Cuailnge* a aithris dó, agus nuair a admhaíonn siad nach bhfuil an scéal ar eolas acu bagraíonn sé cailleadh nimhe agus talún orthu agus gan níos mó ná dhá oíche a chaitheamh san aon áit amháin go dtí go bhfaighidh siad an scéal. Imíonn na filí leo ar lorg an scéil. I ndeireadh na dála tagann siad ar ais go háras Ghuaire agus ar chomhairle naoimh darbh ainm Caillín iarrann siad ar naoimh uile na hÉireann troscadh a dhéanamh le go ndeonóidh Dia Fearghas mac Róigh a athbheochan chun an scéal a insint. Géilleann Dia d'impí na naomh; tagann Fearghas ar ais ó na mairbh, insíonn sé an scéal agus scríobhann Seanchán síos i leabhar é. Is ar an leagan seo a bunaíodh *Tromdámh Guaire* níos déanaí.

Luadh an t-ainm Ninníne sa chéad leagan sa *Leabhar Laighneach*. Tá an t-ainm céanna le fáil i gcuntas eile faoin Táin i dtéacs ar a dtugtar *Trecheng Brethi Féne*, téacs atá níos ársa ná an téacs sa *Leabhar Laighneach*. Do réir an téacs seo ba do Ninníne Éces (Éigeas) a d'inis Fearghas an scéal.[69] Níor dhuine anaithnid an Ninníne seo.[70] Tá seandán ar Phádraig curtha síos dó sa *Liber Hymnorum*[71]; tugtar dhá rann dá chuid in *Annála Thighearnaigh* faoin

[68] Eg. 1782. Tá an leagan seo i gcló ag Meyer, *Archiv für Celtische Lexikographie* iii, 3. Féach freisin *Studies in Irish Literature and History*, 165 *et seq;* R. Flower, *Catalogue of Irish Manuscripts in the British Museum* ii (London 1926) 259 *et seq.*

[69] ' Tri hamrai le Táin Bó Cuailgne .i. in cuilmen dara hési i nÉirinn; in marb dia haisnéis don biú .i. Fergus mac Róig dia hinnisin do Ninníne écius i n-aimsir Corbmaic maic Faeláin; intí dia n-aisnéther, coimgne bliadna dó.' (Trí iontas a ghabhann le Táin Bó Cuailgne .i. an cuilmen mar mhalairt uirthi in Éirinn; an marbh á fhaisnéis don bheo .i. Fearghus mac Róich á insint do Ninníne Éigeas in aimsir Chormaic mhic Fhaoláin; cosaint go ceann bliana don té dá n-insítear é.) K. Meyer, ' Triads of Ireland ', *Todd Lecture Series* xiii, 8. Do réir ARÉ d'éag Cormac i 751, agus do réir AU d'éag a athair Faelán Ua Silni i 710 (*recte*, 711).

[70] M. Ní C. Dobbs, ' Ninníne Éces ', *Études Celtiques* v, 148 *et seq.;* Rev. T. Ó Fiaich, ' Cérbh é Ninine Éigeas ? ', *Seanchas Ardmhacha* (1961-2) 95 *et seq.* San aiste deireanach seo tar éis dó na foinsí a scrúdú, nochtann an tAthair Ó Fiaich an tuairim gur thart faoi lár an 7ú haois a mhair Ninine Éigeas agus gur le treabh a bhí cumhachtach tráth ar an taobh thiar agus theas de chathair Árd Mhacha a bhain sé.

[71] *Thesaurus Palaeohibernicus* ii, 322; *Sources i*, 274. Is ar an sean-dán seo a bhunaigh Tomás Ó Flannghaile a dhán diaga ' Dóchas Linn Naomh Pádraig '.

mbliain 621,[72] agus tá roinnt tagairtí dó san *Fhélire*. Is le hainm Sheancháin,[73] áfach, is mó atá na tuairiscí faoi fhoilsiú na Tána ceangailte, agus is dóigh leis an Ollamh Carney go mb'fhéidir gurbh eisean a d'athchruthaigh an scéal ó na ' blogha ' de a mhair i gcuimhne na ndaoine.[74]

Chomh luath agus a bheadh eolas curtha ar an scríbhneoireacht ag na *filid* ba nádúrtha go mbeadh fonn orthu a gcuid seanchais, nó roinnt de, a bhreacadh síos. Agus bheadh de thoradh air sin go gcuirfí malairt crutha ar an seanchas; ghlanfaí na cuntais chontrártha as, agus bheadh níos mó aontachta agus iomláine ag baint leis. Agus ní foláir nó gur mhó fós an fonn a bheadh ar na scoláirí eaglasta an seanchas dúchasach a bhreacadh síos, óir bhí seanchleachtadh acu siúd ar cheird na scríbhneoireachta. Thrácht Thurneysen ar an bpáirt a ghlac na scoláirí sin i gcaomhnú na seanscéalta trína mbreacadh síos,[75] agus tamall gairid ó shin nocht an tOllamh Ó Ceithearnaigh an tuairim go ndearna siad níos mó ná iad a bhreacadh síos. Ba iad na scoláirí eaglasta, dar leis, a chóirigh na scéalta agus atá freagrach as cuid, ar a laghad, den deilbh atá orthu anois.[76] Dhealródh sé go bhfuil breis tacaíochta don tuairim sin curtha ar fáil anois ó d'fhoilsigh An Dr Tomás Ó Broin aiste inar léirigh sé na cosúlachtaí atá idir na seanscéalta Gaeilge faoi ghiniúint Mhongáin agus na cuntais chlasaiceacha ar ghiniúint Earcail.[77]

Ní fios go fóill an éireoidh leis na heolaithe amach anseo teacht ar aon intinn faoin gceist, arbh iad na filí nó na manaigh ba thúisce a chuir foirm scríofa ar sheanscéalta an chine. Is féidir anois ámh, eolas éigin a chur ar an múnlú a rinneadh ar chuid de na scéalta sin, go háirithe ar *Táin Bó Cuailnge* le himeacht aimsire. Tá an múnlú sin léirithe ag scoláirí éagsúla, go háirithe ag Thurneysen, agus dá bhrí sin ní gá dul isteach go mion sa cheist anseo. Ní miste, ámh, achoimre ar an léiriú a thabhairt mar shampla den bhealach ina ndéantaí na seanscéalta a láimhsiú ó aois go chéile.

[72] RC xvii, 175.

[73] Mar chruthúnas ar an mbaint a bhí ag na filí leis an seanchas luann Seán Mac Airt Sencha Mac Ailella agus Senchán Torpéist ar insíodh an Táin dó. Is í *seancha* an bhunfhoirm óna síolraíonn an díspeagadh *seanchán*, agus an t-ainmfhocal teibí *seanchas* agus an t-ainmfhocal gníomhaireachta *seanchaidh*. *Ériu* xviii.

[74] *op. cit.*, 187-8.

[75] *Heldensage* i, 72.

[76] M. Dillon (eag.), *Early Irish Society*, 66 *et seq.; Studies in Early Irish Literature and History, passim.*

[77] ' Classical Source of the Conception of Mongán ' ZCP xxviii, 262-71.

Creidtear gur timpeall lár an 7ú haois[78] a scríobhadh síos an Táin don chéad uair agus gur file a bhí eolach ar léann Laidine na mainistreach a rinne é, file ar mhian leis cruth cuí a chur ar sheanábhar laochais a bhí fanta i gcuimhne an phobail. Tá comharthaí ann go raibh eolas ag an duine seo ar an *Aeniad;* tagann Allecto (vii, 323 *et seq.*) isteach sa Táin mar Allechtu,[79] agus meastar gur múnlaíodh an cuntas ar mhacghníomhartha Chú Chulainn le na thabhairt ar aon dul leis an gcuntas ar ghníomhartha gaisce Aenéas i Leabhar I agus II. Maidir leis an mbreathnaitheoir atá ag faire ar theacht na nUltach, tá sé ráite gur féidir a fhréamhshamhail siúd a fháil sa tríú leabhar den *Iliad.*[80]

Tá forbairt an scéil léirithe go mion ag Thurneysen.[81] Sa 9ú haois bhí dhá leagan ann den bhunscéal ón 7ú haois. Nascadh an dá leagan sin le chéile san 11ú haois ar bhealach measartha meicniúil, agus cuireadh imeachtaí breise (ar nós an chomhraic idir Cú Chulainn agus Fear Diadh) leis an leagan sin. Tá an téacs is fearr den leagan ón 11ú haois le fáil i *Leabhar Buí Leacáin,* ach is é an leagan céanna atá i *Leabhar na hUidhre* agus in Egerton 1782 freisin. Athleasú (Recension) I a thugtar air seo.

Sa chéad cheathrú den 12ú haois tháinig scríbhneoir a dtugtar an litir C mar ainm air, agus chum seisean úrleagan comhaontaithe a bhí bunaithe ar Athleasú I, ach ar fágadh ar lár as na himeachtaí a ríomhadh faoi dhó, na cuntais a bhí in aghaidh a chéile agus sleachta reitrice. Chomh maith leis an bhfeabhsú seo a dhéanamh, chuir C roinnt ábhair sa bhreis isteach, go háirithe mar réamhrá (an chonspóid idir Meadhbh agus Aileall, cuir i gcás), agus scríobh sé an t-iomlán sa stíl bhladhmannach, lán de chomhfhoghar a d'fhás, do réir cosúlachta, sa 11ú haois, agus a raibh dúil chomh mór sin ag na scríbhneoirí inti gur mhair sí mar stíl shainiúil sa Ghaeilge ar feadh na gcéadta bliain. Athleasú II a thugtar air seo, agus tá dhá fhoirm de ann, foirm amháin (an ceann is ársa) atá ar caomhnú sa *Leabhar Laighneach* agus foirm eile (ar thug Thurneysen Ath-

[78] ZCP xix, 209; *Kuhns Zeitschrift für vergl. Sprachforschung,* lix, 9.

[79] Strachan and O'Keeffe, *Táin Bó Cuailnge,* 32; ZCP x, 207 *et seq.;* Thurneysen, *Heldensage* i, 144.

[80] Windisch, *Táin Bó Cúalnge,* 710 *et seq.;* féach Carney, *Studies in Irish Literature and History,* 305 *et seq.* ar ' The Watchman Device '.

[81] *Heldensage* i, 96-248. Féach freisin C. O'Rahilly, *The Stowe Version of Táin Bó Cuailnge* (BÁC 1961); *idem, Táin Bó Cuailnge from the Book of Leinster* (BÁC 1967).

leasú II B air) atá le fáil i gceithre lámhscríbhinn den 17ú haois.[82] Ba é tuairim Thurneysen gur sa 15ú haois a scríobhadh IIB, agus agus is athinsint é i nGaeilge na linne sin ar an seanleagan sa *Leabhar Laighneach*. Tá IIB an-tábhachtach toisc gurb é sin an leagan is mó a raibh suim ag na scríobhaithe ann ní ba dhéanaí, mar tá cóipeanna de le fáil i lámhscríbhinní iomadúla den 17ú, den 18ú agus den 19ú haois.[83]

Glactar leis go bhfuil Athleasú III bunaithe ar sheanfhoirm den leagan atá sa *Leabhar Laighneach*, ach é ciorraithe agus athraithe go mór, agus gan ach cuid den scéal ann. Chreid Thurneysen gur sa 13ú nó sa 14ú haois a rinneadh é. Níl ach blogha de tagtha anuas chugainn in dhá lámhscríbhinn dhéanacha.[84]

Cóiriú na Scéalta agus na Staire

Níor leor leis na scríbhneoirí glacadh leis na seanscéalta mar fhíorstair. Chuir siad rompu freisin iad a thabhairt ar chomhfhreagras aimsire, ní amháin lena chéile agus leis an gcuid eile den seanchas dúchasach ach le stair an domhain i gcoitinne chomh maith.

Leis an bpointe sin a shoiléiriú ní miste míniú a thabhairt ar an gcaoi inar láimhsíodh cúrsaí staire san Eoraip i dtosach na meánaoise. Faoi anáil na hEaglaise craobhscaoileadh córas staire a bhí bunaithe ar sheanchroinic a chum an scoláire Eusebius as Cæsarea (d'éag *c.* 340 A.D.). D'aistrigh Naomh Ieróim an chroinic go Laidin agus chuir sé léi anuas go dtí a aimsir féin. Tháinig Prosper as Aquitaine ina dhiaidh sin agus chuir seisean leis an gcroinic freisin. Tá leagadh amach na croinice, agus an bunsmaoineamh ónar fhás sé, léirithe ag an Dr Mac Néill.[1] Ar an ábhar sin ní gá a rá anseo ach go raibh stair ríochta ársa an domhain breactha síos i gcolúin chomhdhíreacha, colún do gach ríocht, agus comhfhreagras aimsire idir na himeachtaí i ngach colún. Bhí eolas maith ar an leagan Laidine den chroinic in Éirinn, agus ba bheag an mhoill ar na scoláirí abhus colúin sa bhreis a sholáthar do stair na tíre seo. Le

[82] Ceann amháin, Stowe C.VI.3, f.1, in Acadamh Ríoga na hÉireann (RIA), ceann eile, H.1.13, i gColáiste na Tríonóide (TCD) i mBaile Átha Cliath, agus dhá cheann i Músaem na Breataine (BM), Add. 18748 art. 2 agus Eg. 209, art. 1.

[83] Féach C. O'Rahilly, *The Stowe Version of Táin Bó Cuailnge* (BÁC 1961).

[84] TCD H.2.17 agus Eg.93.

[1] *Celtic Ireland*, Caib. iii. 'The Irish Synthetic Historians'. Féach freisin Kenney, *Sources* i, 13-14; Ó Rathile, *Early Irish History and Mythology*, 410 *et seq.;* S. Mac Airt, *The Annals of Inisfallen* (BÁC 1951) xvi *et seq.; The Irish Tradition*, 4 *et seq.*

cabhair na nginealach, na scéalta agus seanfhoinsí den uile chineál, níor ró-dheacair 'stair' a chur ar fáil. Ní raibh sé chomh furasta sin, áfach, an comhfhreagras aimsire a sholáthar. B'shin é an gnó ba shaothraí dá raibh le déanamh ag an éigse.

Le himeacht aimsire fágadh na colúin sna croinicí ar lár agus breacadh síos na himeachtaí go léir le chéile do réir ord na mblianta. Is ón bhfoirm leanúnach seo a d'fhás na hAnnála éagsúla. Tá cuid mhaith díobh sin tagtha anuas chugainn, iad bunaithe ar scríbhinn ar a dtugtar Croinic an Domhain,[2] agus is í Croinic Eusebius bunchloch na croinice sin.

Do réir na faisnéise atá le fáil ar an gceist is follas nárbh iad na filí amháin a bhíodh ag gabháil do sholáthar agus do chóiriú na staire. Bhí páirt ag na manaigh sna cúrsaí seo freisin.[3] Chomh fada siar leis an seachtú haois, cuir i gcás, bhí manaigh mar Sinlán (Mo-Sinu) Moccu Mín[4] agus filí mar Cheann Fhaoladh i mbun an ghnó sin. Níor tháinig toradh iomlán ar an obair seo, áfach, go dtí an 9ú agus go háirithe an 10ú haois agus an dá aois ina dhiaidh sin.[5]

I measc na ndaoine a bhí ag saothrú sna haoiseanna sin bhí Flann mac Lonáin[6] (d'éag 896 nó 918), Cormac mac Cuileannáin (d'éag 908), Cinaédh ua hArtagáin (d'éag 975), Urard mac Coise (d'éag 990), Eochaidh ua Flainn nó Flannagáin (d'éag 1004), Mac Liag (Ollamh Bhriain Bhóramha, d'éag 1016), Cúán Ó Lothcháin (d'éag 1024), Flann Mainistreach (d'éag 1056), Dubh dá Léithe (*fer légind*, 1046-49 agus airchinneach, 1049-64, na mainistreach ag Ard Mhacha) agus Giolla Caemháin (a d'aistrigh *Historia Brittonum* le Nennius go Gaeilge agus a d'éag 1072).

Bhí Cormac mac Cuileannáin ina rí ar Chúige Mumhan agus is cosúil gurbh easpag a bhí ann freisin, cé nach bhfuil deimhniú údarásach air sin. Deirtear gurbh eisean a chum nó a chnuasaigh

[2] Tá leaganacha gearra nó ciorraithe den chroinic seo le fáil i Rawl. B. 502, Rawl. B. 488, H.1.8 (iad seo curtha in eagar ag Stokes, RC xvi-xviii), in AI agus in Annála Cotton. Féach *The Annals of Inisfallen*, xiii. Féach freisin van Hamel, 'Über die vorpatrizianischen irischen Annalen', ZCP xvii, 241 *et seq.*

[3] Maidir le cóiriú na seanscéalta, thagraíomar cheana do thuairim an Ollaimh Ó Ceithearnaigh, nach ón seanchas dúchasach amháin a tógadh iad, ach gurbh iad na manaigh a chum iad agus cuid den ábhar traidisiúnta mar bhunfhoinse acu. Féach *Early Irish Society*, 66 *et seq.* agus *Studies in Irish Literature and History*, *passim.* Cf. Thurneysen, *Heldensage* i, 72.

[4] *Sources* i, 12, n. 20.

[5] *ibid.*, 13.

[6] Flower, *The Irish Tradition*, 68 *et seq.* *Sources* i, 13.

Sanas Cormaic[7] (an chéad fhoclóir teangeolaíochta b'fhéidir, in aon cheann de theangacha dúchasacha na hEorpa) agus *Leabhar na gCeart.*[8] Tá *Saltair Chaisil* leagtha air chomh maith, téacs atá caillte anois, ach a bhí ar fáil i 1453 nuair a breacadh síos sleachta as sa lámhscríbhinn Laud 610 atá faoi láthair i Leabharlann Bodley ag Oxford. Dánta stairiúla agus ginealaigh is mó a bhí i *Saltair Chaisil*, do réir dealraimh.[9]

Scríbhneoir eaglasta eile a shaothraigh ábhair dhúchasacha ba ea Eochaidh ua Flainn (nó Flannagáin), airchinneach[10] Ard Mhacha agus na heaglaise ag Cluain Fiachna, gairid do Dhún Geanainn. Ghnóthaigh sé an teideal ' saoi le filíocht agus le seanchas ', agus tá roinnt mhaith dá dhréachtaí tagtha anuas chugainn. Tugann Céitinn sleachta as cuid acu, agus an nóta seo curtha rompu ' amhail adeir Eochaidh Ua Floinn sna rannaibh seo, agus fá é árd-ollamh Éireann re filidheacht é ina aimsir '.[11]

'Fear léinn' i Mainistir Bhaoithe ba ea Flann Mainistreach, agus bíodh gur mhanach é, b'iad na hábhair ba dhual do na filí a láimhsigh sé.[12] Is fiú suntas a chur sa teideal sin ' fear léinn ' (*fer légind*). Tháinig sé i réim in ionad an tseanainm *scriba* a ghairmtí tráth don té a bhíodh i gceannas ar nó ag stiúradh cúrsaí scoláiriúla i scoileanna na mainistreacha. Ní miste, b'fhéidir, glacadh leis an athrú teidil mar léiriú ar an athrú a bhí tar éis teacht ar an gcúrsa staidéir sna scoileanna sin.

Ar na manaigh eile a bhí ag gabháil don seanchas dúchasach sna haoiseanna sin bhí Flann mac Maoilmhaodhóg (d'éag 977), airchinneach na heaglaise ag Gleann Uisean, Maol Muire mac Céileachair as Cluain Mhac Nóis (duine de na daoine a scríobh *Leabhar na hUidhre*, d'éag 1106) agus Giolla Comáin Ua Conghalaigh, fear léinn Ros Comáin (d'éag 1135).

Deimhníonn na daoine sin, agus daoine eile nach iad, go raibh na manaigh go saothrach i mbun pinn ón 9ú go dtí an 12ú haois, agus ábhar dúchasach á phlé go flúirseach acu. Cad a bhí ar siúl ag an éigse thuata, ag na ' filí ', i gcaitheamh an ama chéanna ?

[7] Féach *supra* 36.

[8] Féach *supra* 39.

[9] *Sources* i, 15.

[10] Le haghaidh míniú ar ' airchinneach ' féach *Sources* i, 12, n. 17.

[11] *Foras Feasa* i, 170. Féach freisin ZCP xiv, 173 *et seq.*

[12] O'Curry, *MS Materials*, 53 *et seq.*; *Manners and Customs* ii, 149 *et seq.*; MacNeill, ' Poems by Flann Mainistreach on the Dynasties of Ailech, Mide and Brega ', *Archivum Hibernicum* ii (1913).

Níl an oiread sin dá n-ainmneacha tagtha anuas chugainn,[13] agus mar bharr air sin, tá scoláirí an lae inniu go mór in amhras faoin saothar atá leagtha ar chuid acu. Scrúdaímis cás na ndaoine seo leanas a bhfuil a n-ainmneacha ar an liosta a thugamar i dtosach: Flann mac Lonáin, Mac Liag, Cúan Ó Lothcháin agus Urard mac Coise. Ar feadh na gcéadta bliain bhí cáil ar na hainmneacha seo agus glacadh gan cheist leis an saothar a bhí curtha síos dóibh agus leis na scéalta a hinsíodh ina dtaobh. Creideadh, cuir i gcás, nach raibh aon rí ar Éirinn ar feadh fiche bliain tar éis bhás Mhaelsheachlainn i 1022 ach gur comhfhlaitheas a bhí sa tír agus an file Cúan Ó Lothcháin agus an cléireach Corcrán mar chomhrialtóirí. Ach níltear sásta anois le cruinneas na faisnéise sin.[14] Ina theannta sin d'fhoilsigh Colm Ó Lochlainn dhá aiste[15] ar *Éigse* tamall ó shin a chuirfidh iachall ar scoláirí athmhachnamh a dhéanamh ar a lán den saothar ar ceapadh go nuige seo gur roimh theacht na Normanach a cumadh é.

Tá cuid mhór dánta curtha síos do na filí Mac Coise, ollamh Mhaelsheachlainn, agus Mac Liag, ollamh Bhriain Bhóramha. Is é tuairim Choilm Uí Lochlainn, ámh, gur follas ó fhoirmeacha na teanga sna dánta sin nach i dtosach an 11ú haois a cumadh a bhformhór. Is cuid iad, dar leis, de shaga mór a bhí á chur le chéile um lár an 14ú haois mar aithris ar *The Saga of Burnt Njal*, saothar Lochlannach ar cinnte go raibh eolas air in Éirinn. Móradh éachtaí Bhriain Bhóramha a bhí mar chuspóir ag an saga Gaelach, agus baineadh feidhm as ainmneacha na bhfilí Mac Coise agus Mac Liag chun údarás a bhronnadh ar an ábhar sna dánta. Níl Ó Lochlainn cinnte fiú amháin gur mhair na filí seo riamh, ná an file Flann mac Lonáin agus a mháthair Laitheog a raibh iomrá ar a n-ainmneacha ar feadh na gcianta. Ní miste a chreidiúint, dar leis, nach raibh iontu ach ' literary figments ', toradh samhlaíochta na bhfilí san 14ú haois a bhí ag iarraidh ábhar mórtais agus maíte a chur ar fáil do thaoisigh Ghaelacha na linne. Ar an iomlán, tá Ó Lochlainn go mór in amhras faoi údaracht ochtó faoin gcéad den saothar atá curtha síos don ré réamhNormanach.

[13] Tá ainmneacha cuid acu mar aon le tagairt ghairid dá saothar tugtha ag Mac Néill, *Celtic Ireland*, 39. Féach freisin Flower, *The Irish Tradition*, 68 *et seq.*

[14] *Celtica* i, 313 *et seq.*

[15] ' Poems on the Battle of Clontarf ', *Éigse* iii, 208 *et seq.*; *ibid.* iv, 33 *et seq.* Tá tuairim Uí Lochlainn faoin gceist seo curtha síos go gonta aige nuair a deir sé go bhfuil fáthanna ann lena chreidiúint ' that the poets Mac Coisi, Mac Liag, Flann, Mac Lonáin and his mother, Laitheog, are all literary figments'.

Is fiú suntas ar leith a thabhairt don fhile Mac Coise. Is iomaí foirm den ainm atá le fáil sna lámhscríbhinní: Aurard, Urard nó Erard Mac Coise, Mac Coisi, Mac Coissi etc. Agus faighimid freisin an t-ainm Airbertach Mac Coissidobráin. Is cosúil go raibh duine stairiúil den ainm deireanach sin ann, mar faoin mbliain 1016 luann Annála Uladh a bhás, agus cuireann in iúl gurbh é airchinneach Rois Ailithir é. Do réir Annála Inis Faithleann chreach na Lochlannaigh Ros Ailithir sa bhliain 990, ghabh siad fear léinn na mainistreach, Mac Cosse Dobráin, agus b'éigean do Bhrian Bóramha íocaíocht a thabhairt lena fhuascailt.[16] Sa *Leabhar Laighneach*[17] tá dán geograife curtha síos do Mhac Cosse, fear léinn Rois Ailithir, agus i Rawl. B502 tá an dán céanna le fáil agus dánta eile ar ábhair dhiaga agus Scrioptúireacha agus a ainm leo.[18] Níl aon fhianaise ann, ó thaobh staire nó teanga de, a bhreagnódh an fhaisnéis sin go léir faoi fhear léinn Rois Ailithir. Ní miste, mar sin, glacadh leis go bhfuil sí údarásach. Ní miste, ach oiread, aiste atá luaite cheana againn a thabhairt chun cuimhne, is é sin, an aiste inar léirigh Gearóid Mac Eoin na fáthanna a thug air a mheas go mb'fhéidir gurb é Airbhertach mac Coisse a chum *Saltair na Rann*.

Ach tá an chuid eile den fhaisnéis atá le fáil faoi fhile den ainm Mac Coisse chomh measctha sin gur deacair aon scéal cruinn a bhaint as. Luaigh an tOllamh Bergin[19] cuid de na deacrachtaí a fhásann as an éiginteacht faoin mbliain ina bhfuair an file bás agus dúirt sé go réiteofaí an fhadhb sin dá nglactaí leis gur cumadóireacht dhéanach a bhí i gcuid de na dánta atá curtha síos do Mhac Coise, dála na ndánta MeánGhaeilge atá leagtha ar Cholm Cille ach gur follas nach eisean a chum iad. Níor mhaith leis an Ollamh, ámh, tuairim chinnte a nochtadh faoin bpointe sin—' fágaim an scéal gan réiteach ' a dúirt sé. Thug Colm Ó Lochlainn faoi theacht ar réiteach níos cinnte agus, tar éis dó scrúdú a dhéanamh ar na dréachtaí go léir a bhfuil ainm Mhic Choise leo, ba dhóigh leis nach miste a chreidiúint gurbh é Mac Coise a cheap na cinn atá áirithe againn thuas, ach nár sa 10ú ná san 11ú haois a ceapadh an chuid eile, ach níos déanaí ná sin. Ní mór focal ar leith a rá mar gheall ar cheann amháin de na dréachtaí sin, is é sin, *Airecc Menman*

[16] Indreth Ruis Ailither do Gallaib & in fer legind do gabail dóibh .i. mcCrosse Dobrain ⁊ a cheannach do Brian oc Inis Cathaich, AI 168.

[17] 135-a30.

[18] *Sources* i, 681 *et seq.*

[19] O. J. Bergin, ' A Dialogue between Donnchadh son of Brian and Mac Coisse ', *Ériu* ix, 175.

Uraird maic Coise, an scéal úd ina bhfuil an liosta de na ranna ina raibh na seanscéalta roinnte. Is é tuairim Choilm Uí Lochlainn gur féidir a rá ó fhoirmeacha na teanga ann, gur am éigin idir 1000 A.D. agus 1200 a cumadh an scéal. Ní dóigh leis, ámh, gur de dhéantús Mhic Choisse é.[20]

Níl stair na litríochta thart faoin 10ú agus an 11ú haois ró-shoiléir, agus is cosúil go mbeidh a lán taighde le déanamh fós ag scoláirí ar na seantéacsanna sula n-éireoidh leo teacht ar fhírinne an scéil, má éiríonn leo é sin a dhéanamh choíche agus a bhfuil truaillithe nó caillte den ábhar. Tá cuid den scéal léirithe, áfach, ag an Ollamh Proinsias Mac Cana in aiste thábhachtach a foilsíodh tamall ó shin.[21] Tá cuntas san aiste seo ar ghluaiseacht an dídh-reabhais a tionscnaíodh um dheireadh an 8ú haois faoi anáil Mhaol Rúáin ó Thamhlacht (a d'éag 792), gluaiseacht a bhí faoi bhláth i gcaitheamh an 9ú haois. Chuaigh an ghluaiseacht seo go mór i bhfeidhm ar shaothrú na litríochta. Rud eile a d'fhág a rian ar fhorbairt na litríochta sa tréimhse seo ba ea ionsaithe na Lochlannach agus go háirithe an léirscrios a rinneadh ar Bheannchar agus ar mhainistreacha eile i gCúige Uladh i dtosach an 9ú haois. As sin amach ba iad na mainistreacha i lár na tíre a bhí chun tosaigh ag saothrú na litríochta. Sa chéad leath den 10ú haois thosaigh neart an díthreabhais ag dul i léig agus do réir a chéile tharla dí-eaglaisiú na mainistreach. Um an 11ú haois ba thuataigh formhór na bhfeidhmeannach sna mainistreacha, agus ba thuataigh freisin cuid mhór de na fir léinn agus de na scoláirí i dtreo gur deacair, mar a deir an tOllamh Mac Cana, idirdhealú a dhéanamh idir tuata agus cléir, idir *fili* agus manach.

Cibé athruithe a bheidh le déanamh ar an scéal amach anseo, is léir gur sna mainistreacha is mó a cothaíodh an litríocht dhúchais, go háirithe ón 9ú haois anuas go dtí an 12ú haois nuair a cuireadh deireadh lena réim ar fud na tíre. Seachas a bhfuil tugtha againn d'fhianaise cheana is deimhniú breise air sin na hionaid ónar tháinig na lámhscríbhinní agus an teanga atá iontu. Anuas go dtí an 10ú haois, mar a chuireamar in iúl cheana, ba í an Laidin príomhtheanga na lámhscríbhinní atá ar marthain, gan ach beagán beag Gaeilge i gcuid acu. Sa dá aois ina dhiaidh sin is í an Ghaeilge atá in

[20] *op. cit.* iii, 216.

[21] 'The Influence of the Vikings on Celtic Literature' in B. Ó Cuív (eag.), *Proceedings of the International Congress of Celtic Studies held in Dublin, 6-10 July, 1959* (BÁC 1962).

uachtar, agus tá athrú le tabhairt faoi deara san ábhar chomh maith· Ábhar a bhain le cúrsaí creidimh agus diagachta is mó a bhí sna lámhscríbhinní Laidine, ach sna cinn Ghaeilge tá an t-ábhar measctha. Níl ansin ach léiriú an-ghinearálta ar an gceist; ní cóir a mheas uaidh nár láimhsíodh agus nár scríobhadh síos aon ábhar i nGaeilge roimh an 11ú haois. Mar is féidir a chruthú, tá a lán de na téacsanna tuata i nGaeilge atá tagtha anuas chugainn bunaithe ar ábhar a bhí le fáil cheana san 8ú agus sa 9ú haois.[22]

Is as na mainistreacha a tháinig na lámhscríbhinní is tábhachtaí dá bhfuil ar fáil anois, agus is iad na manaigh a scríobh iad. Dealraíonn sé nach as na hionaid chéanna a tháinig na cinn Laidine agus na cinn Ghaeilge. Do réir mar is féidir a mheas ba as scoileanna Laighean agus oirthear Uladh a tháinig na lámhscríbhinní Laidine. Tháinig na cinn i nGaeilge ó na mainistreacha ag Cluain Mhac Nóis agus Tír dhá Ghlas a bhí suite ar an gcuid sin d'abhainn na Sionnainne atá idir Loch Dearg agus Loch Riach. Ar an iomlán, ba i gCúige Laighean agus i gCúige Mumhan ba mhó a bhí na scoileanna léinn idir an 6ú haois agus an 12ú haois. Nuair a fhaightear ionaid léinn taobh amuigh den limistéar sin, dála Bheannchair agus Í, is féidir ceangal éigin a aithint idir iad agus an deisceart.

Ionad léinn an-tábhachtach ba ea Mainistir Bheannchair. Naomh Comhghall a bhunaigh í, i 555 nó 559 A.D.[23] I ngar do Bheannchar bhí Magh Bhile áit ar bhunaigh Naomh Finian mainistir tuairim na bliana 540.[24] Deirtear go bhfuair Colm Cille cuid dá oideachas ag Magh Bhile agus gur chaith sé féin agus Comhghall seal ar misinéireacht le chéile i measc na gCruithneach.

Ba dhual do Chomhghall freastal ar na Cruithnigh, mar ba as an ríocht Chruithneach, Dál Riada, dó féin. Deirtear freisin gurb é Comhghall a thug teagasc agus oiliúnt do Cholumbán. Feicfear, mar sin, gur ón gcomharsanacht sin in oirthear Uladh, thart ar Bheannchar agus Magh Bhile, a shíolraigh cuid de phríomhmhisinéirí na nGael. Deimhniú é sin ar bheocht chúrsaí creidimh agus litríochta san áit. I dteannta na nithe sin cothaíodh dúil i gcúrsaí staire ag Beannchar agus meastar gur ann a cumadh cuid de na croinicí stairiúla is ársa.

[22] *Sources* i, 14-15.

[23] Flower, *The Irish Tradition*, 13 *et seq.*

[24] *ibid.* Féach freisin *Thesaurus Paleohibernicus* ii, 277, 282, 285.

Is é tuairim scoláirí áirithe gurb é Sinlán (Mo-Sinu) Moccu Min[25] (an *Sinlanus* úd a ghnóthaigh an teideal gradamach *famosus mundi magister* i *Leabhar Ainteafan Bheannchoir*) a bhí freagrach as bunú an scoil staire ag Beannchar, le linn dó bheith ag déanamh staidéir ar an *Computus* ann.[26] Ba é tuairim Eoin Mhic Néill gurb é Sinlanus a chuir sleachta breise le croinic Eusebius (i nGaeilge, b'fhéidir) anuas go dtí an bhliain 607. Chreid sé freisin go raibh seanchroinic eile ann i nGaeilge, a cumadh nó a cuireadh le chéile timpeall 712, agus gurbh é an chroinic seo a bhí mar fhoinse ag na hAnnála go léir atá ar marthain anois.[27] Bhí a mhalairt de thuairim ag Ó Rathile.[28] D'aontaigh seisean gur dócha gur i mBeannchar a rinneadh an stair a ullmhú lena scríobh síos, ach ní raibh sé sásta le léiriú ná le dátaí Mhic Néill. Is ar *Croinic Uladh*, dar leis, atá na hAnnála bunaithe, agus thug sé a thuairim faoi scéal na croinice sin mar a leanas: Tuairim na bliana 740 cromadh ar í a chnuasach in áit éigin in oirthear Uladh (i Mainistir Bheannchair féin, is cosúil), agus cuireadh léi ó bhliain go bliain ina dhiaidh sin. Thosaigh an chroinic le teacht Phalladius i 431 A.D., agus fuair an cnuasaitheoir an chuid ba mhó dá ábhar ó fhoinsí áitiúla, idir chinn Éireannacha agus chinn Albanacha; bhain sé feidhm freisin as foinsí eachtrannacha ar nós *Croinic Mharcellinus* agus saothar ar a dtugtar *Liber Pontificalis*.

Is in *Annála Uladh* atá an leagan is iomláine de *Croinic Uladh*, ach tá sleachta aisti le fáil freisin in *Annála Chluain Mhic Nóis*,[29] *Annála Inis Faithleann*,[30] an cnuasach ar a dtugtaí go hearráideach *Annála Thighearnaigh*,[31] *Chronicum Scottorum*[32] agus in *Annála Cotton*.[33] Tamall maith ina dhiaidh sin (san 9ú haois ar a luaithe, i dtuairim Uí Rathile), sholáthraigh scríbhneoir eile as oirthear Chúige Uladh

[25] *Ériu* vii, 62 *et seq.*; *Celtic Ireland*, 26 *et seq.*; AU iv, cxxxiii.

[26] *Sources* i, 12 n. 20, 218, 636; *Celtic Ireland*, 28.

[27] *Ériu* vii, 66 *et seq.*

[28] AU iv, cxxxiii. *Early Irish History and Mythology*, 252 *et seq.*

[29] D. Murphy, *The Annals of Clonmacnoise* (BÁC 1896).

[30] S. Mac Airt, *The Annals of Inisfallen* (BÁC 1951).

[31] W. Stokes, ' The Annals of Tigernach ', RC xvi-xviii.

[32] W. M. Hennessy, *Chronicum Scottorum* (London 1866).

[33] A. M. Freeman, *The Annals in Cotton MS. Titus A.* xxv (Paris 1929, Athchló ó RC xli-xliv).

croinic eile, *Croinic Ghaelach an Domhain*[34] ('The Irish World Chronicle' mar a thugann Ó Rathile uirthi). Thosaigh an chroinic seo le cruthú an domhain, agus tháinig sí anuas go dtí an bhliain 430 A.D. Tharraing cnuasaitheoir *Croinic Ghaelach an Domhain* an chuid ba mhó dá ábhar as foinsí eachtrannacha, go háirithe as scríbhinní Eusebius (an leagan Laidine), Orosius agus Beda, ach tá méid áirithe de bhréagstair na hÉireann measctha tríd, mar shampla, cuntas ar ghabhála éagsúla na hÉireann (a tógadh as seanleagan den *Leabhar Gabhála*) agus craobhacha coibhneasa ríthe Eamhna (ó bhunú na ríochta sin) agus ríthe Theamhrach (ó thosach ré na Críostaíochta).

Ba dhóigh leis an Dr Ó Rathile gur cumadh *Croinic Ghaelach an Domhain* d'aon ghnó le cur roimh *Croinic Uladh,* ach ní réitíonn an scoláire John V. Kelleher leis an tuairim sin.[35] Tá an Dr Binchy freisin go mór in amhras faoi chruinneas an léirithe a rinne Ó Rathile ar fhorás na nAnnála agus faoin idirdhealú saorga atá déanta aige idir *Croinic Gaelach an Domhain* agus *Croinic Uladh.*[36] Agus is dóigh leis an Ollamh Carney nach i mBeannchar ach i gCluain Mhac Nóis a cuireadh *Croinic Ghaelach an Domhain* le chéile.[37] Mar sin, ní féidir linne ach a chur in iúl nach bhfuil ceist fhorás na nAnnála réitithe fós.

Ceist eile nach bhfuil freagra cruinn le fáil uirthi is ea conas a d'fhás agus cad as ar tháinig an *Leabhar Gabhála.*[38] Déanta na fírinne is iomaí ceist faoin *Leabhar Gabhála* nach bhfuil réitithe fós. Séard atá sa leabhar ná cnuasach de dhánta 'stairiúla' agus achoimre i bprós roimh gach dán díobh, dála mar atá i *Leabhar na gCeart* agus sa *Dindshenchus.* Tugtar cuntas sna dánta seo ar na hionróirí éagsúla a ghlac seilbh ar Éirinn i ndiaidh a chéile, ó chruthú an domhain anuas go dtí teacht na nGael. Curtha leis an méid sin tá cuntais ar ríthe na hÉireann ó theacht na nGael go dtí Ionradh na Normanach.

[34] Tá leagain neamhiomlána ciorraithe de *Croinic Ghaelach an Domhain* le fáil i Rawl. B502, Rawl. B488, H.1.8 (na trí cinn seo curtha in eagar ag W. Stokes, RC xvi-xviii), in *Annála Inis Faithleann* agus in *Annála Cotton.* (Féach A. G. van Hamel, 'Über die vorpatrizianischen Annalen', ZCP xvii, 241 *et seq.*)

[35] *Studia Hibernica* 3 (1963), 113 *et seq.*

[36] *ibid.* 2 (1962), 73.

[37] *Studies in Early Irish Literature and History,* 363.

[38] In eagar ag R. A. S. Macalister i (1932), ii (1933), iii (1937), iv (1939), v (194). Féach freisin *Early Irish History* . . ., 193 *et seq.*, 263 *et seq.*

Cad is aois don *Leabhar Gabhála*?—sin í an cheist is mó atá ina cnámh spairne idir na heolaithe. Ba é tuairim Thurneysen[39] gur timpeall 1160 a cumadh é, an tráth inar breacadh síos sa *Leabhar Laighneach* an téacs is ársa de dá bhfuil ar marthain. Ach mheas Ó Rathile[40] go raibh an buntéacs i bhfad níos sine ná sin agus é níos lú agus níos simplí ná an téacs atá ar fáil anois. Cuireadh go mór leis an mbuntéacs sin le himeacht aimsire, dar leis, ach chreid sé go raibh leagan éigin de le fáil chomh fada siar, ar a laghad, le tosach an 9ú haois, ar an ábhar go bhfuil rian de le fáil san *Historia Brittonum*. Ag cur leis sin, luann sé an fhianaise atá curtha ar fáil ag an Dr E. Gwynn[41] ón *Dindshenchus*, fianaise a bhréagnaíonn, dar leis, tuairim Thurneysen. Tá an tOllamh Dillon[42] i bhfabhar aontú le Thurneysen, chomh fada agus a bhaineann an scéal leis an leagan atá tagtha anuas chugainn, ar aon nós. Is dóigh leis an Ollamh gur cumadóireacht ón 11ú haois an leagan sin, ach go bhfuil sé bunaithe ar thraidisiúin atá ag síneadh siar i bhfad roimhe sin. Admhaíonn sé, áfach, nach ndearnadh léiriú sásúil go fóill ar fhoinsí an leabhair agus gur ceist oscailte fós í sin.

Anuas go dtí an 17ú haois glacadh gan cheist leis an teagasc agus leis an eolas a bhí sa *Leabhar Gabhála*. Cibé údar nó údair a chum nó a chnuasaigh é, is ar éigean a rachadh an leabhar chomh mór sin i bhfeidhm ar éigse na nGael mura mbeadh gur cuireadh isteach ann cuid den seanchas traidisiúnta ar glacadh leis go forleathan san am.

Cuid fhíorthábhachtach den seanchas sin ba ea na craobhacha coibhneasa nó na ginealaigh.[43] Is eol dúinn go raibh cnuasach díobh sin le fáil sa lámhscríbhinn chaillte, *Saltair Chaisil*, a cuireadh le chéile *c*. 900 A.D. Tá an cnuasach is ársa dá bhfuil tagtha anuas go slán le fáil sa *Leabhar Laighneach*. Cuid an-tábhachtach eile den seanchas ba ea na seanscéalta, go háirithe na Scéalta Ultacha (agus b'fhéidir, freisin, na cinn faoi Mhongán) a raibh baint acu leis an gcomharsanacht chéanna ina raibh na staraithe ag saothrú chomh díograiseach sin.

[39] *Heldensage* i, 47 *et seq.; Zu Irishen Handschriften und Literaturdenkmälern* ii, 7.

[40] *Early Irish History* . . ., 193 *et seq.;* 263 *et seq.*

[41] *Metrical Dindsenchas* v, 100, 107 *et seq.*

[42] ' Lebor Gabála Érenn ', *Journal of the Royal Society of Antiquaries of Ireland* lxxxvi (1956), 62 *et seq.*

[43] Féach mar shampla M. A. O'Brien, *Corpus Genealogiarum Hiberniae* i (BÁC 1962).

Ní fios go cruinn cathain a tosaíodh ar na seanscéalta a scríobh síos, ach is eol dúinn go raibh cuid acu breactha ar phár sa chéad leath den 8ú haois. Do réir na fianaise atá ar fáil ní miste a chreidiúint gur i mainistreacha i gCúige Uladh (go háirithe i nDroim Sneachta i gCo. Mhuineacháin agus i mBeannchar) a rinneadh na scéalta sin a chóiriú agus a scríobh síos.

Na Scéalta sna Lámhscríbhinní

Thagraíomar cúpla uair cheana do *Leabhar Dromma Sneachta*(*i*)[44] nó *Cín Droma Snechta*(*i*) mar a thugtar air freisin.[44a] Tá an lámhscríbhinn seo caillte anois, ach rinneadh cóipeanna de shleachta líonmhara aisti i gcaitheamh na meánaoise. Le cabhair na sleachta sin léirigh Thurneysen nach miste a chreidiúint gur sa chéad leath den ochtú haois a scríobhadh an bunleabhar agus go raibh na scéalta seo a leanas le fáil ann: *Imram Brain*,[45] *Compert Con Culainn*,[46] ceithre scéal faoi Mhongán,[47] *Verba Scáthaige*,[48] *Echtra Machae*,[49] *Forfes Fer Falchae*,[50] *Echtra Conlai*,[51] *Togail Bruidne Uí Derga*,[52] *Baile Chuind Chétchathaig*[53] agus *Tochmarc Étaíne*.[54] Ba é tuairim Thurneysen freisin gur dócha, ón ábhar atá sa leabhar, nach scoláire i mainistir ach file a scríobh é.

Ní fhaighimid aon fhianaise eile i dtaobh na seanscéalta go dtí an 11ú haois. Thagraíomar cheana don chéad liosta de na ranna ina raibh na scéalta sin roinnte (liosta atá le fáil in *Airecc Menman Uraird maic Coise* agus don liosta sa *Leabhar Laighneach*). Creideadh go dtí le déanaí gur tuairim na bliana 1000 A.D. a cumadh an *Airecc*, ós rud é gur thart faoin am sin a d'éag an file a raibh sí curtha síos dó. Ach, faoi mar a léiríomar ó chianaibh, níltear

[44] *Heldensage* i, 15 *et seq.; Zu ir. Hdschr.* i, 23 *et seq.* Féach freisin Hogan, *Onom. God.* 369.

[44a] Le haghaidh míniú ar an bhfocal ' cín ' féach *Sources* i, 14 n.25.

[45] van Hamel, *Immrama* (BÁC 1941).

[46] van Hamel, *Compert Con Culainn and Other Stories* (BÁC 1933) 3 *et seq.*

[47] V. Hull, ' An Incomplete Version of Imram Brain and Four Stories concerning Mongán ', ZCP xviii, 409 *et seq.*

[48] van Hamel, *op. cit.*, 57 *et seq.;* Meyer, ' Verba Scáthaige fri Coin Culaind ', *Anecdota from Irish MSS.* v (1913) 28 *et seq.;* Thurneysen, ZCP ix, 487-8.

[49] van Hamel, *op. cit.*, 33 *et seq.*

[50] Thurneysen, *Zu ir. Hdschr.* i, 53 *et seq.;* K. Meyer, ZCP viii, 564-5.

[51] J. Pokorny. ' Conle's Abenteurliche Fahrt ', ZCP xvii, 193 *et seq.*

[52] E. Knott, *Togail Bruidne Da Derga* (BÁC 1936).

[53] *Zu ir. Hdschr.* i, 48.

[54] O. Bergin, R. I. Best, *Tochmarc Étaíne* (BÁC 1938, Athchló ó *Ériu* xii).

sásta anois le cruinneas an dáta sin, agus ní chreidtear ach oiread gurb é an Mac Coise stairiúil a chum an scéal. Ar an ábhar sin, is deacair dáta cruinn a lua leis an liosta úd.

Táthar níos cinnte faoi aois saothair eile arb eol dúinn scéalta a bheith le fáil ann, is é sin, *Leabhar Dubh-dá-léithe*. Thart faoin mbliain 1050 a cuireadh an lámhscríbhinn seo le chéile. Faigheann sí a hainm ón té a scríobh í, Dub-dá-leithe a bhí ina fhear léinn (1046-1049) agus ina airchinneach (1049-1064) ag Ard Mhacha. Is beag is fiú an t-eolas seo go léir, áfach, mar tá an leabhar féin caillte anois.[55]

Ba sa 12ú haois a scríobhadh na lámhscríbhinní Gaeilge is ársa dá bhfuil tagtha anuas go slán, agus is sna lámhscríbhinní sin a chuirimid eolas cruinn don chéad uair ar na seanscéalta. Is cuí a mheabhrú gur tháinig na lámhscríbhinní seo ón dá mhainistir a luamar cheana, Cluain Mhac Nóis agus Tír dhá Ghlas ar abhainn na Sionainne. Tá an cnuasach is ársa de na scéalta le fáil i *Leabhar na hUidhre* a scríobhadh i gCluain Mhac Nóis tuairim na bliana 1100[56] agus atá anois in Acadamh Ríoga na hÉireann.

Faightear cnuasach eile sa lámhscríbhinn ar a dtugtar Rawlinson B502[57] atá anois i Leabharlann Bodley in Oxford. Scríobhadh an chuid is sine den lámhscríbhinn seo (a bhfuil Sliocht a hAon as *Annála Thighearnaigh* le fáil ann) i gCluain Mhac Nóis i dtrátha an ama céanna le *Leabhar na hUidhre;* timpeall 1120 a scríobhadh an chuid eile (a bhfuil cnuasach tábhachtach de théacsanna diaga agus saolta ann, agus an t-aon chóip amháin dá bhfuil ar marthain de *Saltair na Rann* ina measc).

Am éigin roimh 1160 is ea a tosaíodh ar *An Leabhar Laighneach*[58] (nó *Leabhar na Nuachongbhála* mar a thugtaí tráth air) a chur le chéile. Aodh Mac Criomhthainn, ab na mainistreach ag Tír dhá Ghlas ar an taobh ó dheas de Chluain Mhac Nóis, a scríobh é ar

[55] *Sources* i, 12.

[56] Am éigin roimh 1106, an bhliain a d'éag Mael Muire mac Céileachair, príomhscríobhaí an bhunleabhair. 'As the volume now stands it will be seen that A contributed 16 pages, Mael Muire about 80, and the interpolations of H amount to 37 pages, most of which were no doubt originally contributed by Mael Muire'. R. I. Best, O. J. Bergin, *Lebor na hUidre* (BÁC 1929) Réamhrá xxiii. Féach freisin P. Walsh, *Irish Men of Learning*, 133 *et seq*.

[57] K. Meyer, *Rawlinson* B502 . . . *facsimile . . . with an introduction and indexes* (Oxford 1909). Féach freisin *Sources* i, 15 agus *The Irish Tradition*, 78.

[58] R. Atkinson, *The Book of Leinster* (BÁC 1880); R. I. Best, M. A. O'Brien, O. J. Bergin (eag.), *The Book of Leinster formerly Lebor na Núachongbála* (BÁC) i (1954), ii (1956), iii (1957)).

iarratas Fhinn, easpag Chill Dara, a fuair bás sa bhliain sin. Níor críochnaíodh an lámhscríbhinn, ámh, go dtí timpeall 1201. Tá 187 leathanach di ar marthain fós, 177 ar caomhnú i gColáiste na Tríonóide i mBaile Átha Cliath, agus deich gcinn i gcoinbhint na bProinsiasach i gCill Iníon Léinín. Tá cóip den *Leabhar Gabhála* agus den *Dindshenchus* inti agus an leagan fada de *Táin Bó Cuailnge*. Faighimid inti freisin cnuasach scéalta agus liosta de na ranna ina raibh na scéalta roinnte, an liosta úd a luamar i gcaibidil a haon.

Le linn don ábhar sa dá chaibidil dheireanacha seo a bheith faoi mheas againn chonaiceamar go raibh dhá dhream, na manaigh agus na filí, ag saothrú na litríochta sa sean-am anuas go dtí teacht na Normanach. Theip orainn a dheimhniú cé acu dream ba ghníomhaí. Níl na heolaithe féin ar aon intinn i dtaobh na ceiste sin. Thug an Dr Flower[59] an chraobh do na manaigh, agus is follas go n-aontaíonn an tOllamh Carney[60] leis. Ach níl lucht tacaíochta na bhfilí in easnamh ach oiread. Ina measc siúd tá muintir Chadwick,[61] Eoin Mac Néill[62] agus daoine eile nach iad. Ar an iomlán, b'fhéidir nach mbeimis rófhada ón bhfírinne dá nglacaimis leis gur ghríosaigh an dá dhream a chéile chun saothair, uaireanta trí oibriú i gcomhar le chéile agus uaireanta eile trí chur i gcoinne a chéile. Tá tromlach na litríochta againn mar dheimhniú ar an gcomhoibriú sin, ach tá fianaise ann freisin faoin gcoimhlint idir an dá dhream. Mar shampla, tá dhá scéal ann a léiríonn an choimhlint sin ón dá thaobh.

Faighimid taobh na cléire in *Tromdámh Guaire*, aoir a cumadh am éigin thart faoi dheireadh na meánaoise. Is é Marbhán, an díthreabhach, a chosnaíonn cás na cléire, agus is é Seanchán atá i gceannas na bhfilí. Bhí na filí tar éis teacht le chéile ag comhdháil, agus ní raibh cead ag aon duine bheith i láthair ach an té a raibh baint ag a mhuintir le ceird na filíochta. D'éirigh le Marbhán, áfach, freastal ar an gcruinniú ar chúis áiféiseach—' seanmháthair mhná mo ghiolla, is iarmua file í,' adúirt sé, agus scaoileadh isteach é. Ní túisce istigh é ná chruthaigh sé go héasca chomh hainbhiosach

[59] *The Irish Tradition*, 73.

[60] *Early Irish Society*, 66 *et seq.; Studies in Irish Literature and History*, *passim*.

[61] *The Growth of Literature* i, 604 *et seq.*

[62] *Early Irish Laws and Institutions*, 72 *et seq.* mar a gcuireann an tOllamh strus ar fhairsingeacht chultúr na ndraoithe. Agus níl i bhfile, dar leis, ach ainm eile ar ' dhraoi ' *ibid.*, 82.

agus bhí na filí i ngach brainse den léann, go fiú sa bhrainse sin ar dhual dóibh bheith oilte air, is é sin, an seanchas dúchasach.[63]

San 12ú haois is ea a cumadh an dara scéal, an aoir chumasach ar a dtugtar *Aislinge Meic Con Glinne*.[64] Is faoin gcléir a dhéantar an magadh sa scéal seo. Scoláire eaglasta ag Ard Mhacha ba ea Mac Con Glinne, agus tugadh an leas-ainm Aniér air de bhrí nach bhféadfaí é ' éaradh ' (eiteach). Ghabh fonn é dul le filíocht agus chinn sé ar dhul ag triall ar an rí Cathal mac Finghinne a bhí san am ar tiomchuairt in Uíbh Eachach i gCúige Mumhan. Rinne sé amhlaidh agus séard atá sa chuid eile den scéal ná magadh fonóideach faoi shaol agus faoi shaothar na manach, na nathanna cainte a bhíodh in úsáid acu, na cleasanna liteartha a chleachtaídís, na nósanna deabhóideacha, na pionóis. Taisí, orthanna, go fiú na sacraimintí agus Céasadh Chríost féin, níor tháinig siad saor ón aoir. Mar a deir an Dr Flower: ' the flying shafts of his wit spare nothing and nobody. It is little wonder that the monks were at odds with such poets as this. The point of the whole composition is the contempt of the monk for the poet and the way in which the poet turns the table on him '.[65]

[63] M. Joynt, *Tromdámh Guaire*, 25 *et seq.*

[64] K. Meyer, *Aislinge Meic Conglinne. The Vision of Mac Conglinne* (London 1892).

[65] *The Irish Tradition*, 76-7. Féach freisin B. Ó Buachalla, ' Aislinge Meic Conglinne ', *Galvia* vii (1960), 43 *et seq.*, áit a ndeireann an t-údar an méid seo: ' Ní har an Eaglais a dhin Mac Conglinne an aor ó cheart, ámh, ach ar an sórd litríochta a bhí dá chumadh aiges na manaigh san am—físeanna, iomramha, an litríocht ghrá agus an litríocht laochais ' (46).

CAIBIDIL A CEATHAIR

SAOTHRÚ AN PHRÓIS 1200-1600

Mar is follas óna bhfuil ráite go nuige seo faoin scéal, bhí baint ag na mainistreacha ó thosach le saothrú na litríochta i nGaeilge. Dá bhrí sin, chun cúrsaí na litríochta sa mheánaois a thuiscint i gceart, ní miste cur síos gearr a dhéanamh ar staid na hEaglaise go díreach roimh agus tar éis theacht na Normanach.

Murab ionann agus tíortha eile na hEorpa, mar a raibh an córas easpagóideach i bhfeidhm agus an fhairche mar lárionad riartha, ba í an mhainistir an lárionad riartha in Éirinn agus ba faoi ab na mainistreach a bhí stiúradh cúrsaí riartha. Is mar sin a bhí an scéal idir an 6ú agus an 11ú haois. Um an 11ú haois, ámh, mar a dúramar cheana, bhí meath tar éis teacht ar an gcóras manachúil de thoradh fhás an róthuatachais. Is fíor go raibh roinnt institiúidí eaglasta fós ann a raibh manaigh faoi riail iontu agus scoileanna faoi stiúradh ' fir léinn ' ceangailte leo. Ach i gcás a lán de na mainistreacha, taoiseach tuata ba ea an t-ab. Ní raibh sa mhanach ach tionónta faoi chíos ag an *airchinneach*, agus ní raibh sa mhac léinn ach scológ.[1] Sampla suntasach den chlaonadh sin is ea cás Chlann Shionaigh. Ar feadh céad go leith bliain gan briseadh ó 957 amach bhí comharbas Ard Mhacha i seilbh na clainne sin. Bíodh nach raibh iontu ach tuataigh nó, ar a mhéid, baill den mhionord, d'éirigh leo oifig an chomharba a bhaint amach. Nuair a bhí sin déanta acu, bhíodh de nós acu fear neamhfhiúntach éigin a cheapadh mar easpag, nó feidhmeannas an easpaig a thógáil orthu

[1] *Sources* i, 747 *et seq.;* Gougaud, *Christianity in Celtic Lands*, 394 *et seq.* Gan amhras bhí an scéal i bhfad níos casta ná mar atá léirithe sa chuntas gairid seo, agus b'fhéidir nach raibh an meath chomh hobann ná chomh coitianta agus atá curtha in iúl anseo. Féach freisin K. Nicholls, *Gaelic and Gaelicised Ireland in the Middle Ages* (BÁC 1972) agus J. Watt, *The Church in Medieval Ireland* (BÁC 1972).

féin.[2] Feicfear mar sin go raibh, ní amháin gabháltais, ach riar na hEaglaise freisin i lámha tuatach. Ba thuataigh freisin a stiúradh cúrsaí léinn agus litríochta, agus dealraíonn sé go raibh siad oilte go maith ar na cúrsaí sin. Ach is léir go raibh drochbhail ar eagras na hEaglaise féin agus faoi dheireadh féachadh leis an scéal a leigheas.

I gcaitheamh an 12ú haois tharla athruithe bunúsacha. Sa chéad áit, neartaíodh an ceangal idir an Eaglais agus an Mhór-roinn agus athmhúnlaíodh córas riartha agus rialaithe na hEaglaise sa tír seo. Daingníodh an eagraíocht easpagóideach; in áit na seanmhainistreacha dúchais a bheith mar lárionaid do shaol spioradálta an phobail, ba iad na fairchí na hionaid sin feasta. D'fhonn cuidiú leis an leasú ginearálta seo, bhunaigh Naomh Maolmhaodhóg, Ardeaspag Ard Mhacha, mainistir Chistéirseach ag Mellifont sa bhliain 1142. Ba é sin an chéad uair riamh a leag baill d'ord eachtrannach cos ar thalamh na hÉireann. Mar bharr ar na hathruithe seo, le teacht na Normanach, tugadh isteach sa tír cultúr nua iasachta agus córas rialtais a bhí éagsúil ar fad le córas na nGael.

Ní miste cuimhneamh, áfach, go raibh éigse na tíre go gníomhach ó thosach an 12ú haois, go fiú sular tharla na hathruithe seo. Bhí úrshaothar á chumadh agus á chur i dtaisce i lámhscríbhinní móra na haoise; bhí ábhar traidisiúnta á chaomhnú; bhí cruth úr á chur ar chuid de na seanscéalta agus leaganacha leasaithe den dá mhórshaothar *Lebor Gabála Érenn* agus *Dindshenchus Érenn* á gcur ar fáil.[3] Is follas go raibh an litríocht dhúchais ag borradh as a stuaim féin. Ach tharla na hathruithe atá luaite againn, agus le himeacht aimsire chuaigh siad i bhfeidhm ar an litríocht agus d'fhág a rian uirthi.

Mar a chonaiceamar sa chaibidil dheireanach ba sna seanmhainistreacha dúchais a scríobhadh tromlach na lámhscríbhinní atá tagtha anuas chugainn ón tréimhse ón 9ú go dtí an 12ú haois. Maidir leis na cinn ón 13ú anuas go dtí an 17ú haois, áfach, ní hiad lucht léinn na mainistreacha a dhíolaim a bhformhór, ach dream nua ar fad, mar atá, baill de theaghlaigh mhóra liteartha, Clann Mhic Aodhagáin, Clann Mhic Fhir Bhisigh, Muintir Chléirigh,

[2] E. Curtis, *A History of Ireland* (London 1936) 38; G. Murphy, ' A Poem in Praise of Aodh Ua Foirréidh, Bishop of Armagh (1032-1056), *Measgra Mhichíl Uí Chléirigh* (BÁC 1944) 140 *et seq.* Is aiste an-tábhachtach an ceann seo. Féach freisin Lawlor, Best, ' Ancient Lists of the Coarbs of Patrick ', PRIA, 1919, 316 *et seq.*

[3] G. Murphy, *The Ossianic Lore and Romantic Tales of Medieval Ireland* (BÁC 1955) 16 *et seq.*

Muintir Dhálaigh, Muintir Dhuinnín, Clann Uí Mhaolchonaire agus eile.[4] Ba faoi choimirce clanna uaisle áirithe a shaothraigh formhór mór na dteaghlach seo, agus chuaigh ceird na litríochta le hoidhreacht iontu ó ghlúin go glúin. Ní fios go cruinn cathain nó conas a d'fhás na teaghlaigh seo. Thart faoin mbliain 1200 is ea a fhaighimid tagairt dóibh ar dtús sna hAnnála, ach is ródhócha, mar a deir an Dr Flower, go raibh siad ann roimhe sin.[5]

Meabhraíonn an Dr Flower dúinn freisin gur as an aon ionad amháin a d'eascair na teaghlaigh seo uile, an dúiche sin ar bhruach na Sionainne idir Cluain Mhac Nóis agus Tír dhá Ghlas, a ndearnamar tagairt cheana di, dúiche as a dtáinig lámhscríbhinní móra an 12ú haois. Le himeacht aimsire, leathanaigh na teaghlaigh seo amach ar fud na tíre, agus thug siad a gcuid léinn agus litríochta leo.[6] Cén fáth ar cothaíodh teaghlaigh liteartha nó bardaíochta san áit seo, cén fáth ar tháinig fás chomh bláfar faoin litríocht ann? Le freagra a fháil ar an dá cheist sin ní mór dul siar cúpla céad bliain.

Bhí traidisiún láidir an léinn eaglasta i réim sa dúiche úd le fada. Ansin, sa 10ú haois, tháinig iomlán na dúiche faoi anáil Bhriain Bhóramha. D'aistrigh seisean áras ríoga na Mumhan ó Chaiseal go Ceann Coradh, agus is ansin a chuir sé faoi. Ina theannta sin, bhí conradh cairdis idir é féin agus Uí Mhaine, treibh a raibh cónaí orthu ar an taobh thall den tSionainn agus a raibh a n-áras ríoga suite in Áth Luain. Bhí dlúthcheangal idir an treibh seo agus an mhainistir ag Cluain Mhac Nóis. Is eol dúinn gur thug Brian tacaíocht don litríocht, gur spreag sé cuid mhór ceapadóireachta,[7] gur fhan a ainm i gcuimhne éigse na tíre ar feadh na n-aoiseanna agus go raibh sé ina chúis mhaíte ní ba dhéanaí ag scoileanna liteartha gur lena linn féin a bunaíodh iad. Má scrúdaítear gníomhartha agus imeachtaí Bhriain is féidir míniú a fháil ar an dúil a bhí aige i gcothú na litríochta.

Sa bhliain 1005 thaistil sé thart timpeall na tíre d'fhonn a réim a dhaingniú go forleathan. Ar a bhealach thug sé cuairt ar Ard Mhacha, príomhionad eaglasta na tíre, agus scríobh a anamchara Mael Suthain nóta i *Leabhar Ard Mhacha* ag deimhniú tosaíochta na

[4] P. Walsh, *Irish Men of Learning* (BÁC 1947). Féach freisin *The Irish Tradition*, 85.

[5] *Irish Tradition*, 89-90. Féach freisin a bhfuil le rá fúthu ag Dubhaltach Mac Fhir Bhisigh; T. Ó Raithbheartaigh, *Genealogical Tracts* i (BÁC 1932) 8.

[6] *Irish Tradition*, 85.

[7] Féach M. Dillon, ' Date and Authorship of the Book of Rights ', *Celtica* iv, 239 *et seq.*

háite sin. Sa nóta seo bronntar an teideal *imperator scottorum* (impire na nGael) ar Bhrian.[8] In áiteanna eile tugtar ' Augustus an Iarthair ' mar ainm air. Is fiú suntas a thabhairt don dá theideal sin mar is iad na teidil chéanna a bhronntaí tráth ar an Impire Séarlas Mór (Charlemagne). Mar is eol dúinn, bhí cuid mhór den Eoraip faoi smacht ag Séarlas Mór agus chuir sé roimhe an tsíocháin a chosaint, na dlíthe a chódú, leabhair a chur ar fáil agus an litríocht a chothú i measc na gciníocha a bhí faoina riail. Bhí polasaí an Impire dhea-mhéinigh seo ina eiseamláir ag ríthe na meánaoise go ceann i bhfad ina dhiaidh. Rinne Alfrid Rí Shasana aithris air, agus níor thaise do Hywel Dda sa Bhreatain Bheag é ach oiread. Sa bhliain 950 thug seisean cuireadh do shaoithe na tíre sin teacht le chéile ag Tŷ Gwyn chun na dlíthe a chódú. Agus is inchreidte gur ag leanúint sampla Shéarlais Mhóir a bhí Brian Bóramha nuair a d'fhéach sé leis na dlíthe a leasú, an tsíocháin a chaomhnú agus an tsaíocht agus an litríocht a neartú ina ríocht féin. Is follas ar aon nós gur tharla aiséirí léinn faoi anáil Bhriain, aiséirí a mhair go dtí teacht na Normanach.[9]

Le linn Bhriain tháinig athrú ar *Annála Inis Faithleann.*[10] Bhí siad go nuige sin ar aon dul leis na hAnnála eile, gan iontu ach lomchroinic, ach in aimsir Bhriain tosaíodh ar a scóip a leathnú agus ar chuntais níos iomláine ar chúrsaí staire a thabhairt iontu.

Go deimhin, ba réabhlóideach an cruth a chuir Brian féin ar chúrsaí na hÉireann, agus ní ionadh go mbíodh filí agus seanchaithe ar feadh na gcéadta bliain tar éis a bháis ag sárú a chéile ag féachaint le cuimhne a éachtaí a bhuanú.[11] Rinneadh cine Bhriain a mhóradh sa *Leabhar Muimhneach*[12]; ríomhadh a ghníomhartha míleata sa dara cuid de *Cogadh Gaedheal re Gallaibh,*[13] cuntas ar an gcoimheascar idir na Gaeil agus na Lochlannaigh ó thosach an 9ú haois go dtí Cath Chluain Tarbh. Níor scaoileadh ar fad, áfach, le lucht molta Bhriain. D'fhonn *Cogadh Gaedheal re Gallaibh* a chothromú, sholáth-

[8] Stokes, *Vita Tripartita. The Tripartite Life of St. Patrick* ii (London 1887) 336; J. Gwynn, *Liber Ardmachanus, The Book of Armagh* (BÁC 1913), ciii, 32.

[9] M. Dillon ' Date and Authorship of the Book of Rights ', *loc. cit.*

[10] S. Mac Airt, *The Annals of Inisfallen* (BÁC 1951).

[11] C. Ó Lochlainn, ' Poems on the Battle of Clontarf ', Part II, *Éigse* iv, 45-6.

[12] T. Ó Donnchadha, *An Leabhar Muimhneach* (BÁC 1940); féach freisin P. Walsh, *Irish Men of Learning*, 252 *et seq.*

[13] J. H. Todd, *Cogadh Gaedhel re Gallaibh* (1867); féach freisin, P. Mac Cana, ' The Influence of the Vikings on Celtic Literature ', *Proceedings of (1st) International Congress of Celtic Studies held in Dublin, 6-10 July,* 1959 (BÁC 1962), 84.

raigh lucht tacaíochta Eoghanacht Chaisil an saothar *Caithréim Cheallacháin Chaisil.*[14] Is é tuairim na n-eolaithe gur i dtrátha an ama chéanna a cumadh an dá shaothar seo, agus is sa stíl chéanna atá siad araon scríofa, stíl fhoclach phoimpéiseach atá éagsúil ar fad le stíl lom ghonta na scríbhinní ársa. Tá cuntas beacht tugtha ag Thurneysen ar fhorbairt na stíle seo i litríocht na Gaeilge.[15]

Na Teaghlaigh Liteartha[16]

Ceann de na teaghlaigh liteartha ba mhó le rá i litríocht na meánaoise ba ea Clann Mhic Aodhagáin a bhfuil cóip dá ngin-ealach le fáil sa lámhscríbhinn Egerton 139.[17] Shaothraigh an chlann seo in áiteanna éagsúla, cuid acu i dTiobraid Árann, cuid acu ar an bPáirc i gCill Chuirrín i nGaillimh agus cuid eile acu i nDún Daighre i nGaillimh. Bhí filí, breithiúna agus sagairt i measc baill na clainne seo, ach is mar scríobhaithe agus chaomhnóirí lámh-scríbhinní is fearr atá eolas orthu. I measc na lámhscríbhinní dlí is ársa dá bhfuil ar marthain tá an ceann ar a dtugtar H.2.15A atá anois i gColáiste na Tríonóide i mBaile Átha Cliath.[18] Scríobhadh an chuid ba mhó den lámhscríbhinn sin sa 14ú haois, ach tá sleachta inti atá níos sine fós ná sin, sleachta a breacadh síos tim-peall na bliana 1237 i dtigh Chéin Mhic an Ghabhann in Ur-mhumhain. I nóta a scríobh sé timpeall 1350 chuir Aodh Mac Aodhagáin in iúl gur lena athair féin, Conchubhar, an lámhscríbhinn sin. I mbliain a 1575 bhí an lámhscríbhinn chéanna i Muileann Dúna Daighre, áit a raibh ceann de scoileanna Chlann Mhic Aodhagáin. Lean baill na clainne seo orthu ag cóipeáil lámh-scríbhinní i rith na n-aoiseanna, go háirithe lámhscríbhinní dlí. Sampla amháin díobh sin is ea Egerton 88 atá anois i Músaem na Breataine agus a scríobhadh ar an bPáirc i nGaillimh do Dhomhnall Ó Duibhdabhoireann.

[14] A. Bugge, *Caithréim Cellacháin Caisil* (Christiania 1905).

[15] *Heldensage* i, 33, 113-15, 364, 473.

[16] Tá cuntas gairid ar chuid de na teaghlaigh seo le fáil sa réamhrá i T. Ó Raghallaigh, *Filí agus Filidheacht Chonnacht* (1938) agus tá cuntas níos iomláine in *Irish Men of Learning.*

[17] *B.M. Cat. Irish MSS* ii, 91. Féach freisin C. Ní Maolchróin, ' Geinealaigh Clainne Aodhagáin ', *Measgra i gCuimhne Mhichíl Uí Chléirigh,* 132 *et seq.*

[18] Abbot, Gwynn, *Cat. of Irish MSS in the Library of Trinity College* (BÁC 1921) 90-92; Best, Thurneysen, *The Oldest Fragments of The Senchus Mór* (from MS H.2.15 in the Library, Trinity College, Dublin) (BÁC 1931).

Nuair a bhí an scoláire Breatnach, Edward Lhuyd, in Éirinn, 1699-1700, bhailigh sé a lán lámhscríbhinní, agus ina measc bhí roinnt lámhscríbhinní dlí a scríobhadh sa scoil ar an bPáirc. Is é is dóichí gur sa dara leath den 16ú haois a scríobhadh iad sin.[19] Os cionn caoga lámhscríbhinn ar fad a bhí i mbailiúchán Edward Lhuyd agus fuair Coláiste na Tríonóide, Baile Átha Cliath, iad tar éis a bháis.

Lámhscríbhinn iomráiteach de chuid Chlann Mhic Aodhagáin is ea an ceann ar thug Micheál Ó Cléirigh *Leabhar Mór Dúna Daighre* mar ainm uirthi, ach a bhfuil cáil uirthi anois faoin teideal *An Leabhar Breac.*[20] Bhí an lámhscríbhinn seo i nDún Daighre, ceart go leor, idir 1544 agus 1595, nó anuas go dtí 1629, b'fhéidir. Ach ní san áit sin a scríobhadh í ach i Múscraí Tíre i dtuaisceart Thiobraid Árann sa bhliain 1411, nó roimhe sin. Ba dhuine de Chlann Mhic Aodhagáin a scríobh í. Mórchnuasach de scéalta cráifeacha agus de dhréachta diaga agus seanmóireachta atá inti. Cheannaigh Acadamh Ríoga na hÉireann í sa bhliain 1789 ar thrí ghine.

Teaghlach iomráiteach eile ba ea Clann Mhic Fhir Bhisigh. Bhí baint acu siúd leis an dá mhórshaothar, *Leabhar Buí Leacáin*[21] agus *Leabhar Mór Leacáin.*[22] Ní saothar aontaithe é an *Leabhar Buí*, ach cnuasach de chodanna a scríobh scríobhaithe éagsúla agus a ceanglaíodh le chéile tamall maith tar éis a scríofa. Dealraíonn sé go raibh ceann amháin de na codanna seo i seilbh duine de Chlann Mhic Fhir Bhisigh tráth, agus ba é Giolla Íosa mac Dhonnchadha Mhóir Mhic Fhir Bhisigh a scríobh ceann eile díobh timpeall 1392 d'Ó Dubhda Ua bhFiachrach. Bhí *An Leabhar Buí* i measc na scríbhinní a bhailigh Edward Lhuyd, agus tá sé anois i gColáiste na Tríonóide.

Ba é Giolla Íosa freisin a scríobh an chuid ba mhó de *Leabhar Mór Leacáin* timpeall 1416 do Ruairí Ó Dubhda i Leacán féin. Bhí

[19] A. and W. O'Sullivan, 'Edward Lhuyd's Collection of Irish Manuscripts', *Trans. Hon. Soc. of Cymmrodorion* (1962) 57 *et seq.* Tá cuntas beacht ar thuras Edward Lhuyd tugtha ag an Dr J. L. Campbell in *Celtica* v, 218 *et seq.*

[20] *Leabhar Breac. The Speckled Book* . . . now for the first time published from the original manuscript in the Library of the Royal Irish Academy. (BÁC 1872-6). Féach freisin R. Atkinson, *The Passions and Homilies from Leabhar Breac* (BÁC 1887)

[21] *The Yellow Book of Lecan* . . . now for the first time published from the original manuscript in the Library of Trinity College, Dublin. With Introduction, Analysis of Contents and Index by Robert Atkinson (BÁC 1896).

[22] *The Book of Lecan. Leabhar Mór Mhic Fhir Bhisigh Lecáin.* With descriptive introduction and indexes by Kathleen Mulchrone (BÁC 1937).

stair an-suimiúil ag an leabhar seo ní ba dhéanaí.[23] Sa 17ú haois cheannaigh an Dr Ussher, Ardeaspag Ard Mhacha é. Scoláire ábalta dúthrachtach ba ea an Dr Ussher, agus bhí cnuasach mór leabhar agus lámhscríbhinní aige. D'fhág sé Éire le linn an Éirí Amach i 1641 agus thug sé an cnuasach leis go Sasana. Nuair a fuair sé bás in 1656 theastaigh óna iníon an cnuasach a dhíol, agus bhí Rí na Danmhairge agus an Cairdinéal Mazarin sásta é a cheannach. Ní raibh Oilibhéar Cromail sásta, áfach, cnuasach chomh luachmhar sin a ligean as an tír. Chuir sé iachall ar a chuid saighdiúirí go leor airgid a bhailiú chun é a cheannach, rud a rinne siad, agus ansin sheol sé an t-iomlán ar ais go dtí Coláiste na Tríonóide i mBaile Átha Cliath agus *Leabhar Mór Leacáin* ina measc. Le linn an dara Séamas tógadh *Leabhar Mór Leacáin* chun na Fraince, agus bhí sé sa tír sin go ceann céad bliain nó mar sin nó gur chuir Uachtarán Choláiste na nÉireannach, an tAb Ó Cearnaigh, ar ais go dtí Acadamh Ríoga na hÉireann é, áit a bhfuil sé ó shin.

Is é Dubhaltach Óg Mac Fhir Bhisigh an duine deireanach den teaghlach seo a bhfuil trácht air i litríocht na Gaeilge. Um lár an 17ú haois sholáthraigh seisean *Leabhar Mór na nGinealach* agus leagan ciorraithe den saothar céanna ar ar thug sé *Cuimre Craobhsgaoileadh Chineadh Érenn ocus Alban Scot.* Beimid ag trácht air arís níos déanaí.

Bhí baint ag teaghlach cáiliúil eile, Clann Uí Mhaolchonaire ó Ros Comáin, le *Leabhar Buí Leacáin* freisin.[24] Ba bhall den teaghlach, Seanchán mac Maol Muire Ua Maolchonaire, a scríobh cuid amháin de i 1473; geall le céad bliain ina dhiaidh sin, i 1572, sholáthraigh Iolland agus Torna Ua Maolchonaire cuid eile. Is cosúil gurbh é príomhchúram an teaghlaigh seo ná cóiriú seanchais agus croinicí. Luann Dubhaltach Mac Fhir Bhisigh a n-ainm ar bharr liosta de na teaghlaigh a bhíodh ag gabháil don seanchas,[25] agus mar dheimhniú breise air sin tá fianaise againn ó dhuine den chlann féin. I mbliain a 1584 scríobh Conaire Ó Maolchonaire litir chuig Iarla Thuadhmhumhan ag déanamh gearáin leis mar gheall ar an éagóir agus an aindlí bhí déanta ag seirbhísigh na

[23] Tá cuntas ar chuid mhaith de sheanlámhscríbhinní na hÉireann scríofa ag B. Mac Giolla Phádraig in *Blianiris na gCápúisíneach, The Capuchin Annual* 1963, 319 *et seq*. agus ag M. Ní Dhomhnalláin i sraith aistí ar *Inniu* idir Samhain 1962 agus Nollaig 1964.

[24] J. O'Donovan, *The Genealogies, Tribes and Customs of Hy Fiachrach* (Dublin 1844); T. Ó Raithbheartaigh, *Genealogical Tracts* i (BÁC 1932).

[25] *Genealogical Tracts,* 8.

banríona air. Ghabh siad é, agus bhí siad ar tí é a chur chun báis, adúirt sé, de bhrí go ndearna sé dán d'Ó Ruairc. ' Atá a fhios agaibhsi, a thighearna ', adeir sé sa litir, ' nach re dán a bhí aenduine do chloinn Í Mhaílchonaire riaim acht risin eladhain atá molta eitir Gallaib agus Gaodhalaib .i. croiniceacht '.[26]

Ba dhuine de Chlann Uí Mhaolchonaire a bhunaigh mainistir na Tríonóide Rónaofa ar oileán i Loch Cé i gContae Ros Comáin sa bhliain 1215.[27] Breis agus trí chéad bliain ina dhiaidh in, 1530, scríobh ball eile den teaghlach, Maoilín Óg, an conradh idir Iarla Chill Dara agus Mag Radnaill.[28] Beirt chol ceathrar dósan a scríobh Egerton 1782, ceann de na lámhscríbhinní is tábhachtaí dá bhfuil tagtha anuas chugainn. Bíodh nár scríobhadh í go dtí tuairim 1517, tá ábhar ársa inti atá fíorluachmhar.[29] Thart faoin mbliain 1500 scríobh Dubhthach Ó Duibhgeannáin an lámhscríbhinn Rawlinson B512 do dhuine de Chlann Uí Mhaolchonaire.[30]

Ball de theaghlach iomráiteach eile ba ea Dubhthach Ó Duibhgeannáin féin. Ba dhuine dá shinsear, Maghnas Ó Duibhgeannáin, a scríobh an chuid ba mhó de *Leabhar Bhaile an Mhóta*,[31] ceann de na lámhscríbhinní is toirtiúla agus is suimiúla dá bhfuil tagtha anuas chugainn. Is do Mhac Donnchadha Thír Aiealla, gairid do Bhaile an Mhóta i Sligeach, a scríobhadh é timpeall 1400. Cuirtear in iúl dúinn gur i dtigh Thomaltaigh Óig Mhic Dhonnchadha a scríobhadh é agus go raibh beirt eile páirteach san obair i dteannta Mhaghnuis Uí Duibhgeannáin, Solamh Ó Droma agus Robertus Mac Síthigh.[32] Is cosúil gur shaothraigh an triúr acu faoi threoir Dhomhnaill Mhic Aodhagáin, a n-oide, mar a thugann siad air. D'fhan *Leabhar Bhaile an Mhóta* i seilbh Mhuintir Mhic Dhonnchadha ar feadh breis agus céad bliain, ach i 1522 nuair a maraíodh taoiseach na clainne, Mac Donnchadha,

[26] C. Ó Lochlainn, *Tobar Fíorghlan Gaedhilge* (BÁC 1939) 54.

[27] *The Irish Tradition*, 116. Bhí croinic na mainistreach seo, B. M. Titus A.xxv, in úsáid ag an té a scríobh *Annála Loch Cé*. Féach *B.M. Cat. Irish MSS* i, 4 *et seq.; Irish Men of Learning*, 105.

[28] *Tobar Fíorghlan Gaedhilge*, 3.

[29] *Irish Men of Learning*, 37; *B.M. Cat. Irish MSS* ii, 259 *et seq.*

[30] R. I. Best, ' Notes on Rawlinson B.512 ', ZCP xvii, 389 *et seq.;* W. Stokes, *Vita Trip.*, xiv-xlv; *The Academy* xxxiii (1888) 191-2; K. Meyer, *Hibernica Minora* (Oxford 1894).

[31] *The Book of Ballymote*. With Introduction, Analyses of Contents and Index, by Robert Atkinson (BÁC 1887).

[32] *ibid.*, 333a. Cf. Réamhrá, 2.

i gcath le Ó Domhnaill (Aodh Óg) cheannaigh Ó Domhnaill an leabhar ón gclann ar 140 bó bainne (' secht fichit loilgech '). Léiríonn sé sin dúinn cad é an meas a bhí ar na leabhair seo agus a luachmhaire a bhí siad.

Ní fios go cruinn cad a tharla don leabhar go ceann scaithimh i ndiaidh 1522, ach bhí sé i mBaile Átha Cliath i 1620 agus i gColáiste na Tríonóide i 1700. Fuair Tadhg Ó Neachtain ar iasacht é sa bhliain 1726 agus d'ullmhaigh sé clár dó sa scoil a bhí aige i Sráid an Iarla Theas. Rinne scoláire eile a bhí ag saothrú sa scoil chéanna, Risteárd Tuibear, cóip den chuid is mó den leabhar. Tá saothar na beirte seo, mar aon leis an leabhar féin, i dtaisce i gColáiste na Tríonóide anois.

Timpeall na bliana 1630 bhí leabhar in úsáid ag na Ceithre Mháistir ar thug siad ' Leabhar Muintire Duibhgendáin ' mar ainm air. Ba dhóigh le hEoghan Ó Comhraí[33] gurbh é a bhí sa ' leabhar ' seo ná an cnuasach a bhfuil eolas air inniu faoin teideal *Annála Connacht*,[34] ach a mbíodh *Annála Chill Ronáin* mar ainm air tráth. Agus is é tuairim eolaithe an lae inniu gur cosúil go raibh an ceart aige.[35] Is eol dúinn go raibh an lámhscríbhinn seo i seilbh duine de Mhuintir Dhuibhgeannáin (Doiminic) a bhí os cionn seasca bliain d'aois i 1726. Is ó Dhoiminic a fuair Cathal Ó Conchubhair í. Ní ba dhéanaí cheannaigh an chéad Mharcas Buckingham na lámhscríbhinní go léir a bhí bailithe ag Cathal Ó Conchubhair, agus bhí an cnuasach i dtaisce ar feadh i bhfad ina leabharlann i Stowe i Sasana. Sa bhliain 1849 cheannaigh an ceathrú hIarla Ashburnham an bailiúchán iomlán ó theaghlach Buckingham agus i 1883 dhíol an cúigiú hIarla é le Rialtas Shasana. Chinn an Rialtas ar na scríbhinní a bhain le hÉirinn a sheoladh ar ais to dtí an tír seo. Cuireadh go dtí Acadamh Ríoga na hÉireann iad mar a bhfuil siad ar caomhnú ó shin.

Tá coibhneas de chineál éigin idir *Annála Connacht* agus an cnuasach ar a dtugtar *Annála Loch Cé* (ón lámhscríbhinn TCD H.1.19).[36] Tá siad chomh cosúil sin le chéile gurb é tuairim scoláirí áirithe gur ón mbunfhoinse chéanna a tháinig siad.[37] Ba dhóigh

[33] *MS Materials*, 113.

[34] A. M. Freeman, *The Annals of Connacht* (BÁC 1944).

[35] *Cat. Irish MSS in RIA*, Fasc. 26-7, lch 3276; *Irish Men of Learning*, 23-4.

[36] W. M. Hennessy, *Annals of Loch Cé* i, ii (London 1871) (Reflex Process Fasc. BÁC, 1939). Féach freisin G. Mac Niocaill, ' Annála Uladh agus Annála Loch Cé, *Galvia* vi (1959) 18 *et seq.*

[37] *Annála Connacht*, réamhrá, xx.

le Ó Comhraí,[38] ámh (agus aontaíonn an tAthair Breathnach leis) nach raibh in *Annála Loch Cé* ach cóip (transcript) de 'Leabhar Muintire Duibhgendáin' ó Chill Ronáin (i.e. *d'Annála Connacht*).

Ba é Mac Diarmada Mhagh Loirg i gContae Ros Comáin (Brian Mac Ruairí, d'éag 1592) a d'fhostaigh na scríobhaithe chun an lámhscríbhinn TCD H.1.19 a scríobh, agus scríobh sé cuid di é féin freisin. Ba rud fíor-neamhchoitianta é taoiseach nó duine de na huaisle a bheith ag gabháil don scríbhneoireacht san am. Mar a deir an tAthair Breathnach, is ar éigean a bhí a bhformhór in ann a n-ainm a scríobh. Bhí an lámhscríbhinn i seilbh Dháibhídh Uí Dhuibhgeannáin idir 1652 agus 1696, agus is dóigh leis an Athair Breathnach go mb'fhéidir gur uaidh siúd a fuair Ruairí ('c Aoidh) Ó Flaithbheartaigh ar iasacht í. Tá nótaí iomadúla ó pheann an Fhlaithbheartaigh uirthi.

Bhí Dáibhídh Ó Duibhgeannáin ar dhuine de na scríobhaithe oifigiúla ba dheireanaí sa teaghlach seo agus is eol dúinn ó na nótaí líonmhara a bhreac sé síos i lámhscríbhinní éagsúla gur minic a bhíodh sé tuirseach, tinn agus fuar le linn dó bheith i mbun pinn.[39]

Ba iad Muintir Choirnín a bhí ina n-ollúna ag na Conallaigh (Clann Domhnaill) go dtí an 14ú haois nuair a d'éirigh le Muintir Chléirigh an oifig ghradamach sin a bhaint díobh. Níor staon siad de shaothrú na litríochta, ámh, agus fuair Edward Lhuyd roinnt lámhscríbhinní dlí ó dhuine den teaghlach, Cornán Ó Coirnín i gContae Shligigh. Teaghlach iomráiteach ba ea Muintir Chléirigh.[40] Is uathu a tháinig an lámhscríbhinn luachmhar Laud 610,[41] atá anois i Leabharlann Bodley in Oxford. Ba é Seán Buidhe Ua Cléirigh a scríobh an chuid ba mhó di timpeall na bliana 1453.[42] Bhí stair shuimiúil ag an lámhscríbhinn seo sular shroich sí an leabharlann in Ollscoil Oxford sa bhliain 1636.[43]

Scríobhaí dúthrachtach a bhí ag saothrú thart faoi lár an 15ú haois ba ea Uilliam Mac an Leagha, a sholáthraigh an dá lámhscríbhinn thábhachtacha ar a dtugtar *British Museum* Add., 30512

[38] *MS Materials*, 95.

[39] *Irish Men of Learning*, 25 *et seq.*

[40] P. Walsh, *The O'Cléirigh Family of Tír Conaill* (BÁC 1938).

[41] J. H. Todd, 'Account of an ancient Irish MS. in the Bodleian Library, Oxford', PRIA ii (1842) 336 *et seq.*

[42] Bhí scríobhaithe eile, ámh, a scríobh sleachta áirithe inti. Féach R. I. Best, 'Bodleian MS. Laud 610', *Celtica* iii, 338-9.

[43] M. Dillon, 'History of Laud Misc. 610', *Celtica* v, 64 *et seq.*

agus 11809,[44] agus cuid de cheann eile dar teideal Paris Celt.1.[45] Mar is intuigthe óna shloinneadh, bhí baint ag an duine seo le teaghlach a raibh cáil orthu i gcúrsaí leighis,[46] dála roinnt teaghlach mar mhuintir Dhuinn Shléibhe i gCúige Uladh, Uí Íceadha i dTuadhmhumhain, Uí Challanáin i nDeasmhumhain agus Clann Mhic an Bheatha in Íle agus Muile in Albain.[47]

Ní miste tagairt ar leith a dhéanamh don lámhscríbhinn úd, B.M.Add. 30512. Tá an chéad chuid di tugtha suas d'ábhar dúchasach, idir phrós agus fhilíocht; prós amháin atá sa dara cuid, mar atá, aistriúcháin ar théacsanna Laidine, agus téacsanna Béarla freisin, i gcás nó dhó. Dealraíonn sé gur scríobh Uilliam Mac an Leagha an lámhscríbhinn seo do Edmond Mac Risteárd Buitléir, an duine céanna ar scríobh Seán Buidhe Ua Cléirigh Laud 610, a luamar ó chianaibh, dó. Sa bhliain 1462 tugadh an dá lámhscríbhinn seo mar éiric ar son Edmond Buitléir do Thomás Mac Gearailt, ochtú hIarla Dheasmhumhan.[48] D'fhan siad i seilbh na nGearaltach go ceann scaithimh, agus sa chéad leath den 16ú haois leasaigh beirt de Chlann Uí Mhaolchonaire (Torna Óg agus a nia Sighrigh) roinnt sleachta a raibh dath an dúigh tréigthe iontu. Scríobh siad isteach freisin téacsanna breise a raibh baint ag cuid acu le stair na nGearaltach. Níos déanaí san aois sin is cosúil go raibh na lámhscríbhinní ar ais i seilbh na mBuitléarach, mar líonadh spáis bhána iontu le dánta a chum Risteárd, duine de Bhuitléirigh Chill Chainnigh.[49] Tugann an méid seo léargas éigin dúinn ar an dúil a bhí ag na Normanaigh i gcothú na litríochta in Éirinn.

Sa ghearrchuntas seo ar shaothar na bpríomhtheaghlach liteartha idir 1300 agus 1700 tá an chuid is mó de lámhscríbhinní tábhachtacha na linne sin luaite againn. Tá roinnt bheag eile,

[44] *B.M. Cat. Irish MSS* ii, 470-505; 545-51.

[45] H. Omont, ' Catalogues des MSS. celtiques et basques de la Bibliothèque Nationale ', RC xi, 389 *et seq.*

[46] *Irish Men of Learning*, 206 *et seq.*

[47] O'Grady, *B.M. Cat. Irish MSS* i, 171 *et seq.*

[48] '. . . ⁊ do baineadh in leabursa ⁊ leabur na carruigi as fuasclad meic Ruisderd ⁊ isse in mac Ruisderd sin do chur na leabhair sin da scribad do fein no gur bain Tomas Iarla Desmuman amach iad '. *B.M. Cat. Ir. MSS* ii, 471. Cheap An Dr. Flower (*ibid.*) gur cosúil gurb é ' Leabhar na Carraige ' an bunainm a bhí ar an ls ar a dtugtar Add. 30512 anois, ach is dóigh leis an Ollamh Dillon (*Celtica* v, 67) gur dóichí gur tugadh an t-ainm ar an gcuid sin de Laud Misc. 610 a scríobhadh i gCarraig na Siúire.

[49] *The Irish Tradition*, 132 *et seq.*; *Irish Men of Learning*, 37-8.

áfach, ar chóir cur síos orthu. Tháinig dhá cheann acu as mainistreacha, mar atá, TCD, F.5.3[50] a scríobhadh tuairim 1454 i mainistir d'Ord Naomh Proinsias i gContae an Chláir agus lámhscríbhinn Ghaeilge atá anois i Leabharlann Rennes,[51] agus a scríobhadh, do réir dealraimh, do mhainistir a bhí ag an Ord céanna i gCill Chréidhe gairid do Dhroichead na Bandan i gCorcaigh. Tá an chéad cheann (TCD F.5.3) neamhchoitianta, de bhrí go bhfuil ábhar i Laidin agus i nGaeilge (agus go fiú giota i mBéarla) inti agus de bhrí gurb iad na téacsanna Laidine is bun go han-mhinic leis na téacsanna Gaeilge. Fágann sin go bhfuil an bunleagan agus an t-aistriúchán le fáil i dteannta a chéile san aon bhailiúchán amháin.

Faightear an bailiúchán is iomláine, b'fhéidir, d'aistriúcháin ar ábhar ón gcoigrích sa lámhscríbhinn ar a dtugtar *Liber Flavus Fergusiorum.*[52] I gContae Ros Comáin, thart faoi lár an 15ú haois, a scríobhadh é seo, agus luaitear ann ainmneacha cuid de na daoine a d'aistrigh na téacsanna eachtrannacha go Gaeilge. Dhá lámhscríbhinn den chineál céanna is ea B. M. Egerton 1781[53] a scríobhadh i dTír Chonaill agus i gCabhán sa dara leath den 15ú haois, agus R.I.A. 24P25,[54] ar thug an tAthair Pól Breathnach *Leabhar Chlainne Suibhne* mar ainm air. Tá an lámhscríbhinn seo roinnte i dtrí chuid. Idir 1513 agus 1514 a scríobhadh an chéad chuid do Mháire, iníon Eoghain Uí Mháille agus bean chéile Mhic Shuibhne Fhanad. Ba é an scríobhaí Cithruadh Mag Findgaill ó Oileán Toraí a scríobh í, agus tá an t-ábhar inti cosúil leis an ábhar i TCD, F.5.3 agus sa *Liber Flavus.* Ábhar a bhaineann le stair Chlainne Suibhne atá sa dara cuid. Ba é Tadhg Mac Fithill a scríobh síos é idir 1532 agus 1544. Chuir scríobhaithe eile ábhar sa bhreis leis an gcuid seo níos déanaí. Bhí lámh ag Tadhg Mac Fithill sa tríú cuid freisin, ach bhí scríobhaí eile ag gabháil di chomh maith. Bailiúchán d'fhilíocht a bhaineann le Clann tSuibhne atá sa chuid seo. Bhí an lámh-

[50] Don ábhar Gaeilge sa ls seo féach Abbot and Gwynn, *Cat. of Irish MSS in TCD* (1921) 323. Féach freisin *The Irish Tradition,* 122.

[51] G. Dottin, ' Notice du manuscrit irlandais de la Bibliothèque de Rennes ', RC xv, 79-91.

[52] E. J. Gwynn, ' The manuscript known as the Liber Flavus Fergusiorum ', PRIA xxvi, Sect. C (1906), 15 *et seq.* Féach freisin O'Curry, *MS Materials,* 76 (fonóta 35), 531.

[53] *B.M. Cat. Irish MSS* ii, 526 *et seq.*

[54] P. Walsh, *Leabhar Chlainne Suibhne* (BÁC 1920); *Cat. Irish MSS in RIA,* Fasc. 6-10, 1242 *et seq.*

scríbhinn i seilbh Thaidhg Uí Rodaigh i Liatroim sa dara leath den 17ú haois, agus tá sleachta iomadúla óna pheann le fáil inti. Is ó leabharlann an Dr Reeves a fuair an tAcadamh í thart faoi 1892.

Tá nóta suimiúil breactha síos ar Egerton 1781 (253a20-253b33) a thugann eolas dúinn ar an scríobhaí féin agus ar na tithe ina raibh sé ag cur faoi le linn dó bheith ag gabháil dá shaothar. Ag seo sliocht as an nóta sin:

> Mile bliadan ⁊.cccc. ⁊ secht mbliadna ⁊ cethra xx (1487) ais an tigerna in bliadain roscribad in lebursa—⁊ mé féin Diarmaid bacach Mac Parrthalain do scribh in lebarsa .i. mac Fingin meic Forrithe meic Fergail meic Parthalain ⁊ a tigh Fingin doscribad leth in lebairsa .i. a Doire Casain ⁊ a tigh Meic Briain Tellaig Echach doscribad in qid ele de .i. a tigh árosa .i. Feilimid mac Taidhg óig meic Taidhg móir ⁊ ar Inis Sbrecmhaigh docrichnuigedh e in Dardain re fail Catrina—⁊ bennacht Dé ar anmain inti dosgribh in lebersa.[55]

Geall le céad bliain roimhe sin (*c.* 1394) is ea a scríobhadh *Leabhar Ua Maine*, nó *Leabhar Mhuintir Cheallaigh*[56] do Mhuirchear-tach Ó Ceallaigh, easpag Chluain Fearta, 1378-1394 agus ardeaspag Thuama idir sin agus a bhás i 1407. Beirt scríobhaí a scríobh é, Adam Cuisin agus Faelán Mac a' Ghabhann na Sgéal (d'éag 1423). As an 368 bileog a bhí sa leabhar tráth níl tagtha anuas chugainn ach 157 atá ar caomhnú in Acadamh Ríoga na hÉireann agus ceithre cinn atá i Músaem na Breataine.[57] Is dóigh leis an Ollamh Ní Mhaolchróin nach miste glacadh leis go raibh an leabhar i seilbh Mhuintir Cheallaigh i rith na n-aoiseanna.[58] Is ag duine darbh ainm Uaitéar Ó Ceallaigh a bhí sé sa 17ú haois agus ag duine dá shliocht, Éamonn Ó Ceallaigh, i gContae Ros Comáin i lár an 18ú haois. Nuair a d'éag Éamonn i 1754 d'fhág sé an leabhar le huacht ag a mhac, Lochlainn Ó Ceallaigh. Ní fios go cruinn cad a tharla dó idir sin agus 1820 nuair a bhí sé i seilbh Sir William Betham. Sa bhliain sin thug Sir William cead don scoláire Gaeilge, Eadbhard Ó Raghallaigh, an leabhar a scrúdú chun clár a ullmhú dó. Trí bliana ina dhiaidh sin dhíol sé é le Diúc Buckingham agus Chandos (mac an chéad Mharcais) ar £150. Cuireadh go dtí an

[55] Tá an nóta seo foilsithe ina iomláine ag Calder, *Togail na Tebe* (Cambridge 1922) xxii, ach tá leagan níos cruinne de curtha i gcló in *Brit. Mus. Cat.* ii, 538-9.

[56] R. A. S. Macalister, *The Book of Uí Maine, otherwise called 'The Book of the O'Kellys'* (BÁC 1942).

[57] *B.M. Cat. Irish MSS* ii, 601-2.

[58] K. Mulchrone, *Cat. Irish MSS in RIA*, Fasc. xxvi (BÁC 1942) 3314 *et seq.*

leabharlann ag Stowe é, agus tháinig sé ar ais go dtí Acadamh Ríoga na hÉireann leis an gcuid eile den bhailiúchán ón leabharlann sin sa bhliain 1883. Is suimiúil an rud é gur bhain Dubhaltach Mac Fhir Bhisigh feidhm as an leabhar, agus shínigh sé a ainm faoi dhó air.

Sna haoiseanna tar éis teacht na Normanach ní amháin go ndearnadh an litríocht dhúchasach a fhorbairt[59] ach glacadh freisin le litríocht na Mór-roinne (idir shaothar diaga agus cráifeach, shaothar leighis, scéalta rómánsaíochta agus eachtraíochta agus eile; idir leaganacha Laidine, Fraincise agus Béarla), agus rinneadh an litríocht sin a aistriú agus a mhúnlú. Chuidigh na huaisle Normanacha agus baill na nOrd eachtrannacha le cothú na nualitríochta. Sholáthraigh na scríobhaithe lámhscríbhinní iomadúla do fhlatha Gaelacha agus do Thiarnaí Normanacha araon. Sna lámhscríbhinní seo bhí ábhar dúchasach nó ábhar eachtrannach agus, ar uaire, an dá shaghas le chéile. Scrúdaímis ar dtús cuid den litríocht dhúchasach a múnlaíodh sna haoiseanna sin.

Sraith na Féinne

Cnuasaíodh, cóiríodh, agus breacadh síos na scéalta as an tSraith Ultach (An Rúraíocht), an tSraith Mhiotaseolaíoch, an tSraith Stairiúil (Sraith na Ríthe) agus Sraith na Féinne (An Fhiannaíocht). I gcaitheamh na tréimhse atá faoi chaibidil againn tháinig an Fhiannaíocht go mór chun tosaigh.[60] Is fíor go raibh scéalta faoi Fhionn agus na Fianna á n-insint ón ochtú haois anuas ar a laghad,[61] ach is ar bhéal an phobail a bhí siad agus, chomh fada agus is eol dúinn, is beag aird a thug an éigse orthu. Ní dhearnadh aon iarracht ar iad a chóiriú mar a rinneadh, cuir i gcás, leis na scéalta Ultacha. Timpeall an dara leath den 12ú haois, áfach, is cosúil gur músclaíodh suim na héigse sna scéalta Fiannaíochta agus ó thosach an tríú haois déag amach bhí siad ag teacht i réim do réir a chéile sa litríocht scríofa, nó gur éirigh leo faoi dheireadh

[59] *The Irish Tradition.* Tá tuairimí suimiúla ag Colm Ó Lochlainn faoi chuid den litríocht dhúchasach a scríobhadh i dtrátha an ama seo. Féach *Éigse* iv, 33 *et seq.* go háirithe 45-6.

[60] G. Murphy, *The Ossianic Lore and Romantic Tales of Medieval Ireland* (BÁC 1955); E. MacNeill, *Duanaire Finn* i (London 1908); G. Murphy, *Duanaire Finn* ii (London 1933); *Duanaire Finn* iii (London 1953); C. Ó Cadhlaigh, *An Fhiannuidheacht* (BÁC 1936); T. Ó Donnchadha, *Filidheacht Fiannaigheachta*, (BÁC 1933 agus 1954).

[61] K. Meyer, *Fianaigecht* (R.I.A. Todd Lecture Series xvi) (BÁC 1910), xv-xxxi.

an lámh in uachtar a fháil ar na scéalta eile go léir.[62] Chuaigh siad i bhfeidhm chomh tréan sin ar shamhlaíocht cine Gael gur mhair siad i gcuimhne agus ar bhéal an phobail anuas go dtí ár linn féin.

Nuair a cromadh ar na scéalta Fiannaíochta a chnuasach agus a chóiriú baineadh feidhm as an tseift chéanna a úsáideadh i gcás na scéalta Ultacha; léiríodh duine de laochra na Féinne, Oisín nó Caoilte, ag teacht ar ais ó Thír na nÓg nó ag maireachtáil ar feadh achair an-fhada le go bhféadfadh sé teagmháil le Naomh Pádraig agus eolas cruinn a thabhairt dósan ar imeachtaí agus ar ghníomhartha na Féinne sa sean-am.[63]

Is é an príomhchnuasach agus an cnuasach is ársa de na scéalta Fiannaíochta ná *Agallamh na Seanórach* a chéadchóiríodh, do réir cosúlachta, tuairim na bliana 1175.[64] Níl an seanleagan sin ar marthain, ámh. Níl tagtha anuas chugainn ach dhá shliocht as a scríobhadh thart faoi 1200 agus úrleagan de ón 13ú nó ón 14ú haois.[65] Tá cóipeanna díobh siúd uile le fáil in a lán lámhscríbhinní[66] agus tá leaganacha de na cóipeanna sin foilsithe ag scoláirí áirithe.[67] Is é an leagan ón 13ú nó an 14ú haois atá curtha in eagar i dtrí himleabhar[68] ag Neasa Ní Shéaghdha, agus tugann sí cuntas cruinn sa réamhrá ar chúlra an *Agallamh* agus ar na leaganacha éagsúla go léir.

Ní haon scéal amháin atá in *Agallamh na Seanórach* ach bailiúchán de na céadta scéal. Taistealaíonn na laochra agus a lucht leanúna timpeall na hÉireann i bhfochair Naomh Pádraig agus in áiteanna éagsúla ar an turas tugann Oisín nó Caoilte cuntas don Naomh agus don chléir, i laoi nó i scéal, ar na himeachtaí a tharla anallód sna

[62] Meabhraíonn an tOllamh Ó Murchadha dúinn gur tháinig athrú saoil in Éirinn ar a lán bealach le teacht na Normanach (*Ossianic Lore*, 30). Is cosúil, dar leis, gur fearr a réitigh na scéalta faoi Fhionn agus na Fianna leis an athrú saoil seo agus le meon na ndaoine, ná na scéalta simplí neamhchasta i dtaobh laochra fíochmhara agus flatha barbartha.

[63] Is suimiúil an rud é gur ghlac Dubhaltach Mac Fhir Bhisigh um lár an 17ú haois, gan cheist, leis an tseift seo mar chruthúnas ar fhírinne na seanscríbhinní. *Genealogical Tracts*, 2-3.

[64] M. Dillon (eag.), *Stories from Acallam* (BÁC 1970).

[65] *The Ossianic Lore and Romantic Tales of Medieval Ireland*, 26.

[66] *Leabhar Leasa Mhóir*, Laud 610, Rawl. B. 487 agus an ls A iv atá i Leabharlann na bProinsiasach, Cill Iníon Léinín, Áth Cliath. Le haghaidh na gcóipeanna nua-aimseartha féach eagrán N. Uí Shéaghdha, lch xiv.

[67] S. H. O'Grady, *Silva Gadelica* i (1892) 94 *et seq.; ibid.* ii, 101 *et seq.;* W. Stokes, *Irische Texte* iv, i. Chuir D. de hÍde cló ar chuid de théacs ar a dtugtar an 'An Agallamh Bheag', *Lia Fáil* i, 79 *et seq.*

[68] *Agallamh na Seanórach* i, ii (BÁC 1942) iii (1945).

háiteanna sin agus ar na laochra a ghabh páirt iontu. Feicfear mar sin go bhfuil méid áirithe cosúlachta idir an *Agallamh* agus an *Dinnsheanchas*, ach is fairsinge agus is ilchineálaí an t-ábhar san *Agallamh*.

Le himeacht aimsire d'fhás dhá bhrainse den Fhiannaíocht, na scéalta próis a raibh giotaí filíochta i bhfoirm comhrá measctha tríothu, agus dánta nó laoithe i bhfoirm comhrá idir Naomh Pádraig agus an laoch. Sna dánta seo is é Oisín an laoch i gcónaí, agus sin é an fáth ar minic a thugtar ' laoithe Oisín ' orthu. Tá difríocht shuntasach le tabhairt faoi deara idir *Agallamh na Seanórach* agus na laoithe déanacha seo. San *Agallamh* bíonn an naomh agus na laochra dea-mhúinte cúirtéiseach le chéile i gcónaí; sna laoithe ní annamh a bhíonn easaontas nó naimhdeas eatarthu. Ceanglaíodh cuid de na laoithe le chéile chun cineál *agallamh* nua a dhéanamh, agus faightear cóipeanna den úrchnuasach seo go measartha minic i lámhscríbhinní déanacha.[69] Cuid de bheo-oighreacht an chine ba ea na laoithe seo agus níor staonadh de bheith ag cur leo fad a mhair traidisiún na nGael go bríomhar.[70] San 18ú haois cumadh ceann de na nua-iarrachtaí is fearr dá bhfuil ann, *Laoi Oisín*, le Micheál Coimín (1688-1760), ina dtugtar tuairisc ar thuras Oisín go Tír na nÓg.[71]

Is é *Tóraigheacht Dhiarmada agus Ghráinne*[72] an scéal is iomráití i sraith na Féinne. Caithfidh go raibh leagan den scéal sin ann chomh fada siar leis an 10ú haois, mar faightear an teideal *Aithed Gráinne ingine Corbmaic la Diarmait ua nDuibni* sa dá liosta scéalta ón aois sin atá luaite cheana againn, agus tá téacs ón 13ú nó ón 14ú haois, *Uath Beinne Étair*,[73] a thugann tuairisc ar eachtra amháin a tharla

[69] P. Ó Siochfhradha (An Seabhac), *Laoithe na Féinne* (1941), 1 *et seq.;* Hyde, ' An Agallamh Bheag ', *Lia Fáil* i, 79 *et seq.;* W. Pennington, ' The Little Colloquy ', *Phil. Quarterly* ix (1930), 97 *et seq.*

[70] Mar a deir an Seabhac: ' Ní dócha go raibh riamh ag aon chine sealbh liteartha is foirleithne dlúithe a bhí fighte i gcuimhne agus i gcleachtadh an phobail ghnáith ná mar bhí an Fhiannaigheacht ag na Gaedhil. . . . Dob í an Fhiannaigheacht go fíreannach mór-scéal eipiceach na gnáth-mhuintire '. *op. cit.* vii. Féach freisin D. Corkery, *The Hidden Ireland* (BÁC 1927) 292 *et seq.*

[71] Ceann de na heagráin is túisce den saothar seo is ea ceann Bhriain Uí Luanaigh in *Trans. Ossian. Soc.* iv (BÁC 1859).

[72] S. H. O'Grady, *Tóruigheacht Dhiarmuda agus Ghráinne*, or the pursuit after Diarmuid Ó Duibhne and Gráinne in *Trans. Ossian. Soc.* iii (BÁC 1855); Féach freisin Carney, *Studies in Irish Literature and History*, 189 *et seq.* go háirithe 217 *et seq.;* Dillon, *Early Irish Literature* (1948) 42 *et seq.;* N. Ní Shéaghdha, *Tóruigheacht Dhiarmada agus Ghráinne* (BÁC 1967).

[73] In eagar ag K. Meyer, RC xi, 125 *et seq.*

le linn na ' tóraigheachta '. Scéal eile a bhfuil a ainm le fáil sa dá liosta úd agus a léiríonn eolas ar scéal na ' tóraigheachta ' is ea *Tochmarc Ailbe.*[74] Ina ainneoin sin, áfach, níl tagtha anuas chugainn den *Tóraigheacht* féin ach leagan déanach a cuireadh le chéile, do réir cosúlachta, tamall gairid roimh lár an 17ú haois.[75]

Ar chúiseanna éagsúla is deacair dáta cruinn a chur síos do chumadh fhormhór na scéalta Fiannaíochta.[76] Is i lámhscríbhinní ón 17ú haois amach is mó atáid le fáil, agus is leaganacha déanacha díobh is mó atá ar marthain, ar nós *Feis Tighe Chonáin, Bruidhean Bheag na hAlmhan, An Bhruidhean Chaorthainn* agus *Cath Gabhra.*[77] I gcás *Cath Fionntrágha*[78] tá seanleagan le fáil i lámhscríbhinn ón 15ú haois (Rawl. B. 487) agus nualeagan i lámhscríbhinní ón 18ú agus ón 19ú haois. Is cóir pointe amháin eile a lua freisin, is é sin go bhfaightear cuid mhaith ábhair ón mbéaloideas, ní amháin sna nualeaganacha go léir de na scéalta Fiannaíochta, ach sna scéalta rómánsaíochta freisin.

An tSraith Mhiotaseolaíoch

Is iad na scéalta a nascadh le chéile faoin teideal *Trí Truaighe na Sgéaluigheachta*[1] na scéalta is iomráití sa tsraith mhiotaseolaíoch: *Oidheadh Chloinne Tuireann, Oidheadh Chloinne Uisnigh* agus *Oidheadh Chloinne Lir* is ainm dóibh faoi seach. Tá cosúlacht áirithe, ó thaobh stíle de, idir na trí scéal seo, rud a thug ar Thurneysen[2] a mheas gurbh fhéidir gur ó fhoinse amháin a tháinig siad. Bhí an Dr Flower i bhfabhar na tuairime seo freisin,[3] agus luaigh sé mionphointí ionannais eile eatarthu, mar atá, an fhoirm chéanna a bheith ar theideal gach scéil agus triúr laoch a bheith páirteach i ngach ceann acu. Sa chuntas ar thraidisiún scríofa na scéalta cuireann

[74] R. Thurneysen, ' Tochmarc Ailbe, das Werben um Ailbe ', ZCP xiii, 250 *et seq.;* 297-8; Corr. xiv 421, xix 125-7.

[75] Tá an leagan seo le fáil sa ls RIA, 24 P 9 a scríobh Dáibhídh Ó Duibhgeannáin i 1651.

[76] *The Ossianic Lore and Romantic Tales of Medieval Ireland,* 49 *et seq.*

[77] M. Joynt, *Feis Tigh Chonáin* (BÁC 1935); N. Ní Shéaghdha, ' Bruidhean Bheag na hAlmhan ' in *Trí Bruidhne* (BÁC 1941); P. H. Pearse, *Bruidhean Chaorthainn* (BÁC 1908); N. O'Kearney, *The Battle of Gabhra* (*Trans. Ossian Soc.* i, BÁC 1853).

[78] K. Meyer, *Cath Finntrága* (Oxford 1885); P. Ó Siochfhradha *Cath Fionntrágha* (BÁC 1913).

[1] Ó Comhraidhe, ' Trí Thruaighe na Sgéalaigheachta of Erinn ' *Atlantis* iii, iv (1862-3); S. Ua Ceallaigh, *Trí Truagha na Scéaluidheachta* (BÁC 1927, 1932).

[2] *Heldensage* i, 327.

[3] *Brit. Mus. Cat.* ii, 347 *et seq.*

sé i gcuimhne dúinn gur tharla críoch *Oidheadh Chloinne Lir* in Iorrus Domhnann agus Inis Guaire, agus deir sé gur inmheasta uaidh sin, b'fhéidir, gur cumadh an scéal in Uí Fiachrach Muaidhe, dúiche a raibh Clann Mhic Fhir Bhisigh i réim inti. Luann sé freisin roinnt bheag fianaise a cheanglódh an dá scéal eile leis an teaghlach céanna. Is é a bhreithiúnas ar an iomlán, gurbh fhéidir gur sa dara leath den 14ú haois a cumadh agus a nascadh le chéile na leaganacha de na trí scéal atá tagtha anuas chugainn agus gur faoi anáil nó faoi stiúradh Chlann Mhic Fhir Bhisigh a rinneadh an obair go léir. Admhaíonn sé, áfach, nach féidir an tuairim seo a dheimhniú go cinnte agus tá scoláirí eile ann nach réitíonn léi. Is fíor i gcás *Oidheadh Chloinne Tuireann* agus *Oidheadh Chloinne Uisnigh* go dtéann an tráidisiún scríofa siar go dtí an 14ú haois (níos sia siar ná sin, b'fhéidir, i gcás *Oidheadh Chloinne Tuireann*)[4] ach dhealródh sé gur scéal nuachumtha atá in *Oidheadh Chloinne Lir*. Tuairim na bliana 1500 atá curtha síos ag an Ollamh Carney mar dháta a chumtha, agus is dóigh leis an ollamh gurbh fhás nua é na scéalta a cheangal le chéile i dtréithe.[5] Is cosúil go bhfuil an tOllamh Ó Murchadha ar aon intinn leis an Ollamh Ó Ceithearnaigh faoin bpointe sin.[6] Cibé aois inar cumadh iad, is cinnte go raibh dúil mhór ag scríobhaithe an 18ú haois sna trí scéalta seo, mar is iomaí cóip díobh atá le fáil i lámhscríbhinní na linne sin.

Tá cnuasach ann de scéalta nuachumtha[7] rómánsaíochta nach miste a áireamh sa tsraith mhiotaseolaíoch, bíodh go bhfuil baint ag cuid acu le Fionn agus na Fianna freisin. Ina measc tá *Eachtra an Cheithearnaigh Chaoilriabhaigh*,[8] *Eachtra an Ghiolla Dheacair*,[9] *Eachtra Chléirigh na gCroiceann*[10] agus *Eachtra Bhodaigh an Chóta Lachtna*.[11]

[4] O'Rahilly, *Early Irish History and Mythology*, 308 *et seq.* Féach go speisialta 312 n.2.

[5] *Studies in Irish Literature and History*, 158.

[6] *The Ossianic Lore and Romantic Tales of Medieval Ireland*, 32-3.

[7] *Brit. Mus. Cat.* ii, 339 *et seq.*

[8] E. Ua Muirgheasa, *Ceithearnach Uí Dhomhnaill, nó Eachtra an Cheithearnaigh chaoil-riabhaigh do réir druinge* (BÁC 1912); S. H. O'Grady, *Silva Gadelica* i, 276, P. Ó Siochfhradha, *An Ceithearnach Caoilriabhach* (BÁC 1910); *Brit. Mus. Cat.* ii, 350.

[9] S. H. O'Grady, *Silva Gadelica*, i. 257. Chuir J. Hogan agus J. H. Lloyd leagan den scéal as ls ó Chontae an Chláir in eagar faoin teideal *Teacht agus Imeacht an Ghiolla Deacair* (1905). Cf. A. H. Krappe, ' La poursuite du Gilla Dacker et les Dioscures celtiques ', RC xlix, 96 *et seq.*

[10] *Brit. Mus. Cat.* ii, 220, 367, 405; *Irisleabhar Muighe Nuadhad* i (1907) 22 *et seq.*

[11] S. H. O'Grady, *Silva Gadelica* i, 289; P. H. Pearse, *Bodach an Chóta Lachtna* (1906).

Is é buntéama na scéalta seo go gcuireann duine de Thuatha Dé Danann (Aonghus an Bhrogha nó Manannán Mac Lir, de ghnáth) bréagchruth míofar air féin agus go dtugann cuairt ar Fhionn nó ar dhuine éigin eile agus go n-imríonn cleas air, sula nochtann sé i ndeireadh na dála gur neach osnádúrtha é. Téama ársa é seo a fhaightear go minic sa tseanlitríocht.[12] Tá sé le fáil, cuir i gcás, sa chuntas ón 9ú haois i *Sanas Cormaic*[13] ar eachtra Sheancháin Torpéist le sprid na filíochta agus i scéal faoi Fhlann mac Lonáin agus Aonghus.[14] Thaitin an téama le cumadóirí na nuascéalta freisin. In *Eachtra an Ghiolla Dheacair* insítear conas mar a tháinig Abhartach Mac Ioldathaigh, duine de Thuatha Dé Danann, chuig Fionn agus bréagchruth fíorghránna air. Glacadh isteach san Fhiann é, agus d'éirigh leis cuid de laochra na Féinne a fhuadach. (Glacann Abhartach páirt sa scéal *Cath Fionntrágha* freisin.)

Am éigin um dheireadh an 15ú haois is ea a cumadh *An Giolla Deacair* agus beagáinín níos déanaí ná sin, sa chéad leath den 16ú haois nó ina lár, a cumadh *Eachtra an Cheithearnaigh Chaoilriabhaigh*.[15] Scéal neamhchoitianta is ea an ceann seo sa mhéid gur pearsana stairiúla cuid de na daoine a ghlacann páirt ann. Ríomhtar ann na heachtraí a tharla d'Aodh Rua Ó Domhnaill (d'éag 1505) agus dá lucht leanúna lá amháin nuair a bhí siad ag caitheamh fleá agus féasta i mBéal Átha Seanaigh agus gur tháinig Manannán chucu agus gur imir cleasa orthu. Is é Manannán a imríonn na cleasa freisin in *Bodach an Chóta Lachtna* a cumadh am éigin sa 16ú haois. Dealraíonn sé ó na logainmneacha sa dá scéal seo gur i gCúige Uladh a cumadh an *Ceithearnach* agus gur i gCúige Mumhan a cumadh an *Bodach*.

Na hOird Rialta ón gCoigrích

Tá blas an dúchais ar an saothar go léir a bhí á chíoradh againn go nuige seo. Taobh leis an saothar sin bhí saothar toirtiúil de shaghas eile á chumadh i nGaeilge sna haoiseanna céanna faoi anáil litríocht na Breataine agus na Mór-roinne. Chuidigh na hOird

[12] *Brit. Mus. Cat.* ii, 340.

[13] *Anecdota from Irish MSS* iv, 90, § 1059; O'Donovan, Stokes, *Cormac's Glossary* 135 *et seq.*

[14] *Anecdota from Irish MSS* i, 45.

[15] Tá léirmheas tábhachtach ar eagrán Uí Mhuirgheasa den scéal ag T. Ó Rathile in *Gadelica* i, 204 *et seq.*

Rialta a tháinig go hÉirinn díreach roimh, nó tamall gairid tar éis, theacht na Normanach le eolas ar an litríocht eachtrannach a chraobhscaoileadh i measc na nGael.

Sa bhliain 1142, geall le tríocha bliain roimh theacht na Normanach, is ea a tháinig an chéad dream díobh, na Cistéirsigh a chuir fúthu sa Mhainistir Mhór (*Fons Mellis*) i seanríocht Oirghialla.[16] Níl aon fhianaise, ámh, gur fhág siad siúd aon rian ar litríocht na Gaeilge. Go gairid ina dhiaidh sin tháinig na hAgaistínigh, agus d'éirigh chomh maith sin leo nárbh fhada go raibh dhá chéad mainistir bunaithe acu. (Bhí duine den ord sin, Mag Raidhin, d'éag 1405, ag gabháil do scríobh *Annála Chluain Mhac Nóis*.) Sa 13ú haois tháinig na Cairmilítigh, na Doiminicigh[17] agus na Proinsasaigh. Fearadh fáilte rompu uile, do réir cosúlachta, agus bhíodh na flatha dúchasacha agus na tiarnaí Normanacha ag sárú a chéile ag bronnadh fearainn orthu le mainistir nó coinbhint a bhunú. Ba iad na Proinsiasaigh ba mhó a d'fhág a rian ar intinn agus ar shaíocht na nGael. Chuaigh a saothar siúd chomh mór sin i bhfeidhm ar an litríocht nár leasc leis an Dr Flower ' na haoiseanna Proinsiasacha ' a thabhairt ar an tréimhse idir an 14ú agus an 17ú haois. Ba chirte agus ba chruinne, ámh, dar leis an Athair Cainneach Ó Maonaigh, an t-ainm sin a thabhairt ar an ré ó lár an 15ú go dtí lár an 18ú haois. ' Is ansin ', adeir sé, ' ba mhó a d'fhág ord San Froinsias rian ar shaol agus ar litríocht na hÉireann '.[18]

Ní fios go cruinn cén bhliain a tháinig na Proinsiasaigh go hÉirinn don chéad uair ach bhí ceithre choinbhint bunaithe cheana acu sa bhliain 1231, in Eochaill, i gCorcaigh, i gCill Chainnigh agus i mBaile Átha Cliath. Idir sin agus deireadh na haoise bhí siad ag spré amach ar fud na tíre, agus i dtosach ba iad na bráithre eachtrannacha ba líonmhaire. Um an bhliain 1282, áfach, bhí méadú mór tagtha ar líon na nGael san ord, agus bhí an oiread sin coinbhintí ann go raibh siad roinnte i gceithre Chúige (*custodia*). Ní maith a réitigh na heachtrannaigh agus na Gaeil san ord le chéile agus ag an gCaibidil Choiteann a tionóladh i gCorcaigh i 1291 d'éirigh chomh mór sin eatarthu gur chrom siad ar ghabháil de

[16] G. Mac Niocaill, *Na Manaigh Liatha in Éirinn*, 1142-*c*. 1600 (BÁC 1959).

[17] Cf. Rev. C. Kearns, O.P., ' Medieval Dominicans and the Irish Language ', *Irish Ecclesiastical Record*, July, 1960, 17 *et seq*.

[18] C. Ó Maonaigh, O.F.M. ' Scríbhneoirí Gaeilge Oird San Froinsias ', *Catholic Survey* (Galway 1951) i, 59.

dhoirn ar a chéile, agus tharla gur maraíodh cuid de na bráithre.[19] I 1325 rinneadh iarracht an dá dhream a dheighilt óna chéile trí na Gaeil a choimeád taobh istigh d'aon Chúige amháin, Cúige Aonach Urmhumhan, ina raibh na coinbhintí in Aonach Urmhumhan féin, in Áth Luain, in Inis, i mBaile Chláir na Gaillimhe, i nGaillimh, in Ard Mhacha, i gCabhán agus i gCill Éidhe.[20] Ach ba shaothar in aisce a bheith ag iarraidh cosc a chur le méadú agus le tionchar na nGael san ord. Níorbh fhada gurbh é an Cúige ' Gaelach ' an ceann ba mhó agus ba thábhachtaí, agus go ndeachaigh na tithe sna cúigí ' Sasanacha ' i léig. Ba ar an gcuma sin a lean Bráithre Mionúra Ord San Proinsias an raon ba dhual don eachtrannach in Éirinn: d'éirigh siad *Hibernis ipsis Hiberniores*.

Bhí tionchar mór ag na hOird eachtrannacha ar litríocht na hÉireann. Ba thríothu a tháinig a lán smaointe agus ábhair ó litríocht na hEorpa isteach sa tír, le dul i bhfeidhm ar sheansaíocht na Gaeilge, agus do réir mar a bhí baill na nOrd ag éirí ní ba Ghaelaí, is amhlaidh a bhí páirt ní ba ghníomhaí á glacadh acu i múnlú agus i bhforbairt na saíochta sin. Is fíor nach raibh an tionchar céanna acu a bhí ag an gcléir sa seanam agus is fíor, freisin, gur theip orthu go ceann i bhfad briseadh isteach i gciorcal dlútheagraithe fhilí na Scoileanna ná aon rian a fhágáil ar shaothar na bhfilí sin. Ach. dála mar a chomhoibrigh an chléir agus na filí sa seanam chun an traidisiún a mhúnlú, shaothraigh lucht na nOrd ón gcroigrích i gcomhar leis na teaghlaigh liteartha, a bhí tar éis teacht chun tosaigh, chun an traidisiún a fhorbairt agus a chothú. Mar bharr air sin, chuaigh roinnt mhaith de bhaill na dteaghlach sin isteach sna hoird, agus níorbh é an chuid ba lú tábhacht den oideachas a fuair siad iontu an teagasc a thugtaí dóibh ar litríocht a dtíre féin.

Ábhar ón gCoigríoch

I gcaitheamh na meánaoise bhí raidhse scéalta ann a raibh dúil ag pobal na hEorpa i gcoitinne iontu. Is gnáth na scéalta sin a roinnt mar a leanas do réir na bhfoinsí ónár shíolraigh siad: ábhar na Róimhe agus na Gréige (*matière de Rome*), ábhar na Fraince (*matière de France*) agus ábhar na Breataine (*matière de Bretagne*) Chuir éigse na hÉireann culaith Ghaelach ar chuid mhór de na

[19] E. B. Fitzmaurice, A. G. Little, *Materials for the History of the Franciscan Province of Ireland, A.D.* 1230-1450 (Manchester 1920) xxiii, 120.

[20] Ó Maonaigh, ' Scríbneoirí Gaeilge Ord San Froinsias ', 58-9.

scéalta sin trína n-aistriú go díreach ón mbunteanga nó, rud ní ba ghnáthaí fós, tríd an ábhar iontu a láimhsiú agus a mhúnlú ar a mbealach féin.

Ábhar na Róimhe agus na Gréige

Saothar a thuilleann suim ar leith is ea *Merugud Uilix mac Leirtis*,[21] de bhrí nach fios cad é an bunleagan a bhí mar fhoinse ag an té a sholáthraigh an leagan Gaeilge am éigin go luath san 13ú haois. Is follas go raibh eolas éigin aige ar scéal Uiliséas mar a d'inis Hóiméar é ach, mar a deir céad-eagarthóir an téacs, Kuno Meyer, ní raibh an oiread eolais aige agus a chuirfeadh cosc lena shamhlaíocht féin agus é ag múnlú an scéil do réir a thola.[22] Léiríonn an dara heagarthóir, Robert T. Meyer,[23] nach bhfuil ach fíorbheagán den Odaisé fágtha i *Merugud Uilix* agus go bhfuil scéal béaloidis idirnáisiúnta fite tríd, scéal faoi na trí chomhairle a bhfuarthas leagan de ar an mBlascaod chomh déanach leis an mbliain 1934.

Am éigin roimh an mbliain 1400 aistríodh an *Aeniad* go Gaeilge. Níl ach leagan amháin de sin ar marthain, an ceann atá i *Leabhar Bhaile an Mhóta*.[24] Sa chás seo ba scoláire maith Laidine agus Gaeilge an t-aistritheoir. agus chloígh sé go measartha dlúth le bunsaothar Veirgil ach níor leasc leis, ó am go chéile, baint ón saothar sin nó cur leis, do réir mar ba ghá, dar leis, chun an scéal a dhéanamh níos suimiúla do phobal na Gaeilge.

Am éigin idir 400 A.D. agus 600 A.D. chum údar anaithnid ar an Mór-roinn saothar próis i Laidin ar a dtugtar *Daretis Phrygii de Excidio Troyae Historia* agus mhaígh sé gur ón nGréigis a d'aistrigh sé é. Bhí cáil mhór ar an saothar seo in Eoraip na meánaoise,

[21] Tá cóip den téacs le fáil i dtrí ls., *Leabhar Bhaile an Mhóta*, Stowe MS 992 agus King's Inns Dublin MS no. 12. Tá sé curtha in eagar ag K. Meyer, *Merugud Uilix maicc Leirtis. The Irish Odyssey* (London 1886) agus ag R. T. Meyer, *Merugad Uilix Mac Leirtis* (BÁC 1958).

[22] *Op. cit.*, x.

[23] ' The Middle Irish Odyssey: Folktale, Fiction or Saga ', *Modern Philology* (Chicago, November, 1952) 73 *et seq.*

[24] Lgh 449-85. É curtha in eagar ag G. Calder, *Imtheachta Aeniasa. The Irish Aeneid* (London 1907); T. Hudson-Williams, ' Cairdius Aeneas ocus Didaine. The Love of Aeneas and Dido ' ZCP ii, 419 *et seq.*

agus tá sleachta as leagan Gaeilge de le fáil sa *Leabhar Laighneach*,[25] leagan nach bhfuil níos ársa, dar le Whitley Stokes, ná an 11ú haois.[26]

Bhí eolas go forleathan ar fud na hEorpa ar stair na Téibhe freisin, de dheasca na gcuntas a scríobhadh fúithi i dteangacha éagsúla. I measc na gcuntas sin bhí an saothar Laidine *Thebaid* le Statius, dán i bhFraincis (*Roman de Thebes*) a cumadh tuairim 1150, níos mó ná cuntas amháin i bprós sa teanga chéanna, agus *Teseide* le Boccaccio. Rinneadh cuid den scéal a aistriú go Béarla agus go Gaeilge freisin.[27]

Cumadh saorleagan de sheacht leabhar thosaigh *Pharsalia* le Lucan, dán a raibh dúil ag na Gaeil ann, ní de bharr a fheabhas mar fhilíocht ach mar gheall ar na heachtraí bríomhara bíogacha a ríomhtar ann. Thaitin na heachtraí chomh mór sin leis an scríbhneoir Gaeilge gur chuir sé cinn sa bhreis isteach as a stuaim féin; *In Cath Cathardha*[28] a tugadh mar ainm ar an saorleagan seo. Ní foláir nó bhí an-éileamh air mar is iomaí cóip de atá le fáil agus, taobh amuigh de *Táin Bó Cuailnge* agus *Agallamh na Seanórach*, is é an saothar próis is sia é sa mheánaois.

Is cinnte go ndeachaigh na téacsanna éagsúla seo ón gcoigrích i bhfeidhm ar an gcumadóireacht dhúchasach. Is é *Caithréim Thoirdhealbhaigh*[29] an sampla is suntasaí de sin. Séard atá sa *Chaithréim* ná stair Thuadhmhumhan faoi fhlaitheas Dhonnchadha Chairbrigh, ó 1204 amach, mar aon le mionchuntas ar na cathanna a troideadh i gContae an Chláir idir na Brianaigh agus an teaghlach Normanach de Cláir, nó mar a deirtear sa réamhrá ar an leagan sa lámhscríbhinn: ' Caithréim Thoirdhealbhaigh: ina nochtar gach gníomh tásgamail dá dtárrla a dTuadhmumain nó san Mumain budh tuaidh ar fead tuille agus dá chéad-bliadhan, nó ó ghabadar

[25] Tá dhá shliocht mheasartha fada as le fáil freisin sa ls TCD H.2. 17.

[26] W. Stokes, *Togail Troi. The Destruction of Troy* (Calcutta 1881); *Irische Texte*, 2 Ser., i, 1 *et seq.* Féach freisin G. S. Mac Eoin, ' Das Verbalsystem von Toguil Troi ', ZCP xxviii, 73 *et seq.; idem.* ' Dán ar Chogadh na Traoi ', *Studia Hibernica* 1 (1961) 19 *et seq.*

[27] Gröber, *Grundriss der Romanischen Philologie* ii (Strassburg 1902) 582; de Julleville, *Histoire de la Langue et de la Littérature Francaise* i (Paris 1896) 173, 252; *Ency. Brit.*, 11th ed., Thebes. Romances of. Tá an leagan Gaeilge curtha in eagar ag G. Calder, *Togáil na Tebe. The Thebaid of Statius* (Cambridge 1922). Tá an leagan seo bunaithe ar dhá théacs, ceann amháin as Egerton 1781 agus ceann eile as Advocates' Library Gaelic MSS viii, Kilbride Collection, No. 4.

[28] W. Stokes, *In Cath Cathardha. The Civil War of the Romans. An Irish Version of Lucan's Pharsalia* in *Irische Texte* iv.

[29] S. H. O'Grady, *Caithréim Thoirdhealbhaigh* (The Triumphs of Thurlough) (London 1929).

Goill beag nach urlamhas Éireann go bás an Chláraigh, ar na chéidsgríobhadh le Seaán Mac Ruaidhrí Mhic Chraith .i. prímseanchaide saoirshleachta Chais san mbliadhain d'aois Chríosd 1459 '.[30]

Nuair a thóg an t-údar, Seán Mac Craith, air féin an cuntas seo a scríobh is follas gur ghlac sé an leagan Gaeilge de shaothar Lucan mar phatrún; ní trí thionóisc a thug sé ' an cath cathartha ' mar ainm ar an gcoimhlint idir na Brianaigh agus na Cláraigh.

Saothar eile a shíolraigh ó ábhar na Róimhe agus na Gréige is ea *Stair Ercuil ocus a bhás*. Sa bhliain 1464 chríochnaigh údar Francach darbh ainm Raoul Lefevre saothar dar teideal *Recueil des Histoires de Troyes;* níor cuireadh i gcló é, áfach, go dtí 1478. Idir an dá linn d'aistrigh William Caxton an saothar go Béarla, agus d'fhoilsigh sé an t-aistriúchán i 1474. Bhí éileamh ar an leagan Béarla seo agus cuireadh amach cúig eagrán déag de. Is ar an gcéad eagrán atá *Stair Ercuil ocus a bás* bunaithe, ach é ciorraithe go mór agus ábhar dúchasach fite tríd, i dtreo go bhfuil cruth fíor-Ghaelach ar an scéal. Níl tagtha anuas chugainn ach cóip amháin[31] de *Stair Ercuil*. Tá an leagan Gaeilge seo níos taitneamhaí, shnasta, ghonta mar scéal ná *Togail Troi* a scríobhadh trí chéad bliain roimhe agus atá fadálach agus pas beag tur.[32]

Ábhar na Fraince

Ní líonmhar iad na dréachtaí i nGaeilge a shíolraigh ó ábhar na Fraince, cé gur cosúil go raibh eolas maith ag na Gaeil ar Shéarlas Mór agus ar chuid de na scéalta a bhíodh á n-insint ina thaobh. Tá leagan Laidine de dhá cheann de na scéalta sin le fáil i lámhscríbhinn i gColáiste na Tríonóide, Baile Átha Cliath[33]; bréagchroinic Turpin atá i gceann amháin de na scéalta sin agus foirm neamhchoitianta de *chanson* Fierebras atá sa cheann eile.

Maidir le Croinic Turpin, creideadh ar feadh na n-aoiseanna gurbh é Turpin, Ardeaspag Rheims, comhaimsearach do Shéarlas Mór, a chum í. I dtráchtas Laidine dar teideal *De Pseudo-Turpino*, áfach, léirigh an scoláire Francach, Gaston Paris, nach de dhéantús duine amháin an chroinic, ach go raibh údair éagsúla ag gabháil

[30] *ibid.* i, 1.

[31] Tá sé le fáil sa ls TCD H.2.7.

[32] G. Quin, *Stair Ercuil ocus a bás. The Life and Death of Hercules* (BÁC 1939).

[33] F.5. 3.

dá cumadh ag amanna éagsúla idir 1020 agus 1150.[34] *Chanson de geste* ba ea *Scéal Fierebras*, nó Fortibras mar a thug na Gaeil air, agus chomh fada agus is eol dúinn, níl an leagan Laidine de a luamar thuas le fáil in aon áit eile ach sa lámhscríbhinn sin i gColáiste na Tríonóide. Aistríodh an leagan Laidine den *Croinic* agus de *Scéal Fierebras* go Gaeilge, agus tá na haistriúcháin sin le fáil in Egerton 1781 agus i lámhscríbhinní eile den 15ú haois.[35] Tuairim na bliana 1400 is ea a cuireadh Gaeilge ar an gCroinic, agus dhealródh sé ó fhoirmeacha na leaganacha sna lámhscríbhinní go ndearnadh dhá aistriúchán éagsúla ar an mbunscríbhinn. Ba sa 14ú nó sa 15ú haois a aistríodh *Scéal Fierebras*, agus níl san aistriúchán ach leagan ciorraithe den bhunscéal.[36]

Ábhar na Breataine

Is iad na scéalta Artúracha ábhar na Breataine. Is fada anois ó aithníodh go bhfuil a lán de na téamaí atá le fáil sna scéalta sin an-chosúil leis na téamaí i gcuid de sheanscéalta na nGael. Léirigh Gertrude Schoepperle an chosúlacht bhunúsach atá idir scéal Ghráinne (in *Tóraigheacht Dhiarmada agus Ghráinne*) agus scéal Dheirdre (i *Longes mac n-Uislenn*). Thaispeáin sí freisin gurb é scéal Ghráinne an fhoinse Cheilteach ónar shíolraigh an scéal faoi Thristan agus Íosoilde agus go bhfuil a lán de na móitífeanna ón scéal Gaeilge le fáil arís agus arís eile sna leaganacha Fraincise agus Gearmáinise den mhór-*rómáns* cáiliúil sin.[37] Thaispeáin Thurneysen[38] go bhfuil an buntéama céanna (bean óg sciamhach á pósadh le rí aosta) le fáil sa seanscéal Gaeilge *Cano Mac Gartnáin*,[39] agus luaigh sé an chosúlacht idir ainm an rí sa scéal sin (Marcán)

[34] D. Hyde, *Gabhaltas Shéarluis Mhóir. The Conquests of Charlemagne* (London 1919).

[35] *B.M. Cat. Ir. MSS* ii, 527 *et seq.* Cf. *Studies* viii, 668.

[36] W. Stokes, RC xix.

[37] G. Schoepperle, *Tristan and Isolt* (London 1913).

[38] ' Eine irische Parallele zur Tristan-Sage ', *Zeitschr. f. Rom. Phil.*, xliii (1924) 385 *et seq.* Féach freisin ZCP xvi, 280 *et seq.*; J. Carney, *Studies in Irish Literature and History*, 189 *et seq.;* R. Bromwich, *Trans. Cymmrodorion*, 1953 (London 1955) 33 *et seq.*

[39] *Scéalaíocht na Ríthe*, 183 *et seq.*

agus ainm an rí sa traidisiún Francach. Is dóigh leis an Ollamh Binchy, ámh, gur trí thionóisc a tharla an chosúlacht seo.[40]

Is féidir coibhneas áirithe a aithint idir téama an scéil dhúchasaigh *Altrom Tige Dá Medar*[41] a cumadh, do réir cosúlachta, sa 14ú haois, agus an scéal Artúrach faoin Soidheach Naofa.[42] Is iomaí leagan den scéal iomráiteach seo faoi lorgaireacht an tSoidhigh Naofa a cumadh i dteangacha éagsúla na hEorpa. Timpeall 1200 A.D. an dáta atá curtha síos don leagan Fraincise ' Queste del Saint Graal '. Dhealródh sé gur cumadh leagan i mBéarla am éigin sa 14ú haois (ceann atá caillte anois) agus gurbh é an leagan sin a aistríodh go Gaeilge faoin teideal *Lorgaireacht an tSoidhigh Naomhtha.*[43] Níor mhaith le heagarthóir an téacs seo dáta níos túisce ná lár an 15ú haois a chur síos don aistriúchán Gaeilge seo.[44] Is suimiúil an rud é gurbh é seo an t-aon scéal iomráiteach amháin as an tsraith Artúrach a aistríodh go díreach agus ina iomláine go Gaeilge, cé gur follas go raibh eolas maith ag éigse na nGael sa 15ú haois ar an tsraith sin. Bhí de nós acu téamaí nó pearsana as an tsraith a chur isteach sna scéalta a chum siad féin nó creatlach Artúrach a chur ar na scéalta a fuair siad ón iasacht.[45] Sampla maith den nós seo is ea *Eachtra an Amadáin Mhóir,*[46] scéal a bhfuil

[40] ' To an outsider it would seem that, apart from the universal and " eternal " triangle of aged husband, young wife and youthful lover, the romance of Cano and Créd has little in common with the Tristan saga except the final *Liebestod*, for the identity of names between Marcán, Créd's husband, and Mark of Cornwall is doubtless fortuitous. Nor can I see any closer connexion between our tale and other Irish love-stories like Tochmarc Treblainne and Diarmait and Gráinne than the fact that all of them draw on a common fund of legendary material which may or may not be of specifically Celtic origin '. D. A. Binchy, *Scéla Cano Meic Gartnáin* (BÁC 1963), xvii.

[41] M. E. Dobbs, ZCP xviii, 189 *et seq.;* L. Duncan, *Ériu* xi, 184 *et seq.*

[42] van Hamel, ' The Celtic Grail ', RC xlvii; J. Vendreyes, ' Les Eléments Celtiques de la légende du Graale ', *Études Celtiques* v, 1 *et seq.*; A. C. L. Brown, *The Origin of the Grail Legend* (Harvard 1943).

[43] In eagar ag S. Falconer, (BÁC 1953).

[44] *ibid.*, xxxii.

[45] *The Ossianic Lore and Romantic Tales of Ireland*, 37. Féach freisin A. M. E. Draak, *Béaloideas* xvi, 12 *et seq.*

[46] T. Ó Rabhartaigh, ' Eachtra an Amadáin Mhóir ', *Lia Fáil* ii, 194 *et seq.* I dtosach na hEachtra baineadh feidhm as cuid den ábhar as scéal Sir Perceval; ag an deireadh faightear saorleagan i bprós den ábhar atá i ' Laoidh an Amadáin Mhóir ' (i gcló ag P. Ó Siochfhradha i *Laoithe na Féinne*). Nuair a bhíodh an ' Laoidh ' á haithris ba ghnáth réamhrá i bprós a chur roimpi inar tugadh cuntas ar bhreith agus ar oiliúint an Amadáin Mhóir agus ar chuid de na heachtraí a bhain dó le linn a óige. Tá leagan amháin den réamhrá béaloidis seo curtha i

iarsma de bhuntéama an Ridire Dúir (*The Oaf Knight*) le fáil ann. Ina theannta sin, mar a mheabhraíonn an Dr Flower dúinn, tosaíonn sé le sliocht atá bunaithe ar leagan éigin de *Percival le Gallois*, agus críochnaíonn sé le téama an chathaithe as *Sir Gawain and the Green Knight*. Buailimid le Sir Gawain arís faoin ainm Bhalbhuaigh nó Ualuaidh, in *Eachtra an Mhadra Mhaoil*,[47] scéal faoi mhac rí na hIndia ar imir a leasmháthair draíocht air nó gur chuir sí i riocht fearchon é. Chuaigh sé ar lorg Ridire an Lóchrainn, an t-aon duine amháin a d'fhéadfadh é a chur ina chruth féin arís. Rinne Bhalbhuaidh, ridire as cúirt Artúir, é a thionlacan ar an turas, agus ríomhtar sa scéal na heachtraí a tharla dóibh ar an mbealach.

Meabhraíonn an Dr Flower dúinn[48] go bhfuil an téama úd (duine á chur i riocht ainmhí) faoi scrúdú ag G. L. Kittredge ina eagrán de scéal Laidine i dtaobh Artúir agus Gorlagon.[49] Léiríonn sé go bhfuil cúl Artúrach curtha leis an téama sin, rud is fíor faoi Laoi Mhéilion freisin. Ní thráchtann Kittredge ar *Eachtra an Mhadra Mhaoil* féin, ach scrúdaíonn sé scéalta eile ó bhéaloideas na nGael, agus taispeánann sé go bhfuil cosúlacht idir léiriú an téama sna scéalta sin agus a léiriú in *Artúr agus Gorlagon*, agus leanann sé an téama siar ón scéal Laidine sin trí leagan Breatnaise go dtí foinse Ghaelach.

B'fhéidir nár chuid bhunúsach de *Eachtra an Mhadra Mhaoil* an ceangal le cúirt Artúir, ach gur cuireadh isteach níos déanaí é. Is fiú a thabhairt faoi deara, ámh, gurbh é Bhalbhuaidh[50] (Walwainus) a théann i dteannta Artúir sa scéal faoi Artúr agus Gorlagon freisin.

gcló ag J. F. Campbell in *Tales of the West Highlands* iii (1892) 160 *et seq.* Tá cosúlacht áirithe le tabhairt faoi deara idir an réamhrá seo agus na cuntais ar óige Sir Perceval sna scéalta Artúracha agus na cuntais ar óige Fhinn Mhic Chumhaill i dtraidisiún liteartha na nGael. Ní dhearnadh miontaighde sásúil go fóill ar an gcoibhneas idir an ' Eachtra ' agus an ' Laoidh ' agus idir iad araon agus an réamhrá béaloidis. Féach G. Murphy, *Studies* 1948, 368 *et seq.*

---

[47] Féach L. Mülhausen, ' Neue Beiträge zum Perceval Thema ', ZCP xvii, 1 *et seq.; The Irish Tradition*, 136.

[48] *B.M. Cat Irish MSS* ii, 271-2.

[49] *Arthur and Gorlagon* (Harvard Studies, vii) 149.

[50] Léiríonn an tOllamh Ó Rathile (*Irisleabhar na Gaedhilge* xix, 357) go bhfreagraíonn na foirmeacha Gaeilge den ainm seo don fhoirm *Walway*.

Tá *Eachtra an Mhadra Mhaoil* curtha in eagar ag an Ollamh Macalister in *Two Arthurian Romances*.[51] Is é *Eachtra Mhacaoimh an Iolair* an dara scéal sa leabhar sin.[52] Seo ceann de na scéalta iomadúla faoi naíonán a d'fuadaigh ainmhí agus a tháinig ar ais nuair a bhí aois fir scroichte aige chun díoltas a bhaint amach as ucht na héagóra a rinneadh ar a mháthair. Tá an téama sin le fáil i *Guillaume de Palerne* agus i rómánsacha eile. Tá spéis ar leith ag roinnt le *Eachtra Mhacaoimh an Iolair* de bhrí gurb eol dúinn ainm an té a scríobh é agus conas a tharla gur scríobh sé é.[53]

Tá an chóip is ársa den scéal le fáil i lámhscríbhinn a scríobh Dáibhídh Ó Duibhgeannáin agus a chríochnaigh sé, mar a deir sé féin, ' ar an Oileán Ruadh istigh ar Loch Measg i dtigh Ruaidhrí mhic Thaidhg Óig Uí Fhlaithbheartaigh ag cúigmhadh lá déag don Aibreán, 1651 '.[55] Brian Ó Corcráin ab ainm don té a chum an scéal agus creideadh ar feadh i bhfad gurbh eisean an Brian Ó Corcráin a bhí ina bhiocáire ag Claoininis i gContae Fhear Manach agus a fuair bás, do réir Annála Ríoghachta Éireann, i 1487. I dtuairim an Ollaimh Bergin,[56] áfach, is é is dóichí gur Brian Ó Corcráin eile a chum é, duine d'fhilí Chlann Mheig Uidhir a mhair timpeall 1600 agus a bhfuil roinnt dánta dá chuid le fáil i *Leabhar Uí Chonchubhair Dhuinn*.

Is inspéise an fhaisnéis a thugann an scríbhneoir dúinn sa réamhrá gairid seo a leanas ar an scéal: ' Bíodh a fhios agat a leightheoir an sceoilsi gurab amhla do fuair misi .i. Brian Ó Corcráin cnámha an scéilsi ag duine uasal adubhairt gurab as Frainncis do chualaidh sé féin dá innsin é agus mar do fuair misi sbéis ann do dheasuigh mar so é agus do chuirim na laoithe beagasa mar chumaoin air agus ní raibh an scéal féin i nGaeighilg go nuige sin.'[57]

Tugann an méid sin léargas éigin dúinn ar an modh cumadóireachta a bhíodh ag na daoine a chuir na scéalta rómánsaíochta ar fáil i nGaeilge. Bhídís i gcónaí réidh chun ábhar a thaitin leo a ghlacadh ón iasacht, é a ' dheasú ' agus ábhar dúchasach a chur

[51] London 1908. Ní mór an léirmheas ar an leabhar seo atá scríofa ag Ó Rathile in *Ir. na G.* xix, 355 a léamh.

[52] Chuir S. Laoide eagrán eile den scéal seo i gcló i 1912.

[53] *B.M. Cat. Irish MSS* ii, 353 *et seq.*

[54] RIA 24 P 9.

[55] Féach *Ir. na G.* xix, 191.

[56] *Studies* x, 257.

[57] *B.M. Cat. Irish MSS* ii, 353.

' mar chumaoin air '. Is dócha nach mbeidh a fhios againn choíche cén fhoirm bhunaidh a bhí ag an scéal Fraincise a bhí mar inspioráid ag Brian Ó Corcráin nuair a scríobh sé *Eachtra Mhacaoimh an Iolair*, ach tá buntéama an scéil coitianta go leor.[58] Tá sé le fáil in *Guillaume de Palerne*, in *Floriant et Florete* (ach nach bhfuil baint ag ainmhí leis an bhfuadach sa cheann seo) agus i mbunleagan Fraincise Alysaunder le Orphelyn.[59] B'fhéidir gurbh é Brian Ó Corcráin féin a chuir isteach an sliocht a bhfuil Artúr páirteach ann; ar aon nós, tá an sliocht sin an-chosúil leis na scéalta Gaeilge eile a bhfuil cúl Artúrach leo.

Is ródhócha gur cuireadh cúl Artúrach le buntéama an scéil *Eachtra Mhelóra agus Orlando*[60] freisin. Mar a deir eagarthóir an téacs, Máire Mhac an tSaoi, sa réamhrá: ' Tá gnáth-chreatlach na hArtúraíochta, mar thug na Normannaigh leo chun na tíre seo í, le haithint láithreach ar an scéal '. Agus tráchtann sí ar an nós a bhí ag éigse na nGael an patrún forimleach sin a úsáid mar chúl réamhcheaptha d'eachtraí nach raibh baint ar bith acu le corp scéalaíochta Artúir.

Ba é tuairim an Dr Flower[61] go raibh príomhthéama *Eachtra Mhelóra agus Orlando* bunaithe ar ábhar atá le fáil i saothar iomráiteach dar teideal *Orlando Furioso*, a chum an file Iodáileach Ludovico Ariosto (1474-1533), saothar ina ríomhtar eachtraí a bhain do bhuíonta Shéarlais Mhóir. Sa 3ú agus sa 4ú canto tá cuntas ar ar bhain don bhanridire Bradamante agus í ag iarraidh a leannán Ruggiero, a bhí i ngéibheann draíochta i gCaisleán Atlantis, a shaoradh. Sa leagan Gaeilge den scéal tá Orlando, mac rí na Teasáille, i ngéibheann i gcaisleán i lár foraoise agus é faoi dhraíocht ag Meirlin. Tá Melóra, iníon rí an Domhain, Cing Artúr, i ngrá le Orlando agus téann sí i riocht ridire ar thóir na dtrí rud a scaoilfidh ó ghéibheann é.

Ghnóthaigh an saothar Iodáilise cáil go forleathan san Eoraip sa 16ú haois, agus is uaidh a fuair Edmund Spenser inspioráid dá mhórdhán féin, *The Faerie Queene*.[62] Ba é Sir John Harington an

[58] Féach Ó Rathile, *Ir. na G.* xix, 357.

[59] Mallory, *Morte Dartur*, Leabhar X. caib. 32-40 (Cf. eagrán Ó.Sommer, aguisín).

[60] M. Mhac an tSaoi, *Dhá Sgéal Artúraíochta* (BÁC 1946) 1 *et seq.* Tá taighde níos iomláine ar fhoinsí an scéil déanta ag A. M. E. Draak, *Béaloideas* xvi, 3 *et seq.*

[61] *B.M. Cat. Irish MSS* ii, 339. Féach, áfach, a bhfuil le rá faoin bpointe seo ag A. M. E. Draak, *op. cit.*, 10 *et seq.*

[62] *Cambridge History of English Literature* iii, 229 *et seq.*

chéad duine a d'aistrigh *Orlando Furioso* go Béarla agus le linn dó bheith ar cuairt in Éirinn[63] bhronn sé cóip den aistriúchán ar Iarla Thír Eoghain agus a chlann mhac, agus thaitin sé leo. Tháinig Sir John ar chóip dá shaothar i nGaillimh freisin ' where a great lady, a young lady and a fair lady read herself to sleep, nay dead, with a tale of it '. Is follas mar sin go raibh eolas ar an leagan Béarla in Éirinn. Ní fios go cruinn, ámh, cé chum an leagan Gaeilge nó cathain a cumadh é. Luann Máire Mac an tSaoi an chosúlacht chanúna idir é agus *Tóraigheacht Ghruaidhe Griansholus*,[64] agus in aguisín a chuir sé le heagrán Mháire Mhic an tSaoi, deir an tOllamh Ó Rathile gur ródhócha gurb é an duine céanna a scríobh an dá scéal.[65] Dhealródh sé, mar sin, gurbh Ultach anaithnid éigin a scríobh *Eachtra Mhelóra agus Orlando* am éigin go déanach sa 17ú haois.[66]

Is sine go mór an dara scéal atá in *Dhá Sgéal Artúraíochta*, is é sin, *Céilidhe Iosgaide Léithe*.[67] Ba sa 15ú haois a cumadh é sin, agus tá idir phrós agus dhán ann. Do réir an scéil seo thug rí na Gaisgiúinne cuairt ar chúirt Artúir faoin ainm bréige, Ridire na Sealga. Chuaigh sé amach ag seilg agus lean sé agh ar feadh trí lá i ndiaidh a chéile; ar an tríú lá nocht an agh gur bean a bhí inti—' inghean mhín mhacánta mhongbhuidhe '. Tháinig sí go cúirt an rí agus d'fhan tamall fada ann agus le linn di bheith ansin d'inis sí do dhuine de mhná na cúirte, iníon Rí na Buille, gur tugadh an leasainm Iosgad Liath uirthi de bhrí go raibh tom liath fionnaidh i mbacán a hiosgaide. Faoi dheireadh ghlac na mná eile éad chuici, agus scéitheadh an rún faoi bhrí a leasainm, ach nuair a rinneadh an scéal a iniúchadh fuarthas amach go raibh tom liath ag an uile dhuine eile de mhná na cúirte ach amháin Iosgad Liath féin. Cuireadh píonós ar na mná agus, i ndiaidh roinnt eachtraí eile, sholáthraigh Rí na Sealga mná nua do ridirí na cúirte. Dhealródh sé ó na tagairtí iomadúla do *Céilidhe Iosgaide Léithe* go raibh ard-mheas air mar scéal.

Thagraíomar cheana don saothar dar teideal *Roman de Guillaume de Palerne*, scéal Fraincise i véarsaíocht a cumadh um dheireadh an

[63] *B.M. Cat. Irish MSS* ii, 339 fonóta.

[64] In eagar ag C. O'Rahilly.

[65] *op. cit.*, 84.

[66] Féach *infra*, caib. vii.

[67] *The Ossianic Lore and Romantic Tales of Medieval Ireland*, 37 *et seq.*; féach freisin M. Draak, ' Sgél Isgaide Léithe ', *Celtica* iii, 232 *et seq.*

12ú haois. Thart faoi 1350 aistríodh an *Roman* go véarsaíocht Bhéarla; sa chéad leath den 16ú haois bhí leagan próis i mBéarla i gcló, agus is é an leagan próis seo a aistríodh go NuaGhaeilge faoin teideal *Eachtra Uilliam.* Murab ionann agus formhór na scríbhneoirí a chuir Gaeilge ar scéalta ón iasacht, chloígh údar *Eachtra Uilliam,* ar an iomlán, le foirm an scéil mar a bhí sé i mBéarla, gan cur leis agus gan ach fíorbheagán mion-athruithe a dhéanamh air. Ag an am céanna, mar a deir eagarthóir an téacs, d'éirigh leis cruth chomh Gaelach a chur ar an scéal gur dhóigh le duine agus é á léamh gur i nGaeilge a céadchumadh é.[68]

Faoi mar a chuireamar in iúl ó chianaibh ba é Dáibhídh Ó Duibhgeannáin a scríobh síos an chóip is ársa dá bhfuil ar marthain de *Eachtra Mhacaoimh an Iolair.* Ba é an scríobhaí céanna a chaomhnaigh an leagan Gaeilge den scéal Fraincise *Florent et Octavian* ar tugadh *Seachrán na Bainimpire*[69] mar ainm air. Tá méid áirithe cosúlachta idir an scéal seo agus *Eachtra Mhacaoimh an Iolair* agus *Eachtra Uilliam.*

Is léir gur tríd an mBéarla a tháinig cuid mhaith de na scéalta seo isteach sa Ghaeilge. Chomh maith leis na samplaí atá luaite cheana againn tá *Eachtra Sheóin Mandavil,*[70] leagan Gaeilge den leabhar taistil *The Buke of John Maundeville.* Ba é Finghin Ó Mathúna (d'éag 1496) a rinne an leagan Gaeilge i 1475, agus deir sé sa réamhrá gur chum sé é ón mBéarla, ón Laidin, ón nGréigis agus ón Eabhrais. Is é tuairim eagarthóir an téacs, áfach, nach raibh os comhair an Mhathúnaigh ach an leagan Béarla amháin. Tá an chóip is ársa agus is fearr den téacs le fáil i lámhscríbhinn Ghaeilge Rennes. Leabhar taistil eile a raibh cáil mhór air sa mheánaois agus a tiontaíodh go Gaeilge ón mBéarla is ea *Leabhar Ser Marco Polo.*[71] Ba leaganacha Béarla freisin a bhí ag an té a thiontaigh *Beatha Bhibhius ó Hamtuin* (Bevis of Hampton) agus *Beatha Sir Guí ó Bharbhuic* (Sir Guy of Warwick), cé nach é an gnáthleagan Béarla a bhí in úsáid aige, go háirithe i gcás *Beatha Sir Guí.*[72]

[68] C. O'Rahilly, *Eachtra Uilliam* (BÁC 1949) xvi.

[69] In eagar ag Marstrander, *Ériu* v, 164 *et seq.*

[70] W. Stokes, ' The Gaelic Maundeville ' ZCP ii, 1 *et seq.;* 226 *et seq.;* 603-4.

[71] W. Stokes, ' The Gaelic abridgement of the Book of Ser Marco Polo ', ZCP i, 245 *et seq.;* 362 *et seq.;* 603; Corrigenda, ii, 222-3.

[72] F. N. Robinson, ' The Irish Lives of Guy of Warwick and Bevis of Hampton ', ZCP vi, 9 *et seq.;* 273 *et seq.;* 556. Le haghaidh tagairt do na leaganacha Béarla den dá théacs féach go háirithe lch 19.

Is é Uilliam Mac an Leagha an scríobhaí a scríobh síos an t-aon chóip amháin den dá *Bheatha* sin atá tagtha anuas chugainn. Ba eisean freisin, agus eisean amháin, a chaomhnaigh dhá aistriúchán thábhachtacha eile, *Stair Ercuil ocus a bhás* (atá luaite cheana againn) agus *Beatha Mhuire Éigiptacdha* (a mbeidh trácht air níos faide anonn sa chaibidil seo). Is é tuairim eagarthóir *Stair Ercuil* nach é amháin gurbh é Mac an Leagha an t-aon scríobhaí amháin a bhreac síos na ceithre théacs seo, agus gurbh eisean a d'aistrigh iad chomh maith.[73] Más fíor dó, bhí Mac an Leagha lánoilte ar cheird na scríbhneoireachta chomh maith le ceird an scríobhaí.

Saothar Cráifeach agus Diaga

Dá shuimiúla iad na scéalta rómánsacha seo go léir, ní bhfaighfear pictiúr cruinn de litríocht Ghaeilge na meánaoise mura gcuimhnítear nach raibh iontu ach cuid amháin den ábhar a rugadh isteach ó theangacha eile. Ba líonmhar iad na téacsanna oideasacha a aistríodh i gcaitheamh na n-aoiseanna sin, idir théacsanna diaga, théacsanna fealsúnachta, théacsanna leighis agus eile.

Scrúdaímis i dtosach an litríocht dhiaga, go háirithe an chuid sin di a bhfuil cosúlacht éigin idir í agus na scéalta rómánsacha, is é sin le rá, Beathaí na Naomh. Ag druidim le deireadh na meánaoise bhí an-éileamh ar an naomhscéalaíocht ar fud na hEorpa mar ábhar léitheoireachta le linn seirbhísí eaglasta nó i bproinntithe na manach. Chnuasaítí na cuntais seo, leaganacha iomlána nó leaganacha ciorraithe díobh, i leabhair *legenda* (rudaí le léamh). Ba é an cnuasach ba thoirtiúla agus ba leithne cáil ná *Legenda Aurea* a chuir Jacobus de Voragine O.P. (ardeaspag Gheneva 1292-98) le chéile am éigin idir 1260 agus 1270.[1] Sna hoileáin seo, áfach, ba é an cnuasach ba thábhachtaí ná *Sanctilogium Angliae, Walliae, Scotiae et Hiberniae* a d'ullmhaigh John of Tynemouth i Sasana sa 14ú haois. Mar is intuigthe óna theideal bhí beathaí cuid de naoimh na hÉireann sa chnuasach seo. San aois chéanna, nó b'fhéidir san aois roimhe sin, ní foláir nó bhí na Gaeil ag gabháil do chumadh *legendaria* dá gcuid féin den chineál céanna. Ba nós leis na Gaeil i gcoitinne cloí le naoimh na hÉireann ach níor leasc leo ionad a thabhairt do naoimh eachtrannacha a raibh cáil idirnáisiúnta orthu freisin. I gcás na mbeathaí a aistríodh go Gaeilge bhaintí feidhm

[73] *Stair Ercuil ocus a bás*, xxxviii-xl.

[1] Tá leagan Gaeilge de théacs as an gcnuasach seo (' Sdair na Lumbardach ') in eagar ag G. Mac Niocaill in *Studia Hibernica* 1 (1961) 89 *et seq.*

de ghnáth as na leaganacha Laidine a bhí le fáil sa *Legenda Aurea* nó i saothar dar teideal *Sanctuarium* a scríobh Mombritius. Go measartha minic, áfach, ba neamhionann ar fad na cuntais Ghaeilge agus na cinn Laidine agus bhí níos mó ná leagan amháin díobh le fáil i gcásanna áirithe.

Tá cuid de na beathaí dúchasacha le fáil sa *Leabhar Breac*, a cuireadh le chéile i 1411 nó roimhe sin. Tá beathaí Phádraig, Bhríde agus Cholm Cille le fáil ann, iad scríofa i bhfoirm hoimilithe nó seanmóirí. Chomh maith leis na hoimilithe seo agus roinnt ábhar eile, faightear cuntas ar Pháis Chríost, ar fhulaingt na n-aspal agus na mairtíreach, agus roinnt mhaith scéalta ón mBíobla agus scéalta apacrafúla. I *Leabhar Leasa Mhóir*[2] tá beathaí na naomh seo a leanas le fáil, cuid acu i bhfoirm hoimilithe, Pádraig, Bríd, Seanán, Finghin as Cluain Ioraird, Find-chú, Breandán as Cluain Fearta, Ciarán as Cluain Mhac Nóis agus Mo-Chua as Balla. Sa dara leath den 15ú haois a cuireadh *Leabhar Leasa Mhóir* le chéile, agus i measc na scríobhaithe a scríobh é bhí Aonghus Ó Callanáin[3] agus bráthair éigin darbh ainm Ó Buaghacháin. D' Fhinghin Mac Cárthaigh Riabhach agus dá chéile Caitríona, iníon Thomáis ochtú hIarla Dheasmhumhan, a scríobhadh é.[4]

Tá dhá phríomhchnuasach eile de bheathaí naomh na hÉireann tagtha anuas chugainn.[5] Ba é Micheál Ó Cléirigh a scríobh ceann amháin díobh idir 1620 agus 1635, le linn dó bheith in Éirinn agus sheol sé chuig Lováin é. Seantéacsanna a bhí in úsáid aige agus é ag déanamh na hoibre seo. Sa bhliain 1627 rinne Domhnall Ó Duinnín cóipeanna de bheathaí naomh do Phroinsias Ó Mathghamhna, proibhinsial na mBráithre Mionúr. Dhealródh sé go raibh ar intinn ag an bProibhinsial an cnuasach seo a sheoladh chuig Lováin freisin, ach is cosúil, ar chúis éigin, nach ndearna sé amhlaidh nó, má rinne, nár shroich sé ceann scríbe, mar i nóta ar an lámhscríbhinn don bhliain 1766 cuirtear in iúl go raibh sí i seilbh Chathail Uí Chonchubhair as Béal Átha na gCarr an t-am sin.

I measc na naomh ón gcoigríoch bhí triúr, San Alexius, San Caitríona agus San Maighréad ar cosúil go raibh suim ar leith ag na Gaeil iontu mar tá cóipeanna dá mbeatha le fáil i roinnt mhaith

[2] *The Book of Lismore.* Collotype Fac. Introduction by R. A. S. Macalister.

[3] *B.M. Cat. Irish MSS* i, 222 n. 1.

[4] W. Stokes, *Lives of Saints from the Book of Lismore* (Oxford 1890); *Sources* i, 308-9.

[5] *Sources* i, 309.

lámhscríbhinní. Faightear cuntas i nGaeilge ar bheatha San Alexius i *Liber Flavus Fergusiorum* agus dealraíonn sé gurb é an cuntas céanna atá le fáil i lámhscríbhinní in Acadamh Ríoga na hÉireann agus i Músaem na Breataine.[6] Tá leagan nua-aimseartha[7] den chuntas seo in dhá lámhscríbhinn sa Mhúsaem,[8] agus leagan níos iomláine fós i lámhscríbhinn eile san áit chéanna.[9] Do réir an Dr Flower níl sa cheann deireanach seo ach leagan den ghnáth-bheatha Laidine atá in Act. Sanct. Jul. iv. lch 251.[10]

Tá leagan Gaeilge de bheatha San Caitríona (*Catarfhíona*) i lámhscríbhinn sa Mhúsaem,[11] agus tá cuntas ar mhairtíreacht an naoimh (atá ar aon dul, is cosúil, leis an gcuntas sa bheatha) le fáil i lámhscríbhinn i gColáiste na Tríonóide.[12] Is cosúil nach ón bhfoinse chéanna a tháinig an leagan atá i lámhscríbhinn san Acadamh Ríoga.[13] Maidir leis an gceann deireanach seo, deirtear gur aistrigh Enog Ó Gilláin agus Ciothruaidh Mac Fhionnghaill ón Laidin é. Tá leagan eile fós sa Mhúsaem[14] atá níos cosúla leis an *passio* Laidine sa *Sanctuarium* ó thaobh ábhair de, ach é a bheith scríofa sa stíl fhoclach, lán d'uaim, ba gheal de ghnáth le héigse na nGael ina gcuid scéalta rómánsaíochta.

Tá an stíl chéanna le fáil sa leagan de bheatha San Maighréad atá i lámhscríbhinn sa Mhúsaem[15]; mar a dúradh ina thaobh: ' The general aim is to turn the saint's life into a kind of bardic romance, and the language is the formal, adjectival style characteristic of these compositions '.[16] Dealraíonn sé gur saorleagan é den bheatha Laidine mar atá sí ag Mombritius sa *Sanctuarium*,[17] agus tugtar an t-eolas seo a leanas sa cholafan i dtaobh an té a rinne é: ' Gurob i sin martra sancta Margrec conuici sin ⁊ ise Pilib Ó Dálaigh do muintir na Trinóidi dotarraing in betha so ó Laidin

[6] RIA 24 P 25; Eger. 1781; Additional 30512.

[7] In eagar ag J. Dunn, RC xxxviii, 133.

[8] Eger. 112; Additional 18948 (ls pháipéir a scríobhadh i gCorcaigh idir 1829 agus 1835).

[9] *B.M. Cat. Irish MSS* ii, 554 *et seq.*

[10] *ibid.*, 530. Féach freisin, *ibid.* i, 56; ii, 457, 503, 555.

[11] Eger. 1781.

[12] H.2.17, lch 29.

[13] 24 P 25, lch 103.

[14] Eger. 184. Féach *B.M. Cat. Irish MS* ii, 530, 575; G. Mac Niocaill, ' Betha ocus Bás Chaitreach Fína ' *Éigse* viii, 231-6.

[15] Eger. 1781.

[16] *B.M. Cat. Irish MSS* ii, 531. Féach freisin *ibid.* 457, 461, 572-3.

[17] *ibid.* ii, 531.

co Gaidhilg. . . .'. Canónach sa mhainistir Phraemonstratónach ar Oileán na Tríonóide i Loch Cé (nó b'fhéidir sa mhainistir eile a shíolraigh ón gceann sin ar Oileán na Tríonóide i Loch Uachtair i gContae an Chabháin) ba ea Pilib Ó Dálaigh. Ní ionadh dúil a bheith aige sa stíl fhoclach, óir ba fhile é sular ghabh sé le sagartóireacht. Faightear cóip de bheatha an naoimh chéanna sa lámhscríbhinn Erlangen 1800, agus is cosúil ón tuairisc atá tugtha ag L. C. Stern air[18] nach bhfuil ann ach claonleagan d'aistriúchán Philip Uí Dhálaigh. Tá cóip eile ón 15ú haois le fáil in Laud Misc. 610, f.7; dealraíonn sé gur malairt leagain atá ann agus é scríofa i stíl níos simplí. Tá leagan eile fós in Egerton 190, leagan a d'aistrigh Tadhg Ó Neachtain ó fhoinse anaithnid.[19]

Ní miste a fhiafraí conas a tharla gur cuireadh dealbh nó patrún an scéil rómánsaigh chomh minic sin ar bheathaí na naomh agus gur san stíl chéanna freisin a scríobhadh iad. Is é is dóichí go raibh dhá chúis leis sin, dúil a bheith ag an bpobal i gcoitinne i leagan amach den chineál sin agus na daoine céanna go hiondúil a bheith i mbun an dá shaghas saothair. Sampla maith den phointe deireanach sin is ea cás Uilliam Mhic an Leagha. Thagraíomar cheana do *Beatha Mhuire Éigiptacdha*. Tá gnáthleagan de sin le fáil i *Liber Flavus Fergusiorum*, é ar aon dul leis an leagan i *Legenda Aurea*,[20] ach tá leagan neamhchoitianta in Additional 30512.[21] Is eol dúinn gurbh é Mac an Leagha a chuir an lámhscríbhinn dheireanach seo le chéile sa 15ú haois agus, faoi mar a dúramar ó chianaibh, is é tuairim Gordon Quin gurb é a rinne an t-aistriúchán seo ar *Beatha Mhuire Éigiptacdha* freisin, mar aon leis an aistriúchán ar *Stair Ercuil* agus ar an dá scéal rómánsaíochta *Beatha Sir Guí ó Bharbhuic* agus *Beatha Bhibhuis ó Hamtuin*. Dhealródh sé go bhfuil an leagan seo de *Beatha Mhuire Éigiptacdha* in Additional 30512 bunaithe a bheag nó a mhór ar dhán AnglaNormanach a cumadh um dheireadh an 12ú haois. Is fiú tuairim Robin Flower faoin gcruth atá curtha ar an scéal a lua: ' Our story . . . cannot be considered as a serious piece of hagiography, but is in substance a romance and in manner an essay in style '.[22] Is dóigh le Gordon Quin nach miste

[18] ZCP i, 119.

[19] *B.M. Cat. Irish MSS* ii, 586. Cf. *The Irish Tradition*, 117, 129-30.

[20] *The Irish Tradition*, 129.

[21] *B.M. Cat. Irish MSS* ii, 498.

[22] loc. cit. Féach freisin *Études Celtiques* i, 78 *et seq.* mar a bhfuil an leagan seo i gcló.

an rud céanna a rá faoi *Beatha Sir Guí* agus *Beatha Bhibhius* chomh maith.[23]

Faoi mar a bheadh súil leis, ba mhinic an Mhaighdean Mhuire á móradh i ndán agus i scéal. Rinneadh an téacs apacrafúil *Transitus B.V. Mariae* a aistriú go Gaeilge; tá an leagan Laidine in TCD, F.5.3 agus an leagan Gaeilge i *Liber Flavus Fergusiorum* agus i Laud 610.[24] Téacs an-spéisiúil is ea an *Transitus* mar is ar thraidisiún ársa nach bhfuil le fáil in aon áit eile i litríocht an iarthair atá sé bunaithe. Cuireadh Gaeilge freisin ar *Vita B.V. Mariae Rhythmica*, saothar a cumadh i véarsaíocht Laidine sa Ghearmáin sa 13ú haois agus ar bunús apacrafúil is mó atá leis. Tá an t-aistriúchán iomlán in TCD E.3.29 agus leagan ciorraithe de in Additional 11809.[25]

Tá ionad tábhachtach ag Muire freisin i saothar eile a raibh dúil mhór ag pobal na hEorpa ann sa mheánaois, is é sin, *Meditationes Vitae Christi*,[26] téacs Laidine a aistríodh go hIodáilis, go Fraincis, go Béarla, go Gearmáinis, go Sualannais, go Spáinnis agus go Gaeilge. Níl na heolaithe deimhnitheach cé chum an bun-téacs, ach i bhfocail Chainnigh Uí Mhaonaigh O.F.M., eagarthóir an leagain Ghaeilge, ' séard is dóchaí gur Froinsiascánach a mhair i dtosach an 14ú haois, bráthair darbh ainm Eoin de Caulibus ó Shan Gimignano, a scríobh é do bhean rialta d'ord San Clára. I leith San Bonabhentúra a cuireadh é ar feadh i bhfad ach is tearc duine a chreideann sin anois '.

Bhí an pobal i gcoitinne chomh ceanúil ar an saothar gur minic a tugadh *Liber Aureus* (An Leabhar Órga) nó an cúigiú soiscéal air. Am éigin idir 1430 agus 1461 is ea a cumadh an leagan Gaeilge go díreach ón Laidin. Tomás Gruamdha Ó Bruacháin, canónach coradh i gCill Ala i gCo. Maigh Eo, a d'aistrigh agus scríobhaí darbh ainm Domhnall Ó Conaill a scríobh síos é. Is follas ón eolas a thugann an tAthair Ó Maonaigh dúinn gur bheag laghdú a tháinig i gcaitheamh na n-aoiseanna ar dhúil na nGael sa saothar

[23] *Stair Ercuil ocus a bás*, xxxix.

[24] Cf. *The Irish Tradition*, 130; C. Donaghue, *The Testament of Mary* (Fordham 1942).

[25] *B.M. Cat. Irish MSS* ii, 548; *Irish Monthly* liii-lv; M. Ó Domhnaill, *Beatha Mhuire* (BÁC 1940).

[26] Don bhunleagan Laidine féach P. Livario Oliger, ' Le Meditationes Vitae Christi ', *Studi Francescani* vii (1921) viii (1922); C. Fischer, ' Die Meditationes Vitae Christi ', *Archivum Franciscanum Historicum* xxv (1932). Don leagan Gaeilge féach C. Ó Maonaigh, O.F.M. *Smaointe Beatha Chríost* (BÁC 1944).

seo. Bhí cóipeanna den iomlán, nó de shleachta as, le fáil in ocht lámhscríbhinn is tríocha ón 15ú haois anuas, agus ba sa bhliain 1847 a scríobhadh an chóip ba dheireanaí díobh.

Aistriúchán tábhachtach eile a rinneadh sa chéad leath den 15ú haois ba ea an ceann ar *De Contemptu Mundi*,[27] téacs Laidine a chum an Pápa Innocent III idir 1191 agus 1198, sula ndearnadh Pápa de. Fear ón dúiche ar an teorainn idir Liatroim agus an Cabhán, Uilliam Mac Duibhne, a rinne an t-aistriúchán in 1443 (' ⁊ é féin a n-otras creidhe claidhimh '), agus scríobhaí darbh ainm Domhnall Ó Conaill a bhreac síos é, an scríobhaí céanna, do réir cosúlachta, a rinne an chéad chóip de *Smaointe Beatha Críost*. Mar is intuigthe ón teideal, b'fhéidir, is iad uirísle agus meatacht an chine dhaonna atá faoi chaibidil in *De Contemptu Mundi*. Saothar duaibhseach gruama atá ann, murab ionann agus na *Meditationes* atá lán de dhaonnacht agus de shéimhe agus a bhfuil rian láidir de sprid na bProinsiasach orthu. Tá an sprid chéanna seo le sonrú i saothar eile dar teideal *Dialogus de Passione Christi*[28] ar creideadh go hearráideach ar feadh tamaill gurbh é Naomh Anselm a chum. Fear darbh ainm Seán Ó Conchubhair a d'aistrigh an *Dialogus* go Gaeilge agus meastar gurbh é seo an Seán Ó Conchubhair a raibh cónaí air i Ros Comáin agus a fuair bás sa bhliain 1405. Dealraíonn sé gurbh eisean a d'aistrigh an saothar *Liber de Passione Christi*[29] freisin.

Níorbh acmhainn dúinn cur síos anseo ar na gnéithe go léir a ghabhann leis an litríocht dheabhóideach a cumadh i gcaitheamh na meánaoise, ach is cóir tagairt do cháilíocht shuntasach amháin a ghabhann le cuid mhór den litríocht sin, an cháilíocht atá curtha in iúl ag an Dr Flower nuair a deir sé gur tháinig meon agus dearcadh na nGael sna haoiseanna seo go mór faoi anáil na bProinsiasach.[30] Is iomaí téacs, idir dheabhóideach agus dhiaga, a léiríonn príomhtheagasc na bProinsiasach, is é sin, a thábhachtaí atá sé a bheith páirteach go díreach i bhfulaingt agus i bPáis

[27] Don téacs Laidine féach Migne, *Patrologia Latina*, 217, cols. 701-46. Don leagan Gaeilge féach J. A. Geary, *An Irish Version of Innocent III's De Contemptu Mundi* (Washington 1931).

[28] Tá an t-aistriúchán le fáil sna lss seo a leanas: Liber Flavus Fergusiorum; Laud Misc. 610; TCD H.2. 17, H.4.22, lch 232.

[29] Tá an t-aistriúchán le fáil i Liber Flavus Fergusiorum, RIA 24 P 25 agus Egerton 136.

[30] *The Irish Tradition*, 125 *et seq*. Féach freisin Ó Maonaigh, *Smaointe Beatha Chríost*, 323 *et seq*.

Chríost. Mar thoradh ar an smaoineamh sin glacadh leis an Maighdean Mhuire, agus í ina seasamh le hais na Croise, mar shamhailchomhartha de chumha an chine dhaonna uile os comhair an tSlánaitheora chrochta. Cumadh díolaim mhór filíochta an *planctus*, nó an caoineadh, faoi anáil iomainn iomráitigh na bProinsiasach—*Stabat Mater Dolorosa.*

Le linn na haimsire seo níor soláthraíodh aon leagan Gaeilge de na Scrioptúir chanónta, ach aistríodh méid áirithe de litríocht apacrafúil an tSeanTiomna agus an Tiomna Nua. Faightear sa *Leabhar Breac* stair Bhíoblach atá measartha iomlán agus a shíolraigh, do réir dealraimh, ó fhoinsí éagsúla neamhchanónta.[31] Séard atá i roinn an tSeanTiomna ná leagan próis den ábhar atá le fáil i véarsaíocht i *Saltair na Rann*, agus ábhar sa bhreis curtha leis. Tá roinn an Tiomna Nua bunaithe ar *Historia Ecclesiastica* le Eusebius agus roinnt ábhair as *Pseudo-Matthaei Evangelium* curtha leis, ach níor cloíodh go dlúth le gnáthleaganacha an tsaothair seo.[32]

Tá leagan SeanGhaeilge de Shoiscéal Apacrafúil San Tomáis curtha in eagar ag an Ollamh Ó Ceithearnaigh.[33] I véarsaíocht atá an leagan seo cumtha agus is inspéise an saothar é, ní amháin don té a bhfuil suim aige sa teanga, ach don té a bhfuil suim aige sa litríocht apacrafúil freisin. Is é tuairim an eagarthóra gur sa 7ú nó san 8ú haois a cumadh an leagan Gaeilge seo, agus gur ar théacs Laidine atá sé bunaithe, téacs a bhí, b'fhéidir, i bhfad níos sine ná an leagan Gaeilge. Is cosúil, dar leis, gur aistriúchán ó leagan Gréigise a bhí sa téacs Laidine. Ní mhaireann, do réir dealraimh, aon rian eile den leagan Gréigise sin anois, agus ní foláir nó bhí sé ársa go maith. Ní dochreidte, mar sin, gurb é an leagan SeanGhaeilge, ar dhóigheanna áirithe, an fhianaise is fearr dá bhfuil ar marthain den leagan bunaidh ón 2ú haois de Shoiscéal Thomáis.

Tá an téacs Laidine ar a dtugtar *Inventio Sancti Crucis* le fáil sa lámhscríbhinn TCD F.5.3. agus tá saorleagan Gaeilge de sa *Leabhar Breac* agus leagan eile atá níos gaire don Laidin bhunaidh in Egerton 1781. Sna lámhscríbhinní is seanda tugtar an leagan Gaeilge

[31] *B.M. Cat. Irish MSS* ii, 534 *et seq.* Féach freisin St J. D. Seymour, ' Notes on Apocrypha in Ireland ', PRIA xxxvii (1926) C, 107 *et seq.*

[32] Tá leagan eile den ábhar apacrafúil céanna le fáil i *Leabhar Buí Leacain*, i *Liber Flavus Fergusiorum* agus in RIA 24 P 25. Is díol suime freisin an t-ábhar atá sa téacs MeánGhaeilge ' Gnímradha in Séseadh Lai Lain ' (The Work of the Sixth Day) atá curtha in eagar ag M. Carney, *Ériu* xxi.

[33] *Ériu* xviii, 7.

in éineacht le téacs Fortibras (Fierebras), agus dhealródh sé gur aistríodh an *Inventio* mar réamhrá don scéal sin.

Maidir leis na cuntais ar pháis Chríost agus A dhul síos go hIfreann atá le fáil sa *Leabhar Breac*, is ar an téacs *Evangelium Nicodemi*[34] atá siad bunaithe. Ba mhinic cuntas ar thuirlingt Chríost go hIfreann le fáil i scéal agus i ndán, agus meabhraíonn an Dr Flower dúinn go bhfuil téacs próis neamhchoitianta ar an ábhar seo in Additional 30512, agus deir sé go bhfuil cosúlacht áirithe idir é agus an dán Béarla ón 15ú haois *Ye Deuelis Perlament or Parlamentum of Feendes.*[35]

Ba dhearmad a mheas nach raibh dúil ag muintir na hÉireann sna haistriúcháin seo ná mórán eolais acu orthu. Bheadh scaipeadh cuíosach leathan go fiú ar na bunleaganacha Laidine, agus scaipeadh níos leithne fós ar na haistriúcháin Ghaeilge. Ar an gcuma sin bheadh deis ag na daoine a gcuid féin a dhéanamh den ábhar iontu. Ní ionadh, mar sin, go bhfaighimid bunsaothar i nGaeilge a bhfuil méid áirithe coibhnis idir é agus an t-ábhar sna haistriúcháin, dánta, cuir i gcás, mar an gceann ar dhul síos Chríost go hIfreann[36] agus dréachtaí próis ar nós *Scéla Laí Brátha*[37] (atá curtha síos don 11ú haois) agus *Scéla na hEsérgi*[38] (a ceapadh, do réir cosúlachta, sa dara leath don aois chéanna). Dála an scéil, dhealródh sé gur féidir a chruthú ón dá scéal dheireanacha sin[39] go ndeachaigh tionchar ón oirthear i bhfeidhm ar an gCríostaíocht in Éirinn.[40]

Na Físeanna

Roinn inspéise eile den litríocht chráifeach ba ea na físeanna. Thagraíomar cheana do *Navigatio Sancti Brendani* a cumadh in Éirinn agus a chuaigh i bhfeidhm go mór ar litríocht na hEorpa i gcoitinne. Ar an gcuma chéanna, tháinig sraith d'fhíseanna go díreach nó go neamhdhíreach ó Éirinn, agus d'fhág siad siúd a

[34] *B.M. Cat. Irish MSS* ii, 498-9. In *Ériu* iv, 112 *et seq.* d'fhoilsigh an tOllamh Ó hAimhirgín dán as *Leabhar Fhearmuighe* a bhfuil an t-ábhar céanna, geall leis, faoi chaibidil ann.

[35] *B.M. Cat. Irish MSS* ii, 499.

[36] In eagar ag O. J. Bergin, *Ériu* iv, 112 *et seq.*

[37] In eagar, mar aon le haistriúchán Béarla ag W. Stokes, RC iv, 245 *et seq.*, 479; i gcló freisin i *Mil na mBeach* (BÁC 1911) 62 *et seq.* Féach freisin *B.M. Cat. Irish MSS* ii, 502 fonóta.

[38] In eagar mar aon le haistriúchán Béarla ag W. Stokes, RC xxv, 232 *et seq.;* i gcló freisin i *Mil na mBeach,* 69 *et seq.*

[39] Tá an dá scéal seo curtha le *Fís Adamnáin* i *Leabhar na hUidhre.*

[40] L. Gougaud, *Christianity in Celtic Lands* (London 1932) 273.

rian freisin ar litríocht na Mór-roinne. I measc na bhfíseanna sin bhí *Fís Adhamhnáin*, *Beatha* agus *Físeanna Fhursa*, *Purgadóir Phádraig* agus *Aisling Tundail* (*Visio Tnugdali*). Ba i Laidin a scríobhadh na físeanna seo go léir, cé is moite den chéad cheann, ach aistríodh go Gaeilge ní ba dhéanaí iad.

Tá *Fís Adhamhnáin* curtha síos do Naomh Adhamhnán a bhí ina ab ar Oileán Í idir 679 agus 704 agus a scríobh beatha Cholm Cille agus cuntas ar an Tír Naofa mar atá curtha in iúl cheana againn. Ní dócha, ámh, gurbh eisean a scríobh an Fhís, óir dealraíonn sé ón teanga atá sa leagan atá i *Leabhar na hUidhre*[41] nár cumadh í roimh an 10ú haois. ' An ceann is breátha de na físeanna meánaoiseacha go léir roimh Dante ', a tugadh ar *Fís Adhamhnáin*,[42] agus níl aon amhras ná gur ábhar suntais an stíl atá inti. Tráchtar inti ar aoibhnis na bhFlaitheas agus ar phianta Ifrinn mar a nochtadh iad d'anam Adhamhnáin ar fhéile Eoin Baiste, le linn dá anam a bheith scartha óna chorp. Ba é a aingeal coimhdeachta a threoraigh a anam go dtí an dá áit. Mar shampla den stíl san Fhís, ag seo an cuntas a thugtar inti ar chathaoir ríoga an Tiarna:

> Is amlaid iarom atá in Rigsudi sin ina chathair chumtachta co cethri colomnaib de luc logmair foi. Cén co beth den d'airfiteod do neoch acht cocetal comcnubaid na cethri coloman sin, ro pad lor do glóir ocus d'aibnius do. Tri eoin aregda immorro isin chathair i fiadnaise ind ríg, ocus a menma ina n-dulemain tria bithu, issé sin a n-dán. Celebrait dan na ocht trath oc molad ocus oc adamrugud in coimded co claischétol aircaingel oc tiactain foí. O na henaib iarom ocus ona harcainglib tinscetal in cheoil, ocus nós frecrat iarsin muinter nime ule eter noému ocus moémóga. Stúag dearmár dan os chind ind ornide ina chatháir rigdai amal cathbarr cumtachta no mind ríg. Día nos faictis roisc doenna, no legfaitís fo chétóir. Tri cressa ina mórthimcell etarro ocus in slúag, ocus ní fes la tuaraiscbáil cid atas comnaic. Sé míle do míledaib co n-delbaib ech ocus én imon chatháir tentide for lassad cen crích cen forcend.[43]

Is amhlaidh atá an ríshuí sin ina chathaoir ornáidithe (nó faoi cheannbhrat), agus ceithre cholún de liaga lómhara fúithi. Mura mbeadh d'oirfid-

[41] Tá leagan eile sa *Leabhar Breac* agus tá an dá leagan i gcló in *Irische Texte* i.

[42] St J. D. Seymour, PRIA (C), xxxvii (1927), 304. Féach freisin *idem, Irish Versions of the Underworld* (London 1930), *passim;* C. S. Boswell, *An Irish Precursor of Dante* (London 1908) 166. Tá an leagan as *Leabhar na hUidhre* aistrithe go Béarla sa leabhar deireanach seo (28 *et seq.*). Tá dhá leagan eile ar fáil freisin, ceann amháin i ls sa Bhibliothèque Nationale (i gcló RC xxx, 349 *et seq.*) agus ceann eile ar a dtugtar *Echtra clerech Choluim Chille* (i gcló RC xxvi, 130 *et seq.*).

[43] *Irische Texte* i, 174-5.

eadh ag duine ach comhchantain chomhchuí na gceithre cholún sin, ba leor de ghlóir agus d'aoibhneas dó é. Trí éan stáidiúil sa chathaoir os comhair an rí, agus a meanma (n-intinn) dírithe de shíor ar a gCruthaitheoir; is é sin an rud is dual dóibh. Ceileabhraid na hocht dtrátha ag moladh agus ag adhradh an Tiarna, agus claisceadal ardaingeal dá dtionlacain. Cuireann na héin agus na hardaingil tús leis an gceol, agus iar sin freagraíonn muintir nimhe uile iad, idir naoimh agus naomh-ógha. Os cionn an Neich Oirnithe (i.e. Dia) ina chathaoir ríoga tá stua ollmhór atá cosúil le cafarr cumhdachta nó mionn rí. Dá bhfeicfeadh súile daonna í, leáfaidís ar an toirt. Trí chrios (chiorcal) mórthimpeall uirthi, idir í agus an slua, agus ní thig le tuarascáil a mhíniú cad is nádúr dóibh. Sé mhíle laoch i gcruth each agus éan timpeall na cathaoireach tintrí a bhíonn ar lasadh gan chríoch, gan fhoirceann.

Ní miste téacs eile a lua anseo, téacs a thugann cuntas ar na Seacht Neamha atá cosúil leis an gcuntas atá le fáil in *Fís Adhamhnáin.* Is i *Liber Flavus Fergusiorum* atá an téacs seo le fáil.[44]

Muimhneach ba ea Fursa a chuaigh ag misinéireacht go dtí an Ghaill agus uaidh sin go dtí oirthear Shasana mar a bhunaigh sé mainistir sa bhliain 633. Is ansin a chonaic sé na físeanna, agus is iad na scríbhneoirí Sacsanacha Beda[45] agus Aelfric[46] a bhreac síos na cuntais is ársa orthu.

I mbliain a 1153 chuaigh an Ridire Eoghan, Éireannach a bhí in arm Rí Stiabhna i Sasana, ar oilithreacht go Purgadóir Phádraig ar Loch Dearg. Tar éis dó coicís a chaitheamh ag troscadh ar an oileán chuaigh sé isteach i bpluais agus chonaic sé fís. Iar bhfilleadh go Sasana dó thug sé tuairisc ar an oileán agus ar an bhfis d'fhear darbh ainm Gilbert. D'inis seisean an scéal do Henricus Salteriensis a bhreac síos i Laidin é. Bhí an-cháil ar an leagan Laidine seo den scéal, agus tá cóipeanna de le fáil i lámhscríbhinní iomadúla i Sasana agus ar an Mór-roinn. Tá leagan amháin den aistriúchán Gaeilge, mar aon le malairt insintí, curtha in eagar i *Lia Fáil.*[47]

[44] In eagar ag G. Mac Niocaill in *Éigse* viii, 239 *et seq.*

[45] *Historia Ecclesiastica* iii, xix. Tá leagan Gaeilge de chuntais Bheda ar bheatha agus ar fhíseanna Fursa le fáil in Egerton 180; Ls Brussels Bibl. roy. 2324-40, agus Stowe 9 (RIA A iv.1). Tá an leagan as an ls sa Bhruiséal curtha in eagar ag W. Stokes, ' The Life of Fursa ', RC xxv, 385 *et seq.* Féach freisin *Sources* i, 231, 500 *et seq.*

[46] *Homilies* ii, 33.

[47] T. Condún, ' Purgadóir Phádraig Naomhtha ', *Lia Fáil* i, 1 *et seq.*

Ar na físeanna go léir b'fhéidir gurb é *Visio Tnugdali*[48] ba mhó a rug greim ar shamhlaíocht mhuintir na hEorpa. An bráthair Marcus ó Chaiseal Mumhan a scríobh i Laidin í i mainistir Ratisbonne timpeall 1149. Séard atá ann ná cuntas ar aisling a bhí ag Muimhneach eile darb ainm Tnugdalus (Gaeilge, Tnúthghal ?) le linn dá anam a bheith scartha óna chorp. San aisling thug Tnugdalus cuairt ar an saol eile agus fuair amharc ar a lán de na daoine a bhí ag lonnú ann, naoimh cháiliúla mar Phádraig agus Ruadhán, cuir i gcás, agus a lán dá chomhaimsirigh féin chomh maith. Bhí a aingeal coimhdeachta á thionlacan ar an turas. Ní foláir nó bhí éileamh mór ar an saothar seo mar tá leaganacha de le fáil ina lán de theangacha na hEorpa. Aisteach go leor, ba é an leagan Gaeilge an ceann ba dhéanaí dá ndearnadh. An t-éigeas cáiliúil Muirgheas mac Páidín Uí Mhaolchonaire[49] a rinne é am éigin idir 1510 agus 1520; *Aisling Tundail* a tugadh mar ainm air, agus tá sé scríofa sa chanúint ársa liteartha ba gheal le héigse na nGael.[50]

Ansin tá an saothar ar a dtugtar *Spiritus Guidonis*[51] a scríobhadh i Laidin san Fhrainc thart faoi 1323. Ní fís den ghnáthdhéanamh í seo, ach í cumtha i bhfoirm comhrá, idir príor áirithe darbh ainm Johannes Gobi agus sprid darbh ainm Guido, faoin saol eile agus faoi cheisteanna a bhain leis an gcreideamh, an príor ag ceistiú agus an sprid ag freagairt. Níl aon bhaint ag an bhfís seo le hÉirinn ach bhí dúil mhór ag muintir na hEorpa uile inti agus i ndeireadh na dála shroich sí an tír seo agus cuireadh Gaeilge uirthi sa bhliain 1457. Ós rud é go raibh suim chomh mór sin ag na Gaeil i litríocht den chineál seo, ní ionadh gur cuireadh Gaeilge ar fhís iomráiteach eile ón gcoigrích freisin, mar atá *Visio Sancti Pauli*.[52]

[48] V. H. Friedal, K. Meyer, *La Vision de Tondale* (*Tnugdal*). Textes francais, anglo-normands et irlandais (Paris 1907). Féach freisin C. S. Boswell, *op. cit.* agus St J. D. Seymour, *op. cit.*, agus Rev. H. J. Lawlor, ' The Biblical Text in Tundal's Vision ', PRIA, 36 C (1924), 351 *et seq.*

[49] 'saoi le seanchus ⁊ le filidheacht', dar le *Annála Ríoghachta Éireann*, A.D. 1543.

[50] Tá cóip den leagan seo sa ls TCD H.3.18 agus cóip eile a bhfuil na focail agus na coraí cainte ársa glanta as agus cruth nua-aimseartha curtha air le fáil in Stowe MS C.11.2.

[51] K. Mulchrone, ' Spiritus Guidonis ', *Lia Fáil* i, 131 *et seq.*

[52] J. E. C. Williams, ' Irish Translations of the Visio Sancti Pauli ', *Éigse* vi, 127 *et seq.; B.M. Cat. Irish MSS* i, 622. Féach freisin D. Hyde, *Religious Songs of Connacht* ii, 319-49. Tá aistriúchán iomlán de *Visio Sancti Pauli* le fáil in R.I.A., 24 P 25 agus ceann neamhiomlán i *Liber Flavus Fergusiorum*. (Ní miste a lua gur sa dá ls chéanna a fhaightear cóipeanna den leagan Gaeilge de *Spiritus Guidonis*, agus tá an bunleagan Laidine in F.V.3., ls. den 15ú haois.)

Dhealródh sé gur mhair an tsuim sna físeanna go ceann i bhfad, mar tá fís eile ar marthain, *Fís Mherlíno*,[53] a bhfuil cuma uirthi gur scríobhadh go déanach í. Ba dhóigh leis an Dr Flower[54] go mb'fhéidir gur ó fhoinse Iodáileach a tháinig sí agus gur i gceann de na coinbhintí Proinsiasacha, sa Róimh nó i bPrág, a rinneadh an leagan Gaeilge am éigin sa 17ú haois. Ní féidir a bheith cinnte faoin méid sin, ámh, óir níl tásc ná tuairisc ar an leagan bunaidh. Insítear sa scéal faoi robálaí darb ainm Merlíno a raibh cónaí air i ríocht na Boithéime. Tugadh radharc dó i bhfís ar Ifreann, ar Phurgadóir agus ar Neamh, agus, de bharr na nithe a chonaic sé, thug sé cúl, as sin amach, ar a dhrochghníomhartha.

Saothar Leighis

Tráchtadh cheana ar shaothar liteartha na dteaghlach sin a raibh cúrsaí leighis mar shainchúram orthu ó ghlúin go chéile sa mheánaois. Níor dhochtúirí ná máinlianna baill na dteaghlach seo, ach scríobhaithe arbh é a bpríomhghnó na téacsanna leighis a chnuasach, a aistriú go Gaeilge nuair ba ghá, agus a bhreacadh síos. Ní raibh suim acu i bhfiosrú ná i dtaighde; le fírinne, b'fhuath leo an úire agus ba mhór acu an traidisiún. Ní miste a rá nach raibh de chuspóir acu ach an t-eolas a bhí ann cheana a chaomhnú. Níor chloígh siad, ach oiread, le cúrsaí leighis amháin; níorbh annamh ceisteanna meitifisice agus fealsúnachta á suathadh acu. Ar an ábhar sin ní mór é tábhacht a saothair ó thaobh an leighis de ach tá sé sárluachmhar ó thaobh na teanga. Ós rud é go bhfuil cuntais an-tábhachtacha ar fáil cheana ar an roinn seo den litríocht,[55] ní gá anseo ach cur síos i mbeagán focal ar chuid de na scríbhneoirí ba mhó le rá dár chleacht í.

Ní miste tús áite a thabhairt do Chormac Mac Duinn Shléibhe, ball den teaghlach a sholáthraíodh lianna oidhreachtúla do Chlann Domhnaill. Is eol dúinn gurbh eisean a scríobh sleachta áirithe sna lámhscríbhinní Harl. 546 agus Arundel 333 agus cuid, b'fhéidir,

[53] In eagar ag R. A. S. Macalister (BÁC 1905).

[54] *B.M. Cat. Irish MSS* ii, 338.

[55] S. H. O'Grady, *B.M. Cat. Irish MSS* i, 171 *et seq.;* W. Wulff, *Rosa Anglica* (London 1923), an réamhrá, go háirithe xliv *et seq.;* F. S. Shaw, S.J., ' Mediæval—Medical—Philosophical Treatises in the Irish Language ', *Féilscríbhinn Eoin Mhic Néill* (BÁC 1940) 144 *et seq.; idem*, ' Irish Medical Men and Philosophers ' in B. Ó Cuív (eag.), *Seven Centuries of Irish Learning* (BÁC 1961) 87 *et seq.;* J. Carney, *Regimen na Sláinte* i (1942) ii (1943) iii (1944).

de Arundel 313.[56] Ach níor scríobhaí amháin é ach scoláire maith Gaeilge freisin a d'aistrigh roinnt téacsanna tábhachtacha go Gaeilge. Ina measc siúd bhí an leagan de *Gualterus de dosibus* a rinne sé i 1459 do Dhiarmaid mac Domhnaill Uí Leighin.[57] Luamar cheana clann Mhic an Leagha[58] agus an duine ba mhó le rá den chlann sin, Uilliam, aistritheoir agus scríobhaí.

I gCúige Mumhan bhí muintir Íceadha, lianna oidhreachtúla na mBrianach i dTuathmhumhain. Sa lámhscríbhinn Cotton App. Ll tá nóta á rá gurbh é Tomás Ó hÍceadha a scríobh an ' leabhar ' sin do Mhaeleachlainn Ó hÍceadha sa bhliain 1589. Mar a fheicfear ar ball, áfach, níor scríobh sé ach cuid den lámhscríbhinn mar atá sí faoi láthair.[59] In Egerton 89,[60] a scríobhadh i gContae an Chláir i 1482, tá aistriúchán ar *afforiseadha* Hippocrates, agus cuirtear in iúl sa cholafan gurbh iad Nicól Ó hÍceadha agus Aonghus Ó Callanáin a rinne an t-aistriúchán sin i 1403. Scríobhaithe liachta do Chlann Chárthaigh Chairbre ba ea muintir Challanáin. Bhí lámh ag beirt acu, Eoin agus Diarmaid, i scríobh na lámhscríbhinne a luamar thuas, Cotton App. Ll sa bhliain 1589.

Léiríonn cás chlann Mhic an Bheatha an dlúthcheangal a bhí idir Éire agus Albain tráth. Ba de phór Gaelach iad, ach thuill siad cáil mar lianna oidhreachtúla ar oileán Íle agus ar an oileán Muileach faoin bhfoirm Bhéarla dá sloinneadh, Beton. I mbliain a 1563 scríobh Dáibhí Ó Cearnaigh agus Cairbre (Ó Cearnaigh) an lámhscríbhinn Additional 15582[61] d'Eoin Mac an Bheatha, agus is eol dúinn go raibh sí i seilbh duine eile den teaghlach, Fearghas mac Eoin mhic Fhearghasa Mhic Bheatha,[62] níos déanaí san aois sin. Tá *memoranda* leighis ó bhaill eile den teaghlach le fáil sa lámhscríbhinn freisin. Is cosúil gur fada a mhair an tsuim a bhí ag an gclann seo i litríocht na Gaeilge mar tá an cuntas seo a leanas le fáil ar dhuine den chlann chomh déanach le deireadh an 17ú haois (*c.* 1695): ' Feargus Beaton hath the following Irish manuscripts in

[56] *B.M. Cat. Irish MSS* i, 171 *et seq.*

[57] *ibid.* i, 177; S. Sheahan, *An Irish Version of Gualterus de dosibus* (Washington 1938).

[58] P. Walsh, *Irish Men of Learning*, caib. xiv.

[59] *B.M. Cat. Irish MSS* i, 285 *et seq.*

[60] *ibid.*, i, 202 *et seq.* Tá an colofan ar lch 222. Cf. *Regimen na Sláinte* i, xxvii *et seq.*

[61] *B.M. Cat. Irish MSS* i, 262, 276 *et seq.*

[62] M. Martin, *A Description of the Western Islands of Scotland* (London 1703, eagrán nua 1934) 155.

the Irish character; to wit, Avicenna, Averroes, Joannes de Vigo, Bernardus Gordonus, and several volumes of Hippocrates '.[63]

Saothar Neamhchoitianta

Ceann de na scríbhinní próis is suimiúla dár cuireadh le chéile sna haoiseanna seo agus a thuilleann tagairt ar leith di féin is ea *Betha Colaim Chille*[64] a chum Maghnas Ó Domhnaill le linn dó bheith ag cur faoi i gCaisleán Phoirt na dTrí Namhad (Leifear) sa bhliain 1532. Bhain Ó Domhnaill feidhm as foinsí iomadúla agus é ag gabháil dá mhórshaothar, seanscríbhinní den uile chineál faoi Cholm Cille féin agus faoi naoimh eile, seanscéalta, dánta, béaloideas etc. Deir sé sa réamhrá gur chuir sé roimhe cuntas soiléir sothuigthe a chur ar fáil: ' Bidh a fhis ag lucht legtha na bethad-sa gorab é Maghnas, Mac Aeda, Mic Aeda Ruaid, Mic Neill Gairbh, Mic Toirrdelbaigh an fina hi Domhnaill, do furail an cuid do bí a Laidin don bethaid-si do cur a n-Gaidhilc, ⁊ do furail an cuid do bi go cruaid a n-Gaidilc di do cor a m-buga, innus go m-beith si solus sothuicsena do cach uile '.[65] B'fhéidir go gceapfaí ón méid sin gur chaith Ó Domhnaill cúram na hoibre go léir ar dhaoine eile, ach ní mar sin a bhí, mar is follas óna bhfuil le rá aige sa chéad ghiota eile: ' Et do thimsaig ⁊ do tinoil an cuid do bi spreite fedh shenlebor Erenn di, ⁊ do decht as a bel fein hí, ar fagail t-saethair ro-moir uaithe, ⁊ ar caitheamh aimsire faide ria, og a sduidear cindus do cuirfed se gach en-chuid ina hinad imcubhaid fen amal ata scribtha annso sis '.

Tá an teanga i gcuid den saothar seo ársa agus doiléir go leor, dánta sa MheánGhaeilge a fágadh sa riocht ina raibh siad agus sleachta áirithe próis ar fhág teanga na mbunscríbhinní a lorg orthu. Ní ' caint na ndaoine ' atá in aon chuid de, ach, tríd is tríd, is féidir a rá gur éirigh le Ó Domhnaill sa chuspóir a chuir sé roimhe, i.e. beatha Cholm Cille a léiriú do lucht a linne i dteanga a thuigfidís. Agus is oilte mar a láimhsigh sé an teanga sin. Mar a deir eagarthóirí an téacs: ' It has a great variety of constructions and again and again the reader is struck by the wonderful power and force with which the author has wielded his pen '.[66]

[63] *ibid.* (eagrán 1703) 89.

[64] In eagar ag A. O'Kelleher agus G. Schoepperle (Illinois 1918).

[65] *ibid.*, par. 10, lch 6.

[66] *ibid.*, lch xlix.

Sa saothar próis a cumadh i nGaeilge idir *c.* 1200 agus 1600 tá cruthúnas le fáil ar fhuinneamh agus ar bheocht na teanga mar mheán liteartha. Léiríonn sé freisin go raibh dúil ag na Gaeil san uile shaghas ábhair, idir dhúchasach agus eachtrannach, dhiaganta agus shaolta, throm agus éadrom. I dtrátha an ama chéanna bhí saothar á chumadh nár tháinig faoi anáil ón taobh amuigh agus a caomhnaíodh gan athrú, gan bhriseadh ar feadh timpeall ceithre chéad bliain, i.e. Filíocht na Scoileanna.

CAIBIDIL A CÚIG

SAOTHAR FHILÍ NA SCOILEANNA[1]

Sa mheánaois, faoi mar a chonaiceamar sa chaibidil dheireanach, d'fhág litríocht na hEorpa a rian ar shaothar próis na Gaeilge. Níorbh ionann, áfach, cás na filíochta in Éirinn. Ba láidre agus ba bhuaine blas an dúchais ar an bhfilíocht agus ba dhlúithe an ceangal a bhí idir í agus córas traidisiúnta na nGael.

Is fíor gur lagaíodh an córas sin go mór sa 9ú agus sa 10ú haois de bharr ionraí na Lochlannach. Ach níor scriosadh go hiomlán é agus tamall gairid tar éis do Bhrian Bóramha cumhacht mhíleata na Lochlannach a bhriseadh ag Cluain Tarbh bhí éigse na hÉireann go saothrach i mbun pinn arís.

Ba bhunúsaí agus ba bhuaine na hathruithe a tharla sa tír de thoradh teacht na Normanach.[2] Sa bhliain 1169 is ea a tháinig siad siúd ar dtús. D'ionsaigh siad na Gaeil chomh fíochmhar agus ar bhealach chomh hoilte sin gur éirigh leo breis agus leath na tíre a chur faoi chois taobh istigh de sheachtó bliain. Go ceann céad go leith bliain iar dteacht dóibh ní raibh i ndán do mhuintir na hÉireann ach creach agus ár. Réabadh an córas dúchasach náisiúnta; cuireadh cosc le fás na n-ealaíona uile.

Gan amhras, d'fhoghlaim na Gaeil nithe áirithe ó na naimhde agus i measc na nithe sin bhí modhanna úra cogaidh ionas, le himeacht aimsire, gur éirigh leo cosc a chur le cúrsa caithréimeach na Normanach agus, i ndeireadh na dála, an lámh in uachtar a fháil orthu ar fud an chuid ba mhó den tír. Ar feadh tuairim is

[1] O. Bergin, *Irish Bardic Poetry* (Compiled and edited by David Greene and Fergus Kelly, BÁC 1970); J. E. Caerwyn Williams, *The Court Poet in Medieval Ireland* (*Sir John Rhŷs Memorial Lecture, British Academy*, London 1971); J. Carney, *The Irish Bardic Poet* (BÁC 1967); L. McKenna, S.J. (L. Mac Cionnaith), *Aithdioghluim Dána* i (BÁC 1939), ii (BÁC 1940); *idem, Dioghluim Dána* (BÁC 1938); E. Knott, *The Bardic Poems of Tadhg Dall Ó Huiginn* i (1922), ii (1926); E. C. Quiggin, *Prolegomena to the Study of the Later Irish Bards;* D. Thomson, *An Introduction to Gaelic Poetry* (London 1974).

[2] *Sources* i, 17 *et seq.*

dhá chéad bliain ó lár an 14ú haois amach, is ar éigean a bhí éifeacht le reacht Rí Shasana taobh amuigh de theorainn na Páile agus de bhallaí na mbailte móra.[3] I gcaitheamh an ama sin bhí rialú na tíre i lámha trí dhream ar leith, na flatha dúchasacha, na tiarnaí Normanacha agus buirgéisigh na mbailte, agus níos mó ná leath an oileáin faoi stiúradh an chéad dreama díobh sin.

Is follas, mar sin, nár ró-dheacair do na Gaeil cumhacht na nGall a bhriseadh dá mbeidís sásta aontú agus cur le chéile. Ach bhí córas polaitiúil na tíre bunaithe ar an dílseacht áitiúil agus is beag tuiscint a bhí ag na Gaeil in aontacht náisiúnta don tír go léir. Mar bharr air sin bhí na tiarnaí Normanacha ag cur fúthu in áiteanna éagsúla ar fud na tíre, iad ullamh i gcónaí chun easaontas agus achrann a chothú i measc na nGael agus chun aon ghluaiseacht i dtreo na haontachta a chosc.

Tuigfear go soiléir conas mar a rachadh an cur le chéile chun sochair do na Gaeil nuair a mheabhraítear go raibh, ar a laghad, b'fhéidir, suas le tríocha de na flatha dúchasacha ag rialú ina bhfearann féin do réir gnás agus dlí na nGael chomh déanach le tosach an 16ú haois.[4] Faoi cheannas na bhflatha seo bhí na taoisigh áitiúla, a lucht leanúna féin ag gach duine acusan agus iad uile dílis don fhlaith. Bhraith údarás an fhlatha ar a chumas chun é féin agus an mhuintir a bhí dílis dó a chosaint: 'Every Iryshe captaine defendeyth all the subgetes and the comyn folke, wythin his rome [realm] fro ther enymyes asmuche as in hym is '.[5] Ní ionadh, mar sin, gur minic nach leas polaitiúil a shantaigh an flaith nuair a chuaigh sé chun troda, ach deis chun a chumas agus a chrógacht féin a dheimhniú os comhair an tsaoil. Má chuimhnítear ar na pointí seo is fearr a thuigfear cuid mhaith d'fhilíocht na linne.

De bharr na nithe seo go léir bhí cúrsaí na hÉireann suaite corraithe go maith i dtosach na meánaoise. Idir 1350 agus 1550, áfach, ní miste b'fhéidir a chreidiúint nach raibh an scéal chomh dona agus a mheasfaí ó na cuntais sna hAnnála. Is áirithe go raibh cuid mhór den tír faoi shíth agus faoi rath i gcaitheamh na n-aoiseanna sin.[6] Dhealródh sé, mar sin féin, gur mhair an dúil i bhfoghail

[3] E. Cahill, ' Political State of Medieval Ireland ', *The Irish Ecclesiastical Record* xxv (1925) 245 *et seq.*

[4] *State Papers. Henry VIII*, Vol. 11, part III, 1 *et seq.*

[5] *ibid.*, 17 *et seq.* Cf. G. Murphy, The Social Functions of a Gaelic Ruler, *Studies* (1940), 15-26.

[6] E. Cahill, *op. cit.*, 249-50.

agus i gcreach i measc flatha na nGael anuas go dtí lár an 16ú haois, agus níos déanaí fós ná sin, b'fhéidir. Thagair an Sasanach, R. Stanihurst, don dúil seo sa chuntas a scríobh sé ar Éirinn, cuntas a foilsíodh i gcroinicí Holinshed. ' To rob and spoile their enimies ', adeir sé, ' they deeme it none offense, nor seeke anie meanes to recover their losse but even to watch the like turne; but if neighbors and friends, [blood relatives] send their purveiors to purloine one another, such actions are judged by the breighons [breitheamhain, " brehons ", " judges "] aforesaid '.[7]

Níorbh iad flatha na nGael amháin a chleacht an nós seo mar is iontuigthe ón sliocht a leanas as caipéisí Stáit an 8ú Anraí: ' Also, ther is more than 30 greate captanes of thEnglyshe noble folke, that folowyth the same Iryshe ordre, and kepeith the same rule, and every of them makeith warre and pease for hymself, wythout any lycence of the King, or of any other temperal person, saive to hym that is strongeyst, and of such that maye subdue them by the swerde '.[8]

De thoradh na n-athruithe a tharla tar éis teacht na Normanach laghdaíodh go mór an difríocht a bhíodh sa tsean-aimsir idir saothar liteartha na nGael agus saothar liteartha na hEorpa. Do réir a chéile chaill litríocht na Gaeilge a lán dá sainbhlas ársa féin, de bhrí gur músclaíodh suim na ndaoine in ábhair de shaghas nua, go háirithe sna scéalta rómánsaíochta, lán d'iontais agus d'éachtaí, den chineál a bhí á gceapadh san Fhrainc lena linn sin.[9] Mar a chonaiceamar sa chaibidil dheireanach, chrom na Gaeil ar na scéalta seo a aistriú nó cinn nua dá gcuid féin a cheapadh ar aon dealbh leis na cinn ón gcoigrích; chrom siad freisin ar a gcuid scéalta dúchasacha féin faoi Fhionn agus na Fianna a shaothrú. Dealraíonn sé gur chaill siad a ndúil sna scéalta ársa, na *prímhscéla*, a bhíodh faoi réim go nuige sin. Coimeádadh na scéalta seo i dtaisce sna lámhscríbhinní ach bhí a n-éifeacht mar bheo-litríocht caillte acu, agus ní raibh mar chúram ar na filí feasta iad a aithris os comhair cuideachta. Le tamall roimhe sin, freisin, bhí laghdú tar éis teacht ar ghradam an fhile mar fháidh agus mar fhear briochta.

[7] R. Holinshed, *Chronicles* (ed. 1583) 45:2. Tógadh an sliocht luaite thuas as S. H. O'Grady, *Silva Gadelica* i, xxiii.

[8] *S. P. Henry VIII*, Vol. 11, part III, 6.

[9] G. Murphy, *The Ossianic Lore and Romantic Tales of Medieval Ireland*, 30-31.

Ní furasta a léiriú go cinnte ón bhfianaise atá tagtha anuas chugainn cad é go díreach an t-athrú a tháinig ar chéimíocht an fhile le himeacht aimsire. Ba é tuairim scoláirí ar feadh i bhfad gurbh amhlaidh a chaill sé a ghradam agus a chumhacht ar fad agus gur tháinig an ' bard ' chun tosaigh ina ionad. Ní réitíonn eolaithe an lae inniu go hiomlán leis an tuairim sin, áfach. Is fíor, mar a chonaiceamar i gcaibidil a dó, go dtugtaí ' bard ' sa sean-am ar dhuine a bhain le grád níb ísle den aos dána ná an file; is fíor freisin go bhfaightear an focal *bairdne* i dtéacsanna MeánGhaeilge agus go gciallaíonn sé ansin na meadarachtaí ba dhual don ' bhard ' a úsáid. Rud is tábhachtaí fós, is iad na meadarachtaí céanna sin a tháinig i réim i bhfilíocht na Gaeilge agus a cleachtadh ar feadh na gcéadta bliain faoin ainm *dán díreach*.[10] Mar bharr ar na nithe sin, is ró-dhócha gurbh é an ' bard ' ba mhó a chumadh dánta adhmholta sa sean-am ó aimsir na seanCheilteach anuas go dtí tosach na meánaoise. Dá ainneoin sin, ba dhearmad a mheas gur éirigh an bard sa saol liteartha agus gur dhíbir sé an file ar fad. Is é is dóichí, dar le scoláirí an lae inniu, gurb é a mhalairt a thit amach, is é sin le rá, nuair a tharla an chorraíl agus an t-athrú saoil um dheireadh an 12ú haois agus nuair a baineadh cuid dá dhualgais ársa den fhile gurbh amhlaidh a chrom sé ar bhreis suime a chur i gcumadh dánta adhmholta, saothar nár ghnóthaigh mórán measa uaidh agus nach gcleachtadh sé ach go hannamh roimhe sin.[11] I gcás na meadarachtaí ar a dtugtaí *bairdne*, cé go raibh méid áirithe cur ina gcoinne i dtosach, mar a chonaiceamar i gcaibidil a dó, níorbh fhada gur ghlac formhór na bhfilí leo is gur bhain feidhm go hiomlán astu.

Ar aon nós, cibé difríocht a bhí sa sean-am idir *filíocht* (saothar an fhile) agus *bairdne* (saothar an bhaird) níor mhair an difríocht sin sa mheánaois. Coimeádadh an t-ainm ' file ' agus, cé gur tháinig athruithe áirithe ar an saothar a chumadh sé, tugadh *filidheacht* mar ainm ar an saothar sin, tráth chaill an focal *bairdne* a bhunbhrí agus a ghradam go dtí nár chiallaigh sé i ndeireadh na dála (faoin bhfoirm *barduigheacht*) ach cineál bairseoireachta. Chomh déanach le lár an 17ú haois faighimid an tAthair Antaine Mac Bruaideadha ag cur in iúl go soiléir uirísle an bhaird i gcomparáid leis an bhfile: ' Barde

[10] Thurneysen, *Mittelirische Verslehren* (*Irische Texte* iii), 6, 39, 107.

[11] G. Murphy, ' Bards and Filidh ', *Éigse* ii, 207.

idem significat quod detractorem, seu homo mordacis et effrenatae linguae '.[12]

Ceist achrannach is ea ceist dualgais agus gradam na ndreamanna éagsúla a bhí ag cumadh véarsaíochta sa mheánaois, ceist nach féidir breithiúnas cinnte a thabhairt uirthi. Faighimid léargas éigin ar an scéal, áfach, ó Shasanach darbh ainm Thomas Smyth a chaith seal i mBaile Átha Cliath sa bhliain 1651 agus a scríobh cuntas ar Éirinn faoi n teideal ' Information from Ireland '. Sa chuntas sin tugann sé an tuairisc seo a leanas:

> There is in Ireland four shepts in Maner all Rimers. The first of them is called the Brehounds, which in English is called the Judge, . . . The Seconde sourte is the Shankee, whic is to say in English the Petigrer [= pedigreer]. . . . The thirde sorte is called the aeosdan [= aos dána] which is to saye in English the bards or the riming sepctes. . . . The fourth sort of Rymers is called fillis [i.e. filí] which is to say in English a poete. Theis men have great store of Cattel and use all the trades of the others with an adicion of prophecies.[13]

Tréithe na Filíochta ó 1250 go dtí 1650

Ar feadh breis agus ceithre chéad bliain, ó tuairim 1200 to dtí 1650, cumadh tromlach na filíochta atá tagtha anuas chugainn sna meadarachtaí ar a dtugtar go coitianta *dán díreach*.[14] Meadarachtaí siollabacha is ea iad seo, uimhir áirithe siollaí i ngach líne iontu agus uimhir áirithe siollaí san fhocal deireanach de gach líne. Is ón dá ghné seo a aithnítear cineál na meadarachta. Lena chois sin bhaintí feidhm as ornáidí meadarachta eile, mar uaim, uaithne, amus, agus comharadh etc.

De ghnáth, véarsa ceithre líne ba ea aonad na meadarachta. ' Rann ' a thugtaí mar ainm ar an aonad sin agus ' ceathramha ' ar gach ceann de na línte ann. I meadarachtaí áirithe séard atá sa rann ná dhá chúpla (nó dhá leathrann), agus de ghnáth sna cásanna sin, is cruinne agus is fairsinge an t-ornáideachas sa dara leathrann.

[12] C. McGrath, O.F.M. ' Materials for a History of Clann Bhruaidheadha ', *Éigse* iv, 48 *et seq*. Tá cuntas ar phribhléidí an fhile ar lch 53. Cf. freisin E. Knott, *Filíocht na Scol*, 43, ina luaitear ráiteas an fhile, Fearghal Mhac an Bhaird, um dheireadh an 16ú haois, mar dheimhniú ar an drochmheas a bhí ar na baird— ' Mé gan fiú an bhaird do bhuidhin '.

[13] *Ulster Journal of Archæology* vi (1858), 166; Ina leabhar *Filíocht na Scol* (*Irish Classical Poetry, commonly called Bardic Poetry*) (BÁC 1957), luann an tOllamh E. Knott an sliocht seo (lch 9) agus deir sí go bhfuil an fhaisnéis ann cruinn go leor.

[14] Féach E. Knott, *Irish Syllabic Poetry of the Period* 1200-1600 (Corcaigh agus BÁC 1928).

Luann an tOllamh Knott aon cheann déag de mheadarachtaí éagsúla, tugann na rialacha a ghabhann leo, agus léiríonn le samplaí iad.[15]

Tá tréith thábhachtach eile a ghabhann leis na meadarachtaí siollabacha go léir, is é sin, nach bhfuil aon ionad ag an mbéim iontu. Deir an tOllamh Knott gur cosúil gur chuir na filí rompu d'aon ghnó an bhéim a sheachaint.[16] Ar an láimh eile tá samplaí bailithe ag an Ollamh Ó hAimhirgín a thaispeánann nach ndearnadh faillí go hiomlán sna meadarachtaí béimithe le linn ré na Scoileanna.[17] Is é tuairim an Ollaimh go mbaintí feidhm as na meadarachtaí sin sa saothar a chumtaí don ghnáthphobal agus go raibh eolas ag na filí acadúla orthu freisin cé nár bhéas leo iad a chleachtadh ina saothar oifigiúil féin.

Bhí an *dán díreach* á chleachtadh i bhfilíocht na Gaeilge ón 10ú haois (nó roimhe sin, b'fhéidir) anuas go dtí an 17ú haois, agus idir 1250 agus 1650 níor tháinig athrú ná forbairt ar an bhfriotal ná ar an meadaracht ann.[18] Agus mhair sé anuas go dtí an 18ú haois féin, cé nach bhfaightear ach corrshampla de i ndiaidh 1700 nó mar sin. Sa bhliain 1734 chum an tAthair Pádraig Ó Coirnín dán adhmholta i ndeibhidhe do mhuintir Chonchubhair ó Bhéal Átha na gCarr,[19] dán a bhí scríofa i bhfriotal chomh hársa sin go mb'éigean don scoláire Gaeilge, Cathal Ó Conchubhair, míniú a bhreacadh síos i nGaeilge na linne sin ar chuid de na focail ann.[20] Agus mar a fheicfimid ar ball chleacht filí eile san 18ú haois ógláchas deibhidhe i gcuid dá ndánta adhmholta.

Cé gur iomaí ábhar éagsúil a bhíodh á bplé sna meadarachtaí seo ba iad an dán adhmholta agus an marbhna na cinn ba choitianta. Cumadh aortha agus roinnt dánta pearsanta nach mbaineann go dlúth leis an traidisiún, ach ní líonmhar iad na

[15] *ibid.*, 13 *et seq.*

[16] *ibid.*, 1.

[17] 'On the Origin of Irish Rhythmical Verse', *Mélanges Linguistiques offerts à M. Holder Pedersen* (Paris 1937) 280 *et seq.* Cf. T. S. Ó Máille, 'Céad tosach an Amhráin', *Éigse* vii, 241 *et seq.*

[18] E. Knott, *The Bardic Poems of Tadhg Dall Ó Huiginn* i, réamhrá, lxxxvi *et seq.*

[19] D. Hyde, *A Literary History of Ireland* (London 1901) 545-6.

[20] Mhair an dán díreach in Albain freisin anuas go dtí an 18ú haois. I *Leabhar Chlainne Raghnaill* faightear dán ar an sean-nós do Ailín Mac Raghnaill a maraíodh ag Sheriffmur i 1715 agus marbhna ar an nós céanna d'fhear darbh ainm Séamus Mac Domhnaill a fuair bás i 1738. Féach Cameron, *Reliquiae Celticae* ii (Inverness 1892) 248 *et seq.* agus 274 *et seq.* Cf. M. Dillon, *The Archaism of Irish Tradition*, 18, agus E. Knott, *The Bardic Poems of Tadhg Dall Ó Huiginn* i, xxxviii.

dréachtaí den chineál sin atá ar marthain. Is cóir a mheabhrú nach i measc na nGael amháin atá an dúil i ndán adhmholta agus i marbhna le fáil. Tá an dá ghné seo le fáil i litríocht chiníocha éagsúla ar fud an domhain. Samplaí as an SeanTiomna is ea amhrán Deborah (.i. Breithiúin, V, 24) agus caoineadh Dháibhí os cionn Saul agus a mhic Ionatan (2 Samuel 1, 24-7). Agus is féidir teacht ar shamplaí den chineál céanna i litríocht na nGréigeach, na nGearmánach agus na Slavach.[21]

Ceann de na samplaí is ársa de dhán adhmholta i nGaeilge is ea an ceann a cumadh chomh fada siar, b'fhéidir, leis an ochtú haois do Aodh mac Diarmada meic Mhuireadhaigh, taoiseach i dtuaisceart Chúige Laighean[22]:

Aed oll fri andud nane
Aed fonn fri fuilted féle
in deil delgnaide as choemen
di dingnaib Roerenn réde

in chlí comras cond credail
ollmas fu thocaid tugaib
du farclu sech cach ndíne
di moisten míne mrugaib.

. . .

Is bun cruinn mair miad seorda
fri báig is búnad prímda
is gasne arggait arddbrig
di chlaind chéit ríg céit rígnae.

Oc cormaim gaibtir dúana,
drengaitir dreppa daéna,
arbeittet bairtni bindi
tri laith linni ainm nAeda.

Bíodh go bhfuil an dán chomh hársa sin tá sé, ó thaobh stíle agus modh léirithe, ar aon dul leis na céadta nó na mílte de dhánta

[21] C. M. Bowra, *Heroic Poetry* (London 1952) 8-17.

[22] *Thesaurus Paleohibernicus* ii, 295. Deir na heagarthóirí nach miste a chreidiúint, ó fhoirmeacha na teanga ann, gur roimh an 9ú aois a cumadh an dán seo. *ibid.*, Réamhrá xxxiv. Ní raibh an tOllamh Ó hAimhirgín, ámh, sásta aontú leis an tuairim sin. Léirigh sé ó phointí áirithe sa mheadaracht nár cumadh é níos túisce ná tosach an 9ú haois. *Éigse* ii, 205, n.8. Ag trácht ar dhánta ársa, ní cóir dearmad a dhéanamh ar an dán *Luin ec claib* atá luaite cheana againn. Ba é Colmán Mac Lénéni a chum é ag gabháil buíochais le Domhnall, Rí Theamhrach, as claíomh a fuair sé mar bhronntanas uaidh. B'fhéidir gur i 565 A.D. a cumadh an dán seo (*Ériu* xxii, 23 *et seq.*).

adhmholta eile a bhí á gcumadh go ceann míle bliain, geall leis, ina dhiaidh sin. Ríomhann an Dr Flower a cháilíochtaí mar a leanas:

> The style is always strict and concise; using metaphor in preference to simile; indulging in asyntactical constructions for which the exclamatory character of Irish sentence structure gives ample excuse; bold and barbaric in its terms and figures, and tending always to treat the chieftain eulogized as an abstract compendium of princely qualities rather than as being subject to the ebb and flow of the more ordinary impulses.[23]

D'fhéadfaí an rud céanna a rá faoi fhormhór mór na ndánta adhmholta a cumadh i nGaeilge i gcaitheamh na n-aoiseanna. Sampla ón 13ú haois is ea an dán a chum Giolla Brighde Mac Con Midhe do Chathal Crobhdhearg Ó Conchubhair, ' Táinic an Croibhdherg go Crúachain '. Faighimid ann cuid de na smaointe a bhí anchoitianta i gceapadóireacht den chineál seo, smaointe a d'fhág a rian go ceann i bhfad ar fhilíocht na Gaeilge:

> Ioth a ttalmhuin tuc a righe
> do-rad blath tre bharraibh gég,
> Mac Toirrdhealbhaigh trilis gheugach,
> geal a cholpa, corcra a bhas,
> Nochar gabh ceile mur Chathal
> Éire ar ndol a athar as.[24]

B'fhéidir gur fearr a thuigfimid dúil ár sinsir san dán adhmholta má ghlacaimid leis an tuairim gur iarsma den phagántacht a bhí ann agus gur measadh go raibh de chumhacht ag cumadóireacht den chineál seo rath agus ádh a sholáthar don fhlaith, díreach mar bhí de chumhacht ag an aor é a ghoin nó a mharú.

Is ar éigean a fhaigheann gnáthléitheoir an lae inniu blas ar an gcuid is mó den fhilíocht seo. Ar an gcéad dul síos is beag duine atá oilte go leor chun an cheird ann a mheá go hiomlán agus an ceol agus an t-ornáideachas ann a mheas mar ba chuí.[25] Is beag duine, ach oiread, a bhfuil a dhóthain tuisceana aige don seanchóras traidisiúnta chun taitneamh a bhaint as an ábhar.[26] Ach rud is

[23] *The Irish Tradition*, 28.

[24] E. C. Quiggin, ' A Poem by Gillbride Mac Namee in Praise of Cathal O'Conor ', *Miscellany Presented to Kuno Meyer* (1912) 167 *et seq*.

[25] Mar a dúirt an tAimhirgíneach: ' A knowledge of one of the modern spoken dialects will give no idea of the rich and subtle music of Bardic Poetry. That can only be appreciated after a careful study of the pronunciation and structure of the classical language as taught in the bardic schools and described in the elaborate treatises of the sixteenth century.' (Luaite in *Irish Bardic Poetry*, lch x.)

[26] *The Court Poet in Medieval Ireland*.

tábhachtaí fós is ea go bhfuil athrú mór tar éis teacht ar dhearcadh daoine i leith an fhile féin agus an cineál saothair is dual dó a chleachtadh. Is deacair inniu a chreidiúint go raibh tuairim réabhlóideach á craobhscaoileadh ag Boccaccio nuair a dúirt sé gur shil an fhilíocht as ucht Dé, is é sin le rá, gur thoradh inspioráide í, agus gur beag duine ar bronnadh bua na hinspioráide sin air.[27] Glactar go coitianta leis an tuairim sin anois, ach in Éirinn sa mheánaois agus go ceann i bhfad ina dhiaidh sin bhí a mhalairt de thuairim i réim faoi cháilíochtaí agus dualgais an fhile. ' He was, in fact, a professor of literature and a man of letters . . .' a deir an tOllamh Ó hAimhirgín. ' He discharged, as O'Donovan pointed out many years ago, the function of the modern journalist. He was not a song-writer. He was often a public official, a chronicler, a political essayist, a keen and satirical observer of his fellowmen.'[28]

Tá an breithiúnas seo cruinn go leor, ach go gcuireann sé crot ró-nua-aoiseach, b'fhéidir, ar ionad an fhile i saol a linne. Leis an scéal a mheas go beacht, is cóir meon an phobail agus córas sóisialta agus polaitiúil na tíre a chur san áireamh, rud atá léirithe faoi fhilíocht na Breataine Bige ag an Dr Thomas Parry sa chuntas atá tugtha aige ar shaothar filí na n-uaisle (*beirdd yr uchelwyr*) sa mheánaois.[29] Is cóir freisin cuimhneamh ar an gcúlra ársa a bhí le hionad an fhile i saol an phobail. Mar a cuireadh in iúl cheana, oifigeach i gcúirt an taoisigh nó an rí a bhí ann,[30] agus thugtaí ómós dó dá réir sin. Is ar éigean a thugann cuntas an Aimhirgínigh léiriú cruinn dúinn ar an ngradam a bhí ag gabháil le ceird an fhile, ach ní dhearna na filí féin dearmad ar an ngradam sin. Mar a deir an tAthair Mac Cionnaith fúthu: ' Teanga nimhneach do bhí ag na fileadhaibh, agus do bhí cuid acu an-choilgneach, an-bhruighneach, agus ba mhinic dóibh bheith ag borradh le neart uabhair agus díomais '.[31]

[27] *Genealogia Deorum Gentilium*, Leabhar xiv, vii.

[28] *Irish Bardic Poetry*, 4.

[29] *Hanes Llenyddiaeth Gymraeg hyd* 1900 (Caerdydd 1944) 100 *et seq*. Féach freisin J. Lloyd-Jones, *The Court Poets of the Welsh Princes* (*Sir John Rhŷs Memorial Lecture* 1948).

[30] Ní in Éirinn amháin ach i dtíortha eile freisin. Féach *The Court Poet in Medieval Ireland*.

[31] *Dioghluim Dána* (BÁC 1938).

'Poeta nascitur, non fit', a deirtear. Ach nuair a deirtear 'poeta nascitur' faoi fhile na Gaeilge, tá ciall eile leis seachas ciall an nath Laidine. Dála mar a ghabh clanna áirithe in Éirinn le dlí nó leigheas, ghabh clanna eile leis an bhfilíocht. Sin é an fáth a bhfuil lámhscríbhinní na meánaoise breactha le hainmneacha na gclanna céanna (más ceadaithe an téarma 'clann' a úsáid le ciall 'teaghlach, treabhchas'): Uí Dhálaigh, Uí Dhomhnalláin, Uí Uiginn, Clann an Bhaird, Uí an Cháinte, Clann Chon Midhe, Uí Eodhasa, Uí Chobhthaigh, Uí Ghnímh etc.[32] Ba de na clanna sin a shíolraigh tromlach na bhfilí, agus ba den uasalaicme iad uile, do réir dúchais agus gairme, rud a d'aithin na Sasanaigh féin, mar is minic a thugtar 'generosi' orthu i gcáipéisí oifigiúla Sasanacha.[33] Agus más cruinn 'poeta nascitur' a rá, agus an tsainchiall sin leis, is cruinn 'poeta fit' a rá freisin, óir níor leor do dhuine bheith ina bhall de cheann éigin de na clanna a raibh cumadh na filíochta mar chúram orthu. Ba riachtanach dó ina theannta sin freastal ar cheann éigin de na scoileanna filíochta chun a cheird a fhoghlaim. Tá a fhios againn, mar shampla, gur chaith Eochaidh Ó hEodhasa tamall ag cur feabhais ar a cheird i gCúige Mumhan, cé gur leasc leis Contae Fhear Manach a fhágáil san am.

Tá méid áirithe eolais ar na scoileanna filíochta tagtha anuas chugainn. Tá an cuntas is fearr orthu, agus an t-aon cheann amháin atá measartha iomlán, le fáil in *The Memoirs of the Right Honourable The Marquis of Clanricarde*.[34] Is tábhachtach an léargas a thugann na *Memoirs* seo ar ghnóthaí na scoileanna sa 17ú haois agus, má chuimhnímid ar dhígeantacht éigse na nGael, is ró-dhócha gur féidir a rá gur mar sin a bhí na scoileanna sna haoiseanna roimhe sin freisin agus gur beag athrú a tháinig orthu le himeacht aimsire.

Dhealródh sé gur ghnáth do chuid de na filí teach aíochta a bheith acu ina ndéanfaidís féile a dháileadh ar chách. In *Annála*

[32] Tá liosta díobh le fáil i gcáipéis a scríobh Dubhaltach Mac Fhir Bhisigh sa bhliain 1657. Féach J. Carney, 'De Scriptoribus Hibernicis', *Celtica* i, 86 *et seq.* Is ar lch 92 atá an liosta den aos dána. Is díol suime freisin an cuntas ar na filí a scríobh dánta do na Branaigh (Uí Bhroin). Ina measc tá Clann Mhic Eochadha, filí oidhreachtúla na mBranach, a raibh cónaí orthu i dtuaisceart Chontae Loch Garman. (*Leabhar Branach*, xii-xiii.)

[33] E. Knott, *The Bardic Poems of Tadhg Dall Ó Huiginn* i, xv.

[34] Foilsíodh i Londain i 1722 agus i mBaile Átha Cliath i 1744. Thug an tOllamh Ó hAimhirgín tuairisc an Mharcais ar na scoileanna i léacht leis dar teideal 'Bardic Poetry' atá le fáil i *The Journal of the Ivernian Society* v, 203 *et seq.* Tá an léacht seo i gcló anois in *Irish Bardic Poetry*. Féach freisin *Sources* i, 36-7.

Loch Cé, cuir i gcás, insítear faoi bheirt fhile a raibh tithe den chineál sin acu, ' Brian Mac Conmidhe, saoi re dán agus re foghluim ocus fear toictheach tromchonaigh tighe aoidhedh coitcinn do chách '[35] agus ' Maoilseachlainn mac Tuathail Í Dhomhnalláin, ollamh urmhór Connacht re dán agus fear toighe aoidheadh do ghréas.'[36] Ní féidir a bheith cinnte cad is brí le ' cách ' sa nóta ar Bhrian Mac Con Midhe. Cérbh iad na daoine a raibh cead isteach acu sna tithe aíochta seo ? Is é tuairim an Ollaimh Knott gur ionaid chruinnithe agus caidrimh d'éigse a bhí iontu ina ndéantaí cúrsaí litríochta agus cúrsaí an lae a chur trí chéile.[37] Níorbh ionann, áfach, na tithe aíochta seo agus na scoileanna filíochta mar, do réir an chuntais sna *Memoirs*, ba in áiteanna uaigneacha i bhfad ó ghleithearán agus ó chaidreamh daoine a bhíodh na scoileanna: ' in the solitary Recess of a Garden, or within a Sept or Enclosure, far out of the reach of any Noise, which an Intercourse of People might otherwise occasion '.

Príomhfhile nó ollamh a bhíodh i gceannas na scoile, agus filí eile ag cuidiú leis mar chomhoidí. In áit éigin gairid d'ionad cónaithe an ollaimh a bhíodh an scoil suite. Both íseal sheascair a bhí ann agus í roinnte i gcillíní. Ní bhíodh de throscán sa chillín ach leaba, bord, cúpla suíochán agus áis éigin le héadaí a chrochadh uirthi (' a Convenience for Cloaths to hang upon '). Níor cheadaithe aon fhuinneoga a bheith sa bhoth ná solas d'aon saghas cé is moite de choinnle ar ócáidí áirithe. Gné thábhachtach de shaol an mhic léinn ba ea an dorchadas, rud a dheimhnítear dúinn i gcuid den fhilíocht féin mar a fheicfimid níos déanaí.

Sliocht filí amháin (' mac file agus ua araili ')[38] a bhí i dteideal freastal ar na scoileanna seo, agus níor mhór dóibh bheith stuama agus faoi mheas i measc a muintire féin. Ba riachtanach dóibh freisin bheith in iúl ar a dteanga dhúchais a léamh agus a scríobh go maith agus meabhair nó cuimhne oilte (' a strong Memory ') a bheith acu. Ag teacht chun na scoile dóibh thugadh na mic léinn bronntanais leo mar íocaíocht don ollamh as an teagasc a bheadh le fáil acu. Maidir lena gcothú i gcaitheamh an téarma, is cosúil go mbraithidís cuid mhór ar mhuintir na comharsanachta chuige sin. Gach Satharn agus bigil Lá Fhéile scaipidís le cuairt a thabh-

[35] Hennessy, *The Annals of Loch Cé* ii, 334.
[36] *ibid.*, 378.
[37] *The Bardic Poems of Tadhg Dall Ó Huiginn* i, xli; féach freisin ZCP viii, 109.
[38] *Irish Classical Poetry*, 43.

airt ar uaisle agus ar fheirmeoirí gustalacha na dúiche, agus ba fhial an chóir a chuirtí orthu ar na hócáidí sin. Mar bharr air sin ba ghnáth do mhuintir na dúiche an uile shórt earra, idir bhia agus dheoch, a chur chun na scoile gach Satharn. Feictear, mar sin, nár throm an costas a bhí ar an Ollamh, ach a mhalairt ar fad. Má chuirtear gach rud san áireamh, is cosúil go ndearna sé go maith as an scoil.

I rith an gheimhridh amháin a bhíodh an scoil ar siúl. Ó Lá Fhéile San Mhichíl go dtí an 25ú lá de Mhárta an tréimhse atá luaite sna *Memoirs*, agus tá deimhniú ar chruinneas na faisnéise sin le fáil i ndán Gaeilge a cumadh um dheireadh an 14ú nó tosach an 15ú haois.[39] Ba é Tadhg Óg Ó hUiginn a chum an dán mar mharbhna ar a dhearthάir, Fearghal Ruadh, a fuair bás am éigin i ndiaidh na bliana 1391. Bhí scoil fhilíochta ag Fearghal, agus tráchtann Tadhg Óg ar theacht an aos dána chun na scoile um Shamhain, agus deireann gurbh ábhar fuatha dóibh guth na gcuach a chlos:

Ionadh coinne ar chionn tSamhna
do bhíodh 'gun aos ealadhna;

. . .

A lucht do bhí na bhaile
ler mian ceard is comhnaidhe,
do bhí adhbhar far fhuath libh
labhradh na gcuach do chluinsin.

Cuireann Tadhg Óg in iúl sa dán gur ghnáth don mhac léinn dul abhaile chuig a dhúiche féin nuair a scaoiltí an scoil: ' Do-chuaidh ar sgaoileadh don sgoil gach fear dána 'na dhúthoigh '. Is suimiúil an rud é go ndeirtear an rud ceanann céanna, focal ar fhocal geall leis, sna *Memoirs:* ' At that time the scholars broke up, and repair'd each to his own Country. . . .'

Ag críoch gach téarma d'fhaigheadh an mac léinn teastas, ' An attestation of his Behaviour and Capacity from the Chief Professor to those that had sent him '. Ach ba riachtanach dó freastal ar an scoil ar feadh sé nó seacht de bhlianta sula n-éireodh leis an chéim ab airde a bhaint amach. Agus, mar a deirtear sna

[39] In eagar agus aistrithe ag O. Bergin, *Studies* March, 1924, 85 *et seq.;* i gcló freisin in *Irish Bardic Poetry* 147 *et seq.* Féach freisin *The Bardic Poems of Tadhg Dall Ó Huiginn*, i, xxxix. In *Dánta do Chum Aonghus Fionn Ó Dálaigh*, viii, tá tagairt do mhic léinn Aonghais ag fáil bronntanaisí ó Ó Caoímh ag teacht chun na scoile dóibh agus arís nuair a bhídís ag dul abhaile.

Memoirs, níorbh aon chúis iontais é sin nuair a chuimhnítear ar mhórchastacht na healaíne, ar éagsúlacht na ndánta agus ar an gcruinneas agus ar an deiseacht ba riachtanach a bheith iontu. Cúis eile le fad an chúrsa sna scoileanna ba ea gurbh éigean don ábhar file eolas leathan a chur ar stair agus ar litríocht na hÉireann agus ar an gcanúint liteartha a bhíodh á cleachtadh sna scoileanna.

Ní fios go cruinn cathain a cumadh an chanúint chaighdeánta seo, ach is cosúil gur tosaíodh ar í a mhúineadh sna scoileanna um thosach an 13ú haois, agus mhair sí gan chlaochló, gan athrú, geall leis, anuas go dtí lár an 17ú haois. In ainneoin na n-athruithe a tháinig ar an teanga bheo i gcaitheamh na n-aoiseanna agus na ndifríochtaí a d'fhás, do réir a chéile, sa chaint ó cheantar go chéile, caomhnaíodh an t-ionannas sa chanúint liteartha i dtreo, mar a deir an tOllamh Ó hAimhirgín linn, nach bhfuil aon rud i bhfriotal ná i stíl na ndánta a dheimhneodh cé acu i gCúige Mumhan nó in Albain, san 13ú nó san 15ú haois a cumadh iad.[40]

Tá mion-eolas ar an gcanúint liteartha seo le fáil i sraith de Thráchtais Ghramadaí[41] a cumadh sa mheánaois agus atá tagtha anuas chugainn san fhoirm inar scríobhadh síos iad san 16ú haois. Ní bhfaightear in aon cheann eile de theangacha na hEorpa sna haoiseanna sin cuntas chomh mion beacht ar chanúint is atá sna Tráchtais seo. Tá na rialacha a bhaineann le gnás na canúna agus na pointí casta a ghabhann léi léirithe le samplaí iomadúla as saothar filí a bhí lánoilte ar a gceird. Cineál téacsleabhar sna scoileanna ba ea na Tráchtais seo le treoir a thabhairt do na mic léinn conas ceapadóireacht oilte dá gcuid féin a chumadh.[42]

Tugtar eolas dúinn sna *Memoirs* freisin ar an modh teagaisc sna scoileanna. Thugadh an tOllamh ábhar ceapadóireachta do na mic léinn mar aon le treoir i dtaobh na meadarachta ba chóir dóibh a úsáid agus na rialacha ba chóir dóibh a leanúint i gcás na n-ornáidí éagsúla liteartha. Istoíche is ea a thugtaí na treoracha seo dóibh, agus chaitheadh gach mac léinn an lá dár gcionn ina luí ar a leaba ina aonar sa dorchadas, an t-ábhar agus an modh ceapadóireachta á suathadh aige. Ansin ag uair áirithe thugtaí soilse isteach sna cillíní agus bhíodh air a raibh cumtha aige a scríobh síos. Chuireadh

[40] O. Bergin, 'Bardic Poetry', *Journal of the Ivernian Society* v, 203-4; *The Native Irish Grammarian*, PBA xxiv, 5. Féach freisin Knott, *op. cit.* i. xxxviii.

[41] O. Bergin, *Irish Grammatical Tracts* (published as supplement to *Ériu* viii, ix, x.)

[42] Féach freisin L. McKenna, S.J., *Bardic Syntactical Tracts* (BÁC 1944).

na mic léinn go léir umpu ansin, agus chruinnídís le chéile i seomra fairsing mar a mbíodh na hollúna ag fanacht leo. Bhíodh orthu an saothar a bhí cumtha acu a aithris i láthair na cuideachta, agus thugadh na hollúna breithiúnas ar an saothar sin, agus chuiridís in iúl cad é an t-ábhar ceapadóireachta a bheadh ann don lá ina dhiaidh sin.

Sa chás seo arís tá deimhniú againn san fhilíocht féin ar chruinneas na faisnéise sna *Memoirs* faoin gcumadóireacht sa dorchadas. Is ró-dhócha gurbh é an nós sin a bhí i gceist ag an té a cheap an dán fada ' Dindshenchus ' nuair a dúirt sé na focail ' cid dorcha dam im lepaidh '.[43] Déanann Giolla Brighde Ó hEodhasa tagairt don nós freisin i ndán a chum sé d'Aodh Rua Ó Domhnaill am éigin thart faoi dheireadh an 16ú haois:

Deilbh mholta dá rosg mar reódh
dob fheidhm ollaimh gan aithcheódh
go nealtain ánroth na fhail
a leapdhaibh dhánbhoth ndiamhair.[44]

Tá crot níos soiléire, b'fhéidir, curtha ar an scéal i ndán[45] a chum file de mhuintir Ghnímh (Fearflatha Ó Gnímh, is cosúil) ag fáil lochta ar a chomhfhile Fearghal Óg Mac an Bhaird toisc gur chleacht seisean an cheapadóireacht amuigh faoin aer ar ghearrán. In ionad fanacht istigh i mboth dhiamhair bhí radharc aige ar na cnoic agus na spéartha. Níorbh é sin an nós a bhí ag na filí anallód, adeir Ó Gnímh:

Donnchadh Mór ba mhillsi dán
Giolla Brighde is beo iomrá,
dias do thobhaigh grádh dá ngaois,
dán ar conair ní cheapdaois.

Sa 13ú haois a mhair an bheirt atá luaite sa véarsa seo, Donnchadh Mór Ó Dálaigh agus Giolla Brighde Mac Con Midhe. Luann Ó Gnímh filí eile freisin mar Aonghas Ruadh Ó Dálaigh agus Gofraidh Fionn Ó Dálaigh (a mhair sa 14ú haois) agus Eoghan Mac Craith agus Tadhg Óg Ó hUiginn (a mhair sa 15ú haois). Ní bheadh

[43] E. Gwynn, *Metrical Dindshenchas* iii, 110.

[44] P. Walsh, *Beatha Aodha Ruaidh Uí Dhomhnaill* ii (BÁC 1957) 98 *et seq.* Tá pointe tábhachtach eile curtha in iúl sa dán seo freisin, is é sin, nár chuí d'aon saghas file ach don ollamh amháin dán a chumadh do thaoiseach. Is cosúil nár bhain Giolla Brighde Ó hEodhasa gradam ollaimh amach riamh. Chuaigh sé isteach in ord na bProinsiasach ag Lováin agus rinne saothar fónta ar son na Gaeilge ann mar a fheicfear ar ball.

[45] In eagar ag O. Bergin, *Irish Bardic Poetry*, 118 *et seq.*; *Studies* ix, 261 *et seq.*

aon duine díobh sin sásta, dar le Ó Gnímh, nós Mhic an Bhaird a chleachtadh agus, ar ndóigh, ní bheadh sé féin sásta ach oiread:

> Mise féin dá ndearnoinn dán,
> maith leam—lughoidhe ar seachrán—
> bac ar ghriangha um theachta as-teagh,
> leaptha diamhra 'gar ndídean.

Is dealraitheach, gan amhras, gur chabhair don fhile a bheith ina luí sa dorchadas le linn dó bheith ag gabháil don cheapadóireacht. Ina theannta sin, b'fhéidir nár leasc leis an nós a chleachtadh d'fhonn a chur ina luí ar an bpobal nárbh aon ghnó éasca nó suarach a bhí ar siúl aige, ach gnó a raibh dua agus saothar ag roinnt leis agus a thuill, dá bharr sin, cúiteamh fial. Ach b'fhéidir nach leor na nithe sin iontu féin lena mhíniú conas a tharla gur cloíodh chomh dlúth sin leis an nós i gcaitheamh na n-aoiseanna. B'fhéidir nach miste a mheas go raibh an nós fréamhaithe i ngnáis na págantachta, go mbíodh sé á chleachtadh an uair ba fháidh agus fear briochta in éineacht an file agus go raibh, dá bharr sin, diamhracht agus mistéir ag roinnt leis.[46]

Mhair an nós céanna in Albain freisin, mar is follas ón gcuntas seo a leanas ó dhuine a thug cuairt ar na hoileáin in iarthar na hAlban thart faoi 1695:

> They shut their Doors and Windows for a Days time, and lie on their Backs with a Stone upon their Belly, and Plads about their Heads, and their Eyes being cover'd they pump their Brains for Rhetorical Encomium or Panegyrick; and indeed they furnish such a Style from this Dark Cell as is understood by very few; and if they purchase a couple of Horses as the reward of their Meditation, they think they have done a great Matter.[47]

Nuair a bhí an dán cumtha ba ghnáthach é a bhronnadh go foirmiúil ar an bhflaith a bhí á adhmholadh ann. Bhí cuid mhaith searmóine ag gabháil leis an mbronnadh seo. Do réir na tuairisce sna *Memoirs*, níor ghlac an file féin páirt sna searmóiní, ach d'fhéach sé chuige go ndearna gach duine eile a bhí páirteach iontu a chion mar ba chuí. Thug sé an dán don ' bhard ', chuir seisean de ghlanmheabhair é agus rinne é a aithris os comhair an fhlatha agus ceol cruite mar thionlacan dá ghlór. Dearbhaíonn na *Memoirs* nár

[46] *Journal of the Ivernian Society* v, 162-3.

[47] M. Martin, *Description of the Western Islands of Scotland circa* 1695 (Eagrán 1934) 177.

cheadaithe aon ghléas ceoil eile a úsáid ach an chruit amháin—' as being Masculine, much sweeter and fuller than any other '.

Sa chuntas sna *Memoirs* is é an focal Béarla *bard* a thugtar mar ainm ar an té a rinne an dán a aithris. Ní ' bard ' a thugtar ar an nduine sin i nGaeilge, áfach, ach ' reacaire ', agus ' reacaireacht ' ar an aithriseoireacht féin. Léiríonn an sliocht seo a leanas as dán, nach fios cé chum, gnó an reacaire go baileach dúinn:

> Triall, a reacaire, reac m'fhuighle,
> imthigh go grod, ná gabh sgís
> gan dol d'fhéaghain chinn ar ccoimhghe:
> fill ré sgéulaibh oirne arís.[48]

Ar uaire bhíodh i gcumas an reacaire seinm ar an gcruit le linn dó bheith ag reacaireacht, ach de ghnáth bhíodh cruitire gairmiúil ann chun an gnó sin a dhéanamh. Tá cuntas gonta spéisiúil ag Thomas Smyth sa leabhar a luadh cheana, *Information from Ireland*, ar na dualgais éagsúla a bhí ag an triúr—' Now comes the Rymer that made the Ryme, with his Rakry, The Rakry is he that shall utter the ryme: and the Rymer himself sitts by with the captain verie proudlye. He brings with him also his Harper, who please all the while that the raker sings the ryme '.[49]

Bhí an file faoi chuing dílseachta d'aon fhlaith amháin, agus bhí dualgais shainiúla le comhlíonadh aige don fhlaith sin agus dá chlann. Tugtar liosta de na dualgais sin sna *Memoirs*. Níor mhór dó gach pósadh, breith agus bás a tharla sa chlann a ríomhadh agus gach éacht nó gníomh gaisce a rinne an flaith nó a chlann a mhór-adh. Bhí air marbhna a chumadh nuair a d'éag an flaith nó bean an fhlatha nó aon duine dá chlann agus dán pósta a sholáthar do réir mar a bheadh an ócáid ann chuige sin. Mhair iarsma na ndualgas seo go ceann i bhfad tar éis scrios na n-institiúidí dúchais.

Bhí coinne ag an bhfile i gcónaí go mbeadh cúiteamh fial le fáil aige as a dhualgais a chomhlíonadh, agus níor leasc leis riamh an cúiteamh sin a éileamh, go háirithe dá gceapadh sé nach raibh a chion á fháil aige. Mar a dúirt file amháin ' Gach nídh thagraim is dleacht dún' (Gach ní dá n-iarraim is dleacht dom é fháil). Ba é an t-am ab fhearr chun an cúiteamh nó an luach saothair

[48] In eagar ag Bergin, *Studies* xi, 80 *et seq.; Irish Bardic Poetry* 200 *et seq.*

[49] Kenney, *Sources* i, 31; H. F. Hore, 'Irish Bardism in 1561,' *Ulster Journal of Archæology* vi, 165-7.

a fháil ná nuair a bhí an flaith tar éis teacht abhaile ó ionsaí caithréimeach ar fhearann agus ar chuid na gcomharsan, agus crodh agus maoin den uile chineál bailithe aige. Tá cur síos ar ócáid den saghas sin i ndán a scríobh Tadhg Dall Ó hUiginn[50] faoi chuairt a thug sé ar Chú Connacht Óg Mag Uidhir ag Inis Ceithleann. Cuireadh fíorchaoin fáilte roimh an bhfile agus chaith sé lá aoibhinn i dteannta Mheig Uidhir agus a lucht leanúna. Istoíche bhí fleá mhór ar siúl, agus bhí de phribhléid ag an bhfile suí le hais an fhlatha (' Suidhimse ar dheis dreagain Teamhrach '). Lá arna mhárach le héirí gréine d'imigh ' macraidh chródha chúirte an ríogh ' ar thuras foghla, agus is cosúil gur éirigh go maith leo mar d'fhill siad abhaile an oíche sin agus ' seoid bhuadha ' agus crodh acu nach raibh acu an oíche roimhe sin. Bhí fios a dhualgais ag Mag Uidhir, mar dháil sé bronntanais ar na filí go léir: ' Éigse an dúin do díoladh ainnséin/le hUa nEachach nár ob gleo '. Ní ionadh gur scríobh Tadhg Dall cuntas chomh moltach sin ar Inis Ceithleann.

Thart faoi dheireadh an 16ú haois a tharla sé seo. Níor rud neamhchoitianta é, áfach, ruathar foghla den chineál sin agus an flaith ag dáil maoine ar na filí ina dhiaidh. In *Annála Loch Cé* faoin mbliain 1549 tá cuntas ar chreacha móra a rinne Mac Diarmada ar shliocht Dhonncha Uí Cheallaigh, ar Mhac Coisdealbh agus ar Chlann Filip (i.e. Pilip Mac Coisdealbh). Rug Mac Diarmada leis trí fichid bó ó Mhac Coisdealbh agus dhá chéad bó ó Chlann Filip agus rinne sé an crodh sin uile a bhronnadh ar ollúna agus ar éigse na hÉireann Lá Fhéile Stiofáin. Níorbh í seo an t-aon chreach amháin a rinne Mac Diarmada. Déanta na fírinne, is beag meas a bhí ar aon fhlaith nach raibh ina chumas ruathar caithréimeach a dhéanamh agus maoin a sholáthar dá lucht leanúna dá bharr. Nós coitianta ba ea an chreach; nós nádúrtha, dar leis na flatha agus leis na filí. Agus ní dearnadh dealú idir Gael agus Gall sna ruathair seo. D'ionsaíodh na flatha dúchasacha a chéile chomh minic agus a d'ionsaíodh siad na tiarnaí gallda.

Tá sliocht áirithe sa leabhar *Information for Ireland*[51] ina dtráchtann Thomas Smyth ar thionchar na bhfilí sna cúrsaí seo, iad ag síorghríosadh na ndaoine chun creiche agus foghla.

[50] Knott, *Tadhg Dall* i, 73-80.

[51] *The Ulster Journal of Archæology* vi, 165-7.

The thirde sorte is called the Aeosdan, which is to saye in English, the bards, or the riming sepctes; and these people be very hurtfull to the commonwhealle, for they chifflie manyntayn the rebells; and, further, they do cause them that would be true, to be rebelious theves, extorcioners, murtherers, ravners, yea and worse if it were possible. Their furst practisse is, if they se anye younge man discended of the septs of Ose or Max, and have half a dowsen aboute him, then will they make him a Rime, wherein they will commend his father and his aunchestors, nowmbrying howe many heades they have cut of, howe many townes they have burned, and howe many virgins they have defloured, howe many notable murthers they have done, and in the ende they will compare them to Aniball, or Scipio, or Hercules, or some other famous person; wherewithall the pore foole runs madde, and thinkes indede it is so. Then will he gather a sorte of rackells (rake-hells) to him, and other he most geat him a Proficer (prophet), who shall tell him howe he shall spede (as he thinkes). Then will he geat him lurking to a syde of the woode, and ther keepith him close till morninge; and when it is daye light, then will they go to the poore villages, not sparinge to distroye young infants, aged people; and if the women be ever so great withe childe, her they will kill; burninge the houses and corne, and ransackinge of the poor cottes (cottages). They will then drive all the kine and plowe horses, with all other cattell, and drive them awaye. Then muste they have a bagpipe bloinge afore them; and if any of theis cattell fortune to waxe wearie or faynt, they will kill them rather than it sholde do the honeur's (owner's) goode. If they go by any house of fryers or relygious house, they will geave them 2 or 3 beifs (beeves), and they will take them, and praie for them (yea) and prayes their doings, and saye his father was accustomed so to do; wharein he will rejoise; and when he is in a safe place, they will fall to the devision of the spoile, accordinge to the dyscresion of the captin. . . . Now comes the Rymer that made the Ryme, with his Rakry. The Rakry is he that shall utter the rhyme; and the Rymer himself sitts by with the captain verie proudlye. He brings with him also his Harper, who please all the while that the raker sings the ryme. Also he hathe his Barde, which is a kind of folise fellowe: who also must have a horse geven him; the harper must have a new safern (saffron-coloured) shurte, and a mantell, and a hacnaye: and the rakry must have xx or xxx kine, and the Rymer himself horse and harnes (suit of armour) with a nag to ride on, a silver goblett, a pair of bedes of corall, with buttons of silver;—and this with more, they loke for to have, for reducinge distruxione of the Comenwealle, and to the blasfemye of God; and this is the best thinge that ye Rymers causith them to do.

Is follas don té a bhfuil eolas aige ar shaothar na bhfilí féin go bhfuil tosach an chuntais seo áibhéileach, lán bréaga. Níl sa chuid is mó de ach bolscaireacht nimhneach an eachtrannaigh. Níorbh é Thomas Smyth an chéad duine, ar ndóigh, ná an duine deireanach a d'fhéach le tarcaisne a chaitheamh ar chóras dúchasach na nGael. San am céanna caithfear a admháil go bhfuil scair éigin den fhírinne sa chuntas sa mhéid gurbh é leas na bhfilí é nós na creiche a chaomhnú. Tharla ar uaire go raibh siad thíos leis, ach go hiondúil rinne siad go maith as.

In Éirinn na meánaoise shantaigh na flatha dea-thoil na bhfilí díreach mar a shantaíonn cinnirí an lae inniu dea-thoil lucht na nuachtán. Ní ionadh, mar sin, gur minic a thugadh na flatha cuireadh chun tí do na filí agus go gcuiridís cóir mhaith orthu nuair a thagaidís. Faighimid tuairisc ar chuireadh den chineál seo in *Annála Chluain Mhac Nóis*, annála a bhfuil an leagan Gaeilge díobh caillte agus nach bhfuil ar marthain díobh anois ach an t-aistriúchán Béarla a rinneadh sa bhliain 1627. Ag seo an tuairisc a thugtar faoin mbliain 1351[52]:

> 1351 . . . William Ó (*sic*) Donough Moyneagh O'Kelly invited all the Irish poets, Brehons, bards, harpers, gamesters or common kearogs, Jesters and others of their kind in Ireland to his house upon Christmas this year, where every one of them was well used during Christmas holy Days, and gave contentment to each of them at the time of their Departure, soe as every one was well pleased & extolled William for his bounty, one of which assembly composed certain Irish verses in commendation of William and his house which began thus:
>
> Filidh Erenn go haointeach, etc.

Ámharach go leor, tá an dán seo tagtha anuas chugainn ina iomláine. Ba é Gofraidh Fionn Ó Dálaigh a chum é, agus is follas ón gcéad véarsa ann go raibh de nós ag Ó Ceallaigh freastal go fial ar na filí:

> Filidh Éirionn go haointeach
> anocht, ní ba neamhsgaoilteach,
> gá file nár bhean a bhroid
> fear an tighe 'na ttiagoid.[53]

Timpeall ochtó bliain ina dhiaidh sin, sa bhliain 1433, bhí ábhar molta eile ag filí na hÉireann nuair a thug Mairgréag, iníon Thaidhg

[52] *Clonmacnoise Annals*. Translated into English A.D. 1627 by Conell Mageoghan and now for the first time printed. Ed. by Rev. Denis Murphy, S.J. (BÁC 1896). Tá an sliocht luaite ag E. Knott, *Ériu* v, 50.

[53] *ibid.*, 52.

Uí Chearbhaill, dhá chuireadh chun fleá, ceann amháin i Mí Márta agus ceann eile i Mí Lúnasa, do fhlatha agus d'uaisle na hÉireann, d'aos dána agus d'aos ceoil agus do lucht seanchais mar aon leo. Níor leor léi féasta a chur ar fáil dá haíonna; dháil sí bronntanais den uile chineál orthu freisin.[54]

Is ar éigean a d'fhéadfadh Mairgréag a bheith chomh fial sin[55] mura mbeadh go raibh sí pósta ar an bhflaith iomráiteach Ó Conchubhair Fáilghe, nó an Calbhach Mór mar a thugtaí air de ghnáth. Chaith an Calbhach cuid mhór dá shaol ag troid in aghaidh mhuintir na Páile, agus cúis aige leis an síorthroid mar nárbh fhurasta a fhearann dúchais, Uí Fháilghe, a chosaint ar a naimhde, idir Ghaeil agus Ghaill. Is follas ón gcuntas ar a bhás in *Annála Ríoghachta Éireann* faoin mbliain 1458 gur maith a d'éirigh leis sochar a bhaint as na cathanna go léir a chuir sé—' Ó Conchubhair Fáilghe, an Calbhach Mór . . . an tiarna de thiarnaí Chúige Laighean is mó fuair maoin ó ghallaibh agus ó Ghaelaibh a bhíodh ina aghaidh '.

Nuair a chum file darbh ainm Séithfín Mór dán adhmholta ar an gCalbhach luaigh sé an dúil a bhí aige i dtroid: ' Is ferr inn aga gan imtheacht a cenn chatha in Calbach '.[56] Tagrann an file d'fhéile Mhairgréag sa dán céanna—' bean nár chuir eól ar an éra ' a thugann sé uirthi.

Is beag maolú a tháinig ar fhéile na bhflatha i leith na bhfilí i gcaitheamh na n-aoiseanna. In aimsir Thaidhg Dhaill Uí Uiginn (1550-1591) nuair nach raibh ach achar gearr i ndán don chóras dúchasach, thug an flaith Toirdhealbhach Luineach Ó Néill fleá um Nollaig d'fhilí na hÉireann. Ba é an cuspóir a bhí ag Ó Néill ar an ócáid sin, dar leis an Ollamh Knott, ná a fhiosrú cad é an meas a bhí ag an bpobal air, agus dea-mhéin an phobail chuige féin a mhéadú. Tráchtann Tadhg Dall ar an bhfleá sin i ndán a thosaíonn mar seo:

[54] Féach A. S. Green, *Old Irish World* (BÁC 1912) 118. Tá cuntas ar an bhféasta i gcnuasach d'annála nach bhfuil ar marthain díobh anois ach aistriúchán Béarla a rinne Dubhaltach Mac Fhir Bhisigh i 1666. Féach *Miscellany of the Irish Archæological Society* (BÁC 1846) 227-8 agus *Sources* i, 22-3.

[55] ' Mairgréag an einigh ' a thugtar uirthi de ghnáth. Tá tagairt dá féile i ndán a chum Tuathal Ó hUiginn *c.* 1425 nuair a pósadh Aodh Buidhe Ó Néill ar Fhionnghuala iníon Uí Chonchubhair Fáilghe agus Mhairgréag. *Aithdioghluim Dána* i (1939) 70 *et seq.*

[56] In eagar ag O. Bergin, *Studies* ix, 416 *et seq.; Irish Bardic Poetry* 154 *et seq.*

> Nodlaig do-chuamair don Chraoibh
> ollamhain Fódla d'éantaoibh
> ar slios réidh an bhrogha bhuig
> i robha Ó Néill um Nodluig.[57]

Cuireann an file in iúl ansin a fhéile is a bhí Ó Néill leo, flúirse bia agus dí á dáileadh orthu gan staonadh. Is follas, ámh, ón gcuid eile den dán nach grá do na filí ba chúis le féile Uí Néill; bhí súil aige le cúiteamh éigin. I gceann tamaill chuir sé teachtaire chuig na filí féachaint an raibh aon dán cumtha acu inar tugadh eolas ar a ghníomhartha gaisce agus ar a bhuanna féin ar fud Éireann. D'fhreagair na filí nach raibh, ach d'inis siad cad a bhí curtha síos acu ina gcuid dánta. Bhí Ó Néill thar a bheith mí-shásta leo; an méid a bhí ráite acu, ní raibh sé cruinn ná cinnte go leor, dar leis, mar adhmholadh air féin. Dúirt sé leis na filí nach n-éistfeadh sé le haon cheann de na dánta, ach go dtabharfadh sé íocaíocht dóibh ar gach ceann acu, rud a chuir iontas ar na filí—' gníomh dob iongnadh re a iomrádh ' mar a deir Tadhg Dall linn. Ag deireadh an dáin insíonn Tadhg dúinn gur ghabh na filí do ' bhriathraibh binne ' chun fearg Uí Néill a chur ar gcúl, ach ní raibh ann dóibh ach saothar in aistear—' 's níorbh feirrde dhún a dhéanamh '.

Le bunús an dáin seo a thuiscint i gceart ní mór eolas éigin a chur ar stair an taoisigh, Toirdhealbhach Luineach. Garmhac do Art Ó Néill, dearthár Choinn Bhacaigh, ba ea é.[58] Nuair a cailleadh Seán Ó Néill i 1567 deineadh Ó Néill de agus, mar a mheabhraíonn an tOllamh Knott dúinn,[59] chaith sé an chuid eile dá shaol nó gur éag sé i 1595 ag cosaint a theidil ar lucht freasúra a chine féin, agus ar rialtas Shasana. Ba mhór an chabhair do dhuine mar é tacaíocht na bhfilí a bheith aige lena dheimhniú agus a dhaingniú ina fhearann.[60] Ach is cosúil nach raibh na filí sásta lántacaíocht a thabhairt dó ar an ócáid sin in ainneoin a fhéile. Ar ócáid eile chum Tadhg Dall dán eile inar ríomh sé deathréithe agus buanna pearsanta Thoirdhealbhaigh:

[57] E. Knott, *Tadhg Dall* i, 50 *et seq.* (Bhí an Chraobh suite ar an taobh thiar den Bhanna, gairid do Chúil Rathain.)

[58] T. Ó Donnchadha (Torna), *Leabhar Cloinne Aodha Buidhe* (BÁC 1931) iv.

[59] *Tadhg Dall*, ii, 217 *et seq.*

[60] . . . the problem was to determine the individual Ó Néill; and he had looked for something special to back him against his able and indefatigable competitor the Baron of Dungannon, to whom the poet's generalities were as pertinent as to himself. *B.M. Cat. Irish MSS* i, 434, fonóta 1.

Rí nár bhris a bhréithir ríogh,
Rí ara lugha lucht míghníomh,
Rí nach geallfa ní fá nimh
Acht ní is dearbhtha do dhéinimh.[61]

Dualgais Oifigiúla

Ná ceaptar, ámh, gur ar ocáidí creiche agus fleá amháin a bhí na filí chun tosaigh. Is léir ó na tuairiscí atá ar marthain go raibh dualgais thábhachtacha le comhlíonadh acu ar ócáidí móra oifigiúla. Mar léiriú amháin ar na dualgais sin tá an cuntas as *Leabhar Leacáin* ar an bpáirt a ghlac Mac Fhir Bhisigh in oirniú an taoisigh Ó Dubhda. Thugadh Ó Dubhda an chéad deoch (' tús digi ') do Ó Caomháin, ach ní ólfadh seisean í gan í a thairiscint ar dtús don fhile, i.e. do Mhac Fhir Bhisigh. Ansin tar éis ainm Uí Dhubhda a ghairm, thugtaí a arm agus a earradh agus a chuid each do Ó Caomháin, agus thugtaí arm agus earradh Uí Chaomháin do Mhac Fhir Bhisigh. Níor chóir (' dingmála '), áfach, ainm Uí Dhubhda a ghairm nó go ngoirfeadh Ó Caomháin agus Mac Fhir Bhisigh ar dtús í, agus go dtí go gcuirfeadh Mac Fhir Bhisigh corp na slaite os cionn Uí Dhubhda agus go n-abradh gach cléireach agus gach comharba cille an ainm i ndiaidh Uí Chaomháin agus Mhic Fhir Bhisigh.[62]

Cuntas eile a dheimhníonn tábhacht na bpríomhfhilí is ea an ceann atá le fáil in *Annála Uladh* faoin mbliain 1432. Sa bhliain sin chuaigh Eoghan mac Néill Óig Uí Néill, tar éis bás a athar, go Tulach Óg mar a ndearnadh é a oirniú ar leac na rí ' de dheoin Dé ⁊ daíne, easpoc ⁊ olloman '.[63]

Ní miste glacadh leis go ndéanfadh an file, agus an chuid eile den aos dána, deimhin de bheith i láthair ar gach ócáid shollúnta i saol an taoisigh agus is cosúil gur mhair an nós seo. ' At christenings, marriages, funerals and so forth ', adeir Sir Henry Bourgchier linn, ' there are never absent certain routs of idle and loose rogues, by them termed bards, caroughs, rhymers, Irish harpers, pipers and others of their kind '.[64]

[61] *Tadhg Dall*, i 45.

[62] O'Curry, *MS. Materials*, 126, 542. Cf. freisin P. Ó Riain, ' The " Crech Ríg " or " Regal Prey " ', *Éigse* xv, 24 *et seq.*

[63] AU iii, 118.

[64] Luaite ag E. MacLysaght, *Short Study of a transplanted Family in the Seventeenth Century* (BÁC 1935) 24. Cf. *A Description of the Western Islands of Scotland* (1934) 176.

Ba mhór an dul amú a bheadh ar an té a cheapfadh nach raibh i saothar na bhfilí i rith na n-aoiseanna ach caitheamh aimsire liteartha nach raibh gá leis ná aon mhóréileamh air. Ba dhearmad, freisin, a mheas go bhféadfadh na flatha agus na taoisigh bheith beag beann ar na filí; a mhalairt ar fad a bhí fíor. Mar is eol dúinn, córas fíor-uasaicmeach ba ea córas na nGael agus dá bhrí sin ba mhór é tábhacht na nginealach. Dála na mBreatnach, bhí na Gaeil tugtha do bheith ag maíomh as a gcraobhacha coibhneasa. Is iomaí deimhniú atá againn air sin. Ag seo, mar shampla, fianaise ón taobh amuigh: 'The Irishman standeth so much upon his gentilitie that he termeth anie one of the English sept, and planted [born and settled] in Ireland, "boddeagh galteach" [*Bodach gallda*], that is "English Churle"; but if he be an Englishman borne, then he nameth him "boddeagh saxonagh" [*bodach saxsonach*], that is: a "Saxon Churle"; so that both are churles, and he the onelie gentleman'.[65]

Ós rud é gurbh é ceann de phríomhdhualgais na bhfilí craobhacha coibhneasa a choinneáil, ní miste a rá gurbh iad ba mhó a chothaigh agus a thug tacaíocht do ghradam cine nó duine. Agus is maith a bhí a fhios sin acu féin. Mar a deir an tOllamh Knott: 'We have a number of references in the poems themselves showing that poetry was highly valued as an instrument for maintaining family reputation'.[66] Tá lánléiriú suimiúil ar an tuairim sin le fáil i ndán a cumadh thart faoi 1500, nuair a bhí iarrachtaí a ndéanamh chun cosc a chur le filíocht na Scoileanna. Cuireann an file in iúl cad a tharlódh dá n-éireodh leis na hiarrachtaí sin—

Dá mbáidhthí an dán, a dhaoine,
gan seanchas gan seanlaoidhe,
  go bráth, acht athair gach fhir,
  rachaidh cách gan a chluinsin.

. . . .

Dá mbáidhthí seanchas chlann gCuinn
agus bhar nduana, a Dhomhnuill,
  clann bhar gconmhaor 's bhar gclann shaor
  ann dobudh comhdhaor comhshaor.

[65] Luaite ag S. H. O'Grady, *Silva Gadelica* ii, xxii.
[66] *Tadhg Dall* i, xxxv.

Fir Éireann, mas é a rothol
ionnarba na healathan,
gach Gaoidheal budh gann a bhreath,
gach saoirfhear ann budh aitheach.[67]

Tá an bunsmaoineamh nochta go soiléir sa rann deireanach sin— Más toil le fir Éireann an ealaín a ionnarba laghdófar breith (nó cumas) na nGael, agus ní bheidh i ngach saorfhear ach aitheach (nó bodach).

Ní in Éirinn amháin a ceapadh nach bhféadfaí an uaisleacht a chaomhnú in éagmais na bhfilí mar is léir óna bhfuil le rá ag Edmund Spenser ina dhréacht, ' Ruines of Time ':

But such as neither of themselues can sing,
Nor yet are sung of others for reward,
Die in obscure obliuion, as the thing
which neuer was, nor euer with regard
Their names shall of the later age be heard,
But shall in rustie darknes euer lie
Vnles they mentiond be with infamie.[68]

Faoi mar a bheifí ag súil leis, bhí claonadh sna filí uaisleacht an fhlatha a mheas do réir a fhéile dóibh féin. Dá fhéile a bhí an flaith is amhlaidh ba líonmhaire na dánta a chumtaí á adhmholadh; dá líonmhaire na dánta adhmholta is ea ba mhó é gradam an fhlatha. Míníonn sé sin cén fáth a raibh sé de nós ag teaghlaigh uaisle na dánta molta agus na caointe go léir a cumadh do bhaill éagsúla na dteaghlach sin a bhailiú agus a choimeád in aon chnuasach amháin ar a dtugtaí duanaire.[69] Bhí méid agus toirtiúlacht an duanaire sin ina theist ar fhéile an teaghlaigh do na filí agus ina dheimhniú ar chéimíocht an teaghlaigh sin. Ar uaire sna cuntais ar bhás duine luaitear na duanairí seo mar chruthúnas breise ar ghradam an duine sin. Mar shampla, deirtear faoi dhuine amháin gur aige a bhí an duanaire ba mhó dá raibh ann lena linn.[70]

Ní foláir nó bhí na cnuasaigh seo an-líonmhar tráth, ach níl tagtha anuas chugainn díobh ach dornán beag. Is é an ceann is ársa orthu sin ná *Leabhar Méig Shamhradháin*[71] a scríobhadh sa 14ú haois. Ruaidhrí Ó Cianáin (d'éag 1387) ab ainm don phríomh-

[67] Tá an dán iomlán i gcló ag L. Mac Cionnaith in *Dioghluim Dána* 220 *et seq.* Féach freisin E. Knott, *Irish Syllabic Poetry* 1200-1600, 78 *et seq.*

[68] *The Works of Edmund Spenser. The Minor Poems* ii (Baltimore 1947) 46.

[69] E. C. Quiggin, *Prolegomena to the Study of the later Irish Bards.*

[70] *Tadhg Dall* i, xliv.

[71] In eagar ag L. McKenna, S.J. (BÁC 1947).

scríobhaí. Cnuasaigh iomráiteacha eile is ea *Leabhar Uí Eadhra*[72] (sa bhliain 1597 a scríobhadh an chuid is tábhachtaí den lámhscríbhinn sin in ómós don taoiseach Cormac Ó hEadhra, d'éag 1612), *Leabhar Branach,*[73] *Leabhar Inghine Uí Dhomhnaill*[74] atá ar caomhnú sa Bhruiséal, agus an duanaire ar a dtabharfaimid *A Poem Book of the O'Donnells.*[75] Ina dteannta siúd tá sleachta as duanaire Mheig Uidhir[76] le fáil in Copenhagen agus i mBaile Átha Cliath, tá cnuasach de dhánta in ómós do na Diolúnaigh i lámhscríbhinn san Acadamh Ríoga,[77] agus tá duanaire Chlainne Aodha Buidhe le fáil san áit chéanna.[78]

Mar a dúradh cheana, ní raibh ceangal ar an bhfile dánta a chumadh don aon fhlaith amháin. Má léitear na dánta sna duanairí seo nó saothar aon duine de na filí iomráiteacha feicfear gur minic a chumadh an file dréachtaí adhmholta do fhlatha eile seachas an flaith a raibh sé mar ollamh oifiigiúil aige. I ndánta den chineál seo, is cosúil gur ghnáth don fhile rann breise a chur isteach ag móradh a phátrúin féin.[79] Tá tagairt don nós seo sna *Memoirs:* ' as to any Epick, or Heroick Verse to be made for any other Lord or Stranger it was required that at least a Parsemion, or Metre therein, should be upon the Patron, or the Name in general '.

Is fíor nach bhfuil mórán samplaí den nós seo ar fáil ach ní misde a chreidiúint gur minic a fágadh an rann breise don phátrún ar lár nuair bhí an dán á bhreacadh síos i nduanaire flatha eile.

Is minic, ní nach ionadh, a bhíodh na dánta adhmholta lán d'áibhéil agus de bhréaga. D'aithin cuid de na filí féin an méid sin. Tá dán tagtha anuas chugainn a cháineann an drochnós seo go neamhbhalbh. I dtosach an dáin tráchtann an file ar an gcinniúint a bheidh i ndán dóibh siúd ' chumas bréag san dán ' agus deir sé:

[72] In eagar ag L. McKenna, S.J. (BÁC 1951).

[73] In eagar ag S. Mac Airt (BÁC 1944).

[74] K. Meyer, *Ériu* iv, 183. Féach freisin Rev. P. Walsh, *Irish Ecclesiastical Record,* June 1929; Jan. 1930; July 1937.

[75] T. Ó Cléirigh, *Éigse* i, 51 *et seq.*, 130 *et seq.*

[76] D. Greene, *Duanaire Mhéig Uidhir.* (*The Poembook of Cú Chonnacht Mág Uidhir, Lord of Fermanagh* 1566-99) (BÁC 1972).

[77] RIA V 2.

[78] In eagar ag T. Ó Donnchadha.

[79] *Tadhg Dall* i, xli *et seq.*

Gach ar cheannaigh Críost i gcroich
gach ar chruthaigh dhá thoil féin,
Gach ar dhealbh Breitheamh laoi an Luain,
a n-athchuma is cruaidh an chéim.

Ansin tugann sé samplaí de na bréaga a insíonn na filí ina gcuid dánta:

Cuirthí urla cruthach caomh
ar éadan mhaol, mór an oil;
cumthaoi d'fhior chriothshúileach cham
go mbí a rosg mall mar an ngloin.

Fear na gcos bhfionnfadhach bhfiar
nachar sgar a-riamh re gáig
'sé duine is áille dhá chois,
idir cholpa is troigh is tsáil.

Don duine chartbhuidhe chrón
cumaidh sibhse, gidh glór truagh:
' Cneas mar eala nó mar aol
atá 'gan ghéis is caomh snuadh.'[80]

Ní fios go cruinn cé chum an dán seo. I lámhscríbhinn amháin tá ainm Thaidhg an Ghadraigh Mhic Aodhagáin leis. I lámhscríbhinn eile deirtear gurbh é an file ar a dtugtar an Pearsún Riabhach a chum é. I mbliain a 1278 a d'éag seisean, áfach, agus deir Ó Rathile gur ar éigean a cumadh an dán chomh luath sin. Cibé duine a chum é, tá sé dian ar na filí. Ró-dhian, b'fhéidir, nuair a smaoinítear nach raibh sa chuid is mó den adhmholadh ach comhghnás liteartha agus go raibh de dhualgas ar na filí coinbhinsin áirithe cumadóireachta a chleachtadh ina gcuid dánta.[81] Mar shampla, ba ghnách dóibh ainm athar agus seanathar an té a bhí le moladh a lua agus a chraobh choibhneasa a léiriú. Níorbh annamh a thugtaí ainm agus ginealach a mháthar chomh maith. Glacadh leis freisin go raibh tréithe áirithe ba chuí a ríomhadh, féile agus crógacht an fhlatha, cuir i gcás. Nuair a chuimhnítear ar na cuibhreacha a bhí ar na filí, ó thaobh ábhair agus ealaíne, is cúis iontais an chaoi inar éirigh leo an ró-ionannas a sheachaint agus malairt crota a chur ar a gcuid dánta. San am céanna bhí na rialacha ann agus níor chiallmhar, b'fhéidir, bheith ag súil le lomfhírinne agus lánchruinneas nuair a chloígh na filí leo.

[80] In eagar ag T. F. O'Rahilly, *Measgra Dánta*, 21 *et seq.;* 71.

[81] E. Knott, *Filíocht na Scol*, 56 *et seq.*

Tharla, ar uaire, nárbh é an flaith aonair a bhí á adhmholadh sna dánta, ach a theaghlach nó a chlann. Tagraíodh cheana don chuireadh chun fleá a thug Toirdhealbhach Luineach Ó Néill d'fhilí na hÉireann um Nollaig na bliana 1577. Nuair a d'fhiafraigh Toirdhealbhach de na filí an raibh a bhuanna agus a chaithréimeanna féin molta acu d'fhreagair siad nach raibh, ach a deir siad, ' atá bunadh craobh gcoibhneasa ó gCuinn gan taom n-ainbhfeasa aguinn '. Níor leor le Toirdhealbhach an méid sin, toisc gan é bheith cruinn nó pearsanta go leor. ' Greannoghadh é ar Eóghanchaibh ', a dúirt sé, is é sin le rá, nach raibh ann ach gríosadh do Shíol Eoghain i gcoitinne.[82]

Tarlaíonn go minic freisin go bhfuil méid áirithe den éiginnteacht ag roinnt leis an moladh. Nuair a ríomhtar buanna an fhlatha, cuir i gcás, ní chuirtear in iúl cérbh iad na flatha eile a bhfuair sé an lámh in uachtar orthu. É féin amháin a bhíonn faoi chaibidil; ní dhéantar é a chur i gcóimheas lena chomhfhlatha. D'aon ghnó is cosúil a chleachtaí an nós seo, mar is follas ó ráitis cuid de na filí féin. Léiríonn Brian Mac Con Midhe (fl. *c.* 1490) an seasamh ba chóir don fhile a ghlacadh:

> Dá fiafraigheadh duine dhe
> Uaisle cháich tar a chéile,
> dlighfidh file freagra mhall
> d'eagla an tighe 'na thiomchall.[83]

Nocht an file, Maol Seachlainn na nÚirsgéal Ó hUiginn, an discréid chéanna nuair a dhiúltaigh sé mionchuntas a thabhairt ar thréithe gaisciúla Bhriain Uí Chonchubhair (d'éag 1440) ar eagla go gcuirfeadh sé olc ní amháin ar chlanna uaisle eile i gConnachta ach ar na Gaill sa chúige sin chomh maith:

> Síol Muireadhaigh is Mainigh
> dhó chuirfiodh am cheartaighidh
> bheith ag tuirim na ttreas tug,
> bheas giodh duiligh a ndearmud.
>
> Goill Chonnacht do chor dom dhruim,
> nó a n-iarmhoireacht ní féadfuinn
> a mbreatha troma dhá thigh
> sa ccreacha orra dh'áirimh.[84]

[82] *loc. cit.*

[83] *Tadhg Dall* i, xlvi. Féach freisin a bhfuil le rá ag an Ollamh Carney faoi dhiscréid na bhfilí, *Studies in Irish Literature and History*, 259.

[84] *Tadhg Dall* i, xlvii.

Is furasta dearcadh na bhfilí seo a thuiscint. Bhí de dhualgas orthu dánta adhmholta a chumadh ar ócáidí oiriúnacha má theastaigh uathu luach saothair a fháil, agus bíodh go raibh ceangal speisialta orthu i gcás an fhlatha a bhí mar phríomhphátrún acu, níorbh é a leas olc a chur ar aon fhlaith eile ach oiread. Ar an ábhar sin ní ionadh gur staon siad go hiondúil ón gcóimheas neamhdhiscréideach.

Níorbh iad na flatha dúchasacha amháin a fuair moladh ó na filí; fuair na tiarnaí gallda nó gallGhaelacha a gcuid féin de freisin. Is minic a luaitear na véarsaí ciniciúla seo a leanas as dán a chum Gofraigh Fionn Ó Dálaigh[85] (d'éag 1387) d'Iarla Dheasmhumhan:

Dá chineadh dá gcumthar dán
i gcrích Éireann na n-uarán—
  na Gaoidhilse ag boing re bladh
  is Goill bhraoininse Breatan.

I ndán na nGall gealltar linn
Gaoidhil d'ionnarba a hÉirinn;
  Goill do shraoineadh tar sál soir
  i ndán na nGaoidheal gealltair.[86]

Ní héasca a mheas anois an ag magadh nó dáiríre a bhí an file nuair a chum sé an méid sin. Ach sula dtugtar breith air, ní mór cúrsaí staire a linne a chur san áireamh agus cuimhneamh freisin, mar a mheabhraíonn an tOllamh Knott dúinn, gurbh iad na Gearaltaigh príomhphátrúin Ghofraidh.

Seachas na Gearaltaigh (a bhí i gcónaí chun tosaigh ag cothú an chultúir dhúchasaigh), fuair a lán clanna eile de phór na nGall moladh agus tacaíocht ó na filí i gcaitheamh na n-aoiseanna. Sampla maith de sin is ea cás Thaidhg Óig Uí Uiginn (d'éag 1478) Chum seisean dánta do na flatha dúchasacha Ó Néill, Ó Domhnaill, Ó Conchubhair Chairbre, Ó Ceallaigh, Ó Conchubhair Chiarraí, Ó Cearbhaill, Mag Uidhir agus Mac Diarmada. Ina theannta sin chum sé dánta d'Iarlaí Urmhumhan agus Deasmhumhan, do Mhac Uilliam Íochtar agus Mac Uilliam Uachtar.[87] Chomh déan-

[85] 'Ireland's arch-professor of Poetry. . . . He was professional poet to the MacCarthys, to the Earls of Desmond and to the O'Briens of Thomond'. O. Bergin, *Studies* vii, 97.

[86] *Irish Monthly*, Sept. 1919, 513. Luaite freisin ag E. Knott, *Tadhg Dall* i, xlvii.

[87] *Aithdioghluim Dána* i, xxxv. Samhlaítear dúinn go bhfuil cosúlacht áirithe idir na filí agus saighdiúirí gairmiúla an 17ú haois, ar nós Captain Dalgetty (ag Sir Walter Scott). Níor leasc leis na saighdiúirí seo troid ar thaobh an té ab fhéile a thabharfadh íocaíocht dóibh. Ach bhí caighdeáin iompair dá gcuid féin acu agus, an fhaid a bhídís i seirbhís duine uasail áirithe, bhídís dílis don duine sin agus dósan amháin.

ach leis an 16ú haois bhí an nós seo, adhmholadh na nGall, ina chúis imní do na húdaráis i Sasana de bhrí gur léir dóibh (mar a fheictear ón sliocht seo a leanas as cáipéisí oifigiúla na linne) go raibh na filí ag buanú nósanna na nGael i measc uaisle na Páile agus ag gríosadh na n-uaisle sin chun creiche agus áir: ' Harpours, rymours, Irishe cronyclers, bards, and isshallyn [= aos ealadhan] comonly goo with praisses to gentilmen of the English Pale, praysing in rymes, otherwise callid danes, their extorcioners, robories and abuses, as valiauntnes, whiche rejoysith theim in their evell doinges; and procure a talent of Irish disposicion and conversacion in theme, which is likewyse convenient to bee expellid '.[88]

Sna haoiseanna idir teacht na Normanach agus aimsir an Ochtú hAnraí ní furasta i gcónaí idirdhealú a dhéanamh idir cúis na nGael agus cúis na nGall. Is minic freisin nach féidir a rá go cinnte cad iad na ceantair a raibh na flatha dúchasacha nó na tiarnaí gallda in uachtar iontu. Cúis iontais é, mar shampla, an deimhniú atá le fáil sa sliocht seo ar a láidre a bhí na Gaeil i limistéir na Páile sa chéad leath den 16ú haois: ' All the comyn peoplle of the saide halff countyes [viz. of the Pale] that obeyeth the kinges lawes, for the more parte ben of Iryshe byrthe, of Iryshe habyte and of Iryshe language '.[89]

Luach Saothar na bhFilí

De ghnáth d'íocadh na flatha go fial as adhmholadh na bhfilí, i dtreo go ndearna an file go maith as a cheird. Bhí sé i dteideal fearann agus eallach a fháil óna phátrún, mar aon le tacaíocht agus cosaint ar gach ócáid ba ghá sin. Agus mura bhfuair sé a raibh dlite dó, dar leis, níor leasc leis a mhí-shásamh a chur in iúl dá phátrún. Fiú amháin um dheireadh an 16ú haois (am éigin idir 1589 agus 1600) faighimid Eochaidh Ó hEodhasa ag fáil locht i ndán ar an bhfearann a bhronn a phátrún, Aodh Mag Uidhir, air. Labhraíonn an file go neamheaglach neamhspleách sa chéad véarsa:

[88] *State Papers. Henry VIII*, vol. ii, part 111A, 50.

[89] *ibid.*, 8.

[1] Mar shampla, seo an fhianaise a thugann Fearghal Óg Mac an Bhaird faoi fhéile a phátrúin, Mag Uidhir:

Gach uair dar thriallus 'na theach
fuarus duais á mbím buidhioch.

Duanaire Mhéig Uidhir, 32

T'aire riomsa, a rí ó nUidhir,
égnach cáigh ní cuirthi a suim,
an uair nac éisde ret fhilidh,
a éisge shluaigh chinidh Chuinn.[2]

Ansin míníonn sé fáth a éagnaigh. Ní féidir, dar leis, an fearann atá faighte aige a chosaint ó ionsaí namhad agus lucht foghla, agus éilíonn sé fearann in áit níos síochánta, áit a bhféadfaidh Mag Uidhir féin é chosaint. San áit a bhfuil sé, scuabfaidh an namhaid an t-eallach chun siúil, a deir sé, agus is é Mag Uidhir a chaithfidh íoc as. Is fiú críoch an dáin a thabhairt ina iomláine mar léiriú ar chaint neamhbhalbh, mhífhoidhneach an fhile:

Muna bhfaghthar fearonn oile
d'áit innill ót érla nocht,
dá ttí síon fhaobhrach an earraigh,
baoghlach díol an eallaigh ort.

Tusa chuirfios crodh 'na n-ionadh,
a ua Mhagnuis nár mhaoith guin;
munab olc leibhse a n-ég aguinn,
créd fá mbeinnsi ag cagaill chruidh ?

Uaid fuarus a bhfuil um urláimh,
ort iarrfad a n-iarrfa sinn,
léig do chioth an cradh nó caomhnaidh
ní díoth dhamh gan aonbhoin inn.

Labhair file eile go searbhasach le pátrún nár thug uaidh riamh ach geallúintí nár chomhlíon sé:

Do bhámar go soimhealltа
red ghealladh lán do lúthgháir,
Ag imeacht go soineannta
amach re ceann an tsúgáin.

Is gonta goimheach mar a léirítear drochnós an phátrúin sa dá líne dheireanacha den dán: ' gan tiodhlacadh pinginne/s' gan éanduine d'eiteach '.[3]

I dteannta an luach saothair a bhí ag dul don fhile óna phátrún féin bhí sé i dteideal cúiteamh a fháil ó fhlatha eile ar chum sé dánta dóibh. Gheobhadh sé claíomh,[4] b'fhéidir, nó each[5] nó, i gcás

[2] *Studies* xii, 80-82.

[3] *Measgra Dánta*, 33.

[4] *ibid.*, 23-4.

[5] *ibid.*, 24-6.

amháin, ar a laghad, péire spéaclaí.[6] Dá mbeadh an t-ádh air, gheobhadh sé i bhfad níos mó ná sin. Dhearbhaigh Tadhg Óg Ó hUiginn, a mhair sa 15ú haois, nach bhfuair sé riamh níos lú ná fiche bó ar dhán ó Thadhg mac Cathail Uí Chonchubhair.[7]

File a fuair luach saothair neamhchoitianta tráth ba ea Muireadhach Ó Dálaigh a mhair sa chéad leath den 13ú haois. I mbliain a 1213 chuaigh Fionn Ua Brolcháin, maor Uí Dhomhnaill, go Cúige Connacht ag bailiú cíosa dá thiarna. Thug sé cuairt ar Mhuireadhach Ó Dálaigh i Lios an Doill i Sligeach agus labhair go mímhúinte borb leis an bhfile. (Do réir na tuairisce sna hAnnála[8] níorbh é Ó Domhnaill a d'ordaigh dó é sin a dhéanamh.) Chuir drochiompar Uí Bhrolcháin an oiread sin feirge ar an bhfile gur rug sé ar thua ghéar agus gur mharaigh sé an maor d'aon bhéim. Theith sé ansin go Clann Riocard is lorg tearmann ó Mhac Uilliam (i.e. Riocard Fitz William Fitz Adelm de Burgo, an tiarna Normanach ar bhronn an tríú hAnraí Cúige Chonnacht air i mbliain a 1225). Lean Ó Domhnaill é agus ghabh ag creach-loscadh na tíre. Chum Muireadhach dán do Mhac Uilliam á impí air é a chosaint ar Ó Domhnaill: 'Domhnall Doire is Droma Cliabh ná tréig dhó mé, a mheic Uilliam'. (Is suimiúil an rud é gur thug sé 'a dhream ghaoidhealta ghallda' ar Mhac Uilliam agus a lucht leanúna.) Míníonn Muireadhach gur suarach an t-ábhar achrainn atá idir é féin agus Ó Domhanill:

Beag ar bhfala risin bhfear,
bachlach do bheith dom cháineadh,
mé do mharbhadh an mhoghadh—
A Dhé, an adhbhar anfholadh ?[9]

In ainneoin achaine an fhile, b'éigean do Mhac Uilliam géilleadh d'Ó Domhnaill agus an file a dhíbirt go Tuadhmhumhain. Lean Ó Domhnaill go Luimneach é agus ó Luimneach go Baile Átha Cliath. Faoi dheireadh chuir sé d'iachall ar mhuintir na cathrach sin an file a dhíbirt go hAlbain mar ar fhan sé ar deoraíocht ar feadh cúig bliana déag. (Is uime sin a thugtar Muireadhach Albanach mar leasainm air.) Ag deireadh na haimsire sin chum

[6] *Irish Bardic Poetry*, 63 *et seq.*

[7] YBL 375, 31 *et seq.;* cf. E. Knott, *Tadhg Dall* i, xlii-xliii agus *B.M. Cat Irish MSS* i, 474 *et seq.*, áit a dtugtar achoimre ar na pribhléidí a éilíonn Eochaidh Ó hEodhasa mar *ollamh* dá phátrún.

[8] ARÉ ad ann.

[9] In eagar mar aon le haistriúchán ag Bergin, *Studies* xiii (1924), 241 *et seq.*, *Irish Bardic Poetry*, 88 *et seq.*

an file trí dhréacht adhmholta d' Ó Domhnaill, agus mar chúiteamh ar na dréachtaí sin rinne Ó Domhnaill síocháin leis, ghaibh ina mhuintearas é agus ' thug forba agus fearann dó fé mar ba dhata leis '.[10]

Ba chuma cé dó a gcumfadh sé dán, bhíodh coinne ag an bhfile le cúiteamh. Tá léargas neamhchoitianta ar an dearcadh sin le fáil i ndán leis an bhfile Giolla Brighde (Albanach) Mac Con Midhe, a mhair i lár an 13ú haois. Nuair a cailleadh a mhacsan fágadh gan chlann é, agus chum sé dán á impí ar Dhia deonú mac a bhronnadh air mar luach saothair ar an dán: ' madh áil lat is lór a rádha,/mac i lógh mo dhána, a Dhé '.[11]

Comhaimsearach do Ghiolla Brighde ba ea Donnchadh Mór Ó Dálaigh. Scríobh seisean dán ag iarraidh ar Dhia neamh a thabhairt dó mar chúiteamh ar dhán[12]:

> Cunnradh im neamh do ní meise
> 's é Mac Dé nach déanann cruas,
> mo dhuan dásan ní duan fhallsa
> budh sásadh buan damhsa an duas.

Ach is é an t-éileamh is spéisiúla orthu go léir, b'fhéidir, ná an ceann atá luaite ag an Dochtúir Ó Rathile in aiste leis.[13] Os comhair na Seisiún i gCorcaigh sa bhliain 1576 rinneadh an gearán seo a leanas: ' that when any freeholder or inhabitant within their severall countries is maried, the rumor [rimer] of the lord, called Olaff Danie [Ollamh dána], will take the best apparaill of the womane so maried or the just value thereof '. Ansin tugtar tuairisc ar éileamh a rinne file áirithe:

> . . . one Dermond Odayly in the name . . . of Odayly Fynyne came to Kile Weybowd in the countie of Cork in June last past and haith forceably taken of Margaret ny Scally of the said Kile Weybowd all the rayment that she did weare, that day, being newly mareid, or else the valwe of the same, to his oune contentacon, alleadginge

[10] ARÉ. *loc. cit.* Féach freisin *Measgra Dánta*, 224-5 agus B. Ó Cuív, ' Poem in Praise of Raghnall, King of Man ', *Éigse*, viii, 283 *et seq.* Ar leathanach 287 tá an méid seo: We might hazard a guess that the author was the venturesome Muireadhach Albanach Ó Dálaigh who is supposed to have visited Dublin from which he proceeded into Scotland.

[11] *Measgra Dánta*, 167.

[12] L. McKenna (eag.), *Dán Dé, the poems of Donnchadh Mór Ó Dálaigh* (BÁC 1922) 67, 43.

[13] ' Irish Poets, Historians and Judges in English Documents, 1538-1615 ', PRIA. Vol. 36 C, 86 *et seq.* Féach freisin P. Mac Cana, ' An Arch*aism* in Irish Poetic Tradition ', *Celtica* viii, 174 *et seq.*

> the same to be due to the forsaid Odayley of every womane that is maried throughowt all Desmond and McDonoghe countrye, because he is their cheef rymor otherwise called Olowe Dane.

Is cosúil, mar a deir an Dr Ó Rathile, go raibh nós ann ' éadach nuachair' a bhronnadh ar an bhfile mar luach saothair ar aon epithalamium a chumadh sé, agus tá fianaise tugtha aige a dheimhníonn gur mhair an nós sin, ní in Éirinn amháin, ach in Albain freisin anuas go dtí deireadh an 17ú haois.[14] Ba é éadach an fhir a d'éilíodh an file in Albain, áfach—' the Poet or Bard had (formerly) a title to the Bridegroom's upper Garb, that is, the Plade and Bonnet, but now he is satisfied with what the Bridegroom pleases to give him on these occasions '.[15]

Tá léargas an-suimiúil le fáil ar dhearcadh na bhfilí i leith íocaíochta ar dhán agus dearcadh na bpátrún a cheannaigh iad, le fáil sa chuntas seo a leanas as *Leabhar Branach* (215-16):

> Agus is saobh an siobhal do-rinne ceannuigh críonna do cheannuighthibh Bhaile Átha Cliath ar ndul go Sligeach dhó d'iarraidh fiach do bhí aige ar Ó Conchubhair Sligigh. Agus an oidhche do chuaigh don bhaile thángadar buidhion do dheaghaos dána a gceann Í Chonchubhair lé dán ar n-a ghréaschuma go fáthamuil focail ghlic. Do héiseadh an dán agus do díoladh an bhuidhion go daor d'airgead agus d'earraidhibh uaisle onóracha. Agus is eadh adubhairt an ceannuighe an uair do-chonnairc sé a dhaoire do díoladh an dán, ' A Í Chonchubhair, is daor do cheannchus tusa dán ', ar sé. ' Ní daor ', ar Ó Conchubhair, ' óir ní thugas a leathluach air fós '. Mar do-chualaidh an ceannuighe sin, táinig go hÁth Cliath tar ais. Agus is gearr 'na dhiaidh sin go ndeachadar buidhion ré dán d'ionnsuighe an cheannuighe do cheannach airm agus éadaigh uaidh. Do fhiafruigh an ceannuighe dhíobh an raibhe dán acu do dhíolfaidís leis féin. Adubhradarsan go raibhe. ' Más eadh, ceinneochad-sa go maith é '. Tug sé deich bpúint dóibh ar an dán do bhí déanta le forgla ched bliadhan roimhe sin, agus 'na dhiaidh sin do ghluais sé leis an dán a gceann Í Chonchubhair Shligigh a ndóigh go thiubhradh dá uiread a thug sé féin air dhó, ach nác dá athair ná dá sheanathair ná do neach do chineadh ná do chlannmhaicne Í Chonchubhair do rinneadh an dán do rug an ceannuighe leis. Agus giodh eadh, mar do-chualaidh Ó Conchubhair connradh an cheannuighe, agus a raibhe ris an dán fá n-a chomhair féin dá cheannach uaidh, tug Ó Conchubhair dá uiread a thug an ceannuighe ar an dán dó dá chionn, bíodh nach raibhe feidhm aige ris. Agus dar leom-sa is mór do mealladh an ceannuighe do

[14] PRIA, Vol. 36 C, 115-16.

[15] M. Martin, *Description of the Western Islands of Scotland* (1934) 177.

chionn an bhairr aisdir sin do chur air tar an tí nár éimidh dán ná dréacht ná deaghlaoidh dá tugadh chuige riamh .i. deaghmhac Fiachaidh Mhic Aodha, fear ceannsuighte caibhdean agus cosanta a cheirt, agus fear congbhála gach deagh-riaghla.[16]

[Is é an ' deaghmhac ' atá i gceist anseo ná Feidhlim mac an taoisigh cháiliúil úd Fiachaidh mac Aodha Uí Bhroin.]

Is suimiúil an rud é gur mhair an nós luach saothair a bhronnadh ar fhile i ngeall ar dhán go ceann i bhfad tar éis scrios na Scoileanna. Is féidir cás Mhuiris Uí Ghormáin a lua mar shampla de sin. I litir a scríobh Cathal Ó Conchubhair chuig an Dr Mac an tSaoir, Ardeaspag Bhaile Átha Cliath sa bhliain 1772, chuir sé in iúl go bhfuair Ó Gormáin cúig ghiní ar dhán a chum sé do Sir George Macartney, Príomhrúnaí an rialtais san am.[17]

Dánta Teagaisc

Ar uaire ghlacadh na filí mar chúram orthu féin treoir agus teagasc a thabhairt don fhlaith, go háirithe dá mba dhuine óg é. Agus bhí cáilíochtaí ar leith acu chuige sin ó tharla iad a bheith lán-eolach ar stair agus ar thraidisiúin an chine. Sampla an-mhaith den chumadóireacht chomhairleach is ea an dán fada[18] 55 rann a chum Tadhg mac Dáire Mac Bruaideadha[19] do Dhonnchadh Óg Ó Briain nuair a tháinig an fear óg seo in oidhreacht an teidil, ceathrú hIarla Thuadhmhumhan,[20] sa bhliain 1580. Cuireann an file in iúl sa chéad líne den dán—' Mór atá ar theagasc flatha '— a thábhachtaí atá an gnó atá ar siúl aige. Ansin tar éis dó comhairle a thabhairt don Iarla nua agus a chuid dualgas a léiriú dó, deir an file nach molfaidh sé an fear óg nó go mbeidh an moladh sin tuillte aige trí na dualgais sin a chomhlíonadh:

Ní mholabh, a mheic m'ochta,
Tusa, ge atá inmholta
  Dod dheirc ghoirm, ríghdha atá um a thost
  Go ccomhlína tú ar ttegosc.[21]

Ba shuimiúil an rud é eolas a chur ar thuairimí an fhile, tamall níos déanaí nuair a thug an tIarla céanna tacaíocht do chúis na

[16] Táimid faoi chomaoin ag an Athair Cuthbert Mac Craith, O.F.M. as ár n-aire a dhíriú ar an dréacht seo agus as na moltaí eile a chuir sé faoinár mbráid nuair a bhí an chaibidil seo a hullmhú againn.

[17] *Reportorium Novum* (1959-60) 291.

[18] T. Ó Flanagáin, *Teagasc Flatha. Institutio Principis* (BÁC 1808).

[19] *The Dictionary of National Biography*, s.n. Macbruaidedh, Tadhg.

[20] *ibid.*, s.n. O'Brien, Donough, Baron of Ibraken and Fourth Earl of Thomond.

[21] T. Ó Flanagáin, *op. cit.*, 30.

banríona, Éilís, in Éirinn.[22] Nuair a fuair an tIarla bás i 1624, áfach, is feasach dúinn go ndúirt Mac Bruaideadha gur chailliúint do-leigheasta do Ghaeil a bhás—' Eascar Gaoidhel ég énfhir '.[23] Ba chailliúint do Ghaeil freisin, dar le Tadhg, imeacht an ceathrú hIarla Clainn Riocaird ó Éirinn,[24] fear a throid in arm Shasana faoi cheannas Carew ag Cath Chionn tSáile i 1601 agus a d'fhéach le na Gaeil a scrios go neamhthrócaireach ar an ócáid sin—' and no man did bloody his sword more than his Lordship that day, and would not suffer any man to take any of the Irish prisoners, but bid them kill the rebels '.[25]

An Aoir i bhFilíocht na Scoileanna[26]

Ba í an aoir an gléas ab éifeachtaí dá raibh ag an bhfile ó thosach aimsire. Faoi mar atá léirithe cheana againn, creideadh go coitianta go raibh i gcumas an fhile dochar a dhéanamh do dhuine nó go fiú é a mharú trí aoir a chumadh air. Mar a dúirt Seán Ó Gadhra: ' Aoir chuireas daoine in éagcruth, Is thógas builg go borb ar éadan '. Ní deacair a chreidiúint gur iarsma den phágánachas atá anseo agus gur bhain méid áirithe de mhistéir aduain agus d'éifeacht do-thuigthe le ráitis na bhfilí i gcaitheamh na n-aoiseanna.[27] Tá bunús, mar sin, leis an tuairim gur inmheasta go raibh an mistéir agus an éifeacht chéanna ag roinnt, tráth, le moladh an fhile freisin. Mhíneodh sé sin cén fáth a raibh an oiread sin dúile ag na flatha sna dánta adhmholta.

Is iomaí sampla a thugtar dúinn sa litríocht de chumas na haoire. Ceann amháin is ea an scéal a insítear sna hAnnála i dtaobh Sir John Stanley a tháinig go hÉirinn mar fhear ionaid Rí Shasana i 1414. Fear neamhthrócaireach ba ea Sir John, nár thug ' cadhus ná tearmann do thuaith ná d'eaglais ná d'ealaín '. D'airg sé Niall mac Aodha Uí Uiginn, agus mar dhíoltas ar an argain sin d'aor Muintir Uiginn é agus, mar a deirtear sa chuntas ' ní raibhe beo iar sin acht cúicc seachtmhaine namá an tan fuair bás do neimh

[22] S. O'Grady, *Pacata Hibernia* i, ii (London 1896) *passim.*

[23] *B.M. Cat. Irish MSS* i, 389.

[24] L. McKenna, *Iomarbhágh na bhFileadh* ii (London 1918) ii, 246, 247.

[25] *Cal. Carew MSS* (1601-1603) 194; *Pacata Hibernia*, ii, 61.

[26] F. N. Robinson, *Satirists and Enchanters in Early Irish Literature* (American Studies. Reprints 1-3, (1968)).

[27] Cf. H. R. Huse, *The Illiteracy of the Literate* (New York, London 1933) Caib. V, ' Word Magic '.

na n-aor, ⁊ asé sin an dara fiort filidh do ronadh for Niall Ua Uiginn '.[28] Níor tháinig laghdú ar éifeacht na haoire le himeacht aimsire, do réir dealraimh, mar le linn Éilíse, dúirt Sasanach áirithe, ' The Irishmen will not sticke to affirm that they can rime either man or beast to death '.[29]

Faighimid deimhniú níos údarásaí fós ar an éifeacht a measadh a bheith le haoir sa chonradh a rinneadh i 1539 idir Maghnas Ó Domhnaill agus Tadhg Ó Conchubhair um bhardacht Chaisleán Shligigh.[30] Do réir an chonartha seo thug Ó Domhnaill bardacht an chaisleáin do Thadhg ar choinníollacha áirithe agus ghlac an chléir agus an t-aos ealaíne orthu féin píonós a imirt ar Thadhg dá dteipeadh air na coinníollacha sin a chomhlíonadh:

> Is siad slána an cuirsi do thaobh na hEagluise .i. airdeaspog Tuama gan aifrinn gan cumaineacha gan faiside gan baisdeagh gan adhlacad a roilig coisreactha gan comairce mainistreach nó teampaill do bheith ag Tadhg nó ag duine dá ngeba leis dá mbrisse sé aonní dá bhfuil ann so ⁊ a bheith d'fhiachaibh ar an airdeaspag ⁊ ar gac eacclais dá bhfuil faei coindealbathad croisi do dhenamh ar Tadhg ⁊ ar gac duine da ngeba leis gaca minca uair iarrfus Ó Domnaill orra a denamh. Is iad slana na gcorsa do thaobh aosa healadna Éireann .i. Conchubhur Ruadh Mac an Bhaird ⁊ Ó Cléirigh agus Fearghal Mac Domhnaill Ruaidh Mic an Baird ⁊ a bheith d'fhiacaib orra Tadhg d'aorad leo féin ⁊ le haos ealadhna Eireann fa muir iarrfus Ó Domnaill orra he.[31]

Dhealródh sé ón doiciméad sin gur measadh coinnealbhá na hEaglaise agus aoir na bhfilí a bheith ar chomhchéim éifeachta, agus mar a deir an tOllamh Ó Ceithearnaigh ina thaobh, ' This document better than any I know shows the poets as the functional heirs of the druids and shows them as late as the sixteenth century acting as a corporate body '.[32]

Má chuimhnímid ar chumas na haoire agus má chuirimid leis sin an dúil a bhí ag na filí na flatha a ghríosadh chun troda is fearr a thuigfimid cén fáth a ndearna na Sasanaigh tréan-iarrachtaí na filí a chur faoi chois. Chomh fada siar leis an mbliain 1415 nuair a tháinig Sir John Talbot (an Tiarna Furnival) go hÉirinn mar

[28] ARÉ iv, 818 *et seq.*

[29] R. Scot, ' Discoverie of Witchcraft ', *Ulster Journal of Archæology* vi, 209.

[30] M. Carney, ' Agreement between Ó Domhnaill and Tadhg Ó Conbhubhair concerning Sligo Castle (23 June 1539) '. *Irish Historical Studies* iii, 282 *et seq.*

[31] Cf. Cuthbert McGrath, O.F.M., *Clogher Record* ii (1957), 12.

[32] *Studies in Irish Literature and History*, 263. Féach freisin M. Dillon, *Early Irish Society*, 73 *et seq.*

Iúistís ba ghearr an mhoill air cuid de na filí a ionsaí. Mar a deirtear sna hAnnála: ' Lord Furnumail do thecht ina Iuistis i nErinn—Ro airg bheós drong mhór daos dána Érenn .i. Ua Dálaigh Midhe (Diarmait), Aodh Óg Mag Craith, Dubhthach Mac Eochadha Eolaigh ⁊ Muirgheas Ua Dálaigh '.[33]

Ba san 16ú haois, áfach, ba mhó a tugadh faoi chumhacht na bhfilí a bhriseadh. Is follas ó na tuairiscí a thugann na Sasanaigh féin fúthu gur riachtanach, dar leo, na filí a smachtú dá mba mhian leo na Gaeil a threascairt, ' All their poetries tending to the furtherance of vice and the hurt of the English ',[34] mar a deir tuairisc amháin. Is géire fós tuairisc Spenser:

> They seldome use to chuse unto themselves the doinges of good [i.e. loyal] men for the ornamentes of their poems, but whomsoever they find to be most lycentious of lief, most bolde and lawles in his doinges, most daungerous and desperate in all partes of disobedience and rebellious disposicon, him they sett up and glorifie in theire rymes, him they prayse to the people, and to the younge men make an example to followe.[35]

D'fhéach na húdaráis le críoch a chur leis an mbagairt seo. I mbliain a 1549 d'ordaigh coimisinéirí an rí i Luimneach ' No Rhymer [*poeta*] nor other person whatsoever shall make verses [*carmina*] or any thing else called auran to any one after God on earth except the King, under penalty of the forfeiture ofa ll his goods '.[36] Sa bhliain 1571 chuir Sir John Perrott, Tiarna Uachtaránna Mumhan, an reacht seo a leanas amach:

> all carroughes, bards, rhymers and common idle men and women within the province making rhymes, bringing of messages, and common players at cards to be spoiled of all their goods and chattels and to be put in the next stocks, there to remain till they shall find sufficient surety to leave that wicked thrade of life and fall to other occupation.[37]

Nuair a ceapadh Sir Henry Harrington mar ' sheanascal ' ar Chríoch Bhranach agus ar chríocha eile máguaird sa bhliain 1579 i measc na gcúraimí oifigiúla a cuireadh air bhí an ceann seo a leanas: ' He shall make proclamation that no idle person, vagabond or masterless man, *bard*, *rymer*, *or other notorious malefactor*, remain within

[33] ARÉ ad ann.
[34] *Cal. Carew MSS* (1603-1624) 449.
[35] *Spenser's Prose Works* (ed. R. Gottfried, Baltimore 1949) 125.
[36] *Cal. S.P. Ireland* (1509-1573) 101.
[37] *Cal. Carew MSS* i, 410.

the district on pain of whipping after eight days, and *of death* after twenty days '.[38] Cuireadh cúram den chineál céanna ar Ghearóid Iarla Chill Dara, agus ar Piers Fitz James i gCill Dara: ' They are also to punish *by death*, or otherwise as directed *harpers*, *rhymers*, *bards*, *idlemen*, *vagabonds*, and such horseboys as have not their master's bill to show whose men they are '.[39]

In ainneoin na géarleanúna go léir níor éirigh le Rialtas Shasana na filí a chur go hiomlán faoi chois, cé gur laghdaíodh go mór a gcumhacht agus gur maraíodh mórchuid díobh de láimh láidir. Ina measc siúd bhí Eoghan Rua Mac an Bhaird, Muiris Ballach Ó Cléirigh, Donnchadh an tSneachta Mac Craith, Cú Chonnacht Ó Cianáin agus Tadhg Dall Ó hUiginn '.[40]

Ar an láimh eile ní foláir nó gur fhan fuíoll cumhachta acu agus is deacair gan greann a bhaint as iarratas Sir John Perrott ar fhilí áirithe dánta adhmholta a chumadh don bhanríon, Éilís,[41] agus deirtear gur iarr an Tiarna Mountjoy agus Sir George Carew ar Aonghas Ruadh Ó Dálaigh aortha a chumadh ar chlanna dúchasacha na nGael.[42]

Bhí tosach an 17ú haois ann sular briseadh ar fad ar eagras agus ar chumhacht na bhfilí. Tar éis Chath Chionn tSáile is ea a tháinig deireadh lena réim.

Filíocht na Scoileanna agus Saol na Comhdhaonnachta

An té a bhfuil eolas aige ar shaothar na *Gogynfeirdd* agus filí na n-uaisle sa Bhreatain Bhig feicfidh sé láithreach an chosúlacht atá idir a saothar siúd agus saothar fhilí na Scoileanna in Éirinn. Ceardaithe ba ea an dá dhream. Chleacht siad a gceird díreach mar a chleachtfadh saor nó gabha é. Agus fearacht an tsaoir agus an ghabha mhair siad ar an tuarastal a fuair siad ar a saothar. Seoladh ar aghaidh ó athair go mac an saineolas a bhain le cleachtadh na ceirde. Ar an gcuma sin tharla, mar a dúramar cheana, gur bhain cumadh na filíochta le clanna áirithe do réir oidhreachta.

[38] Luaite ag an Athair P. Breatnach, *Gleanings from Irish Manuscripts* (1933) 186.

[39] *ibid.*, 186.

[40] *Sources* i, 31-2.

[41] E. Knott, *Tadhg Dall* i, xliv.

[42] J. O'Donovan, *The Tribes of Ireland;* a satire by Aenghus O'Daly (BÁC 1852). Féach freisin *B.M. Cat. Irish MSS* i, 341, 443-5; D. MacKinnon, *Cat. of Gaelic MSS in . . . Scotland* (Edinburgh 1912) 215, 320.

Bhí eagras sóisialta agus polaitiúil na tíre measartha scaoilte. Níor líonmhar iad na ceangail a shnaidhm is a dhlúthaigh an comhluadar le chéile. Ceann de na ceangail ba thábhachtaí orthu sin ba ea dílseacht an fhlatha dá lucht leanúna agus a n-ómós agus a n-umhlaíocht siúd dósan. Ba é príomhdhualgas an fhile an flaith a mhóradh agus a chur os comhair an phobail mar ábhar ómóis. Ós rud é go raibh an flaith ag brath ar dhá rud go speisialta chun a fheadhmannas agus a chéimíocht a chaomhnú, mar atá, a chraobh coibhneasa agus a chrógacht phearsanta féin, ba é gnó an fhile é tosach a thabhairt don dá rud sin ina chuid dánta.

Filíocht don chomhdhaonnacht ba ea tromlach a gcuid ceapadóireachta, filíocht a raibh cuspóir sóisialta mar bhun aici. Na smaointe a nochtaí inti, níor smaointe a bhain go pearsanta leis an duine aonair iad, ach smaointe a bhain leis an gcomhdhaonnacht i gcoitinne. Agus ba os comhair comhluadair nó cuideachta a dhéantaí í a aithris. Ar an ábhar sin níorbh fhilíocht don tsúil í, dála filíocht an lae inniu, ach filíocht don chluais. Ní leor í a léamh, is éigean í a chlos.

Tá na nithe seo ráite cheana ag scoláirí na Breatnaise faoi fhilíocht mheánaoiseach na teanga sin.[43] Ní mór iad a chur san áireamh freisin i gcás filíocht na Gaeilge. Más mian linn breithiúnas cothrom a thabhairt ar shaothar fhilí na scoileanna ní amháin gur riachtanach dúinn éisteacht go cúramach le ceol na bhfocal i ndán, ach is riachtanach freisin iarracht a dhéanamh ar chúlra an dáin a shamhlú agus an ócáid dár cumadh é a thabhairt chun cuimhne.

Léireoidh sampla amháin céard atá i gceist. Nuair a cailleadh Gofraidh Ó Domhnaill sa bhliain 1258 fágadh Cenél gConaill (na Conallaigh) gan tiarna infheadhma. Chrom sean-namhaid na gConallach, Ó Néill, ar bhagairt orthu. Chruinnigh siad le chéile d'fhonn a shocrú cad a dhéanfaidís faoin mbagairt seo agus cén taoiseach a thoghfaidís as a measc féin le hiad a aontú agus le bheith umhal dó. Le linn dóibh bheith ag cur is ag cúiteamh tháinig Domhnall Óg mac Domhnaill Mhóir Uí Dhomhnaill chucu as Albain. Macaomh ocht mbliana déag d'aois a bhí ann, agus ghlac siad ar an toirt leis mar thaoiseach.[44]

[43] T. Parry, *Hanes Llenyddiaeth Gymraeg hyd* 1900 (1944) 40.

[44] ARÉ ad ann. 1258.

I dtrátha an ama seo bhí an file Giolla Brighde Mac Con Midhe[45] ina chónaí i dTír Eoghain agus é faoi gheall ag Niall Ó Goirmleadhaigh, taoiseach a bhí umhal d'Ó Néill, namhaid na gConallach. Bhí Giolla Bhrighde tar éis dánta adhmholta a chumadh d'Ó Goirmleadhaigh agus d'Ó Néill, ach ina theannta sin bhí dánta cumtha aige do bheirt deartháir Dhomhnaill Óig, beirt a bhí tar éis bháis um an dtaca seo. Nuair a chuala Giolla Brighde scéala faoi theacht Dhomhnaill Óig as Albain agus a roghnú mar thaoiseach ar na Conallaigh chinn sé ar dhán molta a chumadh dó.[46]

Samhlaímis dúinn féin an file ag tabhairt na leapa air féin, é ina luí sa dorchadas i ngleic le hábhar an dáin. Bhí an tosach éasca go leor—crua-chás na gConallach a bheith ar eolas ag Dia, agus croí Cholm Cille do theacht i gcabhair orthu in am na práinne; cumha an chine nuair a cailleadh an seantaoiseach, agus maolú do theacht ar an gcumha sin nuair a tháinig Domhnall Óg. Ach ansin níor mhór eolas a thabhairt faoi Dhomhnall Óg féin, eolas a dheimhneodh agus a dhaingneodh a údarás mar thaoiseach. B'shin príomhchuspóir an dáin, agus láimhsigh Giolla Brighde go hoilte é. Chuir sé in iúl gur rugadh Domhnall Óg tar éis bás a athar. (' A mbroinn do fágbhadh flaith Oiligh '.) Dea-thuar ba ea é sin, dar leis an bhfile, de bhrí gur mar sin a tharla do dhaoine iomráiteacha eile mar Fhionn mac Cumhaill, Tuathal Teachtmhar agus Cormac mac Airt. Meallann sé tacaíocht Chlainne Suibhne trína mheabhrú dóibh go raibh Domhnall Óg mar dhalta altroma acu (' ó do tógbhadh a dtoigh Shuibhne '). Cuireann sé in iúl nach bhfuil aon duine eile ann atá i dteideal an ceannas a bhaint de Dhomhnall Óg mar nach bhfuil fágtha den chlann mhac uile ach é féin amháin. Ní locht é sin ach oiread i dtuairim an fhile—' fearr beagán cloinne ná clann ', a deir sé. Cuireann sé in iúl a thábhachtaí is atá ginealach a mháthar, Lasairfhíona. Iníon do Chathal Croibhdhearg Ó Conchubhair agus dá bhean Mór Ní Bhriain is ea í. Ar an ábhar sin ba chóir go mbeadh idir Chonnachtaigh agus Mhuimhnigh sásta le Domhnall Óg.

[45] *B.M. Cat. Irish MSS* i, 350-51; G. Murphy, *Glimpses of Gaelic Ireland* (BÁC 1948) 37 *et seq.*, *idem*, *Éigse* iv, 79; *Measgra Dánta*, 163 *et seq.* Féach freisin an léacht a thug A. O'Sullivan ar an bhfile, *Early Irish Poetry*, 85 *et seq.*

[46] Fraser, Grosjean and O'Keeffe, *Irish Texts*, ii, 22 *et seq.* *Studies* xxxv (1946), 40-41; Cuntas ar an bhfile ag G. Murphy, *Éigse* iv, 90 *et seq.*

As na nithe seo agus nithe eile dá leithéid is ea chruthaigh Giolla Brighde a dhán agus, nuair a bhí sé curtha i dtoll a chéile go slachtmhar aige, tig linn é a shamhlú ag cur fios ar an reacaire, agus eisean ag cur na filíochta de ghlanmheabhair. Ansin thriallfadh an bheirt acu, mar aon leis an gcruitire, go háras Dhomhnaill Óig. Ó ba fhile é a raibh a ainm in airde sa dúiche sin, is cinnte go gcuirfí fáilte roimh Ghiolla Brighde agus go ndéanfaí fleá a ullmhú dó. Tar éis na fleá istoíche, agus an chuideachta go léir go meidhreach, d'éireodh an reacaire, agus staonfadh gach duine den chomhrá agus den gháire. Ansin, sa chiúnas, chloisfí an glór oilte ag aithris an dáin, fuaimeanna binne maorga an fhriotail á dtabhairt amach go soiléir aige agus ceol na cruite á thionlacan:

Do fhidir Dia Ceinéal Conuill
do chur a n-imshníomh ar ais,
táinig tre bháidh cridhe Colaim
ar fhine gcáidh gConaill chais.

Ní foláir nó chuaigh ríomhadh sollúnta na nithe seo go léir i bhfeidhm ar intinn Dhomhnaill Óig agus ar intinn na cuideachta a bhí i láthair. An féidir gur rith sé le haon duine acu go raibh siad ag éisteacht le saothar a mhairfeadh nuair a bheidís féin ar shlí na fírinne, saothar a thabharfadh mioneolas do ghlúnta a bhí le teacht ar an macaomh, Domhnall Óg mac Domhnaill Mhóir Uí Dhomhnaill, eolas a bhféadfadh lucht staire san am a bhí le teacht leas a bhaint as ?

Filíocht Dhiaga na Scoileanna

Ba pribhléid agus ba dhualgas, dar leis na Gogynfeirdd sa Bhreatain Bhig, Dia a mhóradh agus a mholadh i ndán agus dála mar a thug siad ómós dá bpátrún mar thiarna saolta thug siad ómós do Dhia mar thiarna osnádúrtha. Ní miste a chreidiúint go raibh an dearcadh céanna ag filí na Scoileanna in Éirinn.

Tá saothar diaga na bhfilí seo neamhchosúil ar fad leis an tseanfhilíocht dhiaga a cumadh in Éirinn sular tháinig na Scoileanna i réim. Is follas go raibh eolas ag na filí ar a lán den litríocht dhiaga a bhí á cumadh ar an Mór-roinn ón 13ú haois anuas,[47] ach láimhsigh siad an t-eolas sin ar a mbealach féin.[48] Is beag rian den úire, den tsimplíocht ná den deabhóid dhíograiseach atá le fáil ina gcuid dánta ach ceisteanna achrannacha diagachta á suathadh

[47] E. Quiggin, *Prolegomena to the Study of the Later Irish Bards*, 33 *et seq.*

agus á lúbadh go cliste iontu. Agus dhealródh sé freisin nach raibh aon domhain-eolas ag na filí ar na Scrioptúir. Is annamh, cuir i gcás, a dhéanann siad tagairt do bheatha ná do theagasc Chríost. Ar A bhreith agus A Pháis amháin a bhíonn a n-aire, agus dearcadh dá gcuid féin acu ar na nithe sin go minic. Mhol siad an Mhaighdean Mhuire, agus dála filí i dtíortha eile sa mheánaois ba bhreá leo bheith ag trácht ar an gcoibhneas neamhchoitianta a bhí idir í agus Dia (agus An Tríonóid) ar thaobh amháin agus idir í agus an cine daonna ar an taobh eile.[49] Is annamh, áfach, a nocht siad an grá dúthrachtach agus an deabhóid shimplí atá le fáil chomh minic sin i litríocht na meánaoise i gcoitinne.

Tugann saothar an fhile Pilib Bocht Ó hUiginn léargas anmhaith dúinn ar na pointí sin. Ba bhall d'Ord San Proinsias é, ach ina ainneoin sin tá a chuid dánta scríofa san fhriotal ornáideach agus sna meadarachtaí casta a chleacht filí na Scoileanna, agus tá a dhearcadh ar aon dul le dearcadh a chomhfhilí. Láimhsíonn sé an t-ábhar ar an mbealach céanna leosan agus níl aon rud ina chuid dánta a nochtfadh an oiliúint a fuair sé i gcúrsaí diagachta san Ord, ná níl aon rud iontu a thaispeánfadh go ndeachaigh deabhóid na bProinsiasach i bhfeidhm air. Dá bhrí sin, is é tuairim eagarthóra a chuid dánta, an tAthair Mac Cionnaith, gur cosúil gur chaith Pilip Bocht an chuid ba mhó dá shaol ag saothrú mar fhile, go raibh sé ag dul in aois nuair a chuaigh sé isteach san Ord agus go mb'fhéidir nár oirníodh riamh ina shagart é. ' Bráthair bocht ' a thugann sé air féin sna dánta.

Seachas Pilib Bocht bhí roinnt filí eile a chum cuid mhaith dánta diaga. Is iad Donnchadh Mór Ó Dálaigh, Tadhg Óg Ó hUiginn agus Aonghas Fionn Ó Dálaigh na daoine is cáiliúla agus is líonmhaire saothar orthu. Ina theannta sin faighimid corrdhán diaga ó fhilí eile; mar Mhuireadhach Albanach, Giolla Brighde Mac Con Midhe.

Tá díolaim mhór d'fhilíocht dhiaga na Scoileanna curtha in eagar i gcnuasaigh éagsúla ag an Athair L. Mac Cionnaith, S.J.,

[48] L. McKenna, S.J., *Dánta do chum Aonghus Fionn Ó Dálaigh* (BÁC 1919) viii *et seq.*

[49] *ibid.*, xi *et seq.*

mar aon le cuntas ar shaol agus ar shaothar na bhfilí agus léiriú beacht ar shaintréithe na filíochta seo i gcoitinne.[50]

Dánta Pearsanta

In ainneoin ár ndíchill, ní furasta dúinne inniu sainbhuanna filíocht na Scoileanna a thuiscint agus a mheas. Tá an iomad athruithe tar éis teacht ar chúrsaí an tsaoil agus táimidne féin ró-mhór faoi smacht ag smaointe ár linne féin le go n-éireodh linn taitneamh iomlán a bhaint aisti. Is giorra dár meon agus dár dtuiscint na dánta a chum na filí seo ar a gcúrsaí pearsanta féin. Níl ach corrdhán den chineál sin tagtha anuas chugainn, bíodh gur cosúil gur cumadh cuid mhaith díobh i gcaitheamh na n-aoiseanna. Ach bhí an spás sna lámhscríbhinní gann, agus is beag suim a bheadh ag an scríobhaí sa saothar pearsanta nuair a bheadh rogha le déanamh idir é agus an chumadóireacht oifigiúil. Is móide ar ndíomá faoin easnamh seo nuair a chuimhnímid ar a fheabhas atá cuid de na dánta pearsanta atá ar marthain go fóill, mar an caoineadh a chum Gofraidh Fionn Ó Dálaigh nuair a cailleadh a mhac[51] nó an ceann a chum Muireadhach Albanach ar bhás a mhná—' Maol Mheadha na malach ndonn ' mar a thugann sé uirthi. Seod is ea an ceann deireanach seo, é simplí agus snoite agus an cumha pearsanta léirithe go hoilte ann, mar is follas ó na véarsaí seo a leanas:

M'anam do sgar riomsa a-raoir,
calann ghlan dob ionnsa i n-uaigh;
rugadh bruinne maordha mín
is aonbhla lín uime uainn.

. . . .

M'aonar a-nocht damhsa, a Dhé,
olc an saoghal camsa ad-chí;
dob álainn trom an taoibh naoi
do bhaoi sonn a-raoir, a Rí.

. . . .

[50] *Philib Bocht Ó Huiginn* (BÁC 1931); *Dánta do chum Aonghus Fionn Ó Dálaigh* (BÁC 1919); *Dán Dé* (1922); *Dioghluim Dána* (BÁC 1938); *Aithdioghluim Dána* (i, 1939, ii, 1940)). Féach freisin Father J. E. Murphy ' The Religious Mind of the Irish Bards ', *Féilsgríbhinn Eóin Mhic Néill* (eag. Rev. J. Ryan) (BÁC 1940) 82 *et seq.* C. Mac Craith, *Dán na mBráthar Mionúr* (BÁC 1967).

[51] *Dioghluim Dána,* 196 *et seq.*

Leath mo chuirp an choinneal naoi;
's guirt riom do roinneadh, a Rí;
agá labhra is meirtneach mé—
dob é ceirtleath m'anma í.[52]

Tá roinnt samplaí de dhánta pearsanta le fáil i *Measgra Dánta* agus is dréachtaí brónacha a bhformhór, an file lán cumha toisc é bheith ag dul ar deoraíocht, nó an bhochtaine a bheith ag brú air, nó é bheith i bpríosún agus a chairde á thréigean. Tá dánta eile sa leabhar atá curtha síos d'Oisín nó Deirdre nó Colm Cille. Dánta faoin dúlra nó faoi áilleacht áite áirithe is ea an chuid is mó díobh siúd.

Cé nach cóir, b'fhéidir, Gearóid Iarla (1338-1398) a áireamh i measc filí na Scoileanna, is díol suime a shaothar. Chum sé roinnt mhaith dréachtaí i bhfoirm shimplí (ógláchas) de na meadarachtaí siollacha agus is dánta pearsanta an chuid is mó díobh. Tá cnuasach dá chuid dánta le fáil i *Leabhar Fhear Muighe.*[53] Dála na bhfilí gairmiúla, bhí suim ag Gearóid, do réir cosúlachta, i luach saothair, agus chum sé dréacht amháin do Chormac Mac Cárthaigh[54] ag gearán nach raibh an Cárthach sásta glacadh le dán ó Ghearóid gan íocaíocht a fháil as a ghlacadh. Scríobh sé dánta do mhná, dánta dá chairde Gael, marbhna corraitheach ar a bhean, dréacht ar aibhneacha na hÉireann, ceann ar lucht cúlchainte agus ceann in ómós do Naomh Íde. I ndréacht eile chuir sé in iúl go raibh ar intinn aige éirí as ceapadh na filíochta:

Do dhlighfinn druim ris an dán;
do mheall dá ghrádh mhé re seal.
Ní mheallfa sé mhé níos sia:
bead arís mar bhias gach fear.[55]

Is cosúil gur mhothaigh sé tráth go raibh féith na filíochta á thréigean, agus léirigh sé a chumha faoi sin i ndréacht eile.[56] 'Ag dul ris an tuaith atám', a dúirt sé sa dréacht sin.

Dála a dhearthár Muiris roimhe, bhí Gearóid ina phátrún ag an bhfile Gofraidh Fionn Ó Dálaigh. Tugann a lán de na dánta sa chnuasach seo léargas an-mhaith dúinn ar an gcaidreamh a bhí

[52] *Studies* xiii, 427 *et seq.; Irish Bardic Poetry*, 101 *et seq.*

[53] In eagar ag G. Mac Niocaill mar aon le cuntas ar bheatha Ghearóid in *Studia Hibernica* 3 (1963) 7 *et seq.*

[54] Dán ii ag Mac Niocaill.

[55] dán xii.

[56] dán xiii.

idir an Gearaltach Normanach seo agus uaisle na nGael sa dara leath den 14ú haois. Tá samplaí dá shaothar le fáil in *Dánta Grádha* freisin.

Dánta Adhmholta do Mhná

Bíodh gurbh é an taoiseach is mó a fuair moladh ó fhilí na Scoileanna, ní dhearnadar faillí go hiomlán i moladh na mban uaisle agus, cé nach líonnmhar iad na samplaí atá ar marthain, tá go leor díobh ann le cur ina luí orainn nár rud neamhchoitianta é bean nó iníon an taoisigh a mholadh ar ócáidí áirithe i ndán in onóir an taoisigh nó i ndán ar leith di féin. Sampla den chineál deireanach sin is ea an dán a chum file anaithnid éigin roimh lár an 13ú haois do Chailleach Dé, Iníon Uí Mhannacháin tiarna Ua mBriuin. Moltar ann scéimh agus féile na hainnire agus cuirtear in iúl nach bhfuil aon bhean eile ar dhroim an domhain inchurtha léi:

> Bean ós mhnáibh cáich Cailleach Dé
> mo ráith ghailleach mo tháin taoi,
> gé bheath mná na tíre ar mo thí
> a-tá sí míle ós gach mhnaoi.
>
> . . . .
>
> Luath a fíon is luath a lionn,
> luath a síodh is síodh mo rann,
> anathlamh mbas agus mbonn
> an donn (chas) mhalachdhubh mhall.
>
> . . . .
>
> Cailleach Dé an ghrian ard ós fíodh
> dá dtard mé mo mhian dá crudh
> cleath ag leith dá toigh mo theagh
> ní oil neamh acht bheith 'n-a brugh.
>
> . . . .
>
> Ise an róimh mhór ós mhnáibh,
> díse cóir a lón go léir
> ag freasdal oirne ó Eas Ruaidh
> fuair a-ndeas coinnmhe don chléir.[57]

Anois agus arís sa dréacht seo ba dhóigh le duine gur dán grá a bhí á léamh aige, ach i ndeireadh na dála tuigtear dó go bhfuil cion ag an bhfile ar an ainnir toisc í a bheith chomh fial sin leis féin agus lena chomhfhilí. Bhí a mhalairt d'ábhar ag Tadhg Óg Ó hUiginn nuair a chum sé dánta do Ghráinne, iníon Mhaelsheachlainn

[57] *Aithdioghluim Dána*, i, 1 *et seq.*

taoiseach Ó Maine, a bhí pósta ar Thadhg Ó Briain ó Thuadh-mhumhain. Chum sé dán amháin di nuair a cailleadh a mac Ruaidhrí[58] agus ceann eile thart faoin mbliain 1444 mar chaoineadh uirthi féin agus ar a fear céile.[59] Mar a fheictear ón dán adhlacadh an bheirt acu in Inis:

Dá bhrághaid uaim i nInis,
triall chugtha is cuaird neimhmilis;
adhbhar sgís a sgaradh rinn
anadh ón dís ní dhlighfinn.

. . . .

An chríochsa Mhumhan Meic Con
méad a hanshóigh ni hiongnodh
's a mbuain dí i ndiaidh a chéile
rí Ó mBriain's a bhainchéile.

. . . .

Ar n-éag inghine hÍ Cheallaigh
is Taidhg fa dtáid Éireannaigh
—ní háil bas do bhuain umha—
do chuaidh as an ealudha.

Dhealródh sé gur chleacht na filí coinbhinsin áirithe agus iad ag cumadh dréachta do bhean uasal—luadh a ginealach, tráchtadh ar a scéimh, ar a féile agus ar a dea-thréithe eile.[60] Ach tá roinnt dánta ann nár cloíodh go dlúth leis an bhfoirmle sin iontu. Sampla díobh sin is ea an dán a chum Maol Pádraig Mac Naimhín do Ghormlaidh, iníon Bhriain Mheig Shamhradháin (d'éag 1298) agus bean chéile Mhatha Uí Raghallaigh.[61] Mar is intuigthe ón gcéad líne—Folt Eimhire ar inghin mBriain—is é folt Ghormlaidhe an príomhábhar molta sa dán, agus is cliste mar a chuireann an file loinnir an fhoilt sin os ár gcomhair sa rann seo:

A bhaincheann bhanchloinne Briain
re gcaithfeam glanchoinne ghlóir
soillse chlann id chróchbharr chúil
bidh lóchrann dúinn in am óil.[62]

[58] *ibid.*, uimh. 13.

[59] *ibid.*, uimh. 14.

[60] Bhí rialacha dochta leagtha síos d'fhilí na Breatnaise sa mheánaois faoi na cineáil éagsúla ban ba chuí dóibh a mholadh agus ceangal orthu gnéithe agus tréithe speisialta a lua leis na mná sin. G. J. Williams, E. J. Jones, *Gramadegau'r Penceirddiaid*, 16. Is suimiúil an rud é go bhfuil an-chosúlacht idir na rialacha seo agus na coibhinsin atá le tabhairt faoi deara i bhfilíocht na nGael.

[61] *Leabhar Méig Shamhradháin* (1947) uimh. ix.

[62] *ibid.*, 63.

Folt ainnire eile atá á mholadh sa dán fada a chum Niall Óg Ó hUiginn do Shadhbh (d'éag 1373), iníon Chathail Uí Chonchubhair[63]:

> Eire trom trillse Saidhbhe
> earla i bhfuilead fionnfhailghe;
> barr mar fhionndruine as úr dath,
> an cúl fionnbhuidhe fleasgach.

Más fíor leath dá bhfuil le rá ag an bhfile, ní foláir nó bhí folt fíorálainn ar Shadhbh agus ní ionadh mar sin gur éirigh léi beirt fhearchéile a fháil, Flaithbheartach Ó Ruairc (d'éag 1349) agus Niall Mac Shamhradháin (d'éag 1363). Tá Niall agus í féin ina n-ábhar molta i dteannta a chéile i ndán eile.[64]

Breis agus dhá chéad bliain ina dhiaidh sin faightear lánúin eile á moladh san aon dréacht amháin. I gcuid de na dánta a cumadh ar Philib Ó Raghallaigh (d'éag 1596) tá trí rann ag an deireadh tugtha suas do mholadh a mhná Róis, iníon Chú Connacht Mheig Uidhir. Ní miste rann amháin díobh sin a thabhairt le na thaispeáint go bhfaightear ar uaire sna dánta oifigiúla seo cuid de na smaointe atá le fáil sna dánta grá:

> Rosg glas is gurma iná gloin
> fán malaigh suilbhir socoir,
> gach fear dár lean d'amharc air,
> do radharc fear is foghlaidh.[65]

'Mná tar muir maith re Gaoidhil' a dúirt Fear Flatha Ó Gnímh sa chéad leath den 17ú haois san Epithalamium a chum sé do Sir Henrí Ó Néill ar a phósadh le Marta Stafford.[66] Is soilbhir córtasach mar a labhraíonn an file faoin mbean uasal iasachta sin sa rann seo:

> Meinic do bruinneadh abhus
> ór nach i nÉirinn fhásus;
> caor as an mianach Marta,
> an fialach saor Sacsanta.

Nuair a bhain tionóisc éigin do lámh Mharta chum Ó Gnímh[67] agus file eile darbh ainm Domhnall Ó hEachaidhéin[68] dánta ag

[63] *ibid.*, uimh. xvi. Féach freisin uimh. xiii.

[64] *ibid.*, uimh. xvii.

[65] J. Carney, *Poems on the O'Reillys* (BÁC 1950) 14.

[66] *Leabhar Cloinne Aodha Buidhe*, 203 *et seq.*

[67] *ibid.*, 208, *et seq.*

[68] *ibid.*, 211 *et seq.*

déanamh comhbhróin léi; ' ben do ní deighbhearta ar dháimh ' a thugann Ó hEachaidhéin uirthi, á léiriú go raibh sí fial leis na filí.

Ceann de na samplaí is foirfe de dhán oifigiúil do bhean uasal is ea an dán a chum Maol Muire Ó hUiginn[69] sa dara leath den 17ú haois do bhean éigin a raibh Brighid mar ainm uirthi ach nach fios go cinnte anois cérbh í:

Inghean tSearluis nach claon cuing
Brighid iathghlan inghill,
 dá haobhacht nochar bhain béim,
 bean gan aonlocht i n-aoinchéim.

Deallramh seirce 'n-a haghaidh óig,
gnúis áluinn nár thuill conspóid;
 bean shéimhidhe, ghrinn, ghasda,
 chéillidhe, bhinn, bhéalbhlasda.

. . . .

Ní huaisle an fíon iná a fuil,
banua Í Ruairc bhuig bhronntaigh,
 deaghua Í Néill 's Í Bhriain Bhreagh,
 gan bhéim, gan chiaidh 'na caidreamh.

Ciall agus fos is féile,
innte ó dhúthchus deaghfhréimhe;
 do tógbhadh le cách i ccion,
 bláth na n-ógbhan an inghion.

Níl sa mhéid seo ach roinnt samplaí as na dánta do mhná atá ar marthain. Tá samplaí eile le fáil i gcuid de na cnuasaigh atá luaite cheana againn, mar *Dioghluim Dána, Aithdioghluim Dána* agus *Leabhar Branach.*

Na Dánta Grá

In aon chomhdhaonnacht ina mbeadh an flaith nó an taoiseach á mholadh ag na filí ba nádúrtha an rud é bheith ag súil go dtabharfaí ómós do mhná uaisle na cúirte, go háirithe má bhí íocaíocht le fáil as a leithéid. Ach ceapadóireacht de chineál eile, ceapadóireacht nach raibh bunús oifigiúil nó cuspóir sóisialta aici, ba ea na dánta grá. Ní foláir nó bhí dréachtaí á gceapadh faoin ngrá ar feadh na gcianta cairbreacha ach is beag rian díobh atá le fáil i dtaiscí liteartha na hEorpa. Thart faoi thosach an 12ú haois, ámh, nuair

[69] *Leabhar Í Eadhra,* uimh. xxvii.

bhí an Laidin[70] ag cailliúint a hionad mar ghléas liteartha agus na teangacha dúchais ag teacht i réim tháinig fás úrnua sa litríocht. Ar chúis amháin nó ar chúis eile tosaíodh ar shuim a chur sa ghrá mar ábhar cuí ceapadóireachta. Ach ní grá simplí nádúrtha a bhí i gceist ach grá sofaisticiúil ar ghabh rialacha áirithe lena chleachtadh.[71]

Ba iad na Trúbadóirí in Provence i ndeisceart na Fraince a thionscnaigh an fás nua seo nuair a chrom siad ar dhánta a chumadh a raibh a bheag nó a mhór den chur i gcéill ag roinnt leo; dánta inar léiríodh an grá mar chaitheamh aimsire do na huaisle agus inar móradh an bhean, go háirithe an bhean phósta, mar ábhar ómóis. Bhí snas liteartha ar na dánta seo, friotal snoite agus meadarachtaí oilte mar mhaisiú orthu. Ba mhinic freisin a cuireadh ceol ar fáil dóibh. Bíonn rian den dáiríre le sonrú anois agus arís ar na dánta seo ach de ghnáth ní bhíonn iontu ach cluiche liteartha.

Níorbh fhada gur thosaigh na Trouvères i dtuaisceart na Fraince ar aithris a dhéanamh ar shaothar na dTrúbadóirí, ach chuir siad siúd casadh dá gcuid féin air, casadh a laghdaigh cuid den liriciúlacht a bhí ag roinnt le saothar na dTrúbadóirí. D'fháiltigh pobal na hEorpa roimh an gceapadóireacht seo agus i gceann beagán aimsire bhí dánta ar an nós nua á gceapadh sa Ghearmáin, san Iodáil agus sa Spáinn. Níor thaise do Shasana é, tír a raibh cultúr na Normanach tar éis teacht in uachtar ann ag an am agus a raibh dlúthcheangal idir í agus an Fhrainc.[72] Ag druidim le deireadh an 13ú haois tá sé le tabhairt faoi deara go raibh na Gogynfeirdd sa Bhreatain Beag ag tosú ar shuim a chur sa ghrá mar ábhar

[70] Tá cnuasach de liricí grá i Laidin, na *Carmina Burana*, tagtha anuas chugainn ón ré chéanna. Tá siad le fáil i ls a cuireadh le chéile i Mainistir ag Benedictbeuirm sa Bhaváir i dtosach an 13ú haois. Bíodh gur sa Ghearmáin a scríobhadh síos iad, is leis an Eoraip uile a bhaineann siad, agus is cosúil gurb iad na *clerici vagantes* a chum iad, scoláirí fáin na hEorpa a raibh an litríocht chlasaiceach mar oidhreacht acu. Tá na liricí seo níos nádúrtha, níos daonna, ná dréachtaí na dTrúbadóirí agus a lucht leanúna. Meastar, ámh, nach bhfuil iontu ach an bláthú deireanach de litríocht na Laidine agus nach raibh aon tionchar acu ar an bhfás nua sa litríocht, go háirithe óir ba bheag duine a thuigfeadh iad. Mar sin féin, is suimiúil an léargas a thugann siad dúinn ar intinn éigse na hEorpa san am. H. Waddell, *The Wandering Scholars* (1934) caib. ix; *Medieval Latin Lyrics* (1929) 341 *et seq.*

[71] J. F. Rowbotham, *The Troubadours and Courts of Love* (London 1895); C. S. Lewis, *The Allegory of Love* (Oxford 1936). Féach freisin S. Ó Tuama, *An Grá in Amhráin na nDaoine* (BÁC 1960) agus A. Jeanroy, *Les Origines de la Poésie lyrique en France* (Paris 1925).

[72] H. J. Chaytor, *The Troubadours and England* (Cambridge 1923). Murab ionann agus na Breatnaigh agus na Gaeil rinne filí an Bhéarla iarracht ó thús ar aithris a dhéanamh ar dhealbhna meadarachta na bhFrancach ina gcuid dánta grá.

ceapadóireachta[73] agus um lár an 14ú haois tháinig sé faoi lán réim i bhfilíocht na Breatnaise nuair a chrom Dafydd ap Gwilym[74] agus cuid dá chomhaimsirigh ar dhánta ar an nua-nós a chumadh. Nuair a ghlac filí na Breatnaise leis an ngné úrnua seo chuir siad a séala féin uirthi. Ní hé amháin gur bhain siad feidhm as foirm agus as meadaracht dá gcuid féin, ach shéan siad an ró-dháiríre agus an ró-umhlaíocht a bhí coitianta i ndánta na bhFrancach. Tá cuid den chiniceas, den ghéire agus go fiú den ghreann ag roinnt lena gcuid dánta grá.

Is féidir an rud céanna a rá faoi fhilí na Gaeilge; chuir siad siúd freisin culaith dhúchasach ar an ábhar eachtrannach seo. Ní raibh aon mhórfhile in Éirinn, ámh, ar nós Dafydd ap Gwilym sa Bhreatain Bheag, ar éirigh leis an meon traidisiúnta a bhogadh agus aitheantas a ghnóthú don ghrá mar ábhar cuí ceapadóireachta. Sin ceann de na fáthanna, b'fhéidir, nach líonmhar iad na samplaí atá ar marthain i nGaeilge. Is é tuairim an Ollaimh Ó Rathile gur cumadh cuid mhór díobh i gcaitheamh na n-aoiseanna ach nár ghnáth spás a thabhairt dóibh sna lámhscríbhinní toisc nár shaothar oifigiúil iad. ' Is mar shásamh aigne dhóibh féin, nó chun baochais a mná cumainn do thuilleamh, do cheapadh na filí iad ' adeir an tOllamh. ' Ní cheannaíodh aenne na dánta grá. Ní raibh aon bhaint ag na tiarnaí leo, ná ní sgrítí síos i nduanairí na dtiarnaí iad. Toisg gan aenne bheith 'na gcúram ní dintí cóibeanna dhíobh ach go hannamh, i slí, nuair dineadh an léirsgrios ar lámhscríbhinní na Gaeilge gur cailleadh go brách, do réir gach deallraimh, furmhór mór na filíochta grá a bhí in Éirinn uair '.[75]

Cibé cúis a bhí leis, ní toirtiúil an cnuasach díobh atá ar marthain inniu. Beagáinín os cionn céad sampla atá bailithe ag Tomás Ó Rathile in *Dánta Grádha* agus mar a deir sé féin sa réamhrá, ' Pé cuardach a déanfar feasta, is eagal lium ná faghfar go deo puinn eile dánta grá do b'fhiú a chur leis an méid atá i gcló anso '.

Má scrúdaítear na samplaí feicfear, dar linn, gur ar éigean is ceart ' dánta grá ' a thabhairt ar chuid acu, go háirithe na cinn ag

[73] T. Gwynn Jones, *Rhieingerddi'r Gogynfeirdd.* Féach freisin D. Myrddin Lloyd, ' Barddoniaeth Cynddelw Brydydd Mawr ', *Y Llenor* (1932) 172 *et seq.*

[74] T. Parry, *Gwaith Dafydd ap Gwilym* (1952); I. Williams, T. Roberts, *Cywyddau Dafydd ap Gwilym a'i Gyfoeswyr* (1935). Féach freisin T. Chotzen, *Recherches sur la poésie de Dafydd ap Gwilym* (Amsterdam 1927).

[75] *Dánta Grádha* (BÁC agus Corcaigh 1926) viii. ' The bardic poems survived because they had something of the character of legal documents ', a deir an tOllamh Carney. *Studies in Irish Literature and History*, 263.

deireadh an leabhair. Agus maidir leis an dán is cáiliúla sa chnuasach (uimhir 41), tá cruthaithe anois ag an Ollamh Ó Ceithearnaigh nach dán grá atá ann in aon chor.[76]

Fuíoll cheithre chéad bliain (ó 1350-1750) atá sa mhéid atá fágtha, agus ní heol dúinn cé chum an chuid is mó acu; níl ainmneacha filí gairmiúla luaite ach le dornán díobh. Pointe tábhachtach, ámh, is ea go bhfaighimid cuid de na huaisle ag gabháil don cheapadóireacht seo, daoine mar Ghearóid Iarla, Maghnas Ó Domhnaill, Domhnall Mac Cárthaigh (Iarla Clainne Cárthaigh) agus Piaras Feiritéir in Éirinn agus cuid d'uaisle na hAlban mar aon leo. Ba dhual ó thosach don aicme sin i ngach tír suim a chur i ndánta grá cúirtéiseacha.

Ón bhfaisnéis is féidir a bhailiú ó ainmneacha na bhfilí atá luaite agus ó nithe áirithe sna dánta féin, dhealródh sé gur um dheireadh an 16ú agus tosach an 17ú haois a cumadh cuid mhaith de na dréachtaí in *Dánta Grádha.* Cúis iontais é, b'fhéidir, an oiread sin samplaí a bheith chomh déanach sin.[77] Ní miste a bheith cinnte nach go díreach faoi anáil shaothar na dTrúbadóirí a cumadh na cinn sin ar aon nós. Sa réamhrá a scríobh sé don chnuasach meabhraíonn an Dr Flower dúinn gur tosaíodh ar *Tottel's Miscellany* a fhoilsiú i Sasana sa bhliain 1557. Dánta grá le filí mar Iarla Surrey, Sir Thomas Wyatt agus an Tiarna Vaux a bhí sa *Miscellany.*[78] Ní deacair a chreidiúint go raibh teacht ar an bhfoilseachán sin ag cuid d'fhilí na Gaeilge nó gur chuala siad iomrá ar a raibh ann agus gurb é sin a ghríosaigh iad chun dréachtaí den chineál céanna a chumadh ina dteanga féin. Ní ionann sin agus a rá, áfach, nach ón bhfoinse chéanna a shíolraigh na dánta seo go léir, ón réabhlóid a tharla i litríocht na hEorpa san 12ú haois. Tá méid áirithe dánta i gcnuasach Uí Rathile a bhfuil cosúlacht shuntasach idir iad agus dánta na dTrúbadóirí ó thaobh smaointe agus ábhair.[79] Is inmheasta ón gcosúlacht sin gur caomhnaíodh téamaí ó fhilíocht na Fraince i gceapadóireacht neamhoifigiúil na bhfilí i gcaitheamh na n-aoiseanna. Chun an tuairim sin a neartú ní gá ach ceapadóir-

[76] *Celtica* i, 280 *et seq.* Féach freisin *Studies in Irish Literature and History,* 243 *et seq.*

[77] Is é tuairim an Dr Ó Tuama gur idir 1600 agus 1850 a cumadh formhór na n-amhrán grá tuaithe atá ar marthain i nGaeilge ach go dtéann a bhfréamhacha i bhfad níos sia siar ná sin. *op. cit.*, 1.

[78] *Tottels Miscellany,* collated by Edward Arber (London 1870). Féach freisin *Cambridge History of English Literature* iii, 166 *et seq.*

[79] M. Ní Mhuirgheasa, ' Filíocht Ghrá ', *Comhar,* Iúil 1951.

eacht de chineál eile a scrúdú, mar atá amhráin ghrá na ndaoine. Tá léirithe ag an Dr Seán Ó Tuama cad é an mhórchosúlacht atá idir na téamaí sna hamhráin seo agus na téamaí in amhráin ón gcoigrích.[80] Is furasta tionchar amhrán an Bhéarla a thuiscint, ach ní deacair ach oiread tionchar na n-amhrán Fraincise a thuiscint má chuimhnítear ar a láidre a bhí an Fhraincis féin in Éirinn ar feadh cúpla céad bliain[81] agus ar an gcaidreamh leanúnach a bhí idir na huaisle Normanacha agus na filí dúchasacha sa tír seo. Chomh déanach leis an 17ú haois d'fhéadfadh file áirithe an méid seo a rá faoi uaisle de phór na seanNormanach:

Ní bad sgíotha dot sgéulaibh
na Búrcaigh, na Buitléaruigh,
na Gearoltuigh do thuill toil
tar seanfholtaibh fhuinn Fhionntoin.[82]

Seachas na dánta i gcnuasach Uí Rathile tá roinnt bheag dréachtaí eile ar cóir tagairt dóibh. Ina measc tá dhá cheann le Tadhg Dall Ó hUiginn (uimhreacha 39 agus 40 in eagrán an Ollaimh Knott). Is dánta grá iad seo, iad cumtha i bhfoirm aislinge agus cosúlacht éigin idir iad agus uimhreacha 43 agus 48 i gcnuasach Uí Rathile. Faighimid iontu freisin cuid de na snátha atá le fáil níos déanaí in aislingí tírghrácha an 18ú haois.[83] Agus cé nach mbaineann siad le ceapadóireacht na Scoileanna ní miste dhá dhán ghrá leis an Athair Pádraigín Haicéad a chur san áireamh, ' Dála an Nóinín ' agus ' Áirnéis tSagsanach '.[84] Tá blas na cúirt-éiseachta agus na humhlaíochta níos láidre orthu siúd ná ar chuid de na dréachtaí in *Dánta Grádha.* Sa líne deireanach de ' Áirnéis tSagsanach ' deireann an file leis an ainnir: ' Atáim fét aitheantaibh, abair is bíodh mar sin '. Bhí an smaoineamh ceannan céanna an-choitianta i measc na dTrúbadóirí agus é curtha in iúl sna focail chéanna, geall leis, ag Bernart de Ventadour: ' Que que m comand-etz a faire/Farai '.[85]

[80] *op. cit., passim.*

[81] E. Curtis, ' The Spoken Languages of Medieval Ireland ', *Studies* 1919, 234 *et seq.*

[82] In eagar ag O. Bergin, *Studies* viii, 438 *et seq.; Irish Bardic Poetry,* 25 *et seq.;* Féach freisin *Measgra Mhichíl Uí Chléirigh,* 113 *et seq.*

[83] Féach G. Murphy, *Éigse* i, 40 *et seq.;* T. de Bhaldraithe, ' Nótaí ar an Aisling Fháithchiallaigh ', *Measgra Mhichíl Uí Chléirigh,* 210 *et seq.*

[84] T. Ó Donnchadha, *Saothar . . . an Athar Pádraigín Haicéad* (Corcaigh 1911) uimh. xi agus xx.

[85] Raynouard, *Choix des poésies originales des Troubadours* iii, 47.

Sagart eile a bhfuil roinnt dánta grá cumtha aige is ea an tAthair Liam Inglis (1709-1778).[86] Más ait le daoine sagairt a bheith ag ceapadh dánta grá, tá fianaise againn ó shaothar sagairt eile a thabharfadh le tuiscint nach raibh ann ach coinbhinsean liteartha.

Is é an tAthair Maghnas Ó Ruairc (1658-1743) an sagart sin, agus tá cuntas suimiúil ar a shaol agus ar a shaothar tugtha ag an Athair Cainneach Ó Maonaigh, O.F.M.[87] Muimhneach ba ea an tAthair Maghnas a chaith an chuid ba mhó dá shaol ag saothrú i bPáras agus a raibh aithne air i gcúirt na Stíobhartach ag Saint Gearmain-en-Laye. Bhí bean uasal áirithe as Éirinn, Madame Ronane, a bhí pósta san Fhrainc a raibh dúil chomh mór sin aici dán grá i nGaeilge a fháil ón Athair Maghnas gur áitigh sí ar Easpag Phort Láirge cead a thabhairt dó ceann a chumadh di. Nuair a bhí an dán ullmhaithe insíonn an tAthair Maghnas dúinn cad a tharla: ' She appointed me a certain tieme to come to Paris with [a] great many of our gentlemen and Ladys and made a great feast to heare the followin' song which I did for her as a louver '. Bhí bean uasal eile ó Éirinn sa chomharsanacht san am, Neillí Ní Chárthaigh ó Mhúscraí a bhí pósta ar an gCaptaen Yvers. Nuair a chuala Madame Yvers faoin dán do Mhadame Ronane ghlac éad chomh mór sin í gur éiligh sí ceann di féin ón Athair Maghnas. Dhealródh sé uaidh seo go léir gur caitheamh aimsire liteartha i measc na n-uaisle a bhí i gcumadh na ndánta seo agus dhealródh sé ón bhfriotal i ndréachtaí an Athar Maghnas go raibh seaneolas aige ar dhréachtaí den chineál céanna i nGaeilge.

Mar shampla deireanach tá cás Thoirdhealbhaigh Uí Chearbhalláin a chum cuid mhaith dréachtaí do mhná. An féidir a shamhlú go bhfaightear sna dréachtaí sin iarsma de thraidisiún a bhí coitianta go leor tráth? Go hiondúil is smaointe coinbhinsineacha a nochtann Cearbhallán, smaointe a oireann don ómós oifigiúil nó foirmiúil, ach i rann amháin i ndréacht do Bhean Uí Eadhra cloistear macalla de shaothar de chineál eile:

> Sé faision na cúirte
>   Bheith 'cur umhlaigheacht dhuit i gcéill,
> A's go rithfinn ar ma ghlúine
>   Dod' chúiteadh, a bhean shéimh.[88]

[86] In eagar ag Fiachra Éilgeach faoin teideal *Cois na Bríde* (BÁC 1937).
[87] ' Manutiana ', *Celtica* i, 1 *et seq.*
[88] T. Ó Máille, *Amhráin Chearbhalláin* (London 1916) 143.

Is léir gur maith a thuig Cearbhallán cuid de choinbhinsin an ghrá chúirtéisigh. Nach ábhar machnaimh an tuiscint sin ag file a bhí ag saothrú sa chéad leath den 18ú haois?

CAIBIDIL A SÉ

AN FHILÍOCHT SA 17ú hAOIS[1]

Is ó cháipéisí agus ó dhoiciméid Bhéarla agus ó fhoinsí eachtrannacha eile a fhaighimid an chuid is mó d'ár n-eolas ar stair na hÉireann sa 17ú haois. Is féidir, ámh, snáth an scéil agus cuid dá chúlra a bhaint as litríocht Ghaeilge na linne.

Buille marfach do chúis na nGael ba ea Cath Chionn tSáile i 1601. Sa chath sin bhuaigh arm na Banríona Éilís, faoi cheannas Mhountjoy agus Charew, ar arm na nGael faoi cheannas Uí Dhomhnaill agus Uí Néill, agus cailleadh dá bharr, mar a dúirt Lughaidh Ó Cléirigh, ' reacht agus righe Gael Éireann go foircheann an bheatha '. Chuaigh Ó Domhnaill (Aodh Rua) go dtí an Spáinn i Mí Eanáir na bliana 1602 chun a chruachás a chur in iúl don rí, an tríú Pilip, agus chun cabhair a iarraidh air. Fuair sé bás de nimh, áfach, i Meán Fómhair na bliana céanna ag Simancas; do réir na dtuairiscí ba spiadóir a bhí ag obair ar son na Sasanach sa Spáinn a thug an nimh dó. Scríobh Lughaidh Ó Cléirigh, seanchaí Chlann Domhnaill, cuntas ar a bheatha.[2]

Am éigin idir imeacht Aodha Rua i Mí Eanáir agus a bhás i Mí Meán Fómhair chum ollamh Chlann Domhnaill, Eoghan Rua Mac an Bhaird, dán ag guí ratha ar thuras a thaoisigh, ' Rob soruidh, th'eachtra, a Aodh Ruaidh '. Tá dáiríre an fhile, a chumha agus a imní le mothú go soiléir nuair a deir sé:

[1] P. Béaslaí, *Éigse Nua-Ghaedhilge* (BÁC 1933); T. Ó Raithbheartaigh, *Máighistrí San Fhilidheacht* (BÁC 1932); E. Cahill, ' Irish Poetry and Traditional Literature ', *Irish Ecclesiastical Record* (1939) 337 *et seq.*; C. Ó Maonaigh, O.F.M. ' Scríbhneoirí Gaeilge an Seachtú hAois Déag ', *Studia Hibernica* 2 (1962) 182 *et seq.*

[2] *Beatha Aodha Ruaidh Uí Dhomhnaill* as Leabhar Lughaidh Uí Chléirigh, maille le réamhrá agus nótaí ó láimh an tsagairt Pól Breathnach, D.Litt., ar na cur in eagar ag Colm Ó Lochlainn, i (BÁC 1948) ii (BÁC 1957).

Dia dot eadráin san amsa
ar ghluasacht ngaoth ccodarsna,
ar ghoin n-ainchridhigh gach fhir,
'S ar mhoir n-ainbhthinigh idir.

. . . .

Ní chorraigh muir nach measg sinn,
ní éir gaoth nach gluais mh'intinn,
ní aithrigh síon séis mbuinne
nach sníomh dot éis oruinne.

Nuair a chuir an tOllamh Ó hAimhirgín an dán seo in eagar thug sé ' Looking Towards Spain ' mar theideal air, agus scríobh sé an méid seo leanas ina thaobh: 'With all his display of literary and antiquarian lore, a thing inseparable from his office, the poet is in dead earnest. He lets us feel the agony of suspense, the vain hopes and the well grounded fears with which the weary followers of O'Neill and O'Donnell looked towards Spain '.[3]

Ach bhí buille tubaisteach eile i ndán do na hUltaigh agus d'Éirinn. I mbliain a 1607 b'éigean d' Ó Néill, Iarla Thír Eoghain, do Ruaidhrí Ó Domhnaill, Iarla Thír Chonaill agus do Mhag Uidhir, flaith Fhear Manach, teitheadh go dtí an Mhór-roinn ó ansmacht na nGall. Nuair a sheol an long amach as Loch Súilí, agus naoi nduine is nócha de scoth na nGael[4] ar bord, idir fhir agus mhná agus pháistí, deirtear gur lig an lucht faire ar bhruach an locha osna a chualathas thar dhroim an uisce. Is furasta a shamhlú go raibh cumha na hÉireann uile san osna sin, mar ba mhinic ina dhiaidh sin a chaoin na filí cruachás agus ainnise na tíre, í fágtha gan triath gan taca, ar nós na nIsraelíteach san Éigipt fadó—' 's gan Maoisi i n-Éirinn aguinn ', mar a dúirt duine acu. I measc na ndaoine a bhí ar bord na loinge i bhfochair na nIarlaí, bhí ollamh agus seanchaí Chlann Mheig Uidhir, Tadhg Ó Cianáin. D'fhág seisean mionchuntas ina dhiaidh ar aistear na ndeoraithe thar farraige nó gur shroich siad an Fhrainc agus trasna na Fraince go dtí an Róimh.[5] Duine eile as an naoi nduine is nócha ba ea Nuala,

[3] *Studies* x, 73 *et seq.*

[4] Cf. *Beatha Aodha Ruaidh Uí Dhomhnaill* ii, 118 *et seq.*

[5] P. Walsh (eag.), *Flight of the Earls* (BÁC 1916). Tá eagrán nua den téacs mar aon le réamhrá luachmhar, curtha ar fáil ag T. Ó Fiaich agus P. de Barra faoin teideal *Imeacht na nIarlaí* (BÁC 1972). I léacht a thug sí i gColáiste na hOllscoile, BÁC, tamall de bhlianta ó shin, faoin teideal, ' The Last Years of Hugh O'Neill, Rome, 1608-1616 ', léirigh Micheline Walsh cad a tharla do na hIarlaí tar éis dóibh cur fúthu sa Róimh.

iníon Aodha Dhuibh Uí Dhomhnaill. Is dise a chum Eoghan Rua Mac an Bhaird an dán iomráiteach, ' A bhean fuair faill ar an bhfeart ', sa bhliain 1609.[6] Léiríonn an file Nuala ag caoineadh ag uaigh a bheirt dearthár, Ruaidhrí agus Cathbharr, agus a nia Aodh Ó Néill, Barún Dhún Geanainn, í ina haonar go huaigneach. Ní mar sin a bheadh an scéal a deir sé, dá mba in Éirinn a bheadh an triúr curtha[7]:

I nDoire, i nDruim Cliabh na gcros,
In Ard Macha is mór cádhos,
  Ní bhfuighthí lá an feart ar faill
  Gan mná do theacht fa tuaraim.

. . . .

Do thiocfadh ad' chombáidh caoinidh
Bean ón Éirne iolmhaoinigh,
  Bean ó shlios bhinn-shreabh Banna
  'S inghean ó lios Liathdroma.

Tamall ina dhiaidh sin bhí bagairt bhás na hÉireann féin mar ábhar caointe ag file eile (Fearflatha Ó Gnímh, is cosúil); tuar an bháis ba ea imeacht na nIarlaí, dar leis:

Deacair nách bás do Bhanbha
  d'éis an treóid chalma churadh
do thriall ar toisg don Eadáil;
  mo thruaighe beangáin Uladh.

Ní léigeann eagla an ghallsmaicht
  damh a hanstaid do nochtadh. . . .[8]

Mar bharr ar imeacht na nUltach, a deir sé, tá drochbhail ar na flatha eile go léir, Na Gearaltaigh, Clann Chárthaigh, Ó Ruairc,

[6] T. Ó Raghallaigh, *Duanta Eoghain Ruaidh Mhic an Bhaird* (Gaillimh 1930) 136; E. Knott, ' Mac an Bhaird's Elegy on the Ulster Lords ', *Celtica* v, 161 *et seq.* (Tá cáil ar an leagan Béarla den dán seo a chum Mangan—' O woman of the piercing wail ') Cf. *Beatha Aodha Ruaidh Uí Dhomhnaill* ii, 126 *et seq.* agus an dán le Fearghal Óg Mac an Bhaird a thosaíonn ' Truagh liom Máire agus Mairgrég ', atá curtha in eagar ag Bergin in *Irish Bardic Poetry*, 46 *et seq.*

[7] Cuireadh an ceathrú duine san áit seo níos déanaí, Aodh Mór Ó Néill (athair Bharún Dhún Geanainn) a fuair bás sa Róimh i 1616. Is fiú a lua go bhfuil na huaigheanna seo, agus inscríbhinní i Laidin orthu, le feiceáil go fóill sa teampall ar a dtugtar St Pietro in Montorio, atá suite ar chnoc Janiculum. Achar gairid suas an cnoc, ar an taobh thall den bhóthar tá an Villa Spada, Ambasáid na hÉireann don tSuí Naofa, agus deirtear linn go n-éisteann an tAmbasadóir Aifreann le hais na n-uaigheanna gach Domhnach. Is iomaí cor a chuireann an saol de !

[8] *Measgra Dánta*, Uimh. 55.

Mag Uidhir, Síol gConchubhair ríoghraigh Chonnacht, iad uile ar lár is a gcumhacht bainte díobh.

Níl aon amhras ná gur thuig na filí gur mhórthubaist d'Éirinn Plandáil Uladh i 1609. ' Mo thruaighe mar táid Gaoidhil ',[9] a dúirt file Ultach amháin agus é ag cur tús le dán fada maorga; ' C'áit ar ghabhadar Gaoidhil ' a d'fhiafraigh Lochlainn Ó Dálaigh i ndán eile, agus chuir sé in iúl go raibh siad imithe agus go raibh Cúige Uladh i seilbh na nGall, ' Saxain ann is Albannaig '.

Roinnid í eatorru féin
in chríchse chloinne saoirNéill,
gan poinn do mhuigh lachtmhair Fhlainn
nach bhfuil na nacraib againn.[10]

Ach is é an dréacht is fearr a léiríonn anchaoi na hÉireann i dtrátha an ama seo ná ' Anocht is uaigneach Éire '. Ní fios go cinnte cé chum an dán breá seo. Tá ainm Eoghain Rua Mhic an Bhaird luaite leis i lámhscríbhinní áirithe, ach is dealraithí gur file darbh ainm Aindrias Mac Marcuis a chum é. Cibé duine é féin is cinnte go bhfuil tuairisc thruamhéileach tugtha aige ar an athrú saoil a tháinig in Éirinn i dtosach an 17ú haois:

Uaigneach anocht clár Connla,
gé lán d'fhoirinn allmhardha;
sáith an chláir fhionnacraigh fhéil
don Sbáin ionnarbthair iaidséin.

. . . . . .

Mór tuirse Ultach san airc
d'éis Í Dhomhnuill do dhíobairt,
's ní lugha fa Aodh Eanaigh
cumha ar an taobh thuaitheamhain.

Gan gháire fa ghníomhradh leinbh
cosc ar cheol, glas ar ghaoidheilg,
meic ríogh, mar nár dhual don dréim,
gan luath ar fíon nó ar aifrinn.

Gan imirt, gan ól fleidhe,
gan aithghearradh aimsire,
gan mhalairt, gan ghraifne greagh,
gan tabhairt aighthe i n-éigean.

[9] *ibid.*, uimh. 54. Sna nótaí ar an dán (lch 206) dúirt an t-eagarthóir gur timpeall 1612 a cumadh é. Tar éis breis fiosraithe, áfach, tháinig sé ar an tuairim go raibh an dáta sin ró-luath. Féach *Celtica* i, 330-31.

[10] *B.M. Cat. Irish MSS* i, 54, 374 *et seq.*

Gan rádha rithlearg molta,
gan sgaoileadh sgeol gcodalta;
gan úidh ar faixin leabhair,
gan chlaisdin nglúin gheinealaigh.

. . . .

's gan Maoisi i n-Éirinn aguinn.[11]

Níorbh é cás na hÉireann ach cás na bhfilí féin a bhí mar ábhar ag Eochaidh Ó hEodhasa i ndán a chum sé i 1603 agus inar thrácht sé ar an athrú a bhí tar éis teacht ar chúrsaí filíochta um an dtaca sin. Ní raibh éileamh a thuilleadh, dar leis, ar dhréachtaí greanta dea-chumtha; ba ar an gceapadóireacht éasca—' ar shórt gnáthach grés ro-bhog '—a bhí an glaoch, agus chuir sé in iúl gur mhaith a d'oir dó féin an glaoch sin a shásamh—' Ionmholta malairt bhisigh ', a dúirt sé agus mhínigh cén fáth:

Beag nach brisiodh mo chroidhe
gach dán roimhe dá gcumainn;
Is mór an t-adhbhar sláinte
an nós so táinig chugainn.[12]

Níor labhair na filí go léir chomh soilbhir sin agus iad ag cur síos ar an athrú céanna.[13]

Iomarbhá na bhFilí

Má bhí filí ann a chaoin cruachás na hÉireann i dtosach an 17ú haois, bhí filí eile ann nár thuig, do réir dealraimh, go raibh athrú saoil buailte leo. Ba iad siúd na filí a ghlac páirt in Iomarbhá na bhFilí idir 1616 agus 1624.[14]

Ba é Tadhg mac Dáire Mac Bruaideadha a thionscnaigh an Iomarbhá leis an dán ' Olc do thagrais, a Thorna ', inar ionsaigh sé Torna (file den 5ú haois) as tosach a thabhairt do na hUltaigh ar na Muimhnigh. Ba dhual do Thorna é sin a dhéanamh, dar le Mac Bruaideadha, ó ba Ultach é féin:

[11] *B.M. Cat. Irish MSS* i, 397 *et seq.*; *Ériu* viii, 191 *et seq.*; *Beatha Aodha Ruaidh Uí Dhomhnaill* ii, 138 *et seq.*

[12] *Studies* vii, 616 *et seq.*

[13] Cf. an dréacht a chum Mathghamhain Ó hIfearnáin i dtrátha an ama seo ag comhairliú dá mhac gan an fhilíocht a chleachtadh. *B.M. Cat. Irish MSS* i, 392.

[14] L. Mac Cionnaith, *Iomarbhágh na bhFileadh* i, ii (London 1918). Féach freisin Béaslaí, *Éigse Nua-Ghaedhilge* i, 37 *et seq.*

Ní don Mumhain do mhaicne,
Níor dhlighis caomhnadh a gcairte.
Ón leith adtuaidh táinic sibh
De shliocht Ír mhóir mhic Mhílidh.[15]

Thug an tUltach, Lughaidh Ó Cléirigh, freagra múinte béasach ar Thadhg ag bréagnú a raibh ráite aige agus ba ghairid go raibh filí eile ón dá chúige ag glacadh páirt sa díospóireacht ar an dá thaobh. Chomh maith le Lughaidh Ó Cléirigh, labhair an tAthair Riobard Mac Artúir, Aodh Ó Domhnaill (uncail Aodha Ruaidh), Baothghalach Mac Aodhagáin, Anluan Mac Aodhagáin agus Seán Ó Cléirigh thar cheann Chúige Uladh. Orthu siúd a sheas don Mhumhain bhí Fearfeasa Ó an Cháinte, Eoghan Mac Craith, Art Óg Ó Caoimh, Toirdhealbhach Ó Briain agus Tadhg Mac Bruaideadha féin.

Cúrsaí seandachta agus sinsearachta a bhí á bplé acu agus ní raibh ach an t-aon duine amháin ina measc, an Muimhneach Mathghamhain Ó hIfearnáin, a labhair amach go neamhbhalbh i dtaobh na cinniúna a bhí ag bagairt ar an tír. Níor chum seisean ach aon dán amháin san iomarbhá, dán inar léirigh sé go cliste le fabhalscéal faoi chat agus faoi shionnach cad a bhí i ndán d'Éirinn dá leanfadh a muintir (an cat agus an sionnach) ag argóint eatarthu féin i dtaobh cúrsaí seanaoise. Thiocfadh, a dúirt sé, an namhaid, 'onchú uaibhreach allaidh, coileán borb bliadhna go leith', agus sciobfadh sé 'an íoth agus an fheoil' uathu.[16] Bhí beirt eile nach raibh róshásta leis an iomarbhá, ach oiread. Mheas Ó Domhnaill agus an tAthair Mac Artúir gur bheag ciall a bhí léi.[17]

Mheas Eoghan Ó Comhraidhe gurbh amhlaidh a shocraigh na filí eatarthu féin roimh ré an chonspóid a chur ar siúl d'fhonn sprid na náisiúntachta agus mórtas cine a mhúscailt sna daoine. Ach, mar a deir an tAthair Mac Cionnaith, is ar éigean is féidir cuspóir chomh hard-aigeantach sin a shamhlú leis na dánta. Déanta na fírinne, níl sa chuid is mó acu ach athléiriú ar sheanscéal, an t-éad síoraí idir Leath Choinn agus Leath Mhogha. Is beag tuiscint a bhí ag formhór na bhfilí, go háirithe ag Mac Bruaideadha féin, don náisiúntacht. Ba eisean comhairleoir cheathrú hIarla Thuadhmhumhan; ba eisean a thug ardmholadh don Iarla céanna agus d'Iarla Chlann Riocaird mar aon leis, in ainneoin míghníomhartha

[15] *Iom. na bhFileadh* i, 12.

[16] *ibid.*, 114-16.

[17] *ibid.*, i, viii.

na beirte ag Cath Chionn tSáile.[18] D'fhéadfadh an ceart a bheith ag Piaras Béaslaí nuair a deir sé gur músclaíodh suim sa tseandacht de bharr na conspóide agus go mb'fhéidir gurbh é sin a ghríosaigh daoine mar Mhicheál Ó Cléirigh agus Seathrún Céitinn níos déanaí chun foinsí stair na hÉireann a bhailiú agus a chaomhnú.[19]

Nochtadh tuairimí níos géire faoin scéal, áfach, sa 17ú haois féin. Caoga éigin bliain i ndiaidh na hIomarbhá bhí duine eile de Chlann Bhruaideadha, an tAthair Antaine, ar deoraíocht i gcoinbhint na bProinsiasach i bPrág agus é de shíor i mbun pinn ar son na hÉireann. Thagair sé don iomarbhá: ' magna sed inutilis controversia ' a thug sé uirthi.[20] Ní miste an focal deireanach a fhágáil aige, agus ag Flaithrí Ó Maolchonaire a dúirt:

Lughaidh, Tadhg agus Torna,
filí eólcha bhur dtalaimh,
coin iad go n-iomad bhfeasa
ag gleic fan easair fhalaimh.[21]

Thart faoin am a raibh an Iomarbhá ar siúl bhí Seathrún Céitinn ag taisteal na tíre ag cuardach seanlámhscríbhinní agus ag bailiú eolais chun an mórchuspóir a bhí aige a chur i gcrích, is é sin, stair na hÉireann a scríobh. Deirtear linn nár mhór an fháilte a cuireadh roimhe i gCúige Uladh ná i gCúige Chonnacht toisc gur Mhuimhneach de shliocht GallGhael a bhí ann. Tamall níos déanaí chaith Micheál Ó Cléirigh breis agus deich mbliana ag siúl na hÉireann ag cuardach agus ag bailiú mar an gcéanna. Bhí naimhde ag an mBráthair Micheál freisin, naimhde ar éirigh leo cosc a chur ar fhoilsiú a phríomhshaothair, *Annála Ríoghachta Éireann*. Deimhníonn turas na beirte seo dhá rud dúinn, go raibh cuid d'éigse na nGael ag éirí imníoch faoina raibh i ndán do sheanchas agus do litríocht na Gaeilge agus go raibh an tír measartha síochánta san am ó tharla gur éirigh leis an mbeirt gluaiseacht ó áit go háit gan bac ó na Sasanaigh. Mar a deir an tAthair Ó Maonaigh faoin mBráthair Micheál, ' Níor chuir saighdiúirí Shasana chuige ná uaidh i rith na ndeich mbliana a chaith sé in Éirinn '.[22]

[18] *ibid.* ii, 246 (Tabhair faoi deara fonótaí 2 agus 9).

[19] *op. cit.*, 45.

[20] Cuthbert McGrath, O.F.M., ' Materials for a History of Clann Bhruaideadha ', *Éigse* iv, 48.

[21] *B.M. Cat. Irish MSS* i, 617; ii, 61-2, 98; T. Ó Rathile, *Dánfhocail* (BÁC 1921) 31, 81.

[22] ' Scríbhneoirí Gaeilge Oird San Froinsias ', *Catholic Survey* i (Gaillimh 1951) 54 *et seq.*

Le linn don Bhráthair Micheál a bheith i mBaile Átha Cliath i 1627 agus 1628 fuair sé cead taighde a dhéanamh sa leabharlann mhór a bhí ag an Dr James Ussher (1581-1656), a bhí ina Leas-phrapast i gColáiste na Tríonóide idir 1614 agus 1617 agus ina Ardeaspag Protastúnach in Ard Mhacha níos déanaí. Bhí suim mhór ag an Dr Ussher in ársaíocht agus i stair na hÉireann, go háirithe i stair na hEaglaise, agus chaith sé a shaol ag bailiú agus ag scrúdú lámhscríbhinní Gaeilge.[23] Meastar gur beag eolas a bhí aige féin ar an teanga ach gur cosúil go bhfuair sé cabhair ó dhaoine eile a raibh sí go maith acu, daoine ar nós Fhearghail Uí Ghadhra, mar shampla, a chaith seal i gColáiste na Tríonóide faoi scéim na gcoimircithe.[24] Is eol dúinn freisin gur mhinic a bhíodh caidreamh idir an Dr Ussher agus na Proinsiasaigh i mBaile Átha Cliath, iad ag malartú leabhar agus na Proinsiasaigh ag cóipeáil lámhscríbh-inní ina leabharlann siúd.[25] Má chuimhnítear ar an méid seo, agus más cruinn an tuairim gur chuidigh Fearghal Ó Gadhra leis an Dr Ussher, ní aon chúis iontais é gur faoi phátrúnacht Uí Ghadhra a scríobh Micheál Ó Cléirigh agus a chompánaigh a mórshaothar *Annála Ríoghachta Éireann.* Is cóir a mheabhrú freisin go raibh Ó Gadhra ina theachta parlaiminte do Shligeach sa bhliain 1634. Ba é an Dr Ussher a spreag a dhalta Sir James Ware (d'éag 1666) chun suim a chur i seanlámhscríbhinní na nGael. Bhí Sir James i gColáiste na Tríonóide idir 1610 agus 1616. Is ródhócha gur bheag Gaeilge a bhí aige féin ach chuidigh Dubhaltach Mac Fhir Bhisigh leis chun leas a bhaint as na lámhscríbhinní.

Tá fianaise ann ón gcéad leath den 17ú haois a léiríonn nach raibh deireadh fós leis an gcaidreamh idir éigse na hÉireann agus éigse na hAlban, ná deireadh ach oiread leis na scoileanna filíochta in Éirinn. Am éigin timpeall 1640, nuair a bhí an file Albanach Maol Domhnaigh Ó Muirgheasáin sa tír seo, thug sé cuairt ar chuid mhaith de na scoileanna filíochta ó Aontroim go Corcaigh. Le linn dó bheith in iarthar na Mumhan chum sé trí chaoineadh atá ar marthain, ceann do Chú Chonnacht Ó Dálaigh (d'éag 1642) ceann d'Ó Ceallacháin agus ceann d'Ó Donnabháin. I ndán a chum Piaras Feiritéir do Mhaol Domhnaigh, mhol sé go hard é mar

[23] *B.M. Cat. Irish MSS* iii, 7-8.

[24] A. Boyle, ' Fearghal Ó Gadhra and the Four Masters ', *Irish Ecclesiastical Record* August 1963, 100 *et seq.*

[25] *ibid.*, 110-12. Féach freisin L. Bieler, ' Recent Research on Irish Hagiography ', *Studies* 1946, 536.

fhile: ' d'óigfhile fhoirbhthe a hAlbain ', ' eunphosd na héigse a nAlbain ' agus thagair sé do chuid de na scoileanna ar thug an tAlbanach cuairt orthu. Is suimiúil an rud é gur mhair clú Maol Domhnaigh i gcuimhne fhilí na hÉireann anuas go dtí deireadh an 17ú haois. ' Maol Domhnaigh rug geall leis i gcomhadaibh ' a thug Diarmaid mac Sheáin Bhuí Mac Cárthaigh air sa bhliain 1694.

Ag trácht dó ar an ábhar i ndán an Fheiritéirigh, tá an méid seo le rá ag an eagarthóir, an Dr Ó Rathile:

> The fact that he names or alludes to many of the places where professional poets resided gives the poem an interest notwithstanding the corrupt state of the text. At the same time the poetic seminaries must have been in a sad state of decay; yet the testimony it affords is sufficient to show that they were far from extinct, and we have other evidence too which permits us to infer that many of them maintained a struggling existence after the Elizabethan Conquest and were only finally extinguished in the Cromwellian tyranny.[26]

Má mhair iarsma de na scoileanna, mhair freisin in áiteanna rian eile den seansaol, an ceangal idir na filí agus a bpátrúin. I mbliain a 1632 nó 1633, cuir i gcás, nuair a bhris Éamann de Buitléir, Tiarna Dhún Búinne, a chos, chum triúr file, Eoin Ó Con Mhuighe, Seathrún Céitinn agus Pádraigín Haicéad, dánta ag déanamh comhbhróin leis.[27]

Brainse sóisearach na clainne in Éirinn ba ea Buitléirigh Dhún Búinne agus, murb ionann agus an brainse sinsearach, Buitléirigh Urmhumhan, bhí dúil agus suim acu i seanchas agus i dtraidisiúin na nGael. Ba é Eoin Ó Con Mhuighe príomhfhile na clainne san am, ach bhí an Céitinneach agus an Haicéadach dílis dóibh freisin. Ba mhinic ainm Éamainn á lua ag an mbeirt acu agus nuair a d'éag sé i 1640 chum siad caointe air. Dréacht fada fuinneamhach is ea caoineadh an Haicéadaigh, 'Druididh suas a chuaine an chaointe'.[28]

I mBuirgheas gairid do Chluain Meala a rugadh Seathrún Céitinn timpeall 1570 agus ba i gcoláiste a bhí i gCathair Dhúin Iasc san am a fuair sé a chuid oideachais. Ghlac sé Ord Beannaithe agus ina dhiaidh sin chuaigh sé go dtí an coláiste nuabhunaithe ag

[26] ' A Poem by Piaras Feiritéar ', *Ériu* xiii, 113 *et seq.*

[27] J. Carney, *Poems on the Butlers* (BÁC 1954) 64 *et seq.*, 127. E. C. Mac Giolla Eáin, *Dánta Amhráin is Caointe Sheathrúin Chéitinn* (BÁC 1900) 77; T. Ó Donnchadha (Torna), *Saothar Filidheachta an Athar Pádraigín Haicéad* (BÁC 1916), 112; M. Ní Cheallacháin, *Filíocht Phádraigín Haicéad* (BÁC 1962) 12.

[28] *Saothar Filidheachta an Athar Pádraigín Haicéad* 51; *Filíocht Phádraigín Haicéad*, 21.

Bordeaux chun breis staidéir a dhéanamh ar an diagacht. Is cosúil go raibh eolas curtha aige ar an dán díreach roimh imeacht dó mar is ó Bhordeaux a chuir sé an dréacht ' Mo bheannacht leat a scríbhinn ' abhaile go hÉirinn. Bhí sé ar ais in Éirinn i dtrátha na bliana 1610 agus, do réir tuairisc spiadóra atá tagtha anuas chugainn, bhí sé ag saothrú i bhfairche Leasa Mhóir sa bhliain 1615. I ndeireadh na dála chuir seanmóir dá chuid olc ar bhean uasal áirithe agus rinne sí é a ghearán le hUachtarán na Mumhan, sa chaoi gurbh éigean don fhile dul ar a choimeád. Go Gleann Atharla a chuaigh sé agus ba le linn dó a bheith ansin a chuir sé roimhe an t-ábhar a bhailiú dá mhórshaothar, *Foras Feasa ar Éirinn*. Thart faoin mbliain 1633 is ea a chríochnaigh sé an saothar sin.

Nuair a maraíodh Tomás agus Séamus Buitléir, beirt mhac Éamainn, sa chogadh i 1642 chum an Céitinneach dréacht breá ' Mór antrom Inse Banba ' á gcaoineadh. In ainneoin an cheangail a bhí idir é agus na Buitléirigh, ámh, d'fhan sé dílis d'Eoghan Rua Ó Néill agus do chúis na seanGhael nuair a tharla an scoilt i gCill Chainnigh i 1646. Ní heol dúinn go cinnte cathain a fuair sé bás, ach do réir tuairisce nach féidir a dheimhniú dhúnmharaigh saighdiúirí Chromail é in Eaglais San Nioclás i gCluain Meala, tar éis dóibh an baile sin a ghabháil i 1650.

Chleacht an Céitinnach meadaracht shiollach na Scoileanna agus na nua-mheadarachtaí aiceanta ina chuid dánta. Tá na dánta sna meadarachtaí aiceanta chomh hoilte foirfe sin gur follas nach fás úrnua i bhfilíocht na Gaeilge an cineál sin meadarachta ach gur ródhócha, mar a chuireamar in iúl cheana, go raibh sí á cleachtadh go neamhoifigiúil ar feadh tamaill mhaith sular thug meath na Scoileanna deis di teacht chun tosaigh. Is ar a shaothar próis, áfach, is mó a sheasann cáil Chéitinn, agus is é *Foras Feasa ar Éirinn*[29] a

[29] Iml. i in eagar ag D. Coimín (London 1902); ii agus iii in eagar ag P. Ua Duinnín (London 1905, 1906, 1913). Is iomaí uair a rinneadh an mórshaothar seo, nó cuid de, a aistriú. Bhí Céitinn féin beo fós nuair a tosaíodh ar an gcéad leagan Béarla. Mícheál Ó Cearnaigh, scríobhaí ó Thiobraid Árann, a rinne é, agus deirtear go raibh sé críochnaithe aige i 1668. Níor foilsíodh riamh é, áfach. D'ullmhaigh Micheál Coimín ó Chontae an Chláir leagan eile, agus bhí ar intinn aige é a fhoilsiú, ach fuair sé bás sular éirigh leis é sin a dhéanamh agus cailleadh an lámhscríbhinn ina dhiaidh sin. Ba é an t-aistriúchán ba cháiliúla orthu go léir ná an ceann a rinne Diarmuid Ó Conchubhair agus a cuireadh i gcló i Londain i 1723. Bhí an leagan seo an-mhíchruinn, agus ba mhinic a cháin na scoláirí é. Mar shampla, seo tuairim Chathail Uí Chonchubhair ó Bhéal Átha na gCarr: ' The History, given in English under Keating's name is the grossest imposition that has been ever yet obtruded on a learned age '. In ainneoin an mhí-chruinnis, ámh, bhí éileamh leanúnach ar leagan Uí Chonchubhair, mar is follas ó na

ghnóthaíonn príomhionad dó i measc scríbhneoirí na Gaeilge. Míníonn sé mar a leanas cén fáth ar thóg sé air féin an mórshaothar sin a chur le chéile: '. . . do bhrigh gur mheasas nárbh oircheas comhonóraighe na hÉireann do chrích agus comh-uaisle gach foirne d'ár áitigh í, do dhul i mbáthadh gan luadh ná iomrádh do bheith orra '.[30] Níor staraí eolaíoch é an Céitinneach, ach tá mórtas cine, bród náisiúnta, le tabhairt faoi deara tríd síos san *Foras Feasa.* Chomh maith leis an saothar sin, chum sé dhá dhréacht fhada ar chúrsaí diagachta, *Trí Bior-Ghaoithe an Bháis*,[31] a chríochnaigh sé ar an dara lá de Mhí na Nollag 1631 agus *Eochair Sciath an Aifrinn.*[32] Sna leabhair seo faighimid prós liteartha na NuaGhaeilge faoi bhláth.[33]

Timpeall na bliana 1600 is ea a rugadh Pádraigín Haicéad in áit éigin gairid do Chaiseal Mumhan. Is i gCaiseal féin a fuair sé a chéad scolaíocht agus chuaigh sé isteach in Ord San Doiminic ann. Bhí scoil ag an ord i gCúil Rathain i gCo. Dhoire, agus ceapadh gur chaith sé tamall de bhlianta ansin, ach meastar anois gur trí mhíthuiscint a ceapadh sin agus gur i gclochar an oird i Luimneach a bhí sé.[34]

Uaidh sin chuaigh sé go Lováin ag foghlaim diagachta, agus is é tuairim Thorna gur ann a chuir sé eolas ar an dán díreach freisin.[35] Is léir gur ghoill an deoraíocht ar an Haicéadach, agus ba mhinic

heagráin iomadúla de a tháinig amach ó am go chéile anuas go dtí lár an 19ú haois. Rinne Seán Ó Mathúna leagan eile, agus foilsíodh é sin i Nua-Eabhrac i 1857. Tá cuntas ar na leaganacha éagsúla seo tugtha ag Russell K. Alspach in *Irish Poetry: From the English Invasion to* 1789 (London 1943). Le haghaidh tuilleadh eolais faoi Dhiarmuid Ó Conchubhair féin agus faoin aistriúchán féach B. Ó Cuív, ' An Eighteenth Century Account of Keating and His Foras Feasa ar Éirinn ', *Éigse* ix, 263 *et seq.; B.M. Cat. Irish MSS* ii, 174 *et seq.;* Plummer, *Irish Book Lover* iii, 125 *et seq.;* M. H. Risk, ' Two Poems on Diarmaid Ó Conchubhair ', *Éigse* xii, 37 *et seq.* Ba é Seán Ó Neachtain a chum na dánta seo ag cáineadh Uí Chonchubhair.

---

[30] *Foras Feasa ar Éirinn* i, 76.

[31] In eagar ag R. Atkinson (BÁC 1890) agus nua-eagrán le O. Bergin (BÁC 1931).

[32] In eagar ag P. O'Brien (BÁC 1898). Féach freisin P. Ó Fiannachta, ' Seán Mac Torna Í Mhaoilchonaire agus Eochairsgiath an Aifrinn ', *Éigse* x, 198 *et seq.*

[33] Tá stíl Chéitinn agus stíl Fhlaithrí Uí Mhaolchonaire curtha i gcóimheas ag T. Ó Rathile, *Desiderius* (BÁC 1941) xxxviii *et seq.* Féach freisin O. Bergin (eag.), *Trí Bior-Ghaoithe an Bháis* (BÁC 1931) xiii *et seq.*

[34] Ní Cheallacháin, *op. cit.*, ix, fonóta 2.

[35] *ibid.*, x.

a sheoladh sé dréachtaí filíochta abhaile ina chuid litreacha chun a chairde á chur sin in iúl. Is é an rann greanta seo an sampla is iomráití orthu:

> Isan bhFraingc im dhúiseacht damh;
> i nÉirinn Chuinn im chodladh;
> beag ar ngrádh uaidh don fhaire,
> do thál suain ar síorfhaire.[36]

Nuair a thosaigh an cogadh i 1641 chum sé an dréacht ' Éirighe Mo Dhúithche le Dia ' ag gríosadh na nGael chun éirí amach d'fhonn ' a gcreideamh, a gclú is a gcáil ', a chosaint. Is maith a thuig sé cad a tharlódh dá dteipeadh orthu cur le chéile chun troda ar son a dtíre:

> Caithfidh fir Éireann uile
> ó aicme go haonduine
> i dtír mbreic na mbinncheann slim
> gleic na timcheall nó tuitim.[37]

Labhair sé go láidir arís i ' Muscail do mhisneach a Bhanbha ', dán a chum sé nuair a tharla an scoilt ag Cill Chainnigh. Cháin sé sé go nimhneach ann an ' druing ara dtugtar an Faction '. ' Clann tar iocht do imir meabhail/Ar a máthair, miste a gcion ',[38] a thug sé orthu, agus thaobhaigh sé uaidh sin amach le hEoghan Rua agus leis an Nuncio. I 1651 nuair a bhí buaite ar na Gaeil agus an léirscrios faoi lán seoil chuaigh sé ar ais go Lováin agus is ann a cailleadh é um dheireadh na bliana 1654 agus é faoi scamall de bharr achrainn a tharla idir é féin agus údaráis an oird nuair nach dtabharfaí cead dó filleadh go hÉirinn.

Rinneadh tagairt cheana do Phiaras Feiritéir,[39] an taoiseach cróga de phór GallGhael a chum dánta grá ar an nós cúirtéiseach. Ba i gCorca Dhuibhne um thosach an 17ú haois a rugadh é agus maireann a chuimhne fós i mbéaloideas na ndaoine sa cheantar sin.[40] Ghlac sé páirt ghníomhach i gcogadh 1641 agus, dála an Chéitinnigh agus an Haicéadaigh nuair a tharla an scoilt, ghabh sé le hEoghan Rua agus na seanGhaeil. Sheas sé an fód thiar i gCiarraí go ceann i bhfad tar éis do na taoisigh eile a bheith curtha

[36] Torna, 109; Ní Cheallacháin, 10.
[37] Torna, 95; Ní Cheallacháin, 33.
[38] Torna, 85; Ní Cheallacháin, 39.
[39] P. Ua Duinnín, *Dánta Phiarais Feiritéir* (BÁC 1934).
[40] *ibid.*, 23 *et seq.*; Ó Criomthain, Flower, *Seanchas ón Oileán Tiar*, in eagar ag S. Ó Duilearga (BÁC 1956) 211 *et seq.*

faoi chois ach b'éigean dó géilleadh timpeall na bliana 1652 agus crochadh go fealltach i gCill Airne é an bhliain ina dhiaidh sin.

Is follas óna shaothar gur dhuine uasal críochnaithe é Piaras Feiritéir agus, dála Mhaghnais Uí Dhomhnaill céad bliain roimhe sin, is sampla an-mhaith é den chultúr agus den léann a bhí le fáil i measc uaisle na nGael sular bascadh agus scaipeadh iad. Bhí an Feiritéireach chomh hoilte sin ar an dán díreach go gceapann Piaras Béaslaí nach foláir nó gur chaith sé tamall ag freastal ar scoil filíochta.[41]

Dánta grá agus dánta cairdis is mó a chum sé, agus tá blas an-taitneamhach orthu; ní miste do Phiaras Béaslaí an ghalántacht a áireamh ar cheann de dhea-thréithe an fhile seo. Creideadh ar feadh i bhfad gurbh eisean a chum ' Do chuala scéal do chéas ar ló mé ', ach is é tuairim cuid de scoláirí an lae inniu nárbh é: Is dán breá é, cibé duine a chum é, an chaint go láidir simplí ann, agus cumha agus fearg an fhile le mothú ann. Is é an scéal a chéas an file de ló agus d'oíche ná an scéal faoi ruaigeadh na nGael ' as a bhfearann cairte is córa ' sa bhliain 1653:

Díothughadh buidhne críche Fodla,
Lagughadh grinn is gnaoi na cóige,
Mar do díogadh ár ndaoine móra
As a bhfearann cairte is córa.

. . . .

Is bíodhgadh báis liom cás mo chomharsan,
Na saoithe sámha sásta seolta,
'Na dtír ba ghnáthach lán de thóbhacht
Ite, vade dá rádh leo-san.[42]

Ba mhinic an ainnise agus an léirscrios a lean cogaí agus plandáil Chromail ina n-ábhar chaointe ag filí na linne. Tá cúig cinn de dhréachtaí a cumadh i dtrátha an ama sin curtha in eagar ag an Ollamh Sisile Ní Rathaille.[43] Tugann na dréachtaí seo léargas an-mhaith dhúinn ar an drochbhall a bhí ar an tír agus ar an éadóchas a bhí ag brú go trom ar na daoine. Ní friotal liteartha atá iontu ach caint nádúrtha shimplí na ndaoine, an canúnachas measctha tríthi agus focail Bhéarla le fáil anseo is ansiúd. Is sa mheadaracht aiceanta ar a dtugtar an ' caoineadh ' atá siad cumtha, meadaracht

[41] *Éigse Nua-Ghaedhilge* i, 87.

[42] *Dánta Phiarais Feiritéir*, 84 *et seq.*

[43] C. O'Rahilly (eag.), *Five Seventeenth Century Political Poems* (BÁC 1952).

éasca so-ghluaiste atá an-oiriúnach chun scéal a insint. Duine as áit éigin i lár na tíre, do réir dealraimh, a chum ceann amháin de na dréachtaí agus ba Mhuimhnigh a chum na ceithre cinn eile.

Is é ' An Síogaí Rómánach ' an dréacht is iomráití de na cúig cinn. Timpeall 1650 a cumadh é agus meastar gur bhráthair éigin a bhí ar deoraíocht sa Róimh san am a chum é. Tosaíonn sé go lom díreach leis an líne ' Innisim fís is ní fís bhréige í ' agus ansin cuirtear in iúl dúinn go raibh an file sínte lá amháin ar uaigh na bprionsaí sa Róimh ag sileadh deora:

> Lá dá rabhas ar maidin am aonar
> annsa Róimh ar órchnoc Céphas[44]
> lán do ghruaim ar uaigh na nGaol san,
> sínte ar lic ag sileadh déara.

Tháinig chuige ' fíormhaighdean bhraighdghil bhéasach ', í ag gol go fuíoch faoi chúrsaí na hÉireann. Ríomhann sí na héagóracha agus na pianta a bhí fulaingthe ag na Gaeil ón Reifirméisean go dtí aimsir an chéad Séarlas agus cuireann ceist ar Rí Neimhe cén fáth ar luigh an leatrom agus an mí-ádh chomh trom sin ar na Gaeil: ' dream nár dhiúlt don Dúileamh géilleadh '—agus cén fáth nár scriosadh na heiricigh ina n-ionad. Is ansin a thagann an chuid is tábhachtaí den dán, cuntas ar chogadh 1641 agus ar ghníomhartha gaisce Eoghain Rua Uí Néill in Éirinn agus i gcéin. Dearbhaíonn an file gurbh é bás Eoghain Rua ba chúis le scrios na nGael:

> Do-ním d'aithne dá maireadh an t-éan so
> Nach biadh an ealta so i leabaidh na bhfœnix
> Is nach faigheadh Gaill ná Crombhuil géilleadh
> Amhail mar fuair an uair d'éag siod.[45]

Tá cuid de na snáthanna a fhaightear níos déanaí in aislingí na Mumhan san 18ú haois le tabhairt faoi deara cheana féin sa ' Síogaí Rómhánach '.

Am éigin idir 1654 agus 1657 a cumadh ' Aiste Dháibhí Cúndún '. Ní fios anois cérbh é Dáibhí Cúndún, nó ní fios ar chum sé aon dréacht eile. Tá ábhar an dáin curtha in iúl go beacht aige sa

[44] Órchnoc = an leagan Gaeilge de Montorio—Céphas (a chiallaíonn carraig) = sloinneadh a thugtaí ar Naomh Peadar. Mar sin is ionann ' órchnoc Céphas ' agus ' St Pietro in Montorio '. Is cosúil go raibh traidisiún i measc na nGael gur ar an gcnoc seo a crochadh Naomh Peadar. In ARÉ faoin mbliain 1608 faighimid an nóta seo a leanas: ' Iarla Tíre Conaill Rudhraighe . . . do écc isin Róimh 28 Iúl ⁊ a adhnacal i mainistir S. Froinséis isin ccnoc in Rocrochadh naoimh Peattar apstál. . . .'

[45] *Five Seventeenth Century Political Poems*, 26.

chéad líne: ' Is buartha an cás so 'dtárlaig Éire '. Tráchtann sé ar an léirscrios a rinneadh ar na Gaeil, ' a sult go Connachta uile dá léirchuir ', agus cuid eile acu á gcur thar sáile go dtí na hIndiacha Thiar mar sclábhaithe:

> is cuid dá ndíol is na críochaibh daora
> ag déanamh sochair do bhodaigh an Bhéarla.
> *Scum* na Sagsan is na bailtibh fá thréine
> ag mille na coda dár fosgadh ar éigin. . . .[46]

Is fiú an focal *scum* a thabhairt faoi deara. Léiríonn sé go cruinn gonta an tuairim a bhí ag filí uile na linne i dtaobh na bplandálaithe a tháinig ó Shasana in aimsir Chromail; ní raibh iontu ach bodaigh uirísle gan tabhairt suas, scuaine nach raibh meas dá laghad acu ar chultúr ná ar léann.

Bhí cáil i gcéin is i gcóngar ar ' Tuireamh na hÉireann ' nó ' Aiste Sheáin Uí Chonaill ' mar a thugtar air uaireanta. Tá cóipeanna de le fáil i lámhscríbhinní iomadúla[47] ní in Éirinn amháin ach in Albain freisin mar a bhfuil cóip i *Leabhar Dubh Cloinne Raghnaill*.[48] Luann an tOllamh Ní Rathaille na filí éagsúla i gCúige Mumhan agus i gCúige Chonnacht a bhfuil macalla de na smaointe sa ' Tuireamh ' le fáil ina saothar, agus meabhraíonn sí dúinn go bhfuil abairtí as breactha síos ina dhialann ag Amhlaoibh Ó Súilleabháin.[49] Deimhniú breise ar an éileamh a bhí ar an ' Tuireamh ' is ea go ndearnadh roinnt leagan Béarla de.

Ciarraíoch ó Uíbh Ráthach ba ea Seán Ó Conaill agus is é is dóichí gur idir 1655 agus 1659 a chum sé an ' Tuireamh '. Stair na hÉireann ó aimsir na dileann anuas atá ann, seanchas agus finscéalaíocht den uile chineál measctha tríd agus, mar ba dhual do Chiarraíoch, tagairt ar leith ann do Chlann Chárthaigh. Is é tuairim Phiarais Béaslaí nach bhfuil an ' Tuireamh ' chomh maith mar dhán leis an ' Síogaí Rómhánach '; tá an chaint ró-mhaol, róshimplí ann, dar leis, agus an mheadaracht lochtach in áiteanna. Admhaíonn sé, ámh, go bhfuil sleachta sa dán a bhfuil fuinneamh agus géarmhothú iontu.[50] Ar aon nós is cinnte gur bhain na Gaeil sólás agus taitneamh as in aimsir a bpeannaide.

[46] *ibid.*, 37.

[47] *ibid.*, 55.

[48] *ibid.*, 50.

[49] *ibid.*, 53.

[50] *op. cit.* i, 136-7.

Cúpla bliain roimh athghairm an dara Séarlas i Sasana, chum Éamonn mac Donnchadha an Dúna dréacht 'Aig caoine an-fhórlainn Éirionn a n-aimsir Chromel' ina dtugann sé mionchuntas ar na nithe tubaisteacha a tharla in Éirinn idir 1652 agus 1658. Mar a deir an tOllamh Ní Rathaille i dtaobh an dáin: 'It offers us no vague lament for the misfortunes of Ireland, but rather a vivid and detailed picture of conditions in Ireland 1652-1658. It was a life reduced to the utmost extreme of misery. . . .'[51] Tá sliocht gairid i mBéarla sa dán féin a nochtann go soiléir an searbhas agus an tarcaisne a bhí idir na Gaeil is na Gaill ag an am agus cuid de na fáthanna a bhí leis sin:

> Transport, transplant, mo mheabhair ar Bhéarla,
> Shoot him, kill him, strip him, tear him.
> A Tory, hack him, hang him, rebel,
> A rogue, a thief, a priest, a papist.[52]

Is oilte mar a d'éirigh le hÉamonn an Dúna dealbh na bun-mheadarachta a chaomhnú i mBéarla.

File darbh ainm Donnchadh Mac an Chaoilfhiaclaigh a chum an cúigiú dréacht, 'Do frith, monuar, an uain si ar Éirinn', am éigin timpeall 1640. Ionsaíonn seisean na dlíthe éagóracha a cuireadh i bhfeidhm chun a dtailte a bhaint de na Gaeil. 'Meirdreach mhná' a thugann sé ar Éirinn, ise a bhí mar chéile, tráth, ag Criomhthan, Conn agus Féilim. Tá an smaoineamh seo an-choitianta san fhilíocht. Is mar seo, cuir i gcás, a labhraíonn Eoghan Rua Ó Súilleabháin faoi Éirinn san 18ú haois:

> Mo mhíle creach! ba chneasta an striapach í!
> do bhí sí seal ag Art, ag Niall, 's ag Naois.
> do bhí sí seal ag flea na mBrianach ngroí,
> is ba mhín a cneas gur chaith an iasacht í.

Tá bunús agus brí leis an tsamhailt seo nuair a thuigtear cad é an coibhneas mistiúil a measadh riamh a bheith idir Éire agus an rí nó an flaith dleathach oighreachtúil.[53] Díríonn an tOllamh Ní Rathile ár n-aire ar an gcosúlacht atá idir an cur síos ar sciamh na hÉireann i ndán Donnchadha Mhic an Chaoilfliaclaigh agus na cuntais ar an spéirbhean in aislingí an 18ú haois.

[51] *op. cit.*, 85.

[52] *ibid.*, 90.

[53] Tá léiriú suimiúil ar an bpointe seo ag an Ollamh R. A. Breatnach i *Studies* xlii, 321 *et seq.* Tugann sé an sliocht as saothar Eoghain Rua Uí Shúilleabháin ar lch 323. Féach freisin G. Murphy, 'Royalist Ireland', *Studies* xxiv, 589 *et seq.*

Nuair a tháinig an dara Séarlas i gcoróin i 1660 bhí dóchas ag na Gaeil go mbeadh cúiteamh le fáil acu i gcuid de na héagóracha a bhí déanta orthu. Ba ghairid, ámh, gur thuig siad gur bheag faoiseamh a bhí i ndán dóibh. Sa bhliain 1661 cuireadh reacht i bhfeidhm ag deimhniú na bplandálaithe sna gabháltais a fuair siad le linn Chromail. Cháin an file, Séafra Ó Donnchadha an Ghleanna,[54] an beart fealltach seo i ndán fuinneamhach:

> Is barra ar an gcleas an reacht do théacht tar tuinn
> Lér leagadh fá shlait an treabh sin Éibhir Fhinn,
> Cama na mbeart do shlad go claon ár gcuing
> Lér gearradh amach ár gceart ar Éirinn uill. . . .

Ghoill an cleas fealltach seo go pearsanta ar Shéafraidh mar ba dhuine de sheanuaisle na nGael é a bhí tar éis a fhearann a chailleadh. Níl mórán de dhréachtaí Shéafradh tagtha anuas chugainn ach tá blas neamhchoitianta ar a bhfuil ann díobh. Dán ar leith ó thaobh ábhair agus meadarachta, cuir i gcás, is ea an caoineadh a chum sé ar bhás a mhadra, Druimín. Is beag dréacht eile dá léithéid i bhfilíocht na Gaeilge.

I mbliain a 1685, nuair a fógraíodh an dara Séamas ina rí ar Shasana, ba bheag an mhoill air na Protastúnaigh a ruaigeadh as an arm in Éirinn agus Caitlicigh a chur ina n-ionad. Ba mhór an t-ábhar áthais agus tógáil croí do na Gaeil an beart sin, rud is follas ón dán ' Caithréim Thaidhg agus Dhiarmada ' a chum an file Diarmaid mac Sheáin Bhuí Mac Cárthaigh[55] timpeall 1687. Bhí Diarmaid oilte go maith ar an dán díreach agus ar an bhfriotal liteartha, ach ba as an meadaracht aiceanta, an caoineadh, agus as gnáthchanúint na ndaoine a bhain sé feidhm sa Chaithréim chun an dea-scéal a ríomhadh go bríomhar gliondarach:

> Céad buidhe le Dia i ndiaidh gach anfhaithe
> 's gach persecution chughainn dar bagradh
> Rí glégeal Séamus ag Aifreann
> I Whitehall is gárda sagart air. . . .
>
> Cá ngabhann Seón, níl cóta dearg air
> Ná ' Who goes there ? ' le taobh an gheata aige. . . .
> Cá ngabhann Rálph 's a ghárda mhalluighthe
> Printísigh dhiablaidhe na cathrach. . . .

[54] P. Ua Duinnín, *Dánta Shéafraidh Uí Dhonnchadha an Ghleanna* (BÁC 1902).

[55] T. Ó Donnchadha (Torna) (eag.) *Amhráin Dhiarmada Mac Sheáin Bhuidhe, Mac Cárrthaigh* (BÁC 1916).

Bhí an ruaig curtha ar Sheón agus ar Ralph, saighdiúirí na nGall agus ar na bodaigh, printísigh dhiabhlaí na cathrach; bhí na Gaeil, Tadhg agus Diarmaid, in uachtar ina n-ionad. Fearacht filí eile na linne, nochtann Diarmaid an tarcaisne agus an fuath a bhí ag na Gaeil agus na nuaGhaill dá chéile: " 'Yon popish rogue " ní leomhthaid labhairt linn,/Ach " Cromwellian dog " is focal faire againn '. Sa dán seo freisin faighimid a lán focal Béarla, focail a léiríonn an ghéarleanúint agus an scrios a bhí á imirt ar na Gaeil, focail a chuala na filí go rímhinic timpeall orthu:

> D'éis transplant 's gach feall dar cheapadar,
> D'éis transpórt na seól tar fairrge,
> 'S go hiath Jeméco a mhéid do scaipeadar
> Don Fhraingc, don Spáinn 's gach áit dá ndeachadar.

Nuair bhí an ' Caithréim ' á chumadh is cosúil go raibh scéal faighte in Éirinn go raibh bean an dara Séamas ag iompar clainne, mar deir Diarmaid: ' Guidhidh arís sliocht dílis feardha air/Do dhéana díon don chríchsi is tearmonn '. Rugadh an ' sliocht dílis feardha ' ceart go leor i dtosach Mheitheamh na bliana 1688, ach ba bheag díon ná tearmann a rinne an mac sin, an SeanPhretender mar a tugadh air níos dhéanaí, do chríoch na hÉireann.

Is beag ábhar gliondair ná dóchais a bhí ag Diarmaid féin ag deireadh a ré um thosach an 18ú haois, ach é go beo bocht, a phátrún Iarla Chlann Chárthaigh ar deoraíocht, a ghabháltas bainte de toisc gur throid sé ar thaobh an dara Séamas i 1690, agus gan aon duine ann a thabharfadh capall don seanfhile nuair a cailleadh an capall breá a bhí aige, an Fhalartha Ghorm. Rinne a chomhfhilí comhbhrón leis ar chailleadh an chapaill, ach bhí siad siúd níb óige ná é agus is follas óna bhfuil le rá acu ina ndánta comhbhróin gur thuig siad go raibh ré na bpátrún thart agus go mbeadh ar na filí seasamh ar a mboinn féin feasta. Thuill Diarmaid meas a chomhfhilí agus nuair a fuair sé bás i 1705 is iomaí marbhna a cumadh á chaoineadh. I Laidin is ea a cumadh ceann amháin acu, ' Musgria Tota ' (In Obitum Demetrii Mac Carthy) leis an Athair Conchubhar Mac Cairteáin: ' Blarnia clarorum sedes famosa virorum/Ah dolet exclamans, Archipoeta perit '.

I bparóiste Ghleann Maighir Uachtarach i gCorcaigh a rugadh an tAthair Conchubhar i 1658 agus is ann a chaith sé a shaol mar shagart. Chum sé dréachtaí filíochta i nGaeilge, i Laidin agus i mBéarla; tá dhá sheanmóir leis le fáil i *Seanmóirí Muighe Nuadhad* (uimh. 10 agus 13) agus d'aistrigh sé saothar ón Laidin dar teideal

Agallamh na bhFioraon nó Craobhscaoile an Chreidimh Caitlicidhe. Fuair sé bás i 1737.[56]

Tar éis Chath na Bóinne ghluais arm caithréimeach Rí Liam, agus Ginkel i gceannas air, siar go Connachta agus bhuaigh sé ar na Gaeil ag Eachroim sa bhliain 1691. Chum an file Muimhneach, An tAthair Eoghan Ó Caoimh, dréacht ar an gcath seo, 'Ar treascradh in Eachdhruim'[57] agus chaoin an file Ultach, Séamas Dall Mac Cuarta, duine de na laochra uaisle a maraíodh sa chath, Somhairle Mac Domhnaill.[58] Tá léargas maith le fáil sa tuireamh breá seo ar an gcineál tórraimh ba dhual d'uaisle na nGael agus léirítear dúinn ann cuid d'uafás an chatha: 'In Eachdhruim an áir atáid na gcomhnaighe/Taise na gcnámh ar lár gan chomhra. . . .' Ach is file anaithnid a thugann an léargas is fearr ar uafás an chatha sna línte seo:

Tá leasú ag Ó Ceallaigh nach gaineamh ná aoileach
Ach saighdiúirí tapa dhéanfadh gaisce le píce;
Fágadh iad in Eachdhruim na sraitheannaibh sínte
Mar a bheadh feoil chapaill ag madraí dhá sraoille.[59]

Sa 17ú haois, thar aon aois eile b'fhéidir, bhí dlúthbhaint ag stair na hÉireann le múnlú na filíochta. Tá go leor samplaí tugtha cheana againn chun an méid sin a dheimhniú ach tá sampla níos suntasaí fós le fáil i saothar Dháibhí Uí Bhruadair,[60] saothar ina bhfaighimid léargas ón taobh istigh ar chúrsaí na tíre sa dara leath den aois.

In oirthear Chontae Chorcaí a rugadh Ó Bruadair timpeall na bliana 1625 ach is i gContae Luimnigh a chaith sé an chuid ba mhó dá shaol. Dhealródh sé ó fheabhas agus ó chruinneas na ceirde ina dhánta go bhfuair sé oiliúint i gceann éigin de na seanscoileanna filíochta—i nDámhscoil na Blarnan, b'fhéidir. Ar feadh a shaoil bhí dúil aige sa dán díreach agus drochmheas aige ar na nuameadarachtaí aiceanta a bhí ag teacht chun tosaigh faoi luas i gcaitheamh na haoise seo, cé gur minic a chleacht sé féin na meadar-

[56] T. Ó Donnchadha (Torna) (eag.) *Dánta Sheáin Uí Mhurchadha na Ráithíneach* (BÁC 1954) viii agus 456-7.

[57] *Gadelica* i, 108 *et seq.* Tá cuntas ar bheatha agus ar shaothar an Athar Eoghan tugtha ag T. Ó Donnchadha, *ibid.*, 3, 101, 163, 251. Féach freisin, B. Ó Cuív, 'Eon Ó Caoimh do Chan', *Éigse* ix, 262.

[58] S. Laoide, *Duanaire na Midhe* (BÁC 1914) 88 *et seq.*

[59] J. O'Daly, *Poets and Poetry of Munster* (2 eagrán BÁC 1850) 278.

[60] S. C. MacErlean, S.J. *Duanaire Dháibhidh Uí Bhruadair* i (London 1910) ii (1913), iii (1917).

achtaí sin. Dála fhilí na Scoileanna roimhe, bhí eolas maith aige ar sheanchas agus ar ghinealaigh na nGael, eolas a fuair sé as *Foras Feasa ar Éirinn* agus as *Leabhar Iris Chloinne Uí Mhaoilchonaire*, saothar luachmhar a cuireadh le chéile timpeall 1611. Bhí an oiread sin measa aige ar an saothar sin go ndearna sé roinnt cóipeanna de. Ní dhearna sé faillí, ach oiread, i gcuid de dhualgais na seanfhilí. Mar shampla i Mí Eanáir na bliana 1674-5 chum sé an dán bainise nuair a pósadh Eleanor de Búrc agus Oiliféar Stíbhin i gCo. Luimnigh.[61] I Mí Dheireadh Fómhair na bliana céanna bhí bás na hógmhná á chaoineadh aige sa dán ' Osna carad ní ceol suain '.[62]

Bhí an Ghaeilge ar a thoil ag Ó Bruadair; ní áibhéil a rá nach bhfuil aon fhile eile lena linn ná ina dhiaidh a bhfuil an saibhreas céanna focal ina shaothar. Bhí eolas aige ar an Laidin agus ar a mBéarla chomh maith agus dearg-ghráin aige ar an mBéarla, ' gliogarnach gall ' mar a thugann sé air, nó ' truidireacht bhéarla pléascadh is plubaireacht pluc '. Ba ghráin leis freisin lucht labhartha an Bhéarla, idir na bodaigh ghallda gan tabhairt suas gan léann: ' Gúidí Húc is múdar Hanmer, Róibín Sál is fádur Salm '—a chuir fúthu in Éirinn de bharr plandáil Chromail, agus na Gaeil aineolacha a bhí ag iarraidh aithris a dhéanamh ar chaint agus ar nósanna na mbodach sin agus ag tabhairt cúil ar a dteanga agus ar a nósanna féin (' Ní chanaid glór ach gósta garbhBhéarla '). Ní raibh dúil ag a leithéid i saothar na bhfilí, rud a ghoill go mór ar Ó Bruadair agus is searbh mar a labhraíonn sé faoin mbochtaineacht agus an dímheas a bhí i ndán dó féin dá bharr. ' Is mairg nár chrean re maitheas saoghalta/do cheangal ar gad sul ndeachaidh i n-éagantacht ', a dúirt sé sa bhliain 1684. Ceaptar gur sa bhliain chéanna a chum sé an aoir nimhneach. ' Is mairg nach fuil n-a dhubhthuata ' ina gcáineann sé an ' dream gan iúl gan aithne '. Is gonta cumasach mar a léiríonn sé a chás féin nuair a deir sé:

> Is mó cion fear deagh-chulaith
> ná a chion ó bheith tréitheach,
> Mo thruagh ar chaitheas re healadhain
> gan é umam in-a éadach.[63]

Nochtann sé an taobh is measa den scéal sa dán ' D'aithle na bhfileadh n-uasal ' a chum sé do chlann an fhile, Cú Chonnacht

[61] *ibid.* ii, 48 *et seq.*

[62] *ibid.* ii, 108 *et seq.*

[63] *ibid.* i, 130 *et seq.*

Ó Dálaigh. Cuireann sé in iúl sa dán seo nach Gaeil aineolacha amháin atá ag tréigean a ndúchais, ach sliocht na bhfilí féin mar aon leo:

> D'aithle na bhfileadh dár ionnmhus éigsi is iúl
> Is mairg do chonnairc an chinneamhain d'éirigh dúinn,
> A leabhair ag tuitim i leimhe ⁊ i léithe i gcúil
> 'S ag macaibh na droinge gan siolla dá séadaibh rúin.[64]

Iar léamh na línte sin dúinn is fiú triall siar go dtí tosach an 17ú haois agus éisteacht lena raibh le rá ag cuid d'fhilí na linne sin faoin gcinniúint a bhí i ndán dóibh siúd a chleachtfadh an fhilíocht. Is mar a leanas a labhair Fearflatha Ó Gnímh a bhí ina ollamh do Niallaigh Chloinne Aodha Buidhe:

> Mairg do-chuaidh re ceird ndúthchais:
> rug ar Bhanbha mbarrúrthais
> nach dualghas athar is fhearr
> i n-achadh fhuarghas Éireann.[65]

Agus ag seo an chomhairle a thug Mathghamhain Ó hIfearnáin (an file a labhair go ciallmhar neamhspleách san Iomarbhá) dá mhac:

> A mhic ná mebhraig éigsi,
> cerd do shen rót rothréigsi
> tús onóra gér dual di,
> fa tuar anshógha in éigsi.[66]

'Ga tarbha dán do dhénam', a deir sé sa líne deireanach.

D'aontódh Ó Bruadair go fonnmhar le tuairim Uí Ifearnáin gur 'thuar ansógha' cleachtadh na filíochta; 'is urchra cléibh gan éigsi chothrom ar bun', a dúirt sé i ndán a chum sé am éigin tar éis na bliana 1692. Is suimiúil an rud é na filí seo, beirt i dtosach agus duine eile ag deireadh an 17ú haois, ar aon intinn faoin ngradam ba dhual ó cheart don fhilíocht agus an dímheas a bhí á chaitheamh uirthi lena linn.

Dá thábhachtaí na dánta seo go léir, is tábhachtaí fós, b'fhéidir, na dréachtaí fada ina dtráchtann Ó Bruadair ar chúrsaí stair na linne, de bhrí go léiríonn siad sin dúinn dearcadh mhuintir na hÉireann ar an anró a bhí á fhulaingt acu. Is cumasach, cuir i gcás, mar a labhraíonn sé faoi ainnise na tíre agus an chine sa dán

[64] *ibid.* iii, 4.

[65] *Studies* xiv, 403 *et seq.*

[66] *B.M. Cat. Irish MSS* i, 392 *et seq.*

‘ Créacht do dháil mé in árthach galair ’, a chum sé tar éis do na Gaeil géilleadh d’fhórsaí Chromail i 1652. Tá fíoch sna línte seo:

> Aon troigh amháin níor fágbhadh acu
> mar dhéirc ón stát nó adhbhar leaptha.
> dobhéaraid grásta dáibh is aite
> a léigion slán don Spáinn ar eachtaibh.[67]

Nuair a bhí saighdiúirí na nGael curtha faoi chois bhí na Cromailigh lánsásta cead a thabhairt dóibh glanadh leo go dtí an Mhór-roinn agus deirtear gur imigh 34,000 díobh agus go ndeachaigh siad isteach i seirbhís Rí na Spáinne, Rí na Pólainne agus Phrionsa Condé. Sin é an grásta atá i gceist sa dá líne dheireanacha thuas. Nuair a bhí na saighdiúirí imithe rugadh ar na mná, ar na cailíní agus ar na buachaillí óga, agus díoladh iad le ceannaithe Bhriostó a sheol thar farraige mar sclábhaithe iad go dtí na plandálaithe tobac agus siúcra i Meiriceá agus sna hIndiacha Thiar.

Sa dán ‘ Suim Phurgadóra bhFear nÉireann ’ (1641-1684)[68] áiríonn Ó Bruadair na héagóracha a rinneadh ar na Gaeil agus na cruatain a bhí le fulaingt acu faoin gcéad Séarlas, faoi Chromail agus faoin dara Séarlas. I Mí Meithimh 1688 bhí céiliúradh lúcháireach i Luimneach agus ar fud na hÉireann uile nuair a rugadh mac don dara Séamas; rinne Ó Bruadair an ócáid a chéiliúradh sa dán ‘ Uim úr eolais an sceoil se thig i dtír ’,[69] dán ina bhfuil rian den chumha measctha leis an lúcháir,[70] amhail is dá dtuigfeadh an file cad a bhí le teacht. Agus, ar ndóigh, i gceann leathbhliana sa dán ‘ Na dronga sin d’iompuigh cúl re creasaibh córa ’, bhí sé ag cáineadh an dreama a dhíbir Séamas agus a thaobhaigh le Rí Liam. Cúpla bliain ina dhiaidh sin bhí ábhar níos sásúla aige nuair a chum sé ‘ Caithréim Phádraig Sáirséal ’, dán inar mhol sé éachtaí an tSáirséalaigh, go háirithe ‘ an uair do chuir sé ruaig ar Ghallaibh ⁊ do raob sé an chanóin mhór do bhí aco do thabhairt ó Bhaile Átha Cliath do ghabháil Luimnigh i mBaile an Fhaoitigh i gCo. Luimnigh do rinneadh an gníomh so

[67] *Duanaire Dháibhidh Uí Bhruadair* i, 34.

[68] *ibid.* iii, 12 *et seq.*

[69] *ibid.* iii, 112.

[70]
> Múchna óirne nach mó dhuit duille crainn
> riu breoidhte me i ndeoidh mo ruisc do shnighe,
> cúis tsóchais ní dóith im ghoire i gclí
> an prionnsa óg sa mun dtóga an tubaist díom.

I ls amháin tá an nóta seo leanas curtha leis an líne dheireanach: ‘agus níor thóg acht a hárdughadh orm do rinn ’. 112 n.b.

lear fóireadh mórán d'uaislibh Gaodhal '. Ní raibh ann ach fóirithint shealadach, ámh, agus i Mí Dheireadh Fómhair 1691 bhí Ó Bruadair ag fágáil sláin i ndán lena phátrún, Sir Seon Mac Gearailt, duine ' d'uaislibh Gaodhal ' a d'imigh thar sáile i dteannta an tSáirséalaigh tar éis Chonradh Luimnigh. Tamall gairid ina dhiaidh sin bhí céim síos agus ainnise na hÉireann mar ábhar aige arís sa dán fada ' An Longbhriseadh nó Longar Langar Éireann ' agus, dála a lán eile d'fhilí na haoise sin, chuir sé cuid mhór den mhilleán ar na Gaeil féin toisc go raibh dlíthe Dé á mbriseadh acu agus nach raibh siad sásta cur le chéile. ' Fínis dom scríbhinn ar fhearaibh Fódla ', a dúirt sé sa líne dheireanach den dán agus is beag eile a bhí le rá aige. D'éag sé, agus é beo bocht, sa bhliain 1698.

Cuid d'Éigse Chonnacht sa 17ú hAois

Bhí an seanléann á shaothrú fós ag éigse Chonnacht sa 17ú haois. Is é an Dubhaltach Mac Fhir Bhisigh an té is iomráití den éigse sin ó ba eisean an duine deireanach de theaghlach a bhí go mór chun tosaigh i litríocht na Gaeilge ar feadh na gcéadta bliain, teaghlach a sholáthraigh ollúna agus seanchaithe do thaoisigh Ua nDubhda agus a raibh de dhualgas orthu na taoisigh sin a dheimhniú ina n-oighreacht trí slat a ardú os a gceann agus a n-ainm a ghairm i láthair an phobail.[71]

I mbliain a 1585 a rugadh an Dubhaltach ar a fhearann athartha i Leacán i gContae Shligigh. Bhí dúil sa léann ag a athair, Giolla Íosa Mór Mac Fhir Bhisigh, agus chuir sé a mhac, an Dubhaltach, go dtí an scoil seanchais agus dlí a bhí ag Muintir Mhic Aodhagáin san am i gContae Thiobraid Árann. Chomh maith le heolas a chur ar sheanchas na nGael sa scoil sin d'fhoghlaim Dubhaltach Béarla, Laidin agus roinnt Gréigise inti. Nuair a bhí an cúrsa críochnaithe ansin aige d'fhill sé ar Chontae Shligigh mar ar fhan sé go dtí an bhliain 1643. Chuaigh sé ansin go dtí Coláiste San Nioclás i nGaillimh áit ar chuir sé aithne ar Ruaidhrí Ó Flaithbheartaigh agus ar an Dr Seán Ó Linsigh. Chaith sé cúig bliana sa Choláiste sin i mbun a mhórshaothair ar ghinealaigh na nGael, ' Craobha Coibhneasa agus Geuga geneluigh gacha gabhala dar ghabh Ére ',[72] saothar a chríochnaigh sé i 1650. Cúig bliana níos déanaí d'fhostaigh Sir James Ware é chun lámhscríbhinní a aistriú agus a scríobh

[71] Féach *supra*, lch 168.

[72] In eagar ag T. Ó Raithbheartaigh, *Genealogical Tracts* (BÁC 1932).

dó agus bhí sé ag gabháil don obair sin i mBaile Átha Cliath nó go bhfuair Sir James bás i 1666. D'imigh sé siar go Leacán arís ansin agus bhí sé ar a bhealach ar ais go dtí an chathair nuair a dúnmharaíodh i siopa i gContae Shligigh é sa bhliain 1670.[73]

Comhaimsearach do Dháibhí Ó Bruadair ba ea an staraí Ruaidhrí Ó Flaithbheartaigh[74] a rugadh i gCaisleán Mhaigh Cuilinn i gContae na Gaillimhe i 1629. Fuair sé a chuid oideachais sa scoil cháiliúil a bhí ag Alasdar Ó Linsigh i nGaillimh ag an am[75] agus d'fhás buancharadas idir é agus mac Alasdair, an Dr Seán Ó Linsigh (' Seán a Linche Ó Thuaim, an cléireach ', mar a thugann Seán Ó Gadhra air), a scríobh *Cambrensis Eversus* agus a d'aistrigh *Foras Feasa ar Éirinn* go Laidin. Rinne Ruaidhrí Ó Flaithbheartaigh staidéar ar leith ar litríocht agus ar sheanchas na nGael faoi stiúradh Mhic Fhir Bhisigh i gColáiste San Nioclás agus i 1685 foilsíodh a mhór-shaothar, *Ogygia, seu rerum Hibernicarum chronologia*, inar thug sé cuntas ar stair na hÉireann ó thosach aimsire go dtí an bhliain 1684. I Londain is ea a cuireadh an leabhar seo i gcló agus ba do Shéamas Diúc Eabhrac (an dara Séamas níos déanaí) a tiomnaíodh é. Trí bliana ina dhiaidh sin nuair a rugadh mac do Shéamas scríobh an Flaithbheartach dán i Laidin ag comóradh na breithe faoin teideal ' Serenissimi Ualliae Principis, Magnae Brittaniae et Hiberniae, cum appendicibus dominis haeritis conspiciu Genethliacon '. Tugann sé ginealach an phrionsa óig sa dán á léiriú gur de phór seanríthe na nGael é. (Má chuimhnímid ar an bpointe sin is fearr a thuigfimid dílseacht na bhfilí do Shéamas féin sa 17ú haois agus dá shliocht san 18ú haois.) Scríobh an Flaithbheartach saothar eile, ' Chorographical Description of West or H-iar Connaught ' atá curtha in eagar ag Séamas Ó hArgadáin in iris an *Irish Archæological Society*, 1846. Cuntas suimiúil ar ghnéithe an cheantair féin agus ar an stair a ghabhann leis atá sa saothar seo.

Nuair a rugadh Ruaidhrí Ó Flaithbheartaigh bhí sé ina oighre ar fhearann fairsing thart ar Mhaigh Cuilinn ach chaill sé cuid

[73] W. M. Hennessey, *Chronicum Scotorum* (London 1866); J. O'Donovan, *Miscellany of the Irish Archæological Society*, i (BÁC 1846); *Annals of Ireland, Three Fragments* (Irish Archæological and Celtic Society, 1860); *Tribes and Customs of Uí Fhiachrach*, O'Curry, *MS Materials*, 121 *et seq.*

[74] *DNB*, s.n. O'Flaherty.

[75] Rev. T. Corcoran, S.J., *State Policy in Irish Education A.D.* 1536 *to* 1816 (BÁC 1916) 65; R. O'Flaherty, *A Chorographical Description of West or H-Iar Connaught* (ed. J. Hardiman, BÁC 1840) 214 *et seq.*

mhór dá ghabháltais tar éis cogaí Chromail agus is beag de mhaoin an tsaoil a bhí aige uaidh sin amach. Dála Uí Bhruadair, bhí an saol go hainnis aige i ndeireadh a ré. Thug Edward Lhuyd, an scoláire Ceilteach ón mBreatain Bheag, cuairt air i 1700 agus dhearbhaigh go raibh an bhochtaineacht ag luí go trom air agus go raibh a chuid leabhar agus cáipéisí uile scaipthe nó scriosta. Bhí an scéal céanna ag Sir Thomas Molyneaux a chuaigh á fhéachaint i 1709.[76] Nuair a d'éag sé i 1718 chum a chomhéigeas Seán Ó Gadhra marbhna i Laidin air.[77]

Sa Chnoc Reamhar i gContae Shligigh a lonnaigh Seán Ó Gadhra. Ba sa bhliain 1648 a rugadh é, más cruinn an tuairisc a thugann sé féin sa mharbhna ar an bhFlaithbheartach agus is cosúil gur timpeall 1720 a cailleadh é. Scoláire agus file ba ea é a raibh ina chumas dánta a cheapadh i nGaeilge agus i Laidin agus d'aistrigh sé dán Béarla de chuid Abraham Cowley go Gaeilge agus go Laidin. Ina dhréachtaí Gaeilge chleacht sé an tseanmheadaracht shiollach agus an nuamheadaracht aiceanta. Tá ainm na doiléire ar shaothar Uí Ghadhra agus is fíor go bhfuil rian den ársaíocht ar chuid de. Ach is minic a labhraíonn sé go simplí agus go díreach. Ba dheacair, cuir i gcás, sárú ar nádúrthacht na cainte sa dán ' Staid Nua na hÉireann, 1697 ':

Más beo dhuit is tú an rógaire Gaedhlach,
Más bás duit níl cás in do scéala;
Tá th'anam i gcreapall na péine
Mar an ealtan bhíos eadar na néallta. . . .

Mo thruaighe staid nua na hÉireann,
Tá a huaisle marbh sa bhFrainc 's i n-Éirinn,
Acht fuigheall beag áir atá cráidhte créachtach.
Dá mbocadh ó thuinn go tuinn mar éanlaith.[78]

Labhraíonn sé go simplí freisin sa dán is suimiúla dá chuid, ' Tuireadh na Gaedhilge agus Teastas na hÉireann '. Sa réamhrá próis ar an dán seo cáineann sé na daoine a bhfuil drochmheas acu ar an nGaeilge agus an chléir ina measc:

Ní áirmhim iomad do phearsanaibh Eagailse, théid fo'n bhFrainc, fo'n Spáinn, fo'n Eadainne, agus fo críocha examhla na hEorpa

[76] *A Chorographical Description of West or H-Iar Connaught*, 427, 428.

[77] An tAthair Mac Domhnaill, *Dánta is Amhráin Sheáin Uí Ghadhra* (BÁC 1955) 60-61. Bhí na dánta atá sa leabhar seo curtha in eagar cheana ag Torna (Tadhg Ó Donnchadha) in *Irisleabhar na Gaedhilge*, Eanair 1905—Mí na Nollag, 1907.

[78] Mac Domhnaill, *op. cit.*, 20.

ag staidéar agus ag foghluim diadhacht agus feallsa, thigeas chugainn abhaile go bláthmhar seascair, amhail nathair nimhe do theilgeas a sheanchraiceann san Samhradh dhe agus do chuireas craiceann nuadh san nGeimhreadh air. Mar sin don druing seo; caillid a sean-chóta, .i. an t-iarmhar beag den Ghaedhilge do bhí tré bhuntáiste labhartha aca, agus tógaid in áit broscar beag de theangthaibh eile nach fearrde iad féin ná sinne. Coingbhíd an phobul i ndorchacht, óir d'easbhaidh na Gaedhilge oireamhnach ní chraobhscaoilid an soiscéal ná neithe eile oireamhnach don Chríostaidhe. . . .[79]

Sin píosa maith scríbhneoireachta, é lom, fuinneamhach, rithimeach; is é an trua é nár chleacht Ó Gadhra an prós níos minicí. Sa dán féin tráchtann sé ar uaisleacht agus ar ársaíocht na Gaeilge agus ar na saghasanna filíochta a bhíodh á gcumadh inti; áiríonn sé na saoithe agus an éigse a raibh dúil acu sa teanga agus tugann cuntas ar a saothar. Is mar seo a labhraíonn sé faoin Athair Mac Colgan:

Do chuir Colganus, do bhárr ar gach éan stair,
I Laidin a leabhar go gléasta;
Gan acharann, gan leatrom a dtéarma,
Mar bheadh sruth mín nach caol 's nach éadtrom
Ag sile go domhain gan torann a dhéanta.
Do scríobh beathaidhe Phádraig is Cholaim na féile
Is Bhrighde an rígh-bhean naemhtha.

Is follas go raibh eolas maith aige ar shaothar Mhichíl Uí Chléirigh agus ar an mbealach inar bailíodh é:

Is fada bhí taisteal an Chléirigh
Ar feadh gach paráiste i bhFionna-Chlár Éibhir.
Níor fhág cill ná tuath ná cuas gan féachain,
Beatha a naoimh is díon a chléire,
Ná gabháltais is seachrán a féinne,
Seanchus amhra agus réime;
Is do chuireadh gluais ar chruas a shaothair.

Tugann Ó Gadhra liosta d'fhilí Chonnacht lena linn agus a ainm féin ina measc:

[79] *ibid.*, 12. Cf. ' Cosmopolitans by compulsion, the foreign-bred scholars were too often fashioned to a formal European pattern, without the spirit which then flamed in every European people—the courage of a strong and growing nationality. Men trained abroad from childhood in foreign prejudices and conventions, detached from their own people in all the essential matters of tradition and literature, would return to their own land too often in a sense aliens, knowing nothing of a civilisation of which they had not been taught to interpret the language, the history or the evidences etc. '. A. S. Green, *The Making of Ireland and its Undoing*, 446-7.

Is i gConnacht bhí an chuideachta dhéidheanach
Bhí cumasach i dtuigse na Gaedhilge,
Do chruinnigh gan tuirse gach saethar,
Is do scrúdadh na hughdair go fréamha;
Ruaidhrí Ó Flaithbheartaigh scafaire an léighinn
Tadhg Ó Roduighe, scoluidhe tréitheach,
Is Seán Ó Gadhra nár sháraigh éanstair
I Laidin, is Scoitic ioná i mBéarla.[80]

Bhí ardmheas ag a chomhfhilí ar Thadhg Ó Rodaigh[81] (1623-1706) ó Chontae Liatroma (duine den chlann a bhí i bhfeighil tearmann Fiodhnacha leis na céadta bliain) agus ba mhó dán a chum siad dó. Ina measc bhí an dréacht de Thrí Rainn agus Amhrán a seoladh chuige mar ' Pronntanus na bliadhna núaidh ó Sheafruighe Ó Ruairc mhic Thoirrdhealbhuidh mhic Feidhlime ' sa bhliain 1702[82] agus an ceann a chum Seán Ballach Ua Duibhgeannáin do ' leomhan feasach Fiodhnacha ':

Beannacht uaim ó rún croidhe
go Tadhg roieolach Ó Rodoighe,
saoi suaimhníoch i ngaois nach gann,
cearchaill teagaisg na n-anbhfann.[83]

Níl ach cúpla dán de chuid Thaidhg féin tagtha anuas chugainn. Orthu sin tá an dán do Chormac Ó Néill a thosaíonn leis an líne ' Thugas tuile tromghráidh dhuit ' agus atá curtha i gcló ag Torna i *Leabhar Cloinne Aodha Buidhe*.[84] Tá dán ó Pheadar Ó Maolchonaire don Chormac céanna sa leabhar freisin agus is mar seo a thráchtann an t-eagarthóir ar an gceird sa dá dhán, ' Má bhí Tadhg Ó Rodaigh nó Peadar Ó Maol Chonaire ar sgoil filíochta riamh ní mórán a thugadar aisti, do réir mar bhraithimid ar a gcuid saothair sa leabhar seo é '.[85] B'fhéidir nach raibh féith na cumadóireachta ró-láidir i dTadhg féin, ach is cinnte ón bhfianaise atá againn óna chomhaimsirigh go raibh cáil an léinn air agus go raibh sé lánábalta ar theagasc agus treoir a thabhairt d'fhilí eile. Is fiú a mheabhrú

[80] Mac Domhnaill, *op. cit.*, 14; *Irisleabhar na Gaedhilge* xiv, 714.

[81] M. Nic Philibín, *Na Caisidigh agus a gCuid Filidheachta* (BÁC 1938) 93 *et seq.*, *Leabhar Fiodhnacha,* 394 n.; *The Miscellany of the Irish Archæological Society* i (1846) 112 *et seq.*

[82] *B.M. Cat. Irish MSS* ii, 52 *et seq.*; É. Ó Tuathail, *Rainn agus Amhráin* (BÁC 1925) 69.

[83] T. Ó Raghallaigh, *Filí agus Filidheacht Chonnacht* (BÁC 1938) xvi.

[84] 279 *et seq.*

[85] *ibid.*, vii.

freisin go raibh meath tagtha ar cheird na Scoileanna agus go raibh cúl á thabhairt ag formhór na Muimhneach ar an dán díreach um an dtaca seo.

Tagann ainm Thaidhg os ár gcomhair arís i ndréacht gairid a chum Peadar Ó Maolchonaire dó i 1701. Ní dréacht adhmholta é seo ach éileamh ó Pheadar um spré nuachair a bhí dlite dó as epithalamium a bhí cumtha aige do dhuine de mhuintir Thaidhg. Is é an spré a theastaigh uaidh ná ' éadach nuachair ' agus bhí Tadhg á choinneáil go haindleathach uaidh, dar leis.[86] Cuireann sé sin i gcuimhne dúinn an t-éileamh a rinne ' Odaly Fynyne ' ar Margaret ny Scally sa bhliain 1576.[87]

File eile a tháinig go mór faoi anáil Thaidhg Uí Rodaighe ba ea Éamann Ó Caiside a bhí ag ceapadh saothair idir 1690 agus 1716 agus a chum dánta ag adhmholadh Thaidhg agus a mhuintire.[88] Ba ón gclann a bhí mar leá ag muintir Mheig Uidhir Fhear Manach ar feadh na gcéadta bliain a shíolraigh Éamann agus chum sé dán breá (' Faoilidh Fir Mhanach anocht ') do Bhrian Mag Uidhir agus dá bhean sa bhliain 1691. Bhain sé feidhm as an meadaracht shiollach i gcuid dá shaothar ach is follas go raibh dúil aige i meadaracht an amhráin.

Ní foláir nó bhí aithne ag formhór na héigse sin ar an bhfile Seán Ó Catháin a scríobh an lámhscríbhinn Eg. 184 i 1726 ag na Forbacha sé mhíle siar ó chathair na Gaillimhe.[89] Tá an lámhscríbhinn i Músaem na Breataine anois. Gabhann an Cathánach a leithscéal faoi na dearmaid atá sa scríbhinn agus míníonn cad ba chiontach leo. Is fiú an míniú seo a thabhairt ina iomláine mar shampla dá scríbhneoireacht Ghaeilge na linne agus mar léiriú ar an drochbhail a bhí an tráth úd ar éigse na Gael:

> . . . agus guidhim thu a léightheóir gherthuigse fa gan guth do thabhairt orum ma ta dearmad focal no droch cursíos a n-áonchuid don leabhar go hairighthe do bhrígh nach bíghid na saoithe féin gach aon úair gan locht mur ader an Laitin *Quandoque dormitat Homerus* ⁊ do bhrígh go raibhe siubhal rofadadh air fhear m'aoise (.i. os cionn seasca blieghain) a gcúram mhór ionnus nach iomdha duine do gheabhadh do laimh a scríobh ar aón cor

[86] H. R. McAdoo, ' Three Poems by Peadar Ó Maolchonaire ', *Éigse* i, 160.

[87] ' Irish Poets, Historians and Judges in English Documents, 1538-1615 ', *PRIA* 36 C, 115.

[88] *Na Caisidigh agus a gCuid Filidheachta*, 99 *et seq.*

[89] Dúirt Máirtín Ó Cadhain linn go bhfuil muintir Chatháin sna Forbacha fós agus go síltear gur de bhunadh an fhile iad.

a mbothan shileanach súigidh a gceann gach toirmisg eile dár bháin dámh maille lé teinnios uathbhásach tairis soin thugas fa dearadh began locht do bheith um dhiaidh.[90]

Is é an chéad ábhar atá sa lámhscríbhinn ná cóip de *Trí Bior-Ghaoithe an Bháis* le Seathrún Céitinn, cóip a rinne an Cathánach ' air forálamh an óig uasail róonóraigh fhiorcharthannaidh .i. Fhroinnsiais óig a Blake mhic Tomáis oighreadh na bhForbach '.[91] Ina dhiaidh sin tagann sraith de dhánta oilte cliste a chum an Cathánach féin i Laidin don Bhlácach.

Ní cúis iontais é dúil i gcumadóireacht Laidine a bheith ag duine ar nós an Chathánaigh óir tá go leor fianaise ann a léiríonn go raibh eolas ar an teanga sin ag cuid mhaith de na filí. Insítear faoi Aogán Ó Rathaille, cuir i gcás, go ndeachaigh sé isteach i siopa leabhar i gCorcaigh uair amháin, gur rug ar leabhar a bhí scríofa i gceann éigin de na teangacha clasaiceacha agus gur fhéach air bunoscionn. Dúirt an siopadóir leis nár leabhar dá leithéid siúd a bhí ann, ach dá n-éireodh leis é a léamh go dtabharfadh sé saor in aisce dó é. D'iarr an file ar an siopadóir an ghealltúint sin a dheimhniú agus ansin chas sé an leabhar droim ar ais agus léigh sé é, á aistriú gan dua go Béarla.[92] Deirtear faoi Sheán Clárach Mac Domhnaill go raibh ar intinn aige Hóiméar a aistriú go Gaeilge.[93] Is mar seo a chuirtear síos air ar a leac uaighe: ' vir vere Catholicus et tribus linguis ornatus nempe Graeca, Latina et Hybernica non vulgaris ingenii poeta '.[94] Chum file eile, Donnchadh Rua Mac Conmara, caoineadh i Laidin in ómós dá chara Tadhg Gaelach Ó Súilleabháin[95] (1715-1795).

San 18ú haois, faoi na péindlíthe, ní raibh cead ag na Caitlicigh scoileanna dá gcuid féin a chur ar bun agus ní raibh sna scoileanna oifigiúla ach gléas chun Protastúnaigh a dhéanamh de Chaitlicigh, Sasanaigh a dhéanamh de na Gaeil. Ar ndóigh, ní raibh na húdaráis Chaitliceacha sásta aon bhaint a bheith acu le córas oideachais a raibh de chuspóir aige an creideamh Caitliceach a dhíothú. Ar an ábhar sin ba ar an dá aicme léannta sa tír san am,

[90] *B.M. Cat. Irish MSS* ii, 574.

[91] Mheabhraigh Máirtín Ó Cadhain dúinn go raibh Blácaigh san áit seo go dtí ár linn féin.

[92] P. S. Dineen, T. O'Donoghue, *Dánta Aodhagáin Uí Rathaille*, xxviii-xxix.

[93] P. Ua Duinnín, *Amhráin Sheaghain Chláraigh Mhic Dhomhnaill* (BÁC 1902) xvi.

[94] *ibid.*, xxi.

[95] R. Ó Foghludha, *Donnchadh Ruadh Mac Conmara* (BÁC 1933) 18.

na filí agus an chléir, a thit sé oideachas a chur ar fáil faoi rún do na gnáthdhaoine. I mbothán suarach nó cois claí go minic a thugaidís siúd an teagasc. Seo cuntas ar cheann de na scoileanna cois claí a scríobh an Sasanach Arthur Young a bhí ag taisteal mórthimpeall na hÉireann idir 1776 agus 1779: ' Some degree of education is also general; hedge-schools (they might as well be termed *ditch* ones, for I have seen many a ditch full of scholars) are everywhere to be met with, where reading and writing are taught: schools are also common for men: I have seen a dozen great fellows at school and was told they were educating with the intention of being priests '.[96]

Is ró-dhócha nárbh ionann an caighdeán oideachais sna scoileanna éagsúla; ní foláir nó bhí cuid acu níos fearr ná a chéile. I gcorr-áit d'fhaigheadh sagart léannta éigin cead doicheallach, b'fhéidir, ó na huaisle Protastúnacha chun scoil a bhunú; uaireanta thugaidís an cead sin go fonnmhar toisc gur mhian leo deis a bheith ag a gclann féin oideachas clasaiceach a fháil. Sin ceann de na fáthanna go mbíodh scoil mhaith le fáil in áiteanna.

Bhí scoil den chineál sin ag an Athair Seán Mac Geargáin i bparóiste Mhaigh Bolg agus Coill Chill Maighneann thart faoi thús an 18ú haois. Tá cuntas ar an scoil sin tagtha anuas chugainn,[97] cuntas a fuair taistealaí in 1780 ó dheartháir don scoláire Dr Thomas Sheridan, cara Swift agus sean-uncail don dramadóir Richard Brinsley Sheridan: ' Father Garrigan taught Latin in a corner of that church at the age of eighty. I read Livy under him, and can repeat some of the speeches at this time. We had no translations of the classics in those days. [The Latin tongue] . . . formed almost the whole of our education—the very shepherds could speak Latin. . . . We had many who excelled in the study of the Irish language too '. Tá tacaíocht don mhéid atá le rá faoin Laidin sa litir sin i litir eile a scríobh an Dr Thomas Sheridan féin chuig a chara, an tUrramach John Magill. Dúirt sé go bhfaca sé na línte seo a leanas i bhfuinneog tí i nDún Garbháin, áit a raibh uibheacha ar díol: ' Si sumas ovum, Molle sit atque novum '.[98]

[96] A. W. Hutton (eag.), *Arthur Young's Tour in Ireland* (1776-1779) ii (London, New York 1892) 147.

[97] P. O'Connell, *Schools and Scholars of Breifne*, 259 *et seq.*; 265 *et seq.* Ar lgh 303-304 tá tagairt don traidisiúin liteartha a mhair sa cheantar sin in oirthear Chontae an Chabháin agus tuaisceart Chontae na Mí ar feadh breis agus dhá chéad bliain.

[98] *ibid.*, 295.

Tá samplaí ann freisin d'fhilí a chaith seal ag múineadh scoile, Fiachra Mac Brádaigh (fl. 1711-1735), cuir i gcás, a raibh cónaí air gairid don tsráidbhaile Srath Domhain i bparóiste Láthrach. Dúradh ina thaobh siúd gur ' tolerably good poet ' a bhí ann agus ' a witty schoolmaster '.[99] Máistrí scoile ba ea Seán Ó Neachtain agus a mhac Tadhg. Is eol dúinn gur chaith Eoghan Rua Ó Súilleabháin seal ag múineadh scoile cé gurbh fhuath leis an ghairm sin. Máistrí scoile freisin ba ea Aindrias Mac Craith[100] agus Donnchadh Rua Mac Conmara[101] agus níos déanaí fós Eoghan Caomhánach ó Chontae Luimnigh a rugadh i 1784.[102]

Tá fianaise ann faoi fhilí ag déanamh macsamhla de lámhscríbhinní.[103] Scríobhaithe, cuir i gcás, ba ea Dáibhí Ó Bruadair, Piaras Mac Gearailt, Eoghan Rua Ó Súilleabháin, Seán Ó Murchadha na Ráithíneach agus Peadar Ó Doirnín. Tá cóipeanna ar fháil de *Foras Feasa ar Éirinn* le Céitinn a rinne Aogán Ó Rathaille, Seán Clárach Mac Domhnaill, Aindrias Mac Cruitín agus Seán Ó Tuama. Bhí cóip ar mheamram de *Agallamh na Seanórach* i seilbh Aogáin Uí Rathaille tráth agus tá a shíniú ar lámhscríbhinn mheamraim eile sa Leabharlann Náisiúnta. Rinne Peadar Ó Doirnín cóip de Táin Bó Cuailnge in 1780.

Cuireadh suim mhór i gcóipeáil lámhscríbhinní, agus mhair an traidisiún go ceann i bhfad. Sa bhliain 1887 scríobh iníon an Urr. James Alcock cuntas ar an traidisiún sin. Ag tagairt do chúrsaí mar a bhí siad 70 bliain roimhe sin dúirt sí: ' Already among the Celtic and exclusively Irish-speaking population, there existed a class called MS. men, whose pride it was to read, to study, to transcribe and to preserve any writings that could be found in their beloved native tongue. These were generally old legends, bits of Irish history, or sometimes fragments of the classics '. Níor mhiste an rud céanna a rá faoi a lán de na lámhscríbhinní a bhí á gcur ar fáil i gcaitheamh an 19ú haois.

Bhí meas ar an ábhar a bhí sna lámhscríbhinní agus dhealródh sé, ón scéal seo a leanas a insíonn Jeremiah Curtin, gur beag meas a bhí ar an mbéaloideas. Sa bhliain 1887 chuaigh Curtin chun

[99] *ibid.*, 204; DNB. s.n. Mac Brady; *B.M. Cat. Irish MSS* ii, 142-3, 151, 172-3; S. Laoide, *Duanaire na Midhe*, 51, 61.

[100] R. Ó Foghludha, *Éigse na Máighe* (BÁC 1952) 64 *et seq.*

[101] R. Ó Foghludha, *Donnchadh Ruadh Mac Conmara* (BÁC 1933) 10.

[102] *B.M. Cat. Irish MSS* ii, 179.

[103] R. A. Breatnach, ' The End of a Tradition ', *Studia Hibernica* 1 (1961) 135.

cainte le seanmháistir scoile a raibh cónaí air gairid do Chaisleán Nua i gContae Luimnigh agus thug leis lámhscríbhinn a scríobhadh 120 bliain roimhe sin. D'fhiafraigh sé den seanfhear an dtiocfadh leis seanscéal béaloidis (' myth ' a thug sé air i mBéarla) a insint dó. D'fhreagair an seanfhear mar a leanas: ' I don't care to be telling lies that have been handed down from father to son. I care only for things that have been recorded and are authentic '. Chuir Curtin in iúl dó go raibh seanscéalta sa lámhscríbhinn a tháinig anuas ón tseanaimsir, breis is míle bliain roimhe sin, ach theip air an seanfhear a thabhairt ar malairt tuairime. An rud a bhí scríofa, dar leis siúd, ba é amháin a bhí fíor tagairt do P de B Comhar.

Dhealródh sé freisin go raibh filí ann a bhí sásta aitheantas agus slí bheatha a bhaint amach dóibh féin trí sheinm ar an gcruit. Mar is eol dúinn ó fhoinsí éagsúla, bhí an-dúil ag na daoine sa damhsa mar chaitheamh aimsire[104] agus, dá bharr sin, bhí glaoch go forleathan ar chruitirí.

[104] O'Connell, *op. cit.*, 203 *et seq.* Deir Arthur Young, ' Dancing is so universal among them that there are everywhere itinerant dancing masters to whom the cottiers pay sixpence a quarter for teaching their families ', *Tour* . . . ii, 147. ' Dancing is the chief if not the only relaxation of the poor ', E. MacLysaght, *Irish Life in the Seventeenth Century* (Cork 1950) 36.

CAIBIDIL A SEACHT

AN NUA-PHRÓS Á CHUR I gCLÓ[1]

Ba é cuspóir na dTúdarach in Éirinn, go háirithe ó aimsir an Ochtú hAnraí, na Gaeil a iompú óna gcreideamh agus óna dteanga, óna nósanna agus óna saíocht féin, agus iad a shacsanú go hiomlán. Sa 16ú haois ritheadh Achtanna Parlaiminte agus cuireadh tús le scéimeanna oideachais chun an cuspóir sin a chur i gcrích.[2] Níorbh fhada, ámh, gur cuireadh ina luí ar na húdaráis nach bhféadfaidís an creideamh agus an teanga a bhascadh in éineacht, nach bhféadfaidís an Protastúnachas a chraobhscaoileadh gan feidhm a bhaint as an nGaeilge. Feicimid ó cháipéisí stáit na bliana 1564 gur chomhairligh an Bhanríon Éilís dá Fear Ionaid in Éirinn duine darbh ainm Robert Daly a cheapadh ina Easpag ar fhairche Chill Dara de bhrí go raibh ina chumas seanmóirí a thabhairt i nGaeilge agus i 1573 faighimid moladh ón bhFear Ionaid féin go gceapfaí duine darbh ainm Browne ina easpag ar fhairche An Dúin toisc an Ghaeilge a bheith ar a thoil aige. Trí bliana ina dhiaidh sin scríobh an Fear Ionaid litir chuig Éilís á chur in iúl di go raibh drochbhail ar an Eaglais Phrotastúnach in Éirinn de cheal ministrí a raibh an Ghaeilge acu agus nár mhiste iad a lorg in Albain, dá mba ghá, chun an scéal a leigheas.[3]

San am céanna níor leor leis na húdaráis an tseanmóireacht agus an teagasc béil; ba riachtanach freisin, dar leo, feidhm a bhaint as an bhfocal scríofa chun eolas ar an bProtastúnachas a leathnú i measc an phobail. Dá bhrí sin bhí siad chun tosaigh ag soláthar leabhar ar chúrsaí creidimh. Ar an 20 Iúil 1571, is ea a foilsíodh an chéad leabhar Gaeilge dár cuireadh i gcló riamh in

[1] Féach C. Ó Maonaigh, ' Scríbhneoirí Gaeilge an Seachtú hAois Déag ', *Studia Hibernica* 2 (1962) 182 *et seq.*

[2] R. Batterbury, *Oideachas in Éirinn* 1500-1946 (BÁC 1955) 11 *et seq.*

[3] *ibid.*, 19-20.

Éirinn, *Aibidil Gaoidheilge agus Caiticiosma*,[4] le Seán Ó Cearnaigh. I mBaile Átha Cliath a priontáladh é, ' ar chosdas Maighistir Sheón Uiser, Aldarman '. Ní sa chló Gaelach a bhí sé[5] ach i gcló Angla-Sasanach a gearradh i Londain *c.* 1567 agus a chuir an bhanríon Éilís anall go hÉirinn d'aonghnó i gcóir na hoibre sin. Tá cosúlacht áirithe idir na leagain de chuid de na hurnaithe in *Caiticiosma* Uí Chearnaigh agus na leagain sa leabhar *Foirm na nUrrnuidheadh* leis an Albanach Seán Carswell a tháinig amach i Mí Aibreáin 1567, cosúlachtaí a thugann ar an Ollamh de Bhaldraithe a mheas ' gur chóipeáil an Cearnach cuid d'urnaithe Charswell, á n-athrú beagáinín, agus gur chuir sé i gcló ina leabhar féin iad '.[6]

Connachtach ba ea Ó Cearnaigh a chaith tréimhse in Ollscoil Cambridge agus a bhain amach céim ansin. Tar éis filleadh go hÉirinn dó ceapadh é ina chisteoir in Eaglais Naomh Pádraig agus rinne sé a chion chun eolas ar an bProtastúnachas a chraobhscaoil-eadh trí mheán na Gaeilge. Fuair sé bás tuairim na bliana 1600.[7]

Baineadh feidhm as an gcló céanna a bhí sa *Caiticiosma* sa leagan Gaeilge a rinne Uilliam Ó Domhnaill,[8] Ardeaspag Thuama, den Tiomna Nua, leagan a foilsíodh i mBaile Átha Cliath idir 1602 agus 1603. Níor tháinig an dara heagrán den leabhar seo amach go dtí 1681; ba i Londain a priontáladh an t-am sin é agus é ' ré na dhíol ag Beniamin Túc ag comhartha na luinge a Relic Theam-puill Phóil '. Sa bhliain 1606 thóg Ó Domhnaill air féin *Leabhar na nUrnaithe gComhchoiteann* a aistriú go Gaeilge, aistriúchán a priont-áladh i mBaile Átha Cliath i 1608. Fuair sé bás in 1628.

Ba Shasanach Uilliam Bedel[9] (1571-1642), a sholáthraigh an chéad leagan Gaeilge den SeanTiomna. D'fhreastal sé ar Ollscoil Cambridge agus i 1627 ceapadh é ina phrapast ar Choláiste na Tríonóide i mBaile Átha Cliath. Dhá bhliain ina dhiaidh sin rinneadh easpag de ar fhairchí na Cille Móire agus Ard Achadh. (D'éirigh sé as Ard Achadh i 1633.) Bíodh, nó toisc, gur Shasanach

[4] E. R. McClintock Dix, S. Ua Casaide, *List of Books, Pamphlets etc. printed . . . in Irish from the earliest period to* 1820 (BÁC 1905) 1.

[5] E. R. McClintock Dix, ' The Earliest Printing in Dublin ', PRIA, xxviii C (1910) 149 *et seq.;* ' William Kearney, the second earliest known Printer in Dublin ', *ibid.*, 157 *et seq.* Cf. F. Ó Briain, O.F.M. ' Céad Chlódóireacht na Gaedhilge ', *Irisleabhar Choláiste na hIolscoile, Gaillimh* (1939-40).

[6] ' Leabhar Charswell in Éirinn ', *Éigse* ix, 61 *et seq.*

[7] DNB., s.n. Kearney.

[8] *ibid.*, s.n. Daniel.

[9] *ibid.*, s.n.

a bhí ann, thuig sé go rímhaith tábhacht na Gaeilge in Éirinn, agus nuair a bhíodh ministrí á gceapadh ina fhairche aige thugadh sé tosach i gcónaí dóibh siúd a raibh an Ghaeilge go maith acu, ní le grá don teanga, ar ndóigh, ach ar mhaithe le craobhscaoileadh an chreidimh nua. Bhí an cuspóir céanna aige nuair a thóg sé air féin leagan Gaeilge den SeanTiomna a chur ar fáil. Chuaigh beirt i mbun an aistriúcháin faoina stiúradh, Muircheartach Ó Cionga príomh-aistritheoir agus Séamus Nangle.[10] Sa bhliain 1640 is ea a chríochnaigh siad a saothar, agus bhí ar intinn ag Bedel é a chur i gcló ina theach féin ach bhí an tír chomh corraithe sin san am nár éirigh leis é sin a dhéanamh. Níor foilsíodh an saothar go dtí 1685, agus ba i Londain a cuireadh i gcló é. Bhí Bedel féin marbh le breis is daichead bliain roimhe sin. I dtosach an Éirí Amach i gCúige Uladh gabhadh é, chaith sé seal ina phríosúnach ag na Gaeil agus fuair sé bás den fhiabhras i Mí Feabhra 1642. Is cinnte go raibh meas ag na Gaeil air toisc gur fhear stuama a bhí ann agus gur chúis cumha dóibh a bhás.

I dtrátha an ama seo go léir bhí na fáisceáin chlódóireachta i lámha na n-údarás in Éirinn agus cosc ar na Caitlicigh aon fheidhm a bhaint astu. Ar an ábhar sin bhí an chléir Chaitliceach ag brath go hiomlán ar an teagasc béil go dtí gur éirigh leo leabhair a chur i gcló ar an Mór-roinn um thosach an 17ú haois. Duine a bhí go mór chun tosaigh sa teagasc béil ba ea an Proinsiasach Ultach, Eoghan Ó Dubhthaigh, a théadh thart timpeall na hÉireann sa dara leath den 16ú haois ag seanmóireacht agus ag iarraidh na daoine a dhaingniú sa chreideamh Caitiliceach. Bhí féith na filíochta san fhear díograiseach seo agus mar a deir an tAthair Ó Maonaigh, ' Bhí de nós aige dreas beag filíochta a chur mar bharr ar gach seanmóir, agus chuireadh na daoine de ghlanmheabhair é mar shuim nó athghiorra ar a theagasc '.[11] Ba mhinic é i ngleic leis an bProinsiasach iomráiteach eile Maoilre Mac Craith, a d'iompaigh ina Phrotastúnach agus a ceapadh ina ardeaspag ar Chaiseal i 1576. Chum Ó Dubhthaigh dán ina gcáintear é toisc a chreideamh a thréigean agus d'fhan véarsaí as an dán i

[10] J. Quigley, ' A History of the Irish Bible ', Reprinted from *The Irish Church Quarterly* x (1917); D. Breathnach, *Bedell and the Irish Version of the Old Testament* (BÁC 1971).

[11] ' Scríbhneoirí Gaeilge Ord San Froinsias ' *Catholic Survey* i, 59.

gcuimhne agus i mbéal an phobail ar feadh i bhfad.[12] Ní ionadh gur fhan mar is cliste gonta a labhraíonn sé ann:

A Mhaoil gan Mhuire ná bí borb,
Ná labhair le Muire go garg;
Feoil Charghais is bean ag bord
Olc an t-ord ag easbog ard.

Ní raibh Béarla ag an Athair Eoghan agus gan aon ghá aige leis, mar bhí ina chumas a ghnó go léir a dhéanamh trí Ghaeilge nó Laidin, fiú amháin nuair a ceapadh ina phroibhinsial é.

Le linn na banríona Éilís, bhí na Proinsiasaigh á ruaigeadh do réir a chéile as na coinbhintí go léir a bhí acu ar fud na tíre go dtí nár fhan acu faoi dheireadh mar ionad nóibhíseachta agus teagaisc ach an choinbhint cháiliúil ag Dún na nGall. I mbliain a 1601 scriosadh agus dódh í sin agus b'éigean do na Bráithre socrú ar choinbhint a bhunú in ionad suaimhneach éigin ar an Mór-roinn ina bhféadfaidís nóibhísigh agus mic léinn a oiliúint don mhisean in Éirinn. I dtrátha an ama seo bhí an tAthair Flaithrí Ó Maolchonaire sa Spáinn agus ardmheas air mar fhear léinn agus scoláire ag lucht na cúirte agus ag an rí féin, an tríú Pilip. Ball den teaghlach liteartha úd a sholáthraigh ollúna agus seanchaithe do Shíol Muireadhaigh ar feadh na gcéadta bliain ba ea an tAthair Flaithrí, ach ba ar an Mór-roinn, go háirithe in Ollscoil Lováin agus i Salamanca, a fuair sé a chuid oideachais. Tháinig sé go Cionn tSáile i dteannta na Spáinneach i 1601 agus nuair a briseadh ar na Gaeil sa chath chuaigh sé ar ais go dtí an Spáinn le hAodh Rua Ó Domhnaill le cuidiú leis chun cabhair a lorg ón rí. Bhí sé i dteannta Aodha Rua nuair a bhí seisean ar leaba a bháis ag Simancas.

Coláiste San Antaine i Lováin

Sa bhliain 1606 d'éirigh leis an Athair Flaithrí tabhairt ar Rí na Spáinne láthair a bhronnadh ar na Bráithre Mionúir i Lováin chun coláiste a bhunú ann, agus fuair sé gealladh ón rí go mbeadh míle coróin le fáil uaidh in aghaidh na bliana mar dheontas don Choláiste sin. An bhliain dár gcionn bhí sé féin agus an Dr Roibeard Mac Artúir[13] (an file a ghlac páirt níos déanaí in Iomarbhá na bhFilí

[12] *ibid.* Féach freisin E. Ó Muirgheasa, *Dánta Diadha Uladh* (BÁC 1936) 284 *et seq.* agus 318 *et seq.;* O. Ó Duáin, O.F.M., *Rógaire Easpaig* (BÁC 1975).

[13] B. Jennings, O.F.M. *Mícheál Ó Cléirigh and his Associates* (BÁC ⁊ Corcaigh 1936) 29-30; T. Ó Cléirigh, *Aodh Mac Aingil agus an Scoil Nua-Ghaedhilge i Lobháin,* 110 *et seq.*

le linn dó bheith i Lováin) ag fanacht leis na hIarlaí agus a mbuíon siúd ag Douai, agus rinne an bheirt acu na deoraithe a thionlacan iomlán an bhealaigh chun na Róimhe. I 1609 ceapadh an Maol-chonaireach ina ardeaspag ar Thuaim agus, cé nach raibh deis aige filleadh ar Éirinn, rinne sé a lándícheall chun dualgais na hoifige sin a chomhlíonadh. Is i Maidrid a bhí sé nuair a fuair sé bás i 1629 agus is ann a cuireadh é, ach sa bhliain 1654 aistríodh a thaisí go dtí séipéal Choláiste San Antaine i Lováin.

Togha scoláire ba ea Ó Maolchonaire agus domhaineolas aige ar scríbhinní Aithreacha na hEaglaise. Bhí dlúthchairdeas ar feadh scaithimh idir é agus Jansen. Ar na leabhair Laidine a scríobh sé tá *Peregrinus Jeriochontinus*, fáithscéal ar an ngrásta. Bhí sé ag gabháil do scríobh na Gaeilge chomh luath leis an mbliain 1593 nuair a d'aistrigh sé cuid den Teagasc Críostaí ón Spáinnis go Gaeilge.[14] Sa bhliain 1616 is ea a foilsíodh i Lováin an leagan Gaeilge a rinne sé den leabhar Spáinnise *El Desseoso* faoin teideal *Desiderius, nó Scáthán an Chrábhaidh*.[15] Fabhalscéal ar oilithreacht na beatha seo atá ann.

Ba bhall de chlann liteartha eile, Giolla Brighde (Bonabhentúra) Ó hEodhasa, a scríobh an chéad leabhar Caitiliceach dár cuireadh i gcló riamh i nGaeilge, *An Teagasg Críosdaidhe*[16] a foilsíodh in Antuairp in 1611. File ba ea Giolla Brighde, ach nuair a thit an seansaol as a chéile in Éirinn i dtosach an 17ú haois d'imigh sé, fearacht a lán dá chomhéigse, go dtí an Mhór-roinn, agus chaith sé tamall ag déanamh staidéir ar fhealsúnacht agus diagacht sa Choláiste ag Douai mar ar ghnóthaigh sé céim M.A. Sa bhliain 1607 glacadh isteach in Ord San Proinsias ag Lováin é agus bhí sé ina ghairdian ar Choláiste San Antaine nuair a d'éag sé i 1614.

Bhí an-éileamh ó thosach ar *An Teagasg Críosdaidhe* agus am éigin idir 1611 agus 1619 priontáladh an dara heagrán de, i Lováin féin an babhta seo; níos déanaí fós cuireadh eagrán eile amach sa Róimh. Ní in Éirinn amháin a baineadh leas as; bhí sé in úsáid in Albain freisin, agus tá fianaise againn ó spiaire a bhí ag obair thar cheann na Sasanach go raibh cóipeanna de ag na saighdiúirí ó Éirinn a bhí ag troid in arm na Fraince agus na Spáinne san

[14] B. Ó Cuív, 'Flaithrí Ó Maolchonaire's Catechism of Christian Doctrine', *Celtica* i, 161 *et seq.*

[15] In eagar ag Ó Rathile (BÁC 1941), mar aon le cuntas ar bheatha Uí Maolchonaire agus nótaí inmheasta.

[16] An tAthair F. Mac Raghnaill, O.F.M., 'Teagasc Críostaí Uí Eoghasa,' *Galvia* viii (1961) 21 *et seq.*

Ísiltír san am. I gcaitheamh an 17ú haois scríobhadh ceithre cinn eile de theagaisc chríostaí i nGaeilge ar an Mór-roinn, agus baineadh feidhm as saothar Ghiolla Bhrighde Uí Eodhasa ina bhformhór.[17] Scríobh sé graiméar freisin, *Rudimenta Grammaticae Hiberniae*. I Laidin a scríobh sé é, ach amháin an chuid de a bhaineann leis an bhfilíocht. Cé nár foilsíodh an graiméar seo go dtí le déanaí is follas go raibh eolas maith air ag daoine mar Ó Maolmhuaidh, Ó Dubhlaoich, Mac Cruitín agus Vallancey a scríobh leabhair ar ghramadach na Gaeilge ina dhiaidh.[18] Tá timpeall dosaen dán de chuid Uí Eodhasa tagtha anuas chugainn agus taispeánann sé iontu go raibh sé lánoilte ar cheird na filíochta. Cuireadh trí cinn díobh i gcló ag Lováin am éigin idir 1614 agus 1619.[19]

Ultach eile ba ea Aodh Mac Cathmhaoil a bhí chomh séimh sin gur thuill sé an leasainm Aodh Mac Aingil. I Sabhall i gContae an Dúin a rugadh é i 1571 agus fuair sé cuid dá scolaíocht in Oileán Mhanann. Bhí éirim aigne agus intleacht thar an gcoitiantacht aige agus ba ghairid go raibh a ainm i mbéal an phobail san Oileán agus in Éirinn ar fheabhas a chuid léinn. Chuala an tIarla Mór Aodh Ó Néill a thuairisc agus thug post dó mar oide dá bheirt mhac, Anraí agus Aodh. Chomhairligh Fear Ionaid na Banríona in Éirinn don Iarla a mhac Anraí a chur go Coláiste na Tríonóide i mBaile Átha Cliath ach níor ghlac an tIarla leis an gcomhairle sin. Ina ionad sin chuir sé go dtí Ollscoil Salamanca é i 1599. Chuaigh Aodh Mac Aingil ina fhochair agus bhíodh an bheirt acu ag na léachtaí sa Ollscoil le chéile. Faighimid tuairisc ar Anraí níos déanaí ó Thadhg Ó Cianáin a chuireann in iúl dúinn go raibh post aige mar ' Corenél na nÉirionach a bhFlóndras ' i 1607, áit ar éirigh leis an bealach chun na Róimhe a réiteach dá athair agus dá lucht leanúna.[20]

Chuaigh Aodh Mac Aingil isteach in Ord San Proinsias tuairim na bliana 1603 agus, ó tharla gur cuireadh go Lováin é i 1606, bhí ina chumas a lán cabhrach a thabhairt do Fhlaithrí Ó Maolchonaire nuair a bhí Coláiste San Antaine á bhunú ansin

[17] A. Ó Fachtna, O.F.M. ' Cúig Teagaisg Chríostaidhe den Seachtmhadh Aois Déag: Compráid ', *Measgra Mhichíl Uí Chléirigh* (BÁC 1944) 188-9.

[18] P. Mac Aodhagáin, O.F.M., ' Rudimenta Gramaticae Hiberniae ', *ibid.*, 238 *et seq.*; idem, *Graiméir Ghaeilge na mBráthar Mionúr* (BÁC 1968).

[19] Féach *Aodh Mac Aingil agus an Scoil Nua-Ghaedhilge i Lobháin*, 32-3; C. McGrath, O.F.M., ' Three Poems by Bonabhentúra Ó hEodhasa ', *Éigse* iv, 175 *et seq.*

[20] *The Flight of the Earls* xiii, 6-7.

aige. Cuireadh múineadh na diagachta agus na fealsúnachta mar chúram ar Mhac Aingil sa Choláiste nuabhunaithe agus thairis sin bhíodh dualgais iomadúla eile a bhain le heagrú agus riar an choláiste le comhlíonadh aige. Ina ainneoin sin d'éirigh leis cuid mhór taistil a dhéanamh ar fud na hEorpa de shiúl a chos agus trí cinn déag de leabhair thábhachtacha a scríobh i Laidin,[21] leabhair a chuir go mór leis an gcáil a bhí air cheana i measc scoláirí na hEorpa. Ní miste a mhaíomh gurbh é an diagaire a b'fhearr san Eoraip é lena linn agus bhain sé amach ionad speisialta dó féin i litríocht na hAthghine mar gheall ar an taighde a rinne sé ar shaol agus ar shaothar Scotus.

I mbliain a 1623 cuireadh fios air chun na Róimhe, agus deirtear gur mhór an chabhair a thug sé do Lucás Uaidín nuair a bhí seisean ag bunú Choláiste San Isadóir sa chathair sin i 1625. I Mí Meithimh na bliana ina dhiaidh sin coisriceadh é ina Ardeaspag ar fhairche Ard Mhacha, agus bhí sé díreach ar tí filleadh go hÉirinn nuair a cailleadh é ar an 22 Meán Fómhair 1626. In Eaglais San Isadóir a adhlacadh é agus thug Uachtarán Ollscoil Lováin, an mór-scoláire, Nicholas Vernulaeus, óráid adhmholtach i Laidin os cionn a choirp.

Bíodh gur i Laidin is mó a shaothraigh sé, ní dhearna Aodh Mac Aingil faillí sa Ghaeilge. D'fhonn a chion a dhéanamh i gcoinne an Reifirméisin in Éirinn scríobh sé *Scáthán Shacramuinte na hAithridhe* a foilsíodh don chéad uair i Lováin i 1618.[22] Tá trí cinn de dhánta diaga againn óna pheann freisin[23]; is é an carúl Nollag ' Dia do bheatha, a Naoidhe Naoimh ' an ceann is iomráití orthu.

Nuair bhí an tAthair Mac Aingil ag dul go dtí an Róimh i 1623 chuaigh an tAthair Pádraig Pléimeann ina fhochair, chaith an bheirt acu seal i bPáras ar an mbealach, agus bhuail siad leis an Athair Aodh Mac an Bhaird agus leis an Athair Thomas Messingham a bhí ina reachtaire ar Choláiste na nGael ansin san am. Bhí an tAthair Messingham ar a dhícheall ag iarraidh eolas a bhailiú ar bheathaí Naomh na hÉireann le na fhoilsiú agus d'éirigh leis suim an Athar Mac an Bhaird agus an Athar Pléimeann a mhúscailt sa

[21] Tá liosta díobh tugtha ag T. Ó Cléirigh, *Aodh Mac Aingil*, 61-2.

[22] Foilsíodh eagrán nua-aimseartha de (BÁC 1952) sa tsraith *Scríbhinní Gaeilge na mBráthar Mionúr*. Is é Cainneach Ó Maonaigh, O.F.M., an t-eagarthóir. Le haghaidh léirmheas ar phrós Aodha Mhic Chathmhaoil féach Caoimhghin Ó Góilidhe, *Comhar*, Aibreán, Bealtaine, 1949.

[23] T. Ó Cléirigh, op. cit., 93 *et seq*.

chuspóir sin agus iad a ghríosadh chun ábhar a chuardach i leabharlanna éagsúla ar an Mór-roinn. Is ar an gcuma sin a cuireadh tús le ceann de na scéimeanna ba thábhachtaí agus ba thorthúla i gcaomhnú seaniarsmaí na nGael, scéim a raibh baint ag a lán de na Bráithre Mionúir leis.[24]

Annála Ríoghachta Éireann

Ní raibh an taighde i bhfad ar siúl gur tuigeadh don Athair Mac an Bhaird, a bhí i mbun na hoibre ag Lováin um an dtaca seo, nár leor leabharlanna na hEorpa a chuardach ach gur riachtanach freisin eolas a lorg in Éirinn féin. I dtrátha an ama seo bhí Tadhg an tSléibhe Ó Cléirigh tar éis dul isteach in Ord San Proinsias i Lováin mar bhráthair tuata agus an Bráthair Micheál mar ainm spioradálta air. Ó tharla gur sheanchaí agus chroinicí ó dhúchas agus ó oiliúint a bhí sa Bhráthair Micheál cinneadh ar eisean a chur go hÉirinn. Sa bhliain 1626 is ea tháinig sé agus níor fhill sé ar Lováin arís go dtí 1637. Idir an dá linn, dála an Chéitinnigh roinnt blianta roimhe, thaistil sé ar fud na hÉireann go léir ag scrúdú seanlámhscríbhinní, ag bailiú eolais agus á bhreacadh síos. Níor chloígh sé le heolas a lorg ar bheathaí na naomh amháin; chuir sé roimhe chomh maith an oiread agus ab fhéidir den seanchas agus den stair a chnuasach, agus is maith an rud é go ndearna mar, a lán de na foinsí a scrúdaigh sé an t-am sin, tá siad caillte anois agus ní bheadh eolas dá laghad againn orthu mura mbeadh na cóipeanna a rinne seisean díobh nó na tagairtí a rinne sé dóibh. Is cosúil go ngluaiseadh sé thart timpeall sa samhradh ag scrúdú agus ag bailiú agus gur ghnách leis an geimhreadh a chaitheamh ag cóiriú agus ag breacadh síos a raibh bailithe aige sa choinbhint a bhí ag Proinsiasaigh Dhún na nGall.[25]

Is sárluachmhar é an saothar a d'fhág Micheál Ó Cléirigh ina dhiaidh. Rinne sé cóipeanna d'an-chuid téacsanna de chineálacha éagsúla mar *Féilire Oengusa*, *Féilire Thamhlacht*, *Cogadh Gaedheal re Gallaibh*, *Riaghail Cholaim Cille* agus beathaí a lán de naoimh na hÉireann. I measc na seanscríbhinní ar chuir sé eagar orthu bhí *Leabhar Gabhála Éireann*, *Féilire na Naomh nÉireannach* agus *An Réim Ríoghraidhe*. Is é *Annála Ríoghachta Éireann*, ámh, a phríomhshaothar.[26] I dtosach na bliana 1632 a chuir sé tús leis faoi phátrúnacht Fhear-

[24] *Mícheál Ó Cléirigh and his Associates*, 26 *et seq.*
[25] *ibid.*, 59.
[26] *ibid.*, 125 *et seq.*

ghail Uí Ghadhra ó Shligeach agus chríochnaigh sé é i Mí Lúnasa na bliana 1636. Bhí triúr eile i gcomhar leis ar feadh tamaill ag ullmhú an tsaothair seo agus is uime sin a tugadh *Annála na gCeithre Máistrí* air.[27] Mar a dúramar cheana fuair daoine áirithe locht ar an saothar agus cuireadh cosc lena fhoilsiú i Lováin cé go raibh sé tar éis ardmholadh a fháil in Éirinn ón éigeas iomráiteach Flann Mac Aodhagáin agus óna chomhéigeas Conchubhar Mac Bruaideadha, mar aon le teastas lánfhabhrach ó Ardeaspag Bhaile Átha Cliath agus Ardeaspag Thuama agus ó Easpaig Chill Dara agus Ailfinn.[28] Níor cuireadh ach aon leabhar amháin le Micheál Ó Cléirigh i gcló lena bheo, *An Foclóir nó an Sanasán Nua*, a foilsíodh i Lováin i 1643.[29] Dealraíonn sé go bhfuair sé bás roimh dheireadh na bliana sin.

Nuair a cuireadh tús leis an scéim chun beathaí naomh na hÉireann a fhoilsiú d'éirigh go breá leis ar dtús. Bhí Micheál Ó Cléirigh in Éirinn agus an tAthair Pléimeann agus a lán daoine eile ar an Mór-roinn ar a ndícheall ag bailiú eolais agus á sheoladh chuig an Athair Mac an Bhaird i Lováin. I gceann roinnt blianta, áfach, tharla an mí-ádh. Sa bhliain 1629, le tacaíocht ó Isabella na Spáinne agus ó Rí na Spáinne féin, d'éirigh leis na Proinsiasaigh cead agus cabhair a fháil ó Impire na hOstaire chun coinbhint nua a bhunú ag Prág[30] do nóibhísigh ó Éirinn, agus ceapadh an tAthair Pléimeann ina uachtarán ar an gcoinbhint sin. Ní raibh sé ach seal gairid sa phost sin nuair a dúnmharaíodh é i 1631 agus é ag teicheadh ó dhream éigin de lucht leanúna Lútair. Fuair an tAthair Mac an Bhaird bás i Lováin i 1635 agus gan ach dhá bhliain agus daichead slánaithe aige.

Bheadh deireadh leis an scéim ar fad ansin mura mbeadh gur ceapadh duine ábalta mar staraí don Ord, an tAthair Seán Mac Colgan ó Dhún na nGall a thógmar chúram air féin an t-ábhar go léir a chur in eagar agus a aistriú go Laidin nuair ba ghá. Chuir sé dhá shaothar mhóra ar fáil i Laidin, mar atá, *Acta Sanctorum Hiber-*

[27] Tá cuntas suimiúil ar na hAnnála seo, mar aon le tuairisc ar an díospóireacht atá ar siúl faoin áit inar scríobhadh síos iad, ag an Athair Ó Maonaigh, *Studia Hibernica* 2, 184 *et seq.*

[28] P. Walsh, *Gleanings from Irish Manuscripts* (BÁC 1918) 69 *et seq.*, go háirithe 77-8.

[29] In eagar mar aon le leagan Béarla ag A. W. K. Miller i *Revue Celtique* iv, 349 *et seq.*, v, 1 *et seq.* Féach freisin E. Knott, ' O'Clery's Glossary and Its Forerunners (A Note on glossary making in Medieval Ireland) ', *Measgra Mhichíl Uí Chléirigh*, 65 *et seq.*

[30] B. Jennings, O.F.M., ' The Irish Franciscans in Prague ', *Studies* xxviii, 210 *et seq.* Féach freisin *Mícheál Ó Cléirigh and His Associates,* 84 *et seq.*, 107 *et seq.*

niae (cuntas ar na naoimh go léir a dtiteann a lá féile idir an chéad lá d'Eanáir agus an 31ú lá de Mhárta) agus *Triadis Thuamaturgae Acta* (ina bhfuil na seanchuntais go léir ar Phádraig, ar Bhríd agus ar Cholm Cille). D'fhan an tAthair Mac Colgan i mbun na scéime nó gur éag sé i 1658, agus ansin lean an tAthair Tomás Ó Sírín leis an obair. Bhí mórchuid ábhair ar bheatha Cholumbáin agus ar nithe eile bailithe ag an Athair Pléimeann nuair a cailleadh é, 1631. Ba é an tAthair Ó Sírín a d'ullmhaigh an t-ábhar seo go léir don chlódóir agus a d'fhoilsigh é faoin teideal *Collectanea Sacra*. Fuair an tAthair Ó Sírín féin bás i 1673. Fear eile a chuidigh go mór leis an obair a bhí ar siúl i Lováin um an dtaca seo ba ea an tAthair Bonabhentúra Ó Dochartaigh. Nuair a fuair seisean bás i 1680 bhí deireadh leis an scéim agus deireadh leis an scoil seanchais a bunaíodh seachtó bliain nó mar sin roimhe sin.[31]

Chomh maith leis na leabhair atá ainmnithe cheana againn foilsíodh leabhair eile i nGaeilge ar an Mór-roinn i gcaitheamh an 17ú haois.[32] Orthu sin bhí *Cathcismus sen Adhon, an Teagasc Críostuí iar na fhoillsiú a Laidin & a Ngaoilaig*, leis an Athair Theobold Stapleton (nó Teaboid Galduf, mar a thugann sé air féin). Sa Bhruiséal sa bhliain 1639 a tháinig sé amach agus is é an chéad leabhar Gaeilge é a priontáladh sa chló Rómhánach, ach amháin leabhar Carswell. Sa réamhrá cáineann an tAthair Stapleton an dá dhream atá freagrach, dar leis, as meath na Gaeilge; is iad sin, an éigse a chleachtann friotal doiléir, dothuigthe agus na huaisle nach labhraíonn í ach ar fearr leo teangacha iasachta eile a fhoghlaim:

> Ar an adhbhar sin, as cóir ⁊ as immochuibhe dhuinne na Herenuig bheith ceanamhail, gradhach, onorach, air ar tteangain nduchais nadurtha féin, an ghaoilag, noch ata chomh fueletheach, chomh muchta sion, nach mór na deacha si as coimhne na nduinne, amhileán so as féidir a chur ar an Aois Ealaghain noch as udair dhon Teangain do chuir i fá fórdhorcatheacht ⁊ cruas focal, dha scribha a nodaibh ⁊ fhocalaibh deamhaire, doracha, do thuicseanta ⁊ ní fhoilid sáor morán dár nduinibh uaisle do bheir a tteanga dhuchais nadúrtha (noch ata fortill, fuirithe, onorach,

[31] Tá cuntas iomlán ar an scéim in *Aodh Mac Aingil agus an Scoil Nua-Ghaedhilge i Lobháin*.

[32] Tá liosta díobh le fáil ag E. R. McC. Dix agus S. Ó Casaide, op. cit. Féach freisin alt le E. W. Lynam, *The Library Transactions of the Bibliographical Society* (1924) 286.

fólamtha, gearchuiseach inti féin) a ttarcaisne, ⁊ a neamhchionn, ⁊ chaitheas an aimsir a saorthudh, ⁊ a foghlaim teangtha coimhteach ele.[33]

Dhá bhliain ina dhiaidh sin foilsíodh i Lováin an t-aistriúchán Gaeilge a rinne an tAthair Brian Mac Giolla Coinne ar 'Riaghuil Threas Uird S. Froinsias.'[34] Connachtach ó Chontae Liatroma ba ea an tAthair Brian. Bhí sé ar ais in Éirinn le linn Chromail agus deirtear gur ruaigeadh siar go hInis Bó Finne é i 1653 i dteannta sagart eile, cé go raibh sé os cionn ochtó san am, agus gur maraíodh ansin é. Ba i Lováin freisin, sa bhliain 1645, a priontáladh *Parrthas an Anma* leis an Athair Antaine Gearnon.[35] Dhá chuid atá sa leabhar seo, teagasc críostaí (inar baineadh leas as saothar Eochaidh Uí Eodhasa) agus leabhar urnaithe. Tá an Ghaeilge an-simplí sa leabhar—' an Ghaeilge is simplí dá bhfuil le fáil in aon leabhar spioradálta sa 17ú haois', mar a deir eagarthóir an téacs, an tAthair Ó Fachtna, O.F.M. Is follas go raibh an-dúil ag an bpobal in *Parrthas an Anma* mar tá cóipeanna iomadúla de, nó de shleachta as, le fáil i lámhscríbhinní éagsúla, go háirithe lámhscríbhinní na Mumhan, cé gurbh Ultach an tAthair Antaine. I gContae Lú, do réir cosúlachta, a rugadh é, agus chaith sé seal ina ghairdian ar choinbhintí na bProinsiasach i nDún Dealgan agus i nDroichead Átha. Ní raibh sé ar aon intinn lena lán dá chomhbhráithre faoi chúrsaí polaitíochta na linne agus tugann scéal a bheatha léargas dúinn ar an easaontas agus ar an bhfíoch a d'éirigh idir Gaeil i ndaicheadaí na haoise corraithe seo.

Tháinig teagasc críostaí eile ón bhfáisceán i Lováin i 1663, *Suim bhunudhasach an Teaguisg Chríosdaidhe* leis an Athair Seán Ó Dubhlaoich (Ó Dúlaidh ?), fear a thug uaidh 'Seanmóir Aoine an Chéasta' a bhfuil cóipeanna de le fáil i lámhscríbhinní áirithe.[36] Is follas ón réamhrá ar an Teagasc Críostaí nach do na Gaeil in Éirinn amháin a scríobhadh é ach do na Gaeil in Albain agus 'ar oileúnaibh umadamhla ar chosdadhaibh na hAimérioca ann a bhfuilid rómhórán Éireannach . . .' chomh maith.[37]

[33] J. F. O'Doherty, *Reflex Facs. iv, The 'Catechismus' of Theobald Stapleton* (BÁC 1945) alt 31. Féach freisin T. Wall, 'Doctrinal Instruction in Irish: the work of Theobald Stapleton', *Irish Ecclesiastical Record,* August 1943, 101 *et seq.*

[34] Eagrán nua-aimseartha de foilsithe in éineacht le dhá théacs eile ag P. Ó Súilleabháin, O.F.M., faoin teideal *Rialacha San Froinsias* (BÁC 1953).

[35] Eagrán nua-aimseartha le A. Ó Fachtna, O.F.M. (BÁC 1953).

[36] *B.M. Cat. Irish MSS* ii, 42, 103, 565.

[37] T. Ó Cléirigh, op. cit., 126. Féach freisin Aubrey Gwynn, S.J., *Analecta Hibernica* iv, 139 *et seq.*

I gContae na Mí nó i gContae Laoise um thosach an 17ú haois a rugadh an Bráthair Froinsias Ó Maolmhuaidh[38] a bhain amach cáil dó féin ar an Mór-roinn mar scoláire diagachta agus fealsúnachta agus a scríobh roinnt leabhar tábhachtach i Laidin ar na hábhair sin. Ní dhearna sé faillí i scríobh na Gaeilge ach oiread. Sa bhliain 1676 cuireadh a shaothar *Lucerna Fidelium* (nó *Lóchrann na gCreidmheach*) i gcló sa Róimh agus bliain ina dhiaidh sin sa chathair chéanna foilsíodh leabhar leis i Laidin ar ghraiméar na Gaeilge, leabhar dar teideal *Grammatica Latino-Hibernica.* Ba é seo an chéad cuntas ar ghramadach na Gaeilge dár cuireadh i gcló riamh agus is follas uaidh go raibh eolas ag an mBráthair Ó Maolmhuaidh ar na meadarachtaí a bhíodh in úsáid sna scoileanna filíochta.[39] Bhain an scoláire Breatnach Edward Lhuyd feidhm as an leabhar nuair bhí a mhórshaothar *Archæologia Britannica* (1707) á ullmhú aige.

Ní dhearna na Bráithre i bPráig an oiread scríbhneoireachta agus a rinne Bráithre Lováin. Mar sin féin, tháinig earra tábhachtach as an gcoinbhint ansin. Tháinig, mar shampla, saothar Laidine an Athar Antaine Mac Bruaideadha, saothar atá lán de dhíograis do chúis na hÉireann ach a bhfuil níos mó den tsamhlaíocht ná den fhírinne ag roinnt leis;[40] agus saothar an Athar Muiris Ó Conchubhair, *Threnodia Hiberno-Catholica*, a foilsíodh in Innsbruck in1659 agus a bhfuil cuntas suimiúil ann ar staid na hÉireann le linn Chromail. Maidir le saothar i nGaeilge tá dhá aistriúchán (agus b'fhéidir trí cinn) ann, an ceann a rinne an tAthair Bonabhentúra Ó Conchubhair ar *Triumphus Sancti Crucis* le Savonarola agus *An Bheatha Chrábhaidh*, leagan Gaeilge a rinne an tAthair Pilib Ó Raghallaigh den *Introduction à la vie dévote* le Naomh Proinsias de Sales.[41]

Go dtí le déanaí bhí a lán fadhbanna ag baint le stair an téacs dheireanaigh seo sna lámhscríbhinní, ach dealraíonn sé anois go

[38] T. Ó Cléirigh, op. cit., 120 *et seq.*

[39] O. Bergin, *The Native Irish Grammarian* (London 1938) 14 *et seq.* go háirithe 17. Cúig chaibidil ar fhichid a bhí sa *Grammatica* agus dhá cheann déag díobh sin tugtha suas do phrosóid na teanga. Cuireadh an 12 chaibidil sin i gcló mar aon le haistriúchán Béarla le Tomás Ó Flannghaile faoin teideal *De Prosodia Hibernica* (BÁC 1908).

[40] 'The Irish Franciscans in Prague', *Studies* xxviii, 220 *et seq.;* 'Materials for a History of Clann Bruaideadha', *Éigse* iv, 48 *et seq.*

[41] M. Ó Domhnaill (eag.) *An Bheatha Chrábhaidh.* (*De theacht isteach ar an mBeathaidh Chrábhaidh*) (BÁC 1938). Féach freisin léirmheas ar an leabhar seo le Máire Ní Mhuirgheasa, *Éigse* i, 230 *et seq.* agus Séamus P. Ó Mórdha, 'Irish Manuscripts in St. Macarten's Seminary, Monaghan', *Celtica* iv, 279 *et seq.*

bhfuil a lán de na fadhbanna sin réitithe ag an Athair Anselm Ó Fachtna, O.F.M., de bharr an taighde atá déanta aige ar an mbuntéacs, ar na leagain Ghaeilge agus ar na lámhscríbhinní ina bhfuil na leagain sin ar caomhnú.[42] Tá saothar eile curtha in eagar ag an Athair Ó Fachtna, is é sin *An Bheatha Dhiaga*,[43] aistriúchán ar théacs Laidine dar teideal *Vita Divina seu Via Regia ad Perfectionem*. Ba dhiagaire iomráiteach darbh ainm Juan Eusebio Nierenberg Y Otin, S.J., a chum an bunsaothar sa Spáinnis, agus d'aistrigh Íosánach eile, Martino Sibenio, go Laidin é. Foilsíodh an leagan Laidine i Westphalia sa bhliain 1642. B'fhéidir, dar leis an Athair Ó Fachtna, gurbh é Pilib Ó Raghallaigh a d'aistrigh an téacs seo freisin go Gaeilge nó b'fhéidir gurbh é an scríobhaí Anraí Mac Ardghail a rinne é.[43a]

Meabhraíonn an tAthair Cainneach Ó Maonaigh dúinn nach raibh na Proinsiasaigh in Éirinn féin díomhaoin sa 17ú haois. Bhí a lán acu ag saothrú, ag bailiú eolais agus ag déanamh cóipeanna de lámhscríbhinní dá gcomhbhráithe i Lováin agus sa Róimh agus cuid eile acu ag cumadh dánta agus seanmóirí.[44] Rinne beirt acu, an tAthair Aodh Ó Raghallaigh agus an tAthair Séamas Ó Siaghail, *Riail San Clara*[45] a aistriú go Gaeilge do mhná rialta Proinsiasacha a díbríodh as Baile Átha Cliath agus a chuir fúthu in Áth Luain i 1636. Sa bhliain chéanna rinne Micheál Ó Cléirigh cóip den leagan seo. Tamall ina dhiaidh sin ghluais na mná rialta siar go Gaillimh agus d'aistrigh Dubhaltach Mac Fhir Bhisigh sliocht breise den riail dóibh ansin. Gabhann Mac Fhir Bhisigh leithscéal faoi shimplíocht nó ' bacuighe ' na Gaeilge ina chuid féin den téacs, agus deir sé, ' ní tré ghainne na Gaoidheilge tig sin, ach tre esbaidh a heoluis ar chách, ionnus gurob usa leó focail choimhig[h]thecha do thuigsin ináid focail fhíre na Gaoidhelge. I ccoláisde na Gaillimhe. Die octauo. X. :bris. 1647 '.[46]

Faoi mar a dúramar cheana, is ó fhoinsí eachtrannacha is mó a fhaighimid eolas ar stair na hÉireann san aois seo, mar sin tá tábhacht ar leith ag roinnt le *Cín Lae Ó Mealláin*.[47] Proinsiasach

42 ' " An Bheatha Chrábhaidh " agus " An Bheatha Dhiaga " ', *Éigse* x, 89 *et seq.*

43 *An Bheatha Dhiadha nó an tSlighe Ríoghdha* (BÁC 1967).

43a Ó Fachtna, op. cit., x *et seq.*

44 ' Scríbhneoirí Gaeilge Oird San Froinsias ', *Catholic Survey*, 1, 70.

45 In eagar ag E. Knott, *Ériu* xv.

46 *ibid.*, 154.

47 In eagar ag T. Ó Donnchadha, *Analecta Hibernica* iii, 1 *et seq.*

a bhí ina shéiplíneach ag Sir Féidhlim Ó Néill ba ea an Bráthair Feardorcha Ó Mealláin agus tugann sé léargas luachmhar dúinn sa chín lae ar chúrsaí an chogaidh i gCúige Uladh agus i gCúige Laighean idir 1641 agus 1647.

An Aoir Phróis

I gcaitheamh an 17ú haois bhí chuid mhór den éigse tugtha do bheith ag caoineadh a gcruacháis agus a gcéim síos féin go cumhach feargach agus ag cáineadh na mbodach aineolacha a bhí ag teacht i réim sa tír tar éis imeacht na n-uaisle. Bhí duine amháin, ámh, a bhain feidhm as gléas níos géire ná an cáineadh chun a tharcaisne a chur in iúl, b'shin an t-údar anaithnid a chum an aoir phróis *Páirlement Chloinne Tomáis*[48] am éigin thart faoi lár na haoise. Deir an Dr Ó hAimhirgín an méid seo a leanas ina taobh:

> Its author was evidently one of the many men of letters who suffered so severely as a result of the wars and confiscations of the time. After years of careful training in the schools they found their profession had disappeared. The old aristocracy, with whom all Irish learning and literature had been bound up from the start, were gone. Their places were taken by foreign settlers, men from a different world, or by what the student from one of the bardic schools—the nearest thing in Ireland of that day to the university graduate—looked upon as coarse and brutish peasants, gluttonous and quarrelsome, aping the gentry, trying to dress fashionably, too low to understand the meaning of refinement, and lost in admiration of a man who could talk broken English.[49]

Is follas go raibh eolas maith ag an údar seo ar an gcanúint liteartha, agus is minic ina shaothar a dhéanann sé scigaithris ar stíl agus ar nathanna na seanscéalta rómánsacha. Is minic freisin an greann searbh agus an ghairbhe le fáil ann. Gné an-tábhachtach den saothar seo is ea nádúracht agus fuinneamh an chomhrá ann.[50]

Dealraíonn sé gur Mhuimhneach a chum *Páirlement Chloinne Tomáis*, agus ba Mhuimhneach freisin a scríobh saothar iomráiteach eile, *Párlaiment na mBan*.[51] Domhnall Ó Colmáin ab ainm dó, duine

[48] In eagar ag O. Bergin, *Gadelica* i, 35 *et seq.*, 127 *et seq.*, 137 *et seq.*, 220 *et seq.* Féach freisin T. de Bhaldraithe, ' Pairlimint Chlainne Tomáis ', *Scríobh* 1 (BÁC 1974) 143 *et seq.;* A. Harrison, ' Allagar " Chlann Tomáis " ', *Éigse* xvi, 97 *et seq.* *B.M. Cat. Irish MSS* ii, 423 *et seq.*

[49] *Gadelica* i, 35 *et seq.*

[50] Tá cosúlacht áirithe idir an téacs seo agus an aoir dar teideal *Eachtra Chloinne Tomáis Mhic Lóbuis nó Tána Bó Geanainn* a cumadh san 18ú haois. Tá an *Eachtra* curtha in eagar ag M. Ní Ghráda, *Lia Fáil* i, 49 *et seq.*

[51] In eagar ag B. Ó Cuív (BÁC 1952).

den ghnáthchléir a raibh dochtúireacht sa dlí canónta aige. Thiomnaigh sé an saothar dá dhalta Séamus Óg Mac Coitir mar a leanas: ' Chum an Ógáin Uasail, Mo Dheisgiobal Grádhach Féin .i. Séamus Óg Mac Coitir, an Réamhrádh '. Tá éiginnteacht ann faoin am inar cumadh an saothar. An bhliain 1670 atá curtha síos i lámhscríbhinní áirithe ach tá nithe sa téacs a thabharfadh le fios gur tamall gairid roimh 1700 a cumadh é. Deir eagarthóir an téacs, an Dochtúir Brian Ó Cuív, go mb'fhéidir gur mar seo a tharla—gur scríobh Ó Colmáin na seanmóirí don chéad uair i 1670 agus gur féidir gur sa bhliain sin a chuir sé le chéile i bhfoirm ' Párlaimente ' iad; ansin seacht mbliana is fiche ina dhiaidh sin (1697), nuair a ceapadh é ina oide ag Mac Coitir óg gur athchóirigh sé an bunsaothar sin mar ábhar teagaisc dá dhalta agus gur chuir sé leis. Sa réamhrá, mar threoir agus mar shampla don fhear óg, thug sé cuntas ar bheatha a athar, An Ridire (Sir) Séamus Mac Coitir, agus thrácht ar a dhea-thréithe siúd agus ar na gníomhartha gaisce a bhí déanta aige.

I dtosach an téacs féin cruinníonn slua ban le chéile chun ceisteanna éagsúla a phlé. Cuirtear tús leis na himeachtaí le paidir agus ansin cromann cuid dá bhfuil i láthair ar mhná na hÉireann a cháineadh toisc nach nglacann siad páirt níos gníomhaí i saol poiblí na tíre. Tá blas nua-aimseartha ar a lán de na smaointe a nochtar, cuir i gcás, an chaint seo a leanas ó bhean darb ainm Fionnúla Ní Stanganéifeacht: ' ⁊ sin ag tréigion an uile ghnótha ⁊ maithis puibligh, ag fanamhuin go conaighthеach annsa mbaile, ag tabhairt aire dár ccoigil ⁊ dár maide snighe, ⁊ fós nach maith annso mbaile mórán againn '(10). Tráchtar freisin ar chúrsaí faisean, ar oideachas do mhná etc. Ní fada ámh, go bhfágtar na nithe seo ar leataobh agus go dtosaítear ar cheisteanna moráltachta a phlé. Cáintear peacaí agus drochnósanna na ndaoine, an leisce, an craos, an drúis, an tsaint, an mheisce, an chúlchaint, an fhearg agus go háirithe an bhithiúntacht. Is suimiúil an rud é go bhfaigheann an damhsa cáineadh speisialta. Mar a mheabhraíonn an Dochtúir Ó Cuív dúinn, tá sé ráite gurbh é an damhsa príomhchaitheamh aimsire na ndaoine sa 17ú haois agus dhealródh sé nár chaill siad a ndúil ann san 18ú haois ach oiread.[52]

[52] E. Mac Lysaght, *Irish Life in the Seventeenth Century* (1950) 36, 162; *Arthur Young's Tour in Ireland* ii (1776-1779) 147.

Maidir leis na smaointe in *Párlaiment na mBan*, is ón iasacht a tháinig cuid mhór díobh. I léirmheas[53] an-tábhachtach ar eagrán an Dr Ó Cuív den téacs, thaispeáin an tAthair Pádraig Ó Súilleabháin, O.F.M., gur aistriúchán ó fhoinsí éagsúla atá ina lán de *Párlaimint na mBan*, go háirithe na sleachta teagascacha agus thug sé samplaí de na bunleagain agus de na leagain Ghaeilge taobh le chéile. Chomh maith leis sin, léirigh an tUasal James Stewart[54] gurb é atá sa chuntas ar an dá sheisiún tosaigh den Phárlaimint ná leagan Gaeilge de cheann amháin de na *Colloquia Familiaria* a chum Erasmus mar ábhar teagaisc d'fhir óga shaibhre le linn dó a bheith ina mhac léinn bocht i bPáras. Ghnóthaigh na *Colloquia* seo cáil i gcéin agus i gcóngar agus is iomaí leagan díobh a foilsíodh sna teangacha éagsúla. An chuid sin a d'aistrigh Ó Colmáin go Gaeilge, ba ghnáthach ' The Parliament of Women ' a thabhairt uirthi i mBéarla. Foilsíodh leagan Béarla den téacs i 1671, ach tá comharthaí ann a thabharfadh le fios nach é an leagan seo ach an bunleagan Laidine a bhí á láimhsiú ag Ó Colmáin.

Tuilleann an Ghaeilge féin suim ar leith. Ní Gaeilge chlasaiceach ná liteartha í, ach í bunaithe ar an nGaeilge mar a bhí sí á labhairt i gContae Chorcaí sa dara leath den 17ú haois. Fágann sin gur téacs luachmhar é, mar gur beag sampla atá tagtha anuas chugainn ón am sin den teanga mar a bhí sí á labhairt go nádúrtha i measc na ndaoine.

Tá ceist an phróis i litríocht na Gaeilge achrannach agus míshásúil ar a lán bealaí. Ar feadh na gcéadta bliain níor mhór é meas na héigse ar an bprós mar ghléas liteartha, agus anuas go dtí tosach an 17ú haois nuair a tosaíodh ar leabhair a chur i gcló ar an Mór-roinn, is fíor annamh ab fhiú le húdar a ainm a chur le dréacht próis.[55] Sa 17ú haois féin ní raibh meas ag formhór na héigse, go háirithe lucht scríofa na nAnnála, ach ar an gcanúint ársa liteartha. (Cineál MeánGhaeilge a chleacht cuid acu sin.) Do réir mar bhí na scoileanna ag dul i léig agus na huaisle ag imeacht bhí dearmad á dhéanamh ar an gcanúint liteartha seo i dtreo go bhfaighimid, mar a chonaiceamar, an Dubhaltach Mac Fhir Bhisigh roimh lár na haoise ag gabháil leithscéil faoi ' bhacuighe ' a chuid Gaeilge, á mhíniú gur scríobh sé go simplí ionas go dtuigfí é. Tamall níos déanaí faighimid an tuairisc seo a leanas ón Dr Seán Ó Linsigh:

[53] *Catholic Survey*, Vol. 2, No. 1 (Spring 1955), 137 *et seq.*

[54] ' Párliament na mBan ', *Celtica* vii, 135 *et seq.*

[55] O. Bergin, *The Native Irish Grammarian* (London 1938), 13-14.

'Vereor tamen ut reconditae idiomatic Hibernici cognitioni ruina jam immineat cum earum artium cultoribus assueti census non subministrentur. Etenim honos alit artes, ut, vulgo dicitur. . . .'[56]

Níos déanaí fós, i litir i mBéarla a sheol sé chuig Edward Lhuyd i 1701, mhínigh Tadhg Ó Rodaigh cén fáth a raibh laige ag teacht ar an nGaeilge liteartha. Ceann de na fáthanna ba ea deacracht agus saibhreas na teanga féin: 'Also the Irish being the most difficult and copious language in the world, having five dialects, viz., the common Irish, the poetic, the law or lawyer's dialect, the abstractive and separative dialects, each of them five dialects being as copious as any other language. . . .'[57] Ach an fáth ba thábhachtaí, dar leis, ba ea an ceann a luaigh an Dr Ó Linsigh roimhe, mar atá, easpa pátrúnachta ar an éigse:

> I have several volumes that none in the world now can peruse though within twenty years there lived three or four that could read them all, but left none behinde absolutely perfect in all them books, by reason that they lost the estates they had to uphold their publique teaching, and that the nobility of the Irish line, who would encourage and support their posterity, lost all their estates too, so that the antiquaryes posterity were forced to follow husbandry etc. to get their bread, for want of patrons to support them. Honos alit artes.[58]

Sampla maith de choimeádacht éigse na nGael is ea dearcadh an triúir seo. Bhí a gcuid smaointe ceangailte leis an tseanréim agus 'honos alit artes' mar mhana acu. Níor léir dóibh féin ná dá leithéidí go raibh athrú tar éis teacht; níor léir dóibh fiúntas a bheith i litríocht na Gaeilge in éagmais na canúna ársa liteartha ná beatha a bheith i ndán di in éagmais na n-uaisle. Ach bhí fórsaí eile ag obair dá mbuíochas. Ó thosach na haoise bhí cuid de scríbhneoirí Lováin ag saothrú i nGaeilge shimplí ar mhaithe leis an ngnáthphobal[59]; bhí na Bráithre Mionúir sa bhaile agus i gcéin

[56] M. Kelly (eag.) *Cambrensis Eversus* (BÁC 1848) 90.

[57] *Miscellany of the Irish Archæological Society* i (BÁC 1846) 123. Tá an litir seo le fáil sa ls H. 2.16. i gColáiste na Tríonóide, BÁC.

[58] *ibid.*, 123.

[59] 'Chun leasa na ndaoine simplidhe, nách foil géarchúiseach a nduibheagán na Gaoidhilge', mar a dúirt Flaithrí Ó Maolchonaire. Féach *Desiderius* (1941) 2.

ag seoladh litreacha i nGaeilge chun a chéile[60]; bhí i gcumas Chéitinn féin scríobh go simplí, agus roimh dheireadh na haoise bhí Domhnall Ó Colmáin ag baint feidhme as Gaeilge bhríomhar Chorcaí na linne in *Párlaiment na mBan.* B'fhéidir nach áibhéil a rá go raibh seans ann an t-am sin go scaoilfí na cuibhreacha a cheangail prós na Gaeilge ar feadh na n-aoiseanna agus go dtiocfadh fás torthúil faoi leis an aimsir. Ach bhí ré na bpéindlíthe ar tí tosú um an dtaca sin agus ba bheag fás a bhí i ndán d'aon ghné de litríocht na Gaeilge i gcaitheamh an achair dhorcha sin.

[60] C. Ó Maonaigh, ' Scríbhenoirí Gaeilge Ord San Froinsias ', *Catholic Survey* 1, 71; *idem, Studia Hibernica* 2, 200. San aiste dheireanach seo bhí an méid seo le rá ag an Athair Ó Maonaigh (lch 202); ' Má ba í aois treascairt agus scaipeadh na nGael an seachtú haois déag ba í an tréimhse freisin inar tháinig na seanGhaeil go mór chun cinn i gcúrsaí oideachais agus léinn, sa bhaile agus i gcéin, ag múineadh agus ag scríobh. Tháinig toradh chomh trom sin ar a gcuid saothair go gcoinneodh sé foireann scoláirí gnóthach go ceann leathchéad bliain nó níos mó, á scrúdú agus á iniúchadh, á eagrú agus ag cur nótaí leis, á thabhairt chun soiléire agus ag baint sochair iomláin as don teangeolaíocht agus don fhocleolaíocht, do stair litríochta agus seanchais na tíre '.

CAIBIDIL A hOCHT

FILÍ GAN PHÁTRÚIN

Sa bhliain 1695, sa Pharlaimint i mBaile Átha Cliath, cuireadh tús le sraith achtanna ar a dtugtar na Péindlíthe, achtanna a raibh de chuspóir acu Caitlicigh na hÉireann a bhrú faoi chois, a gcreideamh a bhaint díobh, oideachas dá gcuid féin a shéanadh orthu agus bochtáin gan ghabháltas, gan mhaoin a dhéanamh díobh ina dtír féin.[1] Do réir na n-achtanna seo níor ceadaíodh d'aon Chaitliceach suí sa Pharlaimint ná airm a iompar, níor ceadaíodh dó scoil a bhunú ná a chlann a chur thar sáile chun oideachas a fháil. Níor cheadaithe d'aon easpag fanacht sa tír; níor cheadaithe ach do shagart amháin bheith i bhfeighil gach paróiste, agus é sin ar choinníoll go gcláródh sé leis na húdaráis agus go nglacfadh sé móid dílseachta do choróin Shasana. Tuairim is seasca acht ar fad a ritheadh idir 1695 agus 1780 ag cur bac ar gach gné de shaol na gCaitliceach in Éirinn.

Cáineann an staraí Protastúnach Lecky na Péindlíthe go fórsúil. ' The Penal Code ', a deir sé, ' was inspired much less by fanaticism than by rapacity, and was directed less against the Catholic Religion than against the property and industry of its professors. It was intended to make them poor and keep them poor, to crush in them every germ of enterprise, to degrade them to a servile caste who could never hope to rise to the level of their oppressors '.[2]

Is fíor gur cuireadh dlíthe chomh héagórach céanna i bhfeidhm i gcoinne na gCaitliceach i Sasana freisin ach bhí difríocht bhunúsach idir cás an dá thír. I Sasana ní raibh sna Caitlicigh ach mionchuid den daonra; in Éirinn ba chine iomlán a bhí á bhrú faoi chois

[1] E. Cahill. ' The Penal Times, 1691-1800 ', *Irish Ecclesiastical Record* (1939) 482 *et seq.;* R. Batterbury, *Oideachas in Éirinn*, 1500-1946 (BÁC 1955) 61 *et seq.*

[2] W. E. H. Lecky, *A History of Ireland in the Eighteenth Century* i (London, Bombay 1906) 152.

ar mhaithe le dream beag eachtrannach a bhí tar éis seilbh a ghlacadh ar an gcuid ab fhearr d'fhearann agus de mhaoin na tíre. Ní miste focail Lecky a lua arís:

> . . . but it is none the less true that the code, taken as a whole, has a character entirely distinctive. It was directed not against the few, but against the many. It was not the persecution of a sect, but the degradation of a nation. . . . And, indeed, when we remember that the greater part of it was in force for nearly a century, that its victims formed at least three-fourths of the nation, that its degrading and dividing influence extended to every field of social, political, professional, intellectual, and even domestic life and that it was enacted without the provocation of any rebellion, in defiance of a treaty which distinctly guaranteed the Irish Catholics from any further oppression on account of their religion, it may be justly regarded as one of the blackest pages in the history of persecution.[3]

Ní raibh eolas ag Lecky ach ar thaobh amháin den scéal. Bhí sé dall ar an ' Éire fholaithe ' a bhí ann san 18ú haois; ní raibh tuiscint aige don saol ársa Gaelach a bhí á bhascadh do réir a chéile i gcaitheamh na haoise sin ag na fórsaí a luann seisean. Ach faighimid léargas éigin ar an saol rúnda sin i saothar fhilí na linne.

An Teach Mór

Nuair a d'imigh na Géanna Fiáine fágadh na Gaeil gan taoisigh gan treoraithe. Níor fhan ach fuíoll de na seanuaisle agus le himeacht aimsire chaill a bhformhór siúd a raibh de ghabháltais acu. In áiteanna iargúlta, ámh, go háirithe i gCiarraí, i gContae an Chláir agus i gConamara, d'éirigh le dornán díobh, ar bhealach amháin nó ar bhealach eile, teacht slán ó na péindlíthe agus greim a choimeád ar a dtailte agus ar a gcuid éadála. Ansin is ea mhair an ' Teach Mór '[4] agus ina lán cás rialaigh an duine uasal sa teach mar thiarna ar an dúiche máguaird; bhí na daoine dílis agus umhal dó; ba leis a dhíolaidís an cíos, ní le hairgead ach le stoc agus seirbhísí. Ba lárionad na tithe seo do shaol an cheantair. Glacaimis mar shampla muintir Mhártain ar dúradh an méid seo ina dtaobh: ' Within Conemara the Martins, from father to son, reigned with a sway that was absolute and supreme, they being not alone the owners of that huge tract, but also the only magistrates

[3] *ibid.*, 169-70.

[4] D. Corkery, *The Hidden Ireland* (BÁC 1941) 30 *et seq.* Féach freisin L. M. Cullen, ' The Hidden Ireland: Re-assessment ', *Studia Hibernica* 9 (1969) 7 *et seq.*

resident within its borders '.[5] Cuireadh ceist uair amháin ar Riocard Mártain (Humanity Dick) ar rith reacht an Rí i gConamara. ' Egad, it does ', a deir sé, ' as fast as any greyhound if any of my good fellows are after it '.[6] Ba é an dála chéanna é ag muintir Uí Chonaill i nDoire Fhionáin, i gCiarraí. Rinne an chlann seo gach dícheall chun gan aird na n-údarás a tharraingt orthu féin, agus ba ghearr an mhoill orthu an ruaig a chur ar aon duine ón taobh amuigh a dhéanfadh cúrsaí a saoil a phoibliú.[7] Ach taobh istigh de theorainn a réime ba gheall le rí ceann an teaghlaigh.

Is suimiúil freisin cás Mhic Fhinghin Duibh de shliocht na Súilleabhánach a raibh fearann fairsing acu sa Deasmhumhain tráth. Bhí de phribhléid ag an duine uasal seo triúr a thabhairt saor ón gcroich gach bliain, agus bhain sé feidhm as an bpribhléid sin chun an file, Diarmaid na Bolgaí Ó Sé, a shaoradh nuair a daoradh an file chun a chrochta i ngeall ar bhithiúnacht a cuireadh go héagórach ina leith.[8] Ní gá a rá, b'fhéidir, gur chum an file dán dó mar chomhartha buíochais. Nuair a fuair Mac Fhinghin Duibh bás i 1809 d'fhógair a dheirfiúr, Lucy, go mbronnfadh sí deich bpunt mar dhuais ar an té a chumfadh an caoineadh ab fhearr air.[9] Cúigear a chuir isteach ar an gcomórtas, agus Diarmuid na Bolgaí ina measc, ach ba é Séamus Ó Caoindealbháin, fíodóir ó Chondae Luimnigh, a bhuaigh an duais. I dteach Rutledge Browne, fear chéile Lucy, is ea a triaileadh na filí. Tugann Seán Ó Súilleabháin, eagarthóir dhánta Dhiarmada, léargas suimiúil dúinn ar chás na seanuaisle nuair a deir sé: ' Cé go bhfuair an Tighearna Lansdowne greim ar an nDoirín, níor luighdigh sin ceannas Mhic Fhinghin Duibh ró-mhór. Tugtaí géilleadh dó i mbaile a's i gcéin '.[10]

Bhí saíocht dá gcuid féin sna tithe móra seo. Níor bheag í spéis a muintire i gcúrsaí Shasana, ach ba mhó go mór a spéis i gcúrsaí

[5] J. M. Callwell, *Old Irish Life* (Edinburgh, London 1912) 200.

[6] *ibid.*, 211.

[7] D. Corkery, op. cit., 31. Féach freisin a bhfuil le rá ag S. Ó Tuama sa réamhrá ar *Caoineadh Airt Uí Laoghaire* (BÁC 1961), agus ag S. Ní Chinnéide, ' Dhá Leabhar Nótaí ', *Galvia* i, 32 *et seq.*

[8] S. Ó Súilleabháin, *Diarmuid na Bolgaighe agus A Chomhursain* (BÁC 1937) 7-8; 64-5; 181. Féach freisin *Éigse* i, 94.

[9] Ó Súilleabháin, 68 *et seq.* Féach freisin P. de Brún, ' Caoine ar Mhac Finín Duibh ', *Éigse* xiii, 221 *et seq.*

[10] *op. cit.*, 181. Ba é an dála chéanna é ag Cormac Spáinneach Mac Cárthaigh i gCarraig na bhFear in oirthear Chorcaí, '. . . agus gurbh é tighearna ceart an cheanntair sin é, bíodh ná raibh seilbh " dhleaghthach " aige air an t-am go léir '. T. Ó Donnchadha, *Seán na Ráithíneach* (BÁC 1954) vii.

na hEorpa. Ní ionadh sin agus a raibh de cheangail iomadúla idir iad agus an Mór-roinn. Ar an gcéad ásc, níl áireamh ar líon na bhfear óg as na tithe sin ar shaighdiúirí iad i seirbhís ríthe na hEorpa: ' Les Irlandais, par leur vaillance,/Soutiens des Stuarts, des Bourbons ', mar a dúradh tráth.[11]

Glacaimis mar shampla cás mhuintir Uí Chonaill arís. Bhí tráth ann a raibh ocht nduine déag, idir óg agus aosta, as an teaghlach sin i seirbhís na Fraince, na Spáinne agus na hOstaire.[12] Is suimiúla fós cás chlann Mhic Dhiarmada, Caitlicigh ar baineadh a bhfearann athartha ag Cill Chomhairle díobh faoi na péindlíthe agus a thóg áras nua fairsing dóibh féin ag Baile Thomáis gairid do Dhún Dealgan. Bhí ceathrar mac ag ceann na clainne, Clement Mac Diarmada, agus ba oifigigh in arm na Fraince triúr acu. Chum Séamas Dall Mac Cuarta dréacht dóibh, ' Atá ceathrar éachtach de sgoith na dtreunfhear '. Tá nóta i mBéarla le cóip amháin den dán: ' On one occasion there were present in the house 24 officers of the MacDermott family, all in foreign service, who danced in the parlour to patriotic airs struck up by the family harper.'[13]

Pátrúin do Shéamas Dall ba ea Clann Mhic Dhiarmada[14] agus is é áras athartha na clainne ag Cill Chomhairle atá á cheistiú ag an bhfile ina dhán ' Ceist Agam Ort, a Chúirt na Féile '.

Is furasta a thuiscint cén fáth a mbeadh fonn ar fhir óga a raibh a n-oidhreacht bainte díobh dul le saighdiúracht, go háirithe nuair a bhí deis á fáil acu ar an gcuma sin ar bhuille a bhualadh i gcoinne na Sasanach. Agus ní ionadh go mbíodh suim phearsanta ag na Gaeil i ngach cath dár cuireadh ar an Mór-roinn óir bhíodh daoine muinteartha leo ag troid iontu. Nuair a tháinig an scéal go raibh an Bhriogáid Éireannach faoi cheannas Lally tar éis na daingne ag

[11] *Studies*, December 1947, 479.

[12] Mrs. Morgan John O'Connell, *The Last Colonel of the Irish Brigade* i (London 1892) 68.

[13] L. Ó Muireadhaigh, *Amhráin Shéamuis Mhic Chuarta* (Dún Dealgan 1925) 77. Tá fianaise sa bhreis faoin gceangal leis an Mór-roinn i dtrátha an ama chéanna le fáil ó Chontae an Chláir. Chuaigh an file Seon Ó hUaithnín go dtí an Spáinn sa bhliain 1721, agus bhí sé ina bhall de Reisimint Luimnigh sa tír sin. Bhí deartháir leis sa Spáinn ó 1712, agus bhain seisean gradam aimiréil amach sa chabhlach, E. Ó hAnluain, *Seon Ó hUaithnín* (BÁC 1973) 20.

[14] Bhí Tiarna Lú mar phátrún aige freisin. Fear eile a raibh Mac Cuarta dílis dó ba ea Críostóir Fleming, Barún Bhaile Shláine, a bhí thar sáile san am. Scríobh Mac Cuarta dán is ómós dó á chur in iúl go raibh dóchas aige go bhfillfeadh an Barún go hÉirinn chun teacht i gcabhair ar na Gaeil. S. Ó Gallchóir, *Séamas Dall Mac Cuarta: Dánta* (BÁC 1971) 70, 92 *et seq.*

Fort Frederick-Henry, Lille agus St Croix a bhaint de chomhghuaillithe Shasana i 1747, lasadh soilse i ngach fuinneog i nGaillimh.[15]

Ceangal eile leis an Mór-roinn ba ea líon na bhfear óg a bhí ag déanamh staidéir le haghaidh na sagartachta sna coláistí thall. Ag filleadh abhaile dóibh chun troda i gcoinne an Phrotastúnachais, thugaidís saíocht agus cultúr na Mór-roinne abhaile leo. Níor bheag mar cheangal, ach oiread, an smuigléireacht a bhíodh á cleachtadh go forleitheadúil agus go féiltiúil, go háirithe ar chósta an iarthair.[16] Is iomaí duine d'fhilí na linne a thráchtann ar an mbranda agus ar an bhfíon a bhíodh le fáil go flúirseach i dtithe na n-uaisle. B'fhéidir go bhfuil roinnt mhaith den áibhéil sna cuntais seo ach mar sin féin ní foláir nó bhí bunús maith fírinne leo.

Tugann Rafteirí (*c.* 1784-1835) cuntas maith ar ' an teach mór ' agus ar an gcóir ba ghnáth a chur ar chuairteoirí ann i ndréacht a chum sé do dhuine de na Búrcaigh i mBéal Átha na hAibhne i gContae na Gaillimhe. Luann sé na sólais agus na deochanna a bhíodh le fáil ann, agus ina measc bhí: ' Decanter go barr lán-líonta ar an gclár/Le fuisge, le fíon a's le négus '.[17]

Má thriallaimid siar go dtí tosach an 18ú haois feicfimid nárbh iad na Gaeil amháin a chleachtadh nós na féile agus a dháileadh deochanna ón gcoigrích ar a n-aíonna. Rinne cuid de shliocht na bplandóirí an rud céanna, do réir cosúlachta. Tugann Aogán Ó Rathaille (1675-1728) cúpla sampla de sin dúinn, ceann amháin sa dán ' An File i gCaisleán an Tóchair ', agus ceann eile sa mharbhna a chum sé ar Sheon Hassiadh ([Blenner] Hassett) a fuair bás in 1709. ' An Sasanach Muimhneach ' a thugann Ó Rathaille ar Sheon, agus deir sé:

> Ba ghnáth na chúirt ghil súgradh ag saoithibh,
> Fíon tar srúillmhuir, lionnta ar ghile
> Brannda is siúicre i dtúis na bhFaoile
> Is tighearnaí Mumhan gan smúit na thimcheall.[18]

[15] J. M. Callwell, op. cit., 76.

[16] L. Ó Cuileáin, ' Tráchtáil idir Iarthar na hÉireann agus an Fhrainc, 1660-1800 ', *Galvia* iv, 27 *et seq.*

[17] D. de hÍde, *Abhráin agus Dánta an Reachtabhraigh* (BÁC 1933) 37 *et seq.*

[18] Ua Duinnín agus Ó Donnchadha, *Dánta Aodhagáin Uí Rathaile* (London 1911) 204.

Tá roinnt mhaith eolais le fáil ó shaothar Chearbhalláin[19] ar an gcaidreamh idir na huaisle agus an éigse san 18ú haois. Is fíor nach ionann ar fad a chás sin agus cás formhór na bhfilí eile. Cumadóir ceoil agus cruitire ba ea eisean a raibh ina chumas véarsaí a chur leis na foinn a cheap sé. Dúradh ina thaobh uair amháin, ' Carolan always made the tune first and the poetry last '.[20] Má dhéanaimid na focail a scaradh ón gceol feicfimid nach bhfuil aon róshnas orthu, ach bhí de bhua ag Cearbhallán go raibh sé an-oilte ag ceapadh dealbh véarsaíochta a d'oireadh do na foinn.

Cé gur buaileadh dall é de bharr taoim bolgaí, thaistil an Cearbhallánach cuid mhór de Leath Choinn, agus thugadh sé cuairt anois agus arís ar Bhaile Átha Cliath mar a gcuirtí fáilte roimhe i gcónaí agus marar foilsíodh cnuasach dá chuid ceoil lena linn. Deirtear linn freisin gur minic a bhuail sé le Swift agus é sa chathair.[21] Nuair a thug sé cuairt ar Oirghialla chum na filí Mac Cuarta agus Mac a Liondain dréachtaí in ómós dó.

Bhí pátrúin iomadúla aige idir Ghaeil agus Ghaill. Sliocht na bhfear a cailleadh ag Cath Eachroma ba ea na Gaeil; sliocht na bPlandóirí ba ea na Gaill. Chuireadh an dá dhream fáilte roimhe agus thugaidís gradam dó ina dtithe féin. Dhealródh sé gur thuig na Gaill an Ghaeilge um an dtaca seo mar is sa teanga sin a chumadh sé véarsaí dóibh. Níl ach dréacht amháin i mBéarla againn uaidh.

Bhí sé d'ádh ar Chearbhallán gur thug dhá theaghlach go speisialta tacaíocht fhial dó, muintir Mhic Dhiarmada Rua ó Bhéal Átha Fearnáin i gContae Ros Comáin (ba í Bean Mhic Dhiarmada a sholáthraigh oideachas dó agus a shocraigh go bhfaigheadh sé oiliúint sa cheol nuair a buaileadh dall é) agus Muintir Chonchubhair ó Bhéal Átha na gCarr. Le linn dó bheith ar cuairt i dteach Mhuintir Chonchubhair Lá Nollag 1723 chum sé dréacht molta do cheann an teaghlaigh, Donncha:

Go mbua slán beo bliadhnach é
  mian croidhe gach uile dhuine;
An t-óigfhear breágh súgach
  do chliú na bhfear lúthmhar mear.

[19] D. O'Sullivan, *Carolan, The Life, Times and Music of an Irish Harper* i, ii (London 1958): T. Ó Máille, *Amhráin Chearbhalláin* (London 1915).

[20] O'Sullivan, op. cit. i, 40.

[21] *ibid.* i, 83 *et seq.*

Is súgach a theaghlach,
is tréitheach 's is clúiteach,
A's bhí fáilte ag fearaibh Éireann
gach éan am 'na dhúnsa.

Le Gaedhilg, le damhsa,
le Béarla gach aimsir,
Ól choidhche 'na dteanta
Agus ceolta dá bplancadh.[22]

Níor fhág sé bean Dhonncha, Máire Ní Ruairc, gan mholadh ach oiread:

Is mian liom trácht an uair-si ar Mhallaí na ráite suairce,
Leanbh na dtáinte dual fuair gach tuigsi go hárd; . . .
Ní bhfuighe mé támh nó suan nó go dteighead 'na dáil ar cuairt,
An ainnir do árd-fhuil Ruairc fuair buaidh ins gach áit.[23]

Bhí mac ag an mbeirt seo, Cathal (a rugadh 1710), a bhfuil ionad ar leith bainte amach aige dó féin i stair litríocht na Gaeilge. Tá a lán faisnéise ar fáil faoi shaol Chathail, go háirithe ó na dialanna[24] a scríobh sé féin agus ón tuairisc ar a bheatha a d'fhoilsigh a gharmhac, an tAth. C. Ó Conchubhair in 1796.[25] Ní miste cúpla focal a rá faoina óige agus faoin tabhairt suas a fuair sé.

In ainneoin na bpíonós a bhí ag bagairt orthu faoi na péindlíthe, ba mhinic a chuireadh na Caitlicigh, a raibh aon scair de mhaoin an tsaoil acu, a gclann thar sáile chun oideachas Caitliceach a fháil. Ba in Éirinn féin, áfach, a fuair Cathal Ó Conchubhair iomlán a chuid scolaíochta. Bráthair bocht a thagadh ar cuairt go teach a athar a thug a chéad cheachtanna dó agus fuair sé teagasc sna clasaicí ón Athair Seán Ó Duibhgeannáin, sagart ar chum Cearbhallán dréacht dó.[26] Ní foláir nó fuair Cathal oiliúint ar leith freisin ó uncail a mháthar, An Dr Tadhg Ó Ruairc, O.F.M., easpag Chill Ala, fear arbh éigean dó cur faoi i dteach Uí Chonchubhair agus a dhualgais eaglasta a chomhlíonadh faoi rún ann. Duine

[22] *Amhráin Chearbhalláin*, 170.

[23] *ibid.*, 171.

[24] O'Sullivan, op. cit., i, 59 *et seq.;* S. Ní Chinnéide, ' Dhá Leabhar Nótaí le Séarlas Ó Conchubhair ', *Galvia* i (1954) 32 *et seq.; idem,* ' Dialann Í Conchúir ', *ibid.* iv, 4 *et seq.*

[25] Rev. Charles O'Conor, *Memoirs of the Life and Writings of the late Charles O'Conor.* Féach freisin C. O'Connor, S.J., M.A., ' Charles O'Connor of Belangare ' *Studies* (1934) 124 *et seq.*, 455 *et seq.* agus C. A. Sheehan, ' Charles O'Connor of Belanagare ', *The Journal of Celtic Studies* ii, 2 (Dec. 1958) 219 *et seq.*

[26] Ó Máille, op. cit., 134-5.

éirimiúil ba ea an Dr Ó Ruairc; bhí sé ina shéiplíneach ag Prionsa Eugene Savoia sular ceapadh ina easpag é i 1707.

Nuair a tháinig Cathal Ó Conchubhair go Baile Átha Cliath d'fhreastail sé ar acadamh rúnda áirithe agus fuair teagasc san eolaíocht agus sa Mhatamaitic ann ón Athair Walter Skelton. Le linn dó a bheith sa bhaile i mBéal Átha na gCarr ba mhinic a bhíodh an Cearbhallánach ar cuairt sa teach, agus thugadh seisean ceachtanna sa cheol don fhear óg. D'éirigh Cathal chomh hoilte sin ar sheinm na cruite go raibh ina chumas port a mhúineadh do Chathaoir Mac Cába, file, agus cara don Chearbhallánach.[27]

Bhí gaol ag Cathal Ó Conchubhair freisin leis an teaghlach léannta, Ó Coirnín,[28] teaghlach a bhí mar chroinicithe agus mar fhilí oidhreachtúla ag Uí Ruairc Bhréifne. Sa bhliain 1700 dhíol duine den chlann seo, Cornán Ó Coirnín, dhá lámhscríbhinn le Edward Lhuyd, lámhscríbhinní atá ar caomhnú anois i gColáiste na Tríonóide i mBaile Átha Cliath. Is cosúil gur mac dósan ba ea an file Cornán Óg (*alitir* An tAthair Pádraig) Ó Coirnín a bhfuil na dánta seo a leanas leis curtha i gcló ag Colm Ó Lochlainn[29]: (1) Dán in ómós d'Eisibél Nic Dhonnchadha, baintreach an Chaptaen Tighearnán Ó Ruairc a maraíodh ag cath Luggara i 1702. Máthair Mháire Ní Ruairc, agus mar sin seanmháthair Chathail, ba í Eisibél. Nuair a cumadh an dán bhí coinne abhaile léi ó Chúirt na Fraince. (2) Dán in ómós do Thadhg Ó Ruairc nuair a ceapadh é ina easpag ar dheoise Chill Ala i 1707. (3) Dán do Chathal Ó Conchubhair féin a ceapadh sa bhliain 1725 nuair a bhí cúig bliana déag d'aois slánaithe aige agus (4) dán a ceapadh sa bhliain 1734 in ómós do Mhuintir Chonchubhair Bhéal Átha na gCarr.[30] Deirtear linn freisin go raibh Cathal ag fáil teagaisc ó dhuine darbh ainm Proinsias Ó Coirnín sna blianta 1719 agus 1720.[31] Is cinnte gur in ómós do Mháire Ní Ruairc a chuir Muintir Choirnín an oiread sin suime sna Conchubharaigh.

[27] O'Sullivan, op. cit. i, 60, 67 *et seq.*

[28] P. Walsh, *Irish Men of Learning* (BÁC 1947) caib. ix.

[29] 'Four Poems by Cornán Ó Coirnín (*aliter* An tAthair Pádraig Ua Cornín)'. Contributed by Colm Ó Lochlainn from the papers of the late Father Paul Walsh, *Éigse* iv, 197 *et seq.* Tá dán eile leis an Athair Pádraig in ómós do Thadhg Ó Rodaigh i gcló ag Ó Raghallaigh in *Filí agus Filidheacht Chonnacht*, 391.

[30] Tá trácht ar an dán seo i *Literary History of Ireland*, 545.

[31] *Studies* xxiii, 134.

Dánta do Phátrúin

Is ainneoin corraíl na staire agus in ainneoin na n-athruithe go léir a tharla in Éirinn i gcaitheamh na n-aoiseanna, tá leanúnachas bunúsach i litríocht na Gaeilge. Ceann de na rudaí a léiríonn an méid sin dúinn is ea an dúil a bhí ag na huaisle i ndánta fúthu féin nó faoina muintir. Deirtear linn, cuir i gcás, go raibh Franc Táth (Taafe), duine de phátrúin Rafteirí, mí-shásta le 'Cill Aodáin' toisc nár luadh a ainm féin ann go dtí an deireadh.[32] Agus rinneadh tagairt cheana don chomórtas a chuir Lucy Brown ar siúl chun caoineadh maith a sholáthar dá deartháir, Mac Finghin Duibh. Tá deimhniú suimiúil againn ó lár an 19ú haois gur mhair an dúil seo. Tá sé le fáil sa chnuasach a rinne an scríobhaí Brian Ó Luanaigh de dhréachtaí faoi Chlann Domhnaill, clann de bhunadh Albanach agus Aontromach a chuir fúthu i gContae an Chláir. Ar iarratas duine dá sliocht, Major W. E. A. Mac Donnell, as Inis, a rinne Ó Luanaigh an bailiúchán—' the greatest part of them have been copied by me from mutilated time-worn manuscripts ', a dúirt sé i litir a sheol sé chuig an Major—agus d'fhoilsigh Seán Ó Dálaigh i mBaile Átha Cliath é i 1863 faoin teideal *Dánta Chloinne Domhnaill* (*Poems in Honour of the MacDonnells*). Foilseachán príobháideach don Major féin a bhí ann agus ní miste glacadh leis mar shampla nua-aimseartha de sheanduanairí filí na scoileanna. De bharr an eolais atá le fáil sa chnuasach seo ar an gceangal idir ha huaisle agus na filí san 18ú haois, is fiú tagairt ar leith a dhéanamh do na filí a bhfuil saothar leo ann.

Ollamh do Bhrianaigh Thuadhmhumhan ba ea Aindrias Mac Cruitín a rugadh i gCill Mhuire i gContae an Chláir am éigin san dara leath den 17ú haois. Nuair a cailleadh a thuismitheoirí dhíol sé cuid dá ghabháltas d'fhonn staidéar a dhéanamh ar sheanchas agus ar ársaíocht. Fágadh ar an gcaolchuid é dá bharr sin agus b'éigin dó scoil a bhunú ina áit dhúchais chun riar a cháis a thuilleamh, cé go raibh Eadbhard Ó Briain ó Inis Díomáin agus Samhairle (Séarlas) Mac Domhnaill ó Chill Caoi mar phátrúin aige. I ndréacht amháin a chum sé do Shéarlas Mac Domhnaill agus dá bhean Isibéil, aon-iníon Chriostóir Uí Bhriain ó Inis Díomáin, tá léargas maith le fáil ar an ' teach mór ' agus ar chéimíocht na bhfilí sa teach sin. ' Aisde agus duain ' atá sa dréacht, is é sin, sleachta próis ag déanamh uanaíochta ar an bhfilíocht. ' Mo laoi leamh

[32] de hÍde, *Abhráin an Reachtabhraigh.*

liúdartha liosda, ar bheagán grinn ',[33] a thugann Mac Cruitín air. Cuireann sé in iúl ar dtús gur fada ó thug sé cuairt ar Mhac Domhnaill ina ' longphort comhnaighthe '. Bhí sé mí-shásta lena phátrún, mar a deir sé féin, ' de bhrígh nár chuir giollaighe agus iarraidh am chuinne '. Ansin téann sé ar aghaidh agus deir sé:

> A Dhia láidir! is mór an daille agus an díthchéille dham féin nár thuigeas gur maith an teacht am éagmais do bhí ag Samhairle Mac Domhnaill agus a liadhacht saoith oirdhearc oile re gach ealadhain do bhí iona thimchioll, agus fós, mar bharr ar gach aineochain, fós mé d'fhanmhuin ar sgeird Breacáin go minic fa theirce bígh agus dígh airgiod agus éadach agus gan dul a measg uaisle agus oirfidíghe Chille Caoi mar a bh-fadhainn ól agus aoibhneas, ceolta agus cluithchidhe '.[34]

Duine léannta agus seanchaí ar an sean-nós a bhí in Aindrias Mac Cruitín agus bhí sé ar na filí is déanaí dár chleacht an dán díreach. Bhain sé feidhm as an nua-mheadaracht freisin ach ní raibh meas dá laghad aige uirthi. Fuair sé bás i 1738.

Duine léannta agus scoláire maith ba ea Aodh Buí Mac Cruitín[35] freisin. Do réir na dtuairiscí atá tagtha anuas chugainn ina thaobh, chuaigh sé go dtí an Fhrainc tar éis Chonradh Luimnigh (1691) agus bhí sé i mbriogáid Thiarna an Chláir i bhFlóndras i 1693. Sa bhliain 1714 tharla i mBaile Átha Cliath é, mar ar fhoilsigh sé *A Brief Discourse in Vindication of the Antiquity of Ireland* i 1717. Gearradh téarma príosúnachta air mar gheall ar an saothar seo agus le linn dó a bheith i bpríosún bhí sé ag gabháil dá ghraiméar a foilsíodh i Lováin i 1728 (an chéad ghraiméar Gaeilge dár scríobhadh i mBéarla) agus a d'athfhoilsíodh i bPáras i 1732 i dteannta an fhoclóra Béarla-Gaeilge a d'ullmhaigh Mac Cruitín i gcomhar leis an Athair Conchubhar Ó Beaglaoich. Ar feadh an achair a chaith sé i mBaile Átha Cliath bhí baint ag Mac Cruitín le ciorcal liteartha Sheáin agus Thaidhg Uí Neachtain. Dála a ghaoil, Aindrias, bhí Aodh Buí an-mhór le Séarlas (Samhairle) Mac Domhnaill agus lena bhean Isibéil, agus nuair a pósadh an lánúin sin i 1718 chum sé dhá dhán á moladh. Deirtear gur thug an bheirt cuairt ar Pháras uair dá raibh Aodh Buí ann agus go

[33] Ó Luanaigh (O'Looney), op. cit., 6.

[34] *ibid.*, 8.

[35] *ibid.; B.M. Cat. Irish MSS* ii, 195-6; Ó Rathile, *An Claidheamh Soluis* 1917, Iúil, 28, lch 4; Richard Hayes, ' Biographical Dictionary of Irishmen in France '. *Studies* June 1944, 246-7. Tá eolas suimiúil faoi éigse agus lámhscríbhinní an Chláir i gcoitinne le fáil in P. Ó Fiannachta, *Léas ar ár Litríocht* (Maigh Nuad 1974) 93 *et seq.*

ndearna siad é a chur in aithne don rí. Dá thoradh sin fuair sé post mar oide príobháideach don Dauphin, post a bhí aige ar feadh seacht mbliana. D'fhill sé ar Éirinn níos déanaí, chaith seal i Luimneach agus ansin thug aghaidh ar a áit dhúchais in aice le Lios Ceannúir, mar ar éag sé sa bhliain 1755.

Tá cáil ar Sheán de Hóra[36] mar gheall ar an aithrí bhreá a chum sé. Tá aisling amháin againn óna pheann freisin a cumadh i 1745, mar luann sé ann an dea-scéal a chuala sé ' ó bhéal na naoi mban sidhe ', is é sin, an scéal faoi ghabháil bhaile Carlisle:

> Gur ghluais na shaighead ar fuaid Carlisle
> An buachaill saidhbhir, saothrach, sonaí,
> Gurab é mac Séamuis é go fíor
> Séarlas Stíobhart, laoch na gcogaí.[37]

Ní ar theacht an Stíobhartaigh amháin a bhí dóchas an fhile seo bunaithe ach ar fhilleadh an laoich dhúchasaigh áitiúil chomh maith—' Tiocfaidh Clare i réim arís ', a deir sé. Tá nóta an dóchais chomh láidir san aisling seo gur cinnte gur cumadh í sular tháinig an drochscéal faoi chath Chúl Ódair. Ní ionadh ainm ' Clare ' a bheith á lua ann; bhí caidreamh leanúnach idir Contae an Chláir agus an Bhriogáid Éireannach; bhíodh oifigigh liostála de chuid na Briogáide ag gabháil timpeall an chontae go féiltiúil agus Tiarna an Chláir féin i dteagmháil le cuid acu.[38]

Chum Seán de Hóra dánta do Shéarlas Mac Domhnaill agus dá bhean Isibéil agus dá mac siúd, Séarlas, a rugadh i 1736. Bhí cion ar leith aige, ámh, ar a n-iníon Máire, agus nuair a phós sise Muircheartach Mac Mathghamhna ó Chluainíneach lean Seán í, d'oibrigh mar ghabha dá fear céile, agus chum sé dánta don bheirt acu agus dá gclann. Nuair a cailleadh Mac Mathghamhna lean Máire de bheith ina crann taca ag Seán agus ag filí eile an cheantair agus nuair fuair sise bás *c.* 1776 ba mhó caoineadh a cumadh uirthi.[39]

[36] Brian Mac Cumhghaill, *Seán de Hóra* (BÁC 1956).

[37] *ibid.*, 48.

[38] *ibid.*, 17 *et seq.;* R. Hayes, ' Biographical Dictionary of Irishmen in France ', *Studies* Sept. 1944, 368-9 (s.n. Mac Donagh). ' Clare (in Ireland) . . . was a great recruiting country for the Brigade. On its stern coast the French used to smuggle claret, brandy etc. and take away wool and what was still more precious " Wild Geese "—for such was the name usually given to the recruits for the Bold Brigade '. M. O'Conor, *Military History of the Irish Nation* (1845).

[39] Mac Cumhghaill, op. cit., 17.

I measc na bhfilí eile a chum dánta do Chlann Domhnaill agus dá sliocht i gCill Chaoi agus i gCill Eoin bhí Tomás Ó Míodhcháin[39a] (d'éag 1806) a bhíodh ag múineadh scoile in Inis agus a chum dréachtaí faoi chogadh an neamhspleáchais i Meiriceá agus ar na Volunteers; Seán Lúid (d'éag *c.* 1786), oide scoile ó Chontae Luimnigh a scríobh leabhar i mBéarla faoi Chontae an Chláir,[40] Seán Ó hAirchinnigh (d'éag *c.* 1755) agus Séamas Mac Consaidín (d'éag 1782), scoláire agus dochtúir leighis a chum dhá chaoineadh ar Sheán de Hóra.[41]

File nach eol dúinn aon cheangal speisialta a bheith idir é agus Clann Domhnaill ach a bhíodh i dteagmháil le formhór na bhfilí atá luaite againn ba ea Micheál Coimín a rugadh i gCill Corcráin i gContae an Chláir i 1676 agus a fuair bás in 1760. Protastúnach ba ea an Coimíneach agus d'fhág sé saothar neamhchoitianta ina dhiaidh. Is é ' Laoi Oisín i dTír na nÓg ' an dréacht dá chuid is mó a bhfuil cáil air. Aithris ar na seanlaoithe Fiannaíochta atá ann. Chum sé roinnt amhrán freisin, ceann Stíobhartach ina measc agus, rud nár ghnách san 18ú haois, scéal i bprós dar teideal *Eachtra Thoroilbh Mhic Stairn.*[42]

Tá duanaire eile ar marthain a thuilleann tagairt ar leith mar gheall ar nótaí cruinne iomlána atá curtha roimh formhór na ndánta ann, agus sin an cnuasach luachmhar a chuir an scríobhaí Séamus Maguidhir le chéile sa bhliain 1727 d'Aodh Ó Domhnaill as Larkfield gairid do Chluainín Uí Ruairc i gContae Liatroma.[43] Is mar seo a léiríonn an scríobhaí scéal an duanaire ina réamhrá: ' Ag so bladh do dhúnaire Uí Dhomhnaill ar na theaglaim & ar na thiomsughadh as leabhraibh cían aosda le Semus Mha Guidhir air furáileamh Aodh Ui Dhomhnuill, oir a sé tug fa dear an leabhar do sgriobha & tug lúach a shaothair & a thrioblóide don sgribhneoir fa mhían an thoile & tuilleadh na chuideachta '.

[39a] Tá cuntas ina thaobh le fáil in *B.M. Cat. Irish MSS* ii, 185, agus tagairt dó *ibid.*, 406.

[40] John Lloyd, *A Short Tour or an impartial and accurate Description of the County of Clare* (Ennis 1780). Tá gearrchuntas air seo in B. Ó Madagáin, *An Ghaeilge i Luimneach* 1700-1900 (BÁC 1974) 67-8, n. 154.

[41] Mac Cumhghaill, op. cit., 68-71.

[42] *B.M. Cat. Irish MSS* ii, 192-3; Tomás Ó Rathile, *Dánfhocail* (BÁC 1921) 97; *An Claidheamh Soluis* 4 Lúnasa 1917, lch 25; *ibid.* 20 Márta 1915, lch 1.

[43] T. Ó Cléirigh, ' A Poem book of the O'Donnells ', *Éigse* i, 51 *et seq.*, 130 *et seq.* Tá cuntas suimiúil san aiste seo ar roinnt duanairí eile freisin.

Bhí Aodh Ó Domhnaill ar dhuine den bheagán Caitliceach a raibh sealúchas nó maoin acu san 18ú haois, agus chaith sé go fial leis an éigse. Bhí sé mar phátrún ag Séamus Maguidhir féin agus ag na filí an tAthair Pádraig Ó Coirnín agus Fearghal (nó Pádraig) Mac an Bhaird. Dealraíonn sé freisin gur minic a thagadh an Cearbhallánach ar cuairt chuige.[44]

Cúrsaí na Coigríche i bhFilíocht an 18ú hAois

Dúramar cheana gur threise go mór san 18ú haois an ceangal idir Éire Ghaelach agus an Mór-roinn ná idir í agus Sasana. Tá deimhniú ar an méid sin le fáil i saothar cuid de na filí.

Cheaptaí tráth gurbh éigean do Sheán Clárach Mac Domhnaill (1691-1754) teitheadh thar sáile tar éis dó aoir nimhneach a chumadh ar an tiarna talún, an Coirnéal Séamus Dauson, nuair a fuair an duine sin bás i 1737. Is é tuairim eagarthóir dhánta Sheáin, ámh, nach féidir a bheith cinnte gur fhág sé Éire riamh. Cibé acu a d'fhág nó nár fhág, léiríonn cuid dá dhréachtaí gur chruinn an t-eolas a bhí aige ar chúrsaí na hEorpa lena linn. I ndréacht a chum sé faoi bhás leasrí na Fraince, cháin sé an duine sin go fíochmhar toisc gurbh é, dar leis an bhfile, ba chiontach le cosc a chur le teacht an Stíobhartaigh go hÉirinn: 'An t-aonphosta san ler obadh ar ár gCæsar teacht '.[45] Agus san aisling ' Ar Thulaigh im aonar '[46] deireann an spéirbhean ' Tiocfaidh bhur Séamus cé gur moilleadh a theacht/Le mioscais na Suédes agus Régent cliste na gcleas '. I ndréacht eile, ' Éistidh lem ghlórtha a mhór-shliocht Mhilésius '[47] tráchtann Seán Clárach ar chúrsaí an chogaidh a bhí ar siúl ar an Mór-roinn ó 1740 go dtí 1748 idir na Francaigh ar thaobh amháin agus na Sasanaigh agus a gcomhghuaillithe ar an taobh eile. Dhealródh sé gur thart faoi 1742 a cumadh an dréacht, tráth a raibh ag éirí go maith leis na Francaigh.

File eile a raibh an-suim aige i gcúrsaí cogaidh, ní amháin san Eoraip ach i Meiriceá Thuaidh chomh maith, ba ea an tAthair Liam Inglis (1709-1779).[48] Is follas go raibh eolas cruinn ag an Athair Liam ar a lán de na cathanna a troideadh sa dá áit, go háirithe na cinn

[44] É. Ó Tuathail, ' On Hugh O'Donnell of Larkfield ', *Éigse* iii, 21 *et seq.*

[45] R. Ó Foghludha, *Seán Clárach*, 1691-1754 (BÁC 1932) 70.

[46] *ibid.*, 51 *et seq.*

[47] *ibid.*, 54 *et seq.*

[48] R. Ó Foghludha, *Cois na Bríde* (BÁC 1937).

ina bhfuarthas an lámh in uachtar ar na Sasanaigh. Ba chúis áthais dó i gcónaí céim síos na Sasanach, agus uime sin ba bhreá leis scéal an Aimiréil Byng, scéal a d'fhág Sasana ina cheap magaidh ag na Francaigh. Ba bhall d'Ord San Agaistín an tAthair Liam agus chaith sé tamall ar an Mór-roinn. Is ródhócha freisin go mbíodh caidreamh idir baill an Oird i gCorcaigh agus a gcomhbhráithre thar sáile. Ní ionadh, mar sin, na tuairiscí ón gcoigrích a bheith go beacht ag an Athair Liam.

Ceaptar ar uaire nach raibh in aislingí an 18ú haois ach faisean liteartha agus nach raibh bunús ná ciall le dóchas na bhfilí as sliocht Rí Séamas. Is iontuigthe ó chuid den fhilíocht féin, áfach, go mbíodh na filí (nó an chuid ba shine díobh, ar aon nós) ag faire go géar ar imeachtaí na Stíobhartach ar deoraíocht agus nach ag caint san aer a bhídís nuair a luaidís a dteacht. Is é tuairim Thorna (Tadhg Ó Donnchadha) gur cosúil go raibh Seán Clárach ag obair ar a son in Éirinn agus gur cosúil gur uaidh sin a fuair Seán Ó Murchadha na Ráithíneach eolas ar an ullmhúchán a bhí á dhéanamh don '45.[49] Ní foláir nó bhí ráflaí de shaghas éigin ag gabháil timpeall, cibé scéal é, mar dúirt Seán na Ráithíneach an méid seo i ndréacht a chum sé i 1744:

> Tá an bhliadhain seo ag teacht go díreach
> mar innseadar fáidhe fionna
> ag triall go deas le síodhmannaibh
> Oidhche agus lá; . . .
>
> Ciodh fada i ngalar dubhach sinn
> Tá an congnamh i mbord na hursan
> Is gearr an seal a tiubharfaidhear
> go n-iompuighigh an mádh.[50]

B'fhéidir freisin, dar le Torna, go raibh baint ag Cormac Spáinneach Mac Cárthaigh, pátrún Sheáin na Ráithíneach, le cúis an ' Phretender '. Is cinnte, cibé scéal é, gur minic a bhíodh an Cárthach as baile agus nárbh eol d'aon duine de na filí cad a bhíodh ar siúl aige nó, má b'eol, nár bhreac siad síos é.

Is ródhócha nach dóchas gan bhunús a ghríosaigh Piaras Mac Gearailt (1709-1781)[51] chun ' Rosc Catha na Mumhan ' a chumadh.

[49] Ó Donnchadha, op. cit., xiii *et seq.*

[50] *ibid.*, 255. Is fiú a lua go raibh eolas ag Seán na Ráithíneach ar shaothar an Bhreatnaigh Edward Lhuyd agus gur chum sé dréacht ag moladh a shaothair siúd ar son léann na Gaeilge. *ibid.*, 340.

[51] R. Ó Foghludha, *Amhráin Phiarais Mhic Gearailt* (BÁC 1905) 23-4.

Agus a thúisce a buadh ar an ' Pretender ' ag cath Chúl Ódair bhí an file Liam Dall Ó hIfearnáin (1720-1803) ann chun a chumha agus a dhíomá a chur in iúl sa dán ' Is Atuirseach Fann i dTeannta ar Caitheamh mé '.[52] Athmhúsclaíodh dóchas Liam níos déanaí, ámh. Sa bhliain 1760 bhuail Thurot, oifigeach mara de chabhlach na Fraince, isteach ar Charraig Fhearghasa chun stóras bia a fháil dá fhoireann agus d'imigh leis arís nuair bhí an méid sin déanta aige. Is cosúil gur cheap cuid de na Gaeil go raibh cuspóir níos tábhachtaí le cuairt an Fhrancaigh mar i dtrátha an ama sin chum Liam Dall an méid seo:

Tá an rúta go láidir más fíor gach a ráidhtar,
An crobhaire cionn-ard is a bhuime gan brón,
Seoirse go lán lag
Is Cumberland cráidhte,
Pitt insa Pharlimint caithte ar a thóin!
Na Hielans ag tarraint fé phlaidibh na dtrúpanna,
Is a bpíobanna fada dá spreagadh chun ceoil,
Ringce ar gach maol-chnoc
Le háthas na scléipe
Ag cur fáilte roimh Shéarlas abhaile na choróinn.[53]

Na Filí i Leath Choinn

Tar éis Phlandáil Uladh chuaigh an litríocht in ísle bhrí do réir a chéile ar fud an chúige sin; thart faoi dheireadh an 17ú agus i gcaitheamh an 18ú haois ní raibh sí á saothrú go rialta ach sa chuid thoir theas den chúige, i gContae Ard Mhacha, i gCo. Lú agus sna contaetha timpeall orthu sin. Ní raibh filí na dúiche seo chomh dílis do chúis na Stíobhartach agus a bhí filí na Mumhan. Is fíor gur chum duine díobh, Seán Ó Neachtain, caoineadh ' Fáth Éagnach Mo Dheor ', nuair a d'éag Máire, banríon an dara Séamas[54] agus go raibh dúil mhór ag an bpobal sa dréacht ' Tá bearad i Londain ' a chum Peadar Ó Doirnín faoi imeachtaí an ' Pretender ',[55] ach, ar an iomlán, bhí dóchas filí Leath Choinn san 18ú haois bunaithe ar fhilleadh mhuintir Néill. Tá léargas suimiúil ar dhearcadh na bhfilí ar an gceist seo le fáil san agallamh ' Sé is

[52] R. Ó Foghludha, *Ar Bhruach na Coille Muaire* (*Liam Dall Ó hIfearnáin*) (BÁC 1939) 52-3.

[53] *ibid.*, 59.

[54] Ú. Ní Fhaircheallaigh, *Filidheacht Sheagháin Uí Neachtain* (BÁC 1911) 20 *et seq.* Mar a fheicfimid níos déanaí, bhí spéis ag Ó Neachtain in éachtaí Diúic Berwick freisin.

[55] É. Ó Tuathail, *Rainn agus Amhráin* (BÁC 1925) 36-7; 77.

léir liom uaim', idir Séamas Mac Cuarta agus Aodh Mhag Oireachtaigh.[56] Um thosach an 18ú haois bhí na Tóraithe go gníomhach in oirthear Chúige Uladh ach is follas ón agallamh seo nach raibh na filí róshásta gur daoine ar nós na dTóraithe a bheadh á gcosaint ar an namhaid. Is mar seo a léiríonn Mag Oireachtaigh a thuairim:

Ó Néill ba dual bheith in' oighre ar Ghuaire,
bheireadh buaidh gach comhraic,
Nó Górdun Ruadh dá ngéilleadh sluagh,
d'imthigh soir uainn thar bóchna;
An Cheatharn bhocht fhuar a mbíonn ortha an ruag
a (ba) chóir a bheith a' bualadh nó a' rómhar,
Gá dtarraing anuas mar cheann-phuirt sluagh
'n-áitidh dhaoine uaisle Fodhla.

Tá sé níos déine fós nuair a deir sé in áit eile nach bhfuil sna Tóraithe ach 'Bodaigh gan chéill ag imtheacht i dtréas/dá gcur i gcéim daoine uaisle'. Tugann Mac Cuarta an chomhairle seo a leanas do 'bhuachaillí an tsléibhe' (i.e. na Tóraithe):

Leanaigidh béasa ghoile chlann Dáibheid
's cluinfidh Síol Néill mur dtuairisg—
Go mba cumasach tréitheach curaidh an tSéin
'teacht chugainn le céim go Cuaile.

Nochtann Mac Cuarta a dhílseacht do Shíol Néill arís sa tuireamh a chum sé ar Chaisleán an Ghlasdromainn i ndeisceart Chontae Ard Mhacha. Daingean tábhachtach ar imeall na Páile ba ea an caisleán seo a bhí i seilbh bhrainse de mhuintir Néill nó gur loisceadh é i 1642.[57] Le linn Mhic Chuarta ní raibh ann ach fothrach; fothrach, ámh, a bhí ina ábhar mórtais don fhile nuair a thug sé chun cuimhne na taoisigh agus na huaisle a bhíodh ag lonnú ann nó ag caitheamh fleá ann tráth.[58]

Seanduine ba ea Mac Cuarta nuair a rugadh Art Mac Cumhaigh sa bhliain 1715 ach bhí an caisleán céanna mar inspioráid ag an bhfile óg freisin. Dhá dhréacht a chum Mac Cumhaigh ar Chaisleán an Ghlasdromainn, ceann amháin i bhfoirm comhrá idir

[56] *ibid.*, 2 *et seq.*; 72.

[57] 'Cín Lae Ó Mealláin'. *Anal. Hib.* iii, 11. Le haghaidh cuntais ar Niallaigh an Ghlasdromainn féach É. Ó Muirgheasa, *Amhráin Airt Mhic Chubhthaigh* (Dún Dealgan 1926) ii, 88 *et seq.* Féach freisin T. Ó Fiaich, *Art Mac Cumhaigh: Dánta* (BÁC 1973) agus *Art MacCooey and his Times* (1973).

[58] L. Ua Muireadhaigh, *Amhráin Shéamais Mhic Cuarta* (Dún Dealgan 1925) 87 *et seq.* Féach freisin S. Ó Gallchóir, *Séamus Dall Mac Cuarta. Dánta* (BÁC 1971).

é féin agus fothraigh an chaisleáin, ' A aol-chloch dhaithte bhí seal ag Síol Néil ar dtúis/Nó gur básadh i nEachdhruim gach aicme de na Gaedhil, mo chumha '[59] agus ceann eile i bhfoirm comhrá idir é féin agus smólach i dtaobh an chaisleáin:

A smaolaigh chléibh ó tchí tú féin
  Gur claoidheadh sliocht Gaedhil san áit seo,
Tabhair éirghe léim i lúib an aeir
  Is beir suidheamh i gcéin tar sáile,
Mar a bhfuighidh tú fréamh de ghaol Uí Néill
  I dtíorthaibh tréan' na Spáinne
Agus aithris don méid sin mhairfeas ón éag
  Gur sgaoil a n-aol-chloch áluinn.[60]

Tá an dílseacht do shíol Néill le fáil arís san aisling a chum Mac Cumhaigh nuair a bhí sé ar deoraíocht ag Beann Éadair:

Aige cuan Bhinn Éadair ar bhruach na hÉireann
  Agus mé ar thaoibh tuinne na bóchna 'mo luighe
Tháinic aisling bhéil-bhinn i gan fhios dom fhéachaint
  Ar aiste Bhénus nó i gcló bean-sidhe,
Agus dubhairt gur éirigh as a' Chreagán céad fear
  De mhaithibh Gaedheal as na tuambaibh aníos
Is go rabh Síol Néill ina mbeathaidh saora
  Is an Feadh ag géilleadh dhóibh in-ór 's i maoin.[61]

Chum Art aisling eile a d'fhan i mbéal an phobail sa taobh sin tíre nó gur éag an Ghaeilge féin ann, mar atá, ' Úir-Chill an Chreagáin '. Tá sé seo ar cheann de na hamhráin is breátha dar cumadh san 18ú haois, uaigneas, cumha agus céim síos an fhile de bharr na Niallach ríomhtha go ceolmhar ann:

Sé mo ghéar-ghoin tinnis fá gur theastuigh uainn Gaoidhil Thíre
  Eoghain
Agus oighrí an Fheadha gan seaghais faoi liag dár gcomhair,
Géaga glan-daithte Néill Fhrasaigh nach dtréigfadh ceol
'S chuirfeadh éideadh fá Nodlaig ar na hollaimh bheadh ag géilleadh
  dhóibh.[62]

Is beag sólás a thugann an spéirbhean dó: ' Táir gan éideadh gan earradh go bearránach baoth gan dóigh ', a deir sí leis, agus cuireann in iúl dó nach mbeidh faoiseamh i ndán dó nó go n-imíonn sé léi go ' tír dheas na meala nach bhfuair Galla innti réim go

[59] E. Ua Muirgheasa, op. cit. i, 14; Ó Fiaich, 82.

[60] Ua Muirgheasa, 29; Ó Fiaich, 80.

[61] Ua Muirgheasa i, 11; Ó Fiaich, 111.

[62] Ua Muirgheasa i, 2; Ó Fiaich, 133.

fóill '. I ndeireadh na dála deir Art go mbeidh sé toilteanach imeacht má thugann an spéirbhean geallúint, cibé áit ina n-éagann sé, ' gurab i gCill chumhra an Chreagáin a leagfar mé i gcré faoi fhód '.

Aislingí na Mumhan[63]

Ní miste a rá, mar a fheicfimid ar ball, gur aisling sí ar an sean-nós ' Úir-Chill an Chreagáin '—ainnir álainn den slua sí ag teacht chuig an bhfile i bhfís le sólás agus faoiseamh a gheallúint dó. Bhí a mhalairt de dhealbh ar na haislingí a bhí á gcumadh i gCúige Mumhan ag an am céanna. Aislingí fáithchiallacha ba ea iad sin, a raibh cúrsaí polaitíochta á bplé faoi cheilt iontu.[64]

Tá bundealbh na n-aislingí Muimhneacha simplí go leor, an file ina chodladh nó ag spaisteoireacht ina aonar chois abhann nó i gcoill chluthair agus é ag machnamh; ainnir álainn do theacht ina threo, ainnir a gcuireann a sciamh draíocht air. Fiafraíonn sé di an í Hélen nó Deirdre nó Cearnait nó Fand í; freagraíonn sise nach aon duine díobh sin í ach Éire atá go cumhach duairc— ' fá shúiste Gall dá brúghadh go teann '—agus í ag fanacht go mí-fhoidhneach le teacht a céile dhleathaigh. Ag deireadh cuid de na haislingí fágtar Éire go tréigthe, gan fóirithint i ndán di; i gcuid eile, go háirithe na cinn is déanaí dár cumadh, geallann an file don ainnir go dtiocfaidh a prionsa anall thar sáile chuici agus go mbeidh sí faoi rath arís. Is é an prionsa atá i gceist ná an Stíobhart atá ar deoraíocht san Fhrainc.

Tugtar amhrán Seacaibíteach ar an aisling Mhuimhneach ar uaire, agus ní gan fáth. Is gá a mheabhrú, ámh, go bhfuil difríocht shuntasach idir í agus amhráin Sheacaibíteacha na hAlban. In amhráin na hAlban is é an prionsa Stíobhartach go pearsanta a thuilleann géillsine agus grá; in aislingí na Mumhan is í Éire féin a thuilleann géillsine agus grá, agus níl sa Stíobhartach ach duine a thiocfaidh i gcabhair uirthi. Tríd síos sna haislingí seo is í Éire is tábhachtaí; is ise an bhanríon atá ag fanacht go dtiocfaidh a céile dleathach chun í a shaoradh ó ghéibheann.[65]

[63] G. Murphy, ' Notes on Aisling Poetry ', *Éigse* i, 40 *et seq.* Corkery, *The Hidden Ireland, passim.*

[64] T. de Bhaldraithe, ' Nótaí ar an Aisling Fháithchiallaigh ', *Measgra i gcuimhne Mhichíl Uí Chléirigh* (BÁC 1944) 210 *et seq.*

[65] G. Murphy, ' Royalist Ireland ', *Studies* xxiv (1935) 589 *et seq.*

Níorbh fhás nua i litríocht na Gaeilge foirm na haislinge. Téama an-choitianta sna seanscéalta Ceilteacha is ea an duine a fheiceann ainnir álainn i mbrionglóid, a thiteann i ngrá léi agus a théann á cuardach ar fud an domhain nó go bhfaigheann sé í. Is é sin téama an scéil SheanGhaeilge *Aislinge Oéngusa*[66] agus an scéil Bhreatnaise *Breuddwyd Macsen Wledig*.[67] Taobh le sin tá an téama eile, ainnir den slua sí ag titim i ngrá le fear daonna agus ag tabhairt cuireadh dó imeacht léi go tír na sí. Samplaí de sin is ea Fand agus Cú Chulainn i nGaeilge agus Rhiannon agus Pwyll i gceann de scéalta an Mhabinogi sa Bhreatnais.[68]

Tá coibhneas níos suntasaí fós le fáil idir aislingí na Mumhan agus na seanscéalta ina mbuaileann an laoch le hainnir den slua sí agus ina ndéanann sí tairngreacht dó i dtaobh ríthe. Is é *Baile in Scáil*[69] an sampla is ársa den chineál sin. Sa scéal seo gabhann Conn Céadchathach amach maidin áirithe agus comhluadar d'fhilí agus de dhraoithe ina theannta. Ní fada go n-éiríonn ceo trom ina dtimpeall i dtreo nach eol dóibh cá bhfuil a dtriall.[70] Faoi dheireadh seoltar go dtí síbhrú iad mar a bhfeiceann siad iníon iontach ina suí ar chathaoir gheal, coróin órga ar a ceann agus dabhach airgid os a comhair a bhfuil dearglionn inti. Is í ainm na hainnire ná Flaith nÉrenn (Flaitheas Éireann). Feiceann Conn agus a chompánaigh an ' scál ' féin freisin, is é sin, an dia Lugh atá ina shuí ar a chathaoir ríoga. Is é Lugh a dhéanann an tairngreacht sa scéal seo; cuireann an ainnir ceisteanna áirithe air le deis a thabhairt dó réamhfhaisnéis a thabhairt do Chonn i dtaobh na ríthe a thiocfaidh ina dhiaidh. I seandréachtaí eile ar nós Echtra Mac nEchach agus na haislinge atá in *Cathréim Thoirdhealbhaigh* is í an ainnir nó an tsíbhean féin a dhéanann an tairngreacht faoi chúrsaí flaitheasa.

Tá na samplaí seo luaite ag an Ollamh Tomás de Bhaldraithe[70a] agus luann sé mar aon leo an dá aisling ghrá a chum Tadhg Dall

[66] F. Shaw, *Aislinge Oengusa* (BÁC 1934).

[67] Tá leagan Béarla den scéal seo le fáil i G. Jones agus T. Jones, *The Mabinogion* (1949).

[68] Féach R. Bromwich, *The Continuity of the Gaelic Tradition in Eighteenth Century Ireland* (Yorkshire Celtic Studies, iv, Transactions, 1947-48) 14.

[69] In eagar ag K. Meyer, ZCP iii, 456-66; féach freisin E. O'Curry, *MS Materials*, 618.

[70] Cf. Eoghan Rua Ó Súilleabháin, ' Ceo draoidheachta i gcoim oidhche do sheol mé '.

[70a] Féach fonóta 64 *supra*.

Ó hUiginn[71] agus na caointe i bhfoirm aislinge a chum Céitinn agus filí eile ar bhás taoisigh nó pátrúin. Sna caointe seo tagann Éire chuig an bhfile i bhfís agus nochtann a cumha dó faoi bhás an duine mhairbh. Cuirtear a mhalairt de chasadh ar an smaoineamh sin sa ' Síogaí Rómhánach '; is í Éire féin atá á caoineadh ag an spéirbhean sa dréacht sin. De thoradh an léirithe atá déanta aige ar an gceist taispeánann an tOllamh de Bhaldraithe gur fíodh le chéile in aislingí polaitíochta na Mumhan san 18ú haois a lán téamaí éagsúla a bhí le fáil cheana féin sa litríocht, cuid acu ón gcianaimsir. Ní miste tagairt ghairid a dhéanamh do cheann amháin de na téamaí sin óir is é bunchloch aislingí na Mumhan é. Tá an téama scrúdaithe go mion ag an Dr Tomás Ó Rathile[72]; ní thabharfar anseo ach coimre ar a bhfuil ráite aige.

Ceann de na smaointe is ársa agus is bunúsaí i litríocht na Gaeilge is ea go raibh ceangal pósta idir Éire agus an rí dleathach. Tá an smaoineamh curtha os ár gcomhair go soiléir ag an bhfile a chum ' Do chuala scéal do chéas ar ló mé ' nuair a deir sé: ' Brian . . . do bhí tréimhse ag Éirinn pósta '. ' Banais rígi ' a bhí mar ainm ar an bhfleá a thugtaí nuair a bhíodh rí nua á oirniú, á léiriú gur glacadh leis gurbh ionann searmanais an oirnithe agus pósadh.[73] Agus nuair a tharla an pósadh seo bhí toradh agus ádh ar réim an rí.

Téann fréamha an smaoinimh seo siar go dtí an t-am inar creideadh gur bhandia í Éire, gurbh í an úirmháthair í óna silfeadh torthúlacht agus ráth. Tríd síos i gcaitheamh na n-aoiseanna tá téama seo an phósta le fáil. ' Níor bhaintreabhach Éire gus anocht ' a dúirt file ón 18ú haois agus é ag caoineadh bhás an taoisigh Maghnas Ó Domhnaill i gContae Mhaigh Eo.[74] Gné eile den téama sin is ea Éire a bheith faoi mhí-ádh nuair nach bhfuil céile dleathach aici. Seansmaoineamh é seo freisin a théann siar go dtí

[71] Knott, op. cit., uimh. 39 agus 40.

[72] ' On the Origin of the Name *Érainn* and *Ériu* ', *Ériu* xiv, 7 *et seq.*; féach freisin R. A. Breatnach, ' The Lady and the King ', *Studies* xlii, 321 *et seq.*

[73] Cf. D. A. Binchy, ' Fair of Tailtiu and Feast of Tara ', *Ériu* xviii, 113 *et seq.*; J. Carney, *Studies in Irish Literature and History*, 334 *et seq.*; T. Ó Máille, ZCP xvii, 140; M. Dillon, ' The Inauguration of O'Connor ', *Medieval Studies Presented to Aubrey Gwynn, S.J.* (BÁC 1961) 186 *et seq.*

[74] Timpeall na bliana 1650 chum Muirgheas Ó Dálaigh dán ar Chaisleán Mhuintir Raghallaigh ag Tulach Mongáin, dán inár thug sé ' baintreabhach aosda orrdhuirc ' ar an gcaisleán, toisc na Raghallaigh a bheith imithe as. J. Carney, *Poems on the O'Reillys* (BÁC 1950) 114. In áit eile sa dán tugann an file ' a mheirdreach an mhacnusa ' ar an gcaisleán toisc é bheith ag tál ar na Gaill anois. *ibid.*, 119.

aimsir na MeánGhaeilge ar a laghad. D'éirigh sé an-choitianta sa 17ú agus san 18ú haois nuair a bhí na taoisigh dhúchasacha imithe. Ní raibh in Éirinn ansin, dar le cuid de na filí, ach meirdreach, bean mhídhílis a thréig a clann féin agus a thál ar an nGall. ' Atáid na danair i leabaidh na leomhan ', a deir an té a cheap ' Do chuala scéal do chéas ar ló mé ' agus léiríonn sé bunús an téama nuair a deir sé:

Is truagh lem chroidhe 's is tinn d'ár ndrólainn
Nuachair Chríomhthain, Chuinn is Eoghain
Suas gach oidhche ag luighe re deoraidhibh
'S gan lua ar a cloinn do bhí aici pósta.

Is seirbhe fós mar a labhraíonn Céitinn in ' Óm Sceol ar Ard-Mhaigh Fáil ':

A Fhódhla phláis, is nár nach follus daoibhse
Gur córa tál ar sháir-shliocht mhogail Mhíleadh,
Deor níor fágadh i gclár do bhrollaigh mhín-ghil
Nár dheolsad ál gach cránach coigcríche.

Chonaiceamar cheana cad é mar lúcháir a bhí ar fhilí na nGael nuair a tháinig an dara Séamas i gcoróin i Sasana. Ba eisean, mar a deir an Dr Ó Rathile, an chéad duine de ríthe Shasana a mbeadh formhór na nGael sásta glacadh leis mar rí ar Éirinn. Bhí file mór na linne, Dáibhí Ó Bruadair, báúil leis. San am céanna, cé gur minic a mhol sé Rí Séamas, is suimiúil an rud é nár thug sé riamh ' céile Éireann ' mar ainm air. Ar shliocht na dtaoiseach dúchasach amháin a bhronn seisean an gradam sin—' an dragan dána . . . chleachtas fál a ghnáthchéile ' a thug sé ar Phádraig Sáirséal, mar shampla. Ach le himeacht na nGéanna Fiáine, nuair nach raibh aon treoraí dúchasach fágtha in Éirinn, ba ansin a chrom filí na Mumhan ar iomlán a ndóchais a chur sa rí de phór Gaelach a bhí ar deoraíocht san Fhrainc, agus i sliocht an rí sin. ' Céile dual na Banban, an laoch do bhuaigh in Albain ' a thugann Seán na Ráithíneach ar Shéarlas Eadbhard, an Pretender Óg; ' Céile na Stíobhart ' a thugann Tadhg Gaelach ar Éirinn.

Níorbh ionadh filí an 18ú haois a bheith eolach go maith ar chúrsaí agus ar imeachta na Stíobhartach, ach, mar a dúramar cheana, níor chion pearsanta a ghríosaigh iad chun suim a chur sna nithe sin. Samhailchomhartha ba ea an sliocht díbeartha úd; ba uaidh a thiocfadh an prionsa dleathach a bheadh mar chéile ag Éirinn agus a thabharfadh rath uirthi athuair de thoradh an phósta sin.

File traidisiúnta is ea Aogán Ó Rathaille, rud is follas óna shaothar. Dánta molta agus caointe dá chairde agus dá phátrúin is mó a chum sé. Is é an dearcadh traidisiúnta atá á nochtadh aige freisin nuair a thagraíonn sé do ' na flatha fá raibh mo shean roimh éag do Chríost '. San am céanna, ba eisean a thionscnaigh foirmle nua ceapadóireachta i bhfilíocht na Gaeilge nuair a chum sé an chéad aisling fháithchiallach pholaitíochta ' Mac an Cheannaí '. Ní ag tabhairt cúil ar an traidisiún a bhí sé, áfach, agus an fhoirmle nua seo á múnlú aige; is amhlaidh a rinne sé cuid de sheansmaointe bunúsacha na nGael faoi chúrsaí riara agus flaitheas a fhí le chéile agus a chur in oiriúint do chúrsaí a linne féin.

Chleacht formhór na bhfilí a tháinig ina dhiaidh i gCúige Mumhan an fhoirmle nua seo. Is beag duine díobh nár chum ar a laghad aisling nó dhó agus bhí a lán díobh a chum níos mó ná sin, go háirithe Eoghan Rua Ó Súilleabháin (1748-1784). Nuair a bhíonn aislingí an fhile seo á léirmheas inniu is minic a cháintear ionannas na smaointe iontu agus fadálacht an chur síos ar an spéirbhean. Ach má dhéanann an léitheoir iarracht ar chúlra agus fréamha doimhne na smaointe a chur san áireamh, b'fhéidir gur fearr a thuigfidh sé an dúil a bhí ag Eoghan Rua agus ag a chomh-fhilí san aisling, agus go n-éireoidh leis cuid de na haidiachtaí a mhaitheamh don fhile sárbhinn seo.

Nuair a bhí cúis na Stíobhartach caillte cailleadh freisin *raison d'être* na n-aislingí, agus d'éirigh formhór na bhfilí as a gceapadh. Mar sin féin tá corrshampla le fáil atá déanach go maith. Is é an sampla is suntasaí orthu sin, b'fhéidir, ná an dán a chum Diarmaid Ua Mathghamhna ó iarthar Chorcaí am éigin thart faoi 1843 nó 1844.[75] Is í ' Banba chríonna chlaoidhte tréith ' an spéirbhean a thagann chuig an bhfile san oíche agus é ag machnamh ar na tubaistí atá tar éis titim ar na Gaeil ' ó thréig an rí ceart Séamas sinne '. Tá tagairt do Dhomhnall Ó Conaill agus do theacht Reipéil sa dréacht seo ach tá tagairt freisin don ' Spáinneach flíteach buidheanmhar tréan . . . ag díbirt thréada choimhthighthigh Chailbhin '. Togha sampla é seo de bhuanchoimeádacht na nGael.

[75] *Gadelica* i, 16-18.

CAIBIDIL A NAOI

LITRÍOCHT Á SAOTHRÚ

Thagraíomar cheana do na péindlíthe a d'fhéach le hoideachas Caitleacach a shéanadh ar mhuintir na hÉireann san 18ú haois agus chonaiceamar nár cheadaithe do Chaitliceach scoil a mhúineadh ná a chlann a chur thar sáile chun oideachas a fháil.[1] Bhí córas na ndlíthe sin chomh dian, áfach, gur dheacair do na húdaráis é a chur i bhfeidhm go hiomlán agus go lánéifeachtúil agus anois is arís d'éirigh leis na Gaeil cuid de na dlíthe a shárú. Luamar ó chianaibh cás Chathail Uí Chonchubhair ó Bhéal Átha na gCarr agus an t-oideachas leathan a fuair sé ina theach féin agus i mBaile Átha Cliath. Is fíor nár ghnáthdhuine eisean; daoine uaisle ba ea a mhuintir agus bhí deis acu scolaíocht thar an gcoitiantacht a sholáthar dó. Rud eile de, níor luigh na dlíthe chomh trom ar na daoine i gConnachta agus a luigh sa chuid eile den tír.[2] Sa chéad leath den 18ú haois ba Chaitlicigh fós cuid mhaith de na tiarnaí talún i gConnachta, go háirithe i nGaillimh agus i Maigh Eo. Ina theannta sin bhí an dúiche chomh hiargúlta agus na bóithre chomh gann agus chomh dona sin nárbh fhurasta na daoine a choimeád faoi smacht.

Ar fud na tíre uile bhí dúil ag na gnáthdhaoine in oideachas ach, dá mhéid a ndúil, ní raibh siad sásta freastal ar na scoileanna éagsúla a bhunaigh na Sasanaigh ó am go chéile.[3] Ina ionad sin rinne siad iarracht ar scoileanna dá gcuid féin a chur ar bun.[4] Amuigh faoin aer a thagadh na scoileanna sin le chéile in áiteanna arbh éasca do na mic léinn scaipeadh go tapaidh dá dtagadh scéala

[1] Rev. Wm. P. Treacy, *Irish Scholars of the Penal Days* (2nd edition, New York 1889) 1-208.

[2] J. G. Simms, ' Connacht in the Eighteenth Century ', *Irish Historical Studies* xi, No. 42 (Sept. 1958) 116 *et seq.*

[3] Batterbury, op. cit., caib. 5, 6 agus 7.

[4] *ibid.*, caib. 8 agus 10; Dowling, *The Hedge Schools of Ireland* (BÁC agus Béal Feirste 1935).

go raibh fórsaí an dlí sa tóir orthu. In ainneoin a mbochtaine agus na géarleanúna a bhí le fulaingt acu, ba iad gnáthmhuintir na hÉireann a chothaigh na scoileanna seo agus a d'íoc táille na múinteoirí. Níor mhór le rá é an táille sin, ar ndóigh. Ba den ghnáthmhuintir na múinteoirí féin ach tá fianaise le fáil sa bhaile agus i gcéin a dheimhníonn feabhas an teagaisc a thug siad dá ndaltaí i Laidin, i nGréigis, i Matamaitic agus in ábhair eile. Dhealródh sé gur trí mheán na Gaeilge a dhéanaidís na hábhair seo a mhúineadh ar uaire. Oidí scoile ba ea cuid mhaith d'fhilí na linne mar atá léirithe againn cheana.[5]

Scoileanna Gearra nó Scoileanna Cois Claí a thugtaí ar na scoileanna seo agus coimeádadh an t-ainm sin fiú amháin um dheireadh an 18ú agus i dtosach an 19ú haois, nuair a bhí maolú tagtha ar dhéine na bpéindlíthe agus deis dá bharr sin ag na múinteoirí ranganna a thabhairt le chéile i scioból nó i mbothán nó in áras éigin eile a mbeadh fothain ón doineann ann. Tugann Amhlaoibh Ó Súilleabháin cuntas ina dhialann ar an mbothán scoile a tógadh dá athair, Donnchadh Ó Súilleabháin, ag na Crosróid i samhradh na bliana 1791:

> . . . agus ba bheag an bothán scoile é go deimhin óir ní raibh tar deich throidhthe ar leithead ann agus fithche troidh air faid (nó mar sin). Toigeadh an balla fóid a n-aon-ló, cuireadh adhmad agus caolach air an lá 'na dhiaidh san, agus cuireadh díon air an treas lá. Is iomadh bliaghain fada mín díreach chaitheas féin agus m'athair ag múnadh sgoile san bothán so, agus ag bothan bala fidín (feidín) eile rod beag níos mó ag crann Cilldaluadh, agus ag tig maith sgoile a mBaile Uí Chaoimh, láimh le Croc na Caruige.[6]

Ní chun an Ghaeilge a mhúineadh agus a chur chun cinn a bunaíodh na Scoileanna Gearra, ach chun oideachas ginearálta a sholáthar do na daoine, agus séard a tuigeadh le hoideachas ina lán cásanna ná eolas a chur ar an mBéarla. Mar sin féin, bhí ceantair áirithe ann ina mbaintí feidhm as an nGaeilge mar mheán

[5] Dowling, op. cit., caib. xii.

[6] M. McGrath, S.J., *Cinnlae Amhlaoibh Uí Shúileabháin* i (London 1936) 54. Cf. an méid a scríobh an Tiarna Palmerston i 1808 faoi na scoileanna a thóg a thionóntaithe féin i gCo. Sligigh: ' The thirst for education is so great that there are now three or four schools upon the estate. The people join in engaging some itinerant master; they run him up a miserable mud hut on the roadside, and the boys pay him half-a-crown, or some five shillings, a quarter. They are taught reading, writing, and arithmetic and what, from the appearance of the establishment no one would imagine, Latin, and even Greek '. (Luaite ag A. S. Green, *Irish National Tradition* (BÁC 1921) 28.)

teagaisc agus ceantair eile inar cloíodh go hiomlán leis an nGaeilge mar nach raibh aon ró-fhonn ar na daoine an Béarla a fhoghlaim.[7] Ar an ábhar sin níor bhagairt don teanga na scoileanna seo murab ionann agus na Scoileanna Náisiúnta a lean iad. Agus tá an méid sin iontuigthe ón aguisín seo a leanas a chuir Amhlaoibh Ó Súilleabháin leis an gcuntas ar scoil a athar: ' acht faraoir! d'imthigh m'athair agus d'imthigh na botháin sgoile. . . . An fada go n-imeochaidh an teangadh gaodalach so an a bhfuilim-se ag scríobh ? Atáid tighthe sgoile breaththa móra dá ttogann go laetheamhail chum an teanga nua so, .i. An Béarla Sasanach do mhunadh ionta. . . .' Sa bhliain 1827 is ea a scríobh Amhlaoibh Ó Súilleabháin an méid sin. Um an dtaca sin bhí córas nua oideachais á bheartú ag na Sasanaigh. Cuireadh an córas sin i bhfeidhm i 1832[8] agus le himeacht na mblianta d'oibrigh sé go héifeachtach i gcoinne teanga agus traidisiúin na nGael.

Saothar Deabhóideach

Maidir leis na mic léinn ar éirigh leo éalú go dtí an Mhór-roinn, ábhar sagart ba ea a bhformhór, agus nuair a d'fhillidís abhaile tar éis a dtéarma staidéir a chaitheamh sna coláistí san Fhrainc, sa Spáinn nó san Iodáil, tá sé curtha ina leith go mbíodh an galldachas dulta i bhfeidhm go láidir orthu agus nach mbídís báúil a thuilleadh le teanga ná le traidisiúin a muintire féin. Tá an méid sin ráite go neamhbhalbh ag Seán Ó Gadhra, mar atá curtha in iúl againn cheana. Ach bhí taobh eile ar an scéal freisin.

Nuair a thagadh na sagairt seo abhaile ba mhinic a d'éiríodh leo leabhair dheabhóideacha i Laidin, i bhFraincis nó i Spáinnis a smuigleáil isteach, cé go raibh an baol ann, dá mbéarfaí orthu, go sciobfaí na leabhair uathu agus go ngearrfaí pionós trom orthu as ucht iad a bheith ina seilbh. Bhainidís feidhm as na leabhair seo chun teagasc agus seanmóirí a thabhairt dá dtréada. Is cosúil gur aistriúcháin iad cuid de sheanmóirí Uí Ghallchobhair agus cuid de sheanmóirí eile an 18ú haois atá bailithe faoin teideal *Seanmóirí Muighe Nuadhad.*[9]

[7] Dowling, op. cit., 70.

[8] Batterbury, op. cit., 183 *et seq.*

[9] i (1906), ii (1907), iii (1908). Tugann an tAthair Pádraig Ó Súilleabháin, O.F.M. eolas an-tábhachtach ar chuid de na seanmóirí sna cnuasaigh seo in aiste leis ar *Éigse* ix, 233 *et seq.* Féach freisin C. Ó Maonaigh (eag.) *Seanmónta Chúige*

Rugadh Séamas Ó Gallchobhair i dTír Chonaill sa bhliain 1681, rinneadh easpag ar Ráth Bhoth de i 1725 agus easpag ar Chill Dara i 1737. Is follas ón réamhrá a scríobh sé ar an gcnuasach dá sheanmóirí a chéadfhoilsíodh i 1735 gur thuig sé cad é an gá a bhí san am sin le saothar den chineál sin:

> I do not know whether to blame myself for the novelty of this attempt, or the rest of my countrymen for publishing no sermons in their own language that I should hear of, contrary to the established practice of all other Christian countries, who in their mother tongue compose and print sermons for the benefit of beginners who either copy or model their discourses by such precedents. It may be objected that the generality of our clergy have sermon books in Latin or French or other languages. I allow they have, but generally in a style not so well adapted to our country. But surely ther are not the worse to have some in their mother tongue. . . .[10]

Chuir an Dr Ó Gallchobhair roimhe a chuid seanmóirí a scríobh go simplí ionas go dtuigfeadh na daoine bochta gan léann iad:

> I have made them in an easy and familiar style, and on purpose omitted cramp expressions which might be obscure to both preacher and hearer. Nay, instead of such I have sometimes made use of words borrowed from the English, which practice and daily conversation have intermixed with our language, choosing with St. Augustine rather to be censured by the critics than not to be understood by the poor and illiterate for whose use I have designed them.

Is cinnte gur éirigh leis an Dr Ó Gallchobhair an pobal a shásamh mar bhí éileamh fairsing leanúnach ar na seanmóirí, rud is follas ón líon eagrán díobh a cuireadh i gcló.[11] Ní raibh aon leabhar Gaeilge eile ann is mó a raibh glaoch air, taobh amuigh

Uladh (BÁC 1965). Deir eagarthóir an chnuasaigh seo gur cosúil gur sa chéad leath den 18ú haois a cumadh iad (Réamhrá x). Sna cuntais a scríobhadh ar litríocht na Gaeilge go dtí seo, níor mhór an tsuim a cuireadh sna seanmóirí, ach le tamall anuas tá athrú le tabhairt faoi deara ar an scéal agus breis aitheantais á thabhairt don ghné seo den litríocht. Is luachmhar, mar shampla, an t-eolas a thugann an tAthair Pádraig Ó Fiannachta ina leabhar *Léas ar ár Litríocht* (Maigh Nuad 1974) 102 *et seq.*, agus 167 *et seq.*, agus is suimiúil a bhfuil le rá aige faoi stíl na seanmóireachta. Maidir le saothar deabhóideach go ginearálta, is díol suime an t-eolas a thugann an tAthair P. Ó Súilleabháin ,O.F.M. in aiste eile dá chuid, ' Leabhar Urnaithe ón Ochtú hAois Déag ', *Irish Ecclesiastical Record* (1965) 103, 299 *et seq.*

---

[10] *Seanmóirí Muighe Nuadhad* iv (1911) viii.

[11] *ibid.*, xii *et seq.*

de *Pious Miscellany* Thaidhg Ghaelaigh Uí Shúilleabháin a cuireadh i gcló don chéad uair i 1805.

Duine eile den chléir a chleacht an tsimplíocht ina shaothar ba ea Tadhg Ó Conaill, Príor i gCoinbhint na gCairmilíteach i gCionn tSáile a d'aistrigh an saothar Fraincise *La Trompette du Ciel* go Gaeilge timpeall 1755 faoin teideal *Trompa na bhFlaitheas*. Tá an t-aistriúchán seo curtha in eagar ag an Ollamh Sisile Ní Rathaille, agus léiríonn sí dúinn sa réamhrá gur bhain Tadhg Ó Conaill feidhm as seanmóirí Uí Ghallchobhair agus as Bíobla an Dr Bedel nuair a bhí a shaothar féin á ullmhú aige. Chomh maith le *Trompa na bhFlaitheas*, d'aistrigh sé cuid den leabhar Spáinnise *Misterios del Monte Calvario* go Gaeilge faoin teideal *Rúindiamhair Chnuic Chealbhair*.

Saothar deabhóideach a raibh dúil mhór ag na scríobhaithe Ultacha ann san 18ú haois ba ea an *Sgáthán Spioradálta*.[12] Tá sé seo bunaithe ar an téacs ' Specchio spirituale del principis e fine della vita umana ' a chum an Proinsiasach Iodáileach Angelo Elli sa bhliain 1617. Am éigin thart faoi dheireadh an 17ú nó tosach an 18ú haois chum file anaithnid ó Chontae an Chláir (?) ' Beatha Chríost ',[13] dán fada a bhfuil os cionn ceithre mhíle líne ann, é scríofa i meadaracht an chaointe agus an t-ábhar ann bunaithe ar an téacs Gaeilge *Smaointe Beatha Críost*[14] agus ar an mBíobla. Sa bhliain 1726 scríobh Uáitear Ó Ceallaigh (*aliter* an tAthair Vaitéir Ó Ceallaigh) saothar próis dar teideal *Stair an Bhíobla*.[15] Sa ' Díonbhrollach ' tráchtann an t-údar ar an SeanTiomna agus an Tiomna Nua agus ar na daoine a scríobh iad agus tugann sé míniú ar a lán nithe éagsúla a ghabhann leo. Sa *Stair* féin tugann sé scéal an chreidimh ó chruthú an domhain anuas go dtí aimsir na nAspal.

I lámhscríbhinní éagsúla tá cóipeanna le fáil de shaothar ar a dtugtar *Tóruidheacht* (*na bhFíreun*) *air Lorg Chríosda*, nó de shleachta as.[16] Is aistriúchán é seo ar *De Imitatione Christi* le Tomás à Kempis. Tá rian láidir de Ghaeilge an tuaiscirt, go háirithe canúint oirthear Uladh, le fáil ar an aistriúchán, ach go dtí le déanaí níor éirigh leis

[12] É. Ó Tuathail, ' On the Sgáthán Spioradálta ', *The Irish Booklover* xxiv (1936) 51 *et seq.*

[13] In eagar ag A. Ní Chróinín (1952).

[14] In eagar ag C. Ó Maonaigh, O.F.M. (1944).

[15] In eagar ag M. Ní Mhuirgheasa, i (1941), ii (1942), iii (1942). Tá eolas sa bhreis ar chuid d'fhoinsí *Stair an Bhíobla* tugtha ag an Athair P. Ó Súilleabháin, O.F.M., in *Éigse* ix, 236 *et seq.* agus *ibid.* xi, 51 *et seq.*

[16] B. Ó Cuív, ' Irish Translations of De Imitatione Christi ', *Celtica* ii, 252 *et seq.* Tá téacs suimiúil eile ón 18ú haois foilsithe ag an eagarthóir céanna faoin teideal ' An Irish Treatise on the Stations of the Cross ', *ibid.*, 1 *et seq.*

na heolaithe ainm an té a rinne é a aimsiú. Dhealródh sé, áfach, go bhfuil an cheist sin réitithe anois, mar is láidir an cás atá déanta ag Séamus P. Ó Mórdha[17] chun a cheapadh gurb é an Dr Séamus Pulleine an t-aistritheoir. Níl mórán eolais i dtaobh an tsagairt seo tagtha anuas chugainn ach is cosúil go raibh sé ar ceathrúin i dteach na Niallach ag Banville i gContae an Dúin agus gurb eisean a thug an óráid, nó an tseanmóir,[18] os cionn chorp Eoghain Uí Néill i 1744, seanmóir a bhfuil cóipeanna di ar caomhnú. Bhí sé ina shagart paróiste i gCluain Dubh ar feadh tamaill fhada dá shaol agus sa bhliain 1782 bhí sé ina Dhéan ar Dheoise Droma Mhóir. Sa bhliain sin is ea a foilsíodh teagasc críostaí leis[19] nach bhfuil ach cóip amháin de tagtha anuas chugainn. Is cosúil freisin gur foilsíodh leabhrán beag eile leis sa bhliain 1752. Ba shagart é a bhí an-dúthrachtach ag craobhscaoileadh an chreidimh agus bhain sé feidhm as an nGaeilge chun cuidiú leis san obair sin.

Is cosúil gur scríobhadh a lán seanmóirí agus téacsanna dea-bhóideacha eile i nGaeilge san 18ú haois, ach is cosúil freisin go bhfuil a lán díobh sin caillte anois. Tá méid áirithe díobh ar caomhnú, áfach, agus nuair a chuirfear iad sin in eagar agus i gcló is cruinne go mór an t-eolas a bheidh againn ar an mbrainse sin den litríocht dúchais. Is cruinne freisin an t-eolas a bheidh againn ar sheasamh na cléire i leith na teanga. Tá fianaise ann cheana féin a léiríonn go raibh roinnt mhaith díobh, idir shagairt agus easpaig, báúil léi. Mar shampla, tugann Séamus P. Ó Mórdha roinnt bheag eolais dúinn faoi conas mar a bhí an scéal in oirthear Uladh.[20] Is de bharr iarrachtaí an Dr Ó Murchadha, easpag Chorcaí,[21] agus an Dr Ó Briain, easpag Phort Láirge agus Leasa Mhóir[22] a slánaíodh

[17] 'Údar Tóruidheacht na Bhfireun air Lorg Chríosda', *Studia Hibernica* 3, 155 *et seq.*

[18] In eagar ag D. de hÍde, *Ulster Archæological Journal* (1896-7) iii, 258-71; iv, 50-55.

[19] *An Teagasg Criosdaidhe. Angoidhleig. By the Rev. James Pulleine, D.D. and T. Dean of Dromore. Air na chur a gclo re cead na nuachdran. M,DCC, LXXXII.* Tá alt ar an saothar seo san *Irish Ecclesiastical Record*, Meitheamh 1947, 509 *et seq.*

[20] *Studia Hibernica* 3.

[21] *Seanmóirí Muighe Nuadhad*, i, ii, iii; Rev. P. Walsh, *Catalogue of Irish MSS in Maynooth College Library* i (1943) agus P. Ó Fiannachta, *Lámhscríbhinní Gaeilge Choláiste Phádraig, Má Nuad* ii (1965). Leabhar an-tábhachtach a foilsíodh le déanaí is ea B. Ó Madagáin (eag.), *Teagasc ar an Sean-Tiomna* (BÁC 1974). Séard atá ann cnuasach seanmóirí bunaithe ar an Sean-Tiomna a thug an tAthair Muiris Paodhar (1791-1877), sagart paróiste Chilliath, Co. Chorcaí.

[22] Rev. P. Power, 'Irish MSS. in Library of St. John's College, Waterford', *Irisleabhar na Gaeilge* xiv (1904), 572, 584, 606, 632, 647, 692, 707, 728. Tá eolas suimiúil le fáil anseo i dtaobh cuid de na scríobhaithe ba mhó le rá sna Déise um thosach an 19ú haois, go háirithe an duine ba cháiliúla orthu, Tomás Ó hIceadha ó Bhaile Ghrae i gCo. Thiobraid Árann.

a lán de na téacsanna deabhóideacha atá ar caomhnú. Luamar cheana samplaí de shagairt a bhí mar phátrúin nó mar chairde ag filí sa tuaisceart agus sa deisceart. Agus tugann an tAthair Cainneach Ó Maonaigh[23] eolas duinn ar Phroinsiasaigh in áiteanna éagsúla sa tír a raibh dlúthbhaint acu le saothrú na litríochta. Ina measc siúd bhí an tAthair Nioclás Ó Domhnaill, O.F.M., a raibh baint aige le scoil Fhilí na Máighe. Chuidigh na bráithre i gcoinbhint an oird i gCill Chonaill i gContae na Gaillimhe chun dúil i bhfilíocht agus i litríocht na Gaeilge a chothú i measc na ndaoine sa chomharsanacht sin; bhí bráithre eile a bhíodh gníomhach sna comhthionóil liteartha a bhíodh ag na filí i gceantar an Chreagáin i gContae Ard Mhacha agus i nDomhnach Maighean i gContae Mhuineacháin. Agus bhí Proinsiasaigh agus sagairt eile a raibh baint acu le ciorcal Mhuintir Neachtain i mBaile Átha Cliath. Chun cuntas a thabhairt ar an gciorcal sin ní mór dúinn dul siar arís go dtí tosach an 18ú haois.

Ciorcal Liteartha Mhuintir Neachtain

Tá ionad speisialta bainte amach dó féin ag Seán Ó Neachtain i stair litríochta na Gaeilge.[24] Ní amháin go bhfuil blas neamhchoitianta ar a lán dá shaothar, idir phrós agus fhilíocht ach, rud is tábhachtaí fós b'fhéidir, bhailigh sé féin agus a mhac Tadhg comhluadar filí agus scríobhaithe timpeall orthu féin sa chéad leath den 18ú haois i mBaile Átha Cliath, príomhdhaingean an Bhéarla sa tír. Níor foilsíodh go nuige seo ach dornán de dhánta Sheáin agus ceann amháin dá scéalta, is é sin, *Stair Éamuinn Uí Chléire*,[25] dréacht bríomhar greannmhar nár ghnóthaigh fós an t-aitheantas atá tuillte aige.

Chonaiceamar cheana go raibh bá ag Seán Ó Neachtain leis na Stíobhartaigh agus gur chum sé caoineadh ar bhás bhean an dara Séamas. Chum sé dréachtaí freisin, i mBéarla agus i nGaeilge, ar James Fitzjames, an mac a rugadh do Shéamas agus do Arabella

[23] *Catholic Survey* i, 74. Féach freisin na samplaí de shaothar fileata na bProinsiasach atá bailithe ag an Athair C. Mac Craith, O.F.M. faoin teideal *Dán na mBráthar Mionúr*.

[24] Tá cuntas gairid ar a shaothar in *B.M. Cat. Irish MSS* ii, 88 *et seq*. Féach freisin D. Piatt, *Mhaireadar san Ardchathair* (BÁC 1957); T. Ó Cléirigh, 'Leaves from a Dublin Manuscript', *Éigse* i, 196 *et seq*., C. Mac Craith, O.F.M., *Dán na mBráthar Mionúr* (BÁC 1967); M. H. Risk, 'Seán Ó Neachtain: an Eighteenth Century Irish Writer', *Studia Hibernica* 15 (1975) 47 *et seq*. agus N. J. A. Williams, 'A Burlesque Poem by Seán Ó Neachtain', *Éigse* xvi, 29 *et seq*.

[25] In eagar ag Eoghan Ó Neachtain (BÁC 1918).

Churchill sa bhliain 1670 agus ar bronnadh an teideal Diúc Berwick air. San Fhrainc a tógadh an Diúc ach tháinig sé go hÉirinn leis na saighdiúirí Francacha faoi cheannas St Ruth agus ghlac sé páirt in ionsaí Dhoire agus i gCath na Bóinne. Tar éis géilleadh Phádraig Sáirséal ag Luimneach d'fhill an Diúc ar an bhFrainc, phós sé baintreach an tSáirséalaigh i 1695 agus bhain amach cáil dó féin ar an Mór-roinn ina dhiaidh sin mar shaighdiúir oilte calma. Fuair sé bás i 1734.

Is cosúil gur tuairim 1707, an bhliain inar bhuaigh an Diúc ar arm Shasana agus na Portaingéile ag Cath Alamanza, a chum Seán Ó Neachtain dréacht Gaeilge agus dréacht Béarla á mholadh. Tá déanamh neamhghnách ar an dréacht Gaeilge.[26] Chomh maith leis na dréachtaí seo chum Seán scéal rómánsach dar teideal ' Scéal Jacobides ⁊ Carina ' a bhí bunaithe ar ghníomhartha gaile an Diúic, go háirithe ag Alamanza.[27] Sa bhliain 1719 scríobh an scríobhaí Muiris Ó Nuabha (Newby) an chóip den scéal atá anois i lámhscríbhinn i Músaem na Breataine agus bhí an t-údar féin á stiúradh le linn dó bheith á scríobh. Is líonmhar ilchineálach an saothar a d'fhág Seán Ó Neachtain ina dhiaidh. Chum sé dánta de gach saghas idir laoithe Fiannaíochta, dhánta grá, dhánta óil, aortha, dhánta cráifeacha. Sholáthraigh sé freisin leagain Ghaeilge agus Béarla dá lán d'iomainn an phortúis.[28] De thaobh na staire de, is iad na dréachtaí is suimiúla ná na cinn a chum sé in ómós d'easpaig agus do shagairt,[29] óir tugann siad siúd léargas ón taobh istigh ar chúrsaí na hEaglaise agus na cléire i mBaile Átha Cliath in aimsir na géarleanúna. Is follas go raibh buanchaidreamh aige féin agus ag a mhac Tadhg le a lán de chléir na linne.

Sa bhliain 1728 chuaigh mac le Tadhg, Peadar, isteach in ord na nÍosánach. Bhí sa naoi mbliana déag d'aois san am. D'fhág sé Baile Átha Cliath faoi rún ar an 21ú Bealtaine, agus chuaigh ar bhord loinge go Corcaigh agus as sin go dtí An Phortaingéil ar a bhealach go dtí Santiago sa Spáinn chun staidéar a dhéanamh i gColáiste na nGael sa chathair sin, coláiste a bhí faoi chúram na nÍosánach ó 1613 i leith. Chum Tadhg dán ar thuras a mhic.[30]

[26] *B.M. Cat. Irish MSS* ii, 95.

[27] *ibid.*, 347, 378.

[28] *ibid.*, 44 *et seq.*

[29] T. Ó Fiaich, ' Dán ar an Chléir i bpríosún i mBlá Cliath ', *Reportorium Novum* ii (1958) 172 *et seq.*

[30] T. Ó Cléirigh, ' A Student's Voyage ', *Éigse* i, 103 *et seq.*

Tá dhá chuid sa dán, an chéad chuid a cumadh tar éis do Thadhg litir a fháil ó Pheadar ó Chorcaigh agus an dara cuid nuair a fuair sé litir eile óna mhac ag tabhairt eolais ar an turas ó Chorcaigh go dtí Santiago (' San Iago ' mar a thugann Tadhg air sa dán). Tá cuntas fíorshuimiúil sa chéad chuid den dán ar an oideachas a fuair Peadar i mBaile Átha Cliath roimh imeacht don Spáinn dó agus sa dara cuid tá cur síos maith ar stoirm a tharla le linn an turais ' tar tuinn ' go dtí an Phortaingéil. ' Ochlán Thaidhg Uí Neachtain ar ndul don Spáinn dá mhac Peadar ' is teideal don dán.

Timpeall na bliana 1728 freisin chum Tadhg Ó Neachtain dán eile a bhfuil ionad tábhachtach tuillte aige i stair na litríochta agus sin an dán ina dtugann sé cuntas ar na daoine go léir a raibh baint acu leis an gciorcal liteartha i mBaile Átha Cliath san am.[31] Sé dhuine agus fiche atá luaite sa dán; bhí éigse as gach cúige ina measc, ach ba iad na Laighnigh ba líonmhaire. Rinneamar tagairt cheana do bheirt iomráiteach a raibh baint acu leis an gciorcal seo, Aodh Buí Mac Cruitín agus Cathal Ó Conchubhair. Ina dteannta siúd bhí triúr sagart, dochtúir amháin agus éigse eile den uile chineál. D'fhág na daoine seo na scórtha lámhscríbhinní ina ndiaidh atá ar marthain go fóill. Chuir Tadhg foclóir Gaeilge-Béarla le chéile freisin ar bhain scoláirí eile feidhm as ach nár cuireadh i gcló fós. Tá sé ar caomhnú i gColáiste na Tríonóide, Baile Átha Cliath.[32]

Is i Sráid an Iarla Theas a bhí cónaí ar Thadhg,[33] agus bhí scoil á múineadh ansin aige. B'fhéidir gur bhain sé feidhm sa scoil sin as leabhar eile dá chuid, *Eolas ar an Domhan*,[34] a scríobh sé timpeall 1729 i bhfoirm comhrá idir é féin agus a athair Seán. Tá cuid den ábhar sa leabhar seo bunaithe ar eolas a bhí le fáil in *A Most Compleat Compendium of Geography* (1691) le L. Eachard agus *Geography Anatomized* (1699) le P. Gordon, agus a lán de smaointe Thaidhg féin curtha leis.

Dhealródh sé gur i scoil Thaidhg a chéadchuir an Dr Seán Mac an tSaoir eolas ar an nGaeilge.[35] Bhí seisean ina ardeaspag ar

[31] In eagar ag T. Ó Rathile, *Gadelica* i, 156 *et seq.*

[32] E. J. Gwynn, *Cat. Irish MSS. TCD* (1921) 60.

[33] Tá gearrchuntas ar a shaol agus ar a shaothar le fáil i *B.M. Cat. Irish MSS* ii, 98 *et seq.* Féach freisin *Éigse* i, 196 *et seq.* agus *Mhaireadar san Ardchathair.*

[34] In eagar ag M. Ní Chléirigh (BÁC 1944).

[35] B. Mac Giolla Phádraig, ' Seán Mac an t-Saoir Ardeaspag Átha Cliath 1770-1786 ', *Feasta*, Aibreán 1957, 5 *et seq.*, Bealtaine 1957, 5 *et seq.*

Bhaile Átha Cliath idir 1770 agus 1786, agus rinne sé a chion chun freastal ar riachtanais spioradálta lucht labhartha na Gaeilge sa chathair lena linn. (Scríobhaí ba ea é ina óige, ar ndóigh, agus tá lámhscríbhinní uaidh ar marthain fós.)

Na Cúirteanna Filíochta san 18ú hAois

Saothar ilchineálach, idir shean agus nua, a shaothraigh éigse Bhaile Átha Cliath sa chéad leath den 18ú haois. Ba i gCúige Mumhan go háirithe a caomhnaíodh an dearcadh gairmiúil agus an cruinneas ceirde ba dhual d'éigse na nGael. In áiteanna ba é an duine uasal sa ' teach mór ' a chothaigh an traidisiún; in áiteanna eile ba iad na cúirteanna filíochta a rinne an gnó sin.

Bhí difríocht bhunúsach idir na cúirteanna seo agus na sean-scoileanna filíochta. Roinn thábhachtach d'eagraíocht an Stáit Ghaelaigh ba ea na scoileanna agus nuair a bascadh an Stát chaill na scoileanna a mbrí agus a n-ionad i saol an chine. Ag an am céanna mhair iarsma de na sean-nósanna agus, do réir a chéile, as luaithreach na seanscoileanna d'fhás na tionóil nua-aimseartha ar ar baisteadh an t-ainm ' cúirt '. Cé nach mbíodh sna tionóil seo go hiondúil ach ócáidí caidrimh agus caitheamh aimsire do na filí, is cinnte go raibh lámh acu i múnlú na filíochta agus i gcaomhnú caighdeán na ceirde. Deimhniú amháin air sin is ea an rud a tharla do Sheán Ó Murchadha na Ráithíneach (1700-1762). Nuair a chum seisean dréacht ag adhmholadh a phátrúin, Cormac Spáinneach Mac Cárthaigh, cháin a chomhfhile, Liam an Dúna, é de bhrí nár chuir sé an dréacht faoi bhráid na cúirte roimh ré, le go dtabharfaí breithiúnas air. Agus mar a deir Torna, ' Do gheall Seán go ndéanfadh sé amhlaidh feasta agus go ngéillfeadh sé do rialacha na cúirte mar do nocht Liam dó iad '.[36] Tá deimhniú eile sa bharántas a chuir Seán Ó Tuama amach

> chum gach mursaire meathta mí-rúnach d'iarmhar na n-athach tuatha is de dhubh-riascaibh dúr-aigeantacha na ndaor-chlann atá insna críochaibh céadna san *ag rith le rannaibh agus ag iomlat le hamhránaibh gan chead gan chomhairle ón gcúirt réamh-ráidhte*, do cheangal is chruadchuibhreach go dtigid do láthair Uachtaráin na cúirte i mBaile an Fhantaigh i gConntae Luimnigh, mar a bhfuighid fios riaghla ranna agus reachta 'san dteangain ghaois-bhriathraigh ghlain-eólaigh Ghaedhilge, mar aon le peannaidí pian-ghonta pionóis. . . .[37]

[36] T. Ó Donnchadha (Torna), *Seán na Ráithíneach* (BÁC 1954) xx.

[37] R. Ó Foghludha, *Éigse na Máighe* (BÁC 1952) 217.

Is cinnte go bhfuil cuid mhaith áibhéile sa dá shampla seo agus gur ag leathmhagadh a bhí Liam an Dúna agus Seán Ó Tuama. Mar sin féin, ní miste glacadh leis go raibh scair éigin den dáiríre sa ghearán a rinne siad faoin masla a tugadh d'údarás na cúirte.

Difríocht de shaghas eile idir an scoil agus an chúirt ba ea na meadarachtaí a chleachtaí iontu. Sna scoileanna is iad na meadarachtaí siollacha a bhíodh in úsáid, sa saothar oifigiúil ach go háirithe. Ach, mar a dúramar cheana, tá fianaise ann a thaispeánann go raibh meadarachtaí béimithe nó aiceanta ag teacht i réim go fiú sular tháinig meath ar na scoileanna. Agus i gcaitheamh an 17ú haois bhí sé ina choimhlint idir an siolla agus an bhéim, agus filí ann a bhí oilte ar chleachtadh an dá cheann. Samplaí foirfe den mheadaracht bhéimithe san chéad leath den 17ú haois, cuir i gcás, is ea ' Óm Sceol ar árd-mhaigh Fáil ' le Céitinn agus ' Dála an Nóinín ' le Pádraigín Haicéad, agus bhí i gcumas na beirte seo dréachtaí a chumadh sna meadarachtaí siollacha freisin. Láimhsigh Piaras Feiritéir an dá chineál chomh maith.

Sa dara leath den aois nuair bhí ré na Scoileanna thart is léir go raibh an lámh in uachtar á fháil ag na nua-mheadarachtaí. Meadaracht bhéimithe, an caoineadh, a bhí in úsáid ag na filí a chum na dánta polaitiúla san 17ú haois dár thagraíomar i gcaibidil eile. Agus láimhsigh file mór na haoise sin, Dáibhí Ó Bruadair, na meadarachtaí béimithe le cumas, bíodh gur ghráin leis iad más fíor a n-abrann sé féin. Um dheireadh an 17ú haois, d'fhás foirm nua san fhilíocht i Leath Choinn, mar atá, ' Trí Rainn agus Amhrán '. Séard a bhí ann, trí cheathrú i gceann éigin de na meadarachtaí siollacha (iad scaoilte lochtach de ghnáth do réir caighdeán na Scoileanna) agus ceathrú i meadaracht an amhráin mar cheangal ag an deireadh. Bhí an fhoirm seo faoi réim ar feadh achair an-fhada i measc filí an tuaiscirt agus is iomaí duine díobh a chleacht í.[38]

Is fiú freisin suntas a thabhairt don mheadaracht sna dréachtaí a chum an tAthair Ó Caoimh in onóir d'Eoin Baiste Mac Sleighne, easpag Chorcaí agus Chluana agus Rois a fuair bás i Liospóin sa bhliain 1712. I gceann amháin de na dréachtaí tá deibhidhe scaoilte agus amhrán i ngach re véarsa; i gceann eile is ógláchas

[38] *B.M. Cat. Irish MSS* ii, 50. Tabhair faoi deara freisin an tagairt ar lch xxviii den réamhrá; E. Ó Tuathail, *Rainn agus Amhráin* (BÁC 1923).

séadnadh mhóir agus amhrán atá ag déanamh uanaíochta ar a chéile.[39]

I mBaile Átha Cliath chleacht muintir Neachtain agus a gcairde an mheadaracht shiollach deibhidhe i gcuid dá ndréachtaí ach ba scaoilte an fhoirm di a scríobh siad. Is cosúil go raibh nós ann, go fiú san 18ú haois, feidhm a bhaint as deibhidhe scaoilte i ndánta adhmholta foirmeálta, mar is í an mheadaracht sin atá sa dréacht a chum Pádraig Ó Pronntaigh don Dr Brian Mac Mathghamhna, easpag Chlochair, nuair a ceapadh an Dochtúir ina ardeaspag ar Ard Mhacha i 1738,[40] sa dréacht a chum Seán Clárach i 1748 dá chara Risteárd Breatnach nuair a ceapadh eisean mar easpag ar dheoise Chorcaí[41]; is í an mheadaracht chéanna atá sa dréacht a cheap Muiris Ó Gormáin timpeall 1765 ag adhmholadh an Dr Mac Síomóin,[42] Ardeaspag Bhaile Átha Cliath, agus i ndréachtaí eile a cheap an file céanna in ómós do roinnt sagart ina dheoise dhúchais féin, Clochar.[43]

Taobh amuigh de mhioneisceachtaí mar sin, bhí na meadarachtaí aiceanta faoi lánréim i gcaitheamh an 18ú haois; ba iad a bhíodh á gcleachtadh i ngach ball den tír ina raibh saothar á chumadh, agus ba chliste oilte mar a d'éirigh le a lán de na filí iad a láimhsiú agus a fhorbairt.[44] Ní miste a bheith cinnte gur mhór an chabhair na cúirteanna nó na hiomarbhánna filíochta a bhíodh ar siúl in áiteanna éagsúla ar fud na tíre chun caighdeán na ceirde a chaomhnú.

Is iomaí sampla atá ann de na tionóil fhilíochta sa Mhumhain san 18ú haois agus den chaidreamh a bhíodh idir na filí, caidreamh buan go minic. Tá dánta ann, cuir i gcás, a léiríonn an dlúth-

[39] In eagar ag Torna, *Gadelica* i, 163 *et seq.*

[40] In eagar ag E. Ó Muirgheasa, *Journal of the County Louth Archæological Society* iii, 189 *et seq.*

[41] Ó Foghludha, *Seán Clárach*, 29 *et seq.*

[42] T. Ó Fiaich, ' Dán ar Phádraig Mac Síomóin ', *Reportorium Novum* ii (1958) 288 *et seq.*

[43] S. Ó Mórdha, ' Poems in Irish on Eighteenth-century Priests ', *Clogher Record* i, 3 (1955) 53 *et seq.*; ' Maurice O'Gorman in Monaghan ', *ibid.* ii, 1 (1957) 20 *et seq.* Tá roinnt mhaith samplaí tagtha anuas chugainn de dhánta a cumadh in ómós do shagairt. Tá cuid díobh curtha i gcló in uimhreacha éagsúla de *Seanchas Ardmhacha* faoin teideal ' Dánta faoi Chléir Ardmhacha '. Féach freisin T. Ó Fiach, ' Filíocht Uladh mar Fhoinse don Stair Shóisialta san 18ú hAois ', *Studia Hibernica* 11 (1971) 80 *et seq.*

[44] Le haghaidh cuntais ar na meadarachtaí aiceanta nó béimithe mar aon le samplaí iomadúla díobh ó shaothar filí na Mumhan féach T. Ó Donnchadha, *Prosóid Gaedhilge* (BÁC 1925).

chairdeas a bhí idir Seán Ó Tuama an Ghrinn (*c.* 1706-1775) agus Aindrias Mac Craith, an Mangaire Súgach (d'éag *c.* 1795), agus an caidreamh a bhíodh idir an bheirt sin agus a gcomhfhilí i gcúirt na hÉigse ag Cromadh i gCo. Luimnigh.[45] Bhí aithne ag na filí seo ar Sheán Clárach Mac Domhnaill[46] agus nuair a thug seisean cuairt ar an ' gCúirt ' i gCromadh i 1735 chum cuid acu dréachtaí ag fearadh fáilte roimhe. Bhí Mac Domhnaill féin ina uachtarán ar thionól filí a thagadh le chéile, do réir cosúlachta, ar a fheirm sa Ráth. Nuair a cailleadh é sa bhliain 1754 chum Ó Tuama caoineadh air agus chomh maith leis sin chuir sé ' barántas ' amach á fhógairt dá chomhfhilí teacht chuig cruinniú i gCromadh chun cuimhne Sheáin Chláraigh a mhóradh agus chun cur le chéile go meondícheallach chun an teanga ghaoisbhriathrach Gaeilge a shlánú ón mbá agus ón mórdhearmad a bhí ag bagairt uirthi.[47] Leis an mbarántas seo is cosúil gur ghlac Ó Tuama air féin an t-údarás chun a chomhfhilí i gCromadh a stiúradh agus is follas ó na dréachtaí a chum siad siúd dósan go raibh siad sásta ómós a thabhairt dó.

Ar bhealach, tá dréachtaí fhilí na Máighe cosúil le litreacha nó le dialanna, mar tá mórán eolais le fáil iontu ar a gcúrsaí pearsanta féin agus ar chúrsaí na comharsanachta—cuid de na filí, cuir i gcás, ag seoladh gearáin chuig Ó Tuama nuair a d'iompaigh bráthair d'Ord San Doiminic i gCill Mocheallóg ina mhinistir Protastúnach, Ó Tuama féin ag tréaslú do dhaoine as ucht teacht slán ó thaom bolgaí, an tAthair Nioclás Ó Domhnaill ag caoineadh bhás a chapaill, Preabaire, agus a chomhfhilí ag déanamh comhbhróin leis; na hábhair sin agus mórán eile léirithe i bhfriotal slachtmhar agus i meadarachtaí cruinne ceolmhara.

Tá muintearas agus ceangal pearsanta le tabhairt faoi deara freisin i saothar na bhfilí a raibh baint acu le Dámhscoil na Blarnan.[48] Is suimiúil é scéal na dámhscoile seo. Bhí áras cónaithe gairid don Bhlarnain tráth ag Clann Chárthaigh, ceann de na teaghlaigh uaisle ab ársa in Éirinn. Sa chomharsanacht chéanna bhí teaghlach éigse

[45] P. Ua Duinnín, *Filidhe na Máighe* (BÁC 1906); R. Ó Foghludha, *Éigse na Máighe* (BÁC 1952).

[46] P. Ua Duinnín, *Amhráin Sheágháin Chláraigh Mhic Dhomhnaill* (1902); R. Ó Foghludha, *Seán Clárach* (BÁC 1932).

[47] *Éigse na Máighe*, 215.

[48] T. Ó Donnchadha, *Dánta Sheáin Uí Mhurchadha na Ráithíneach* (BÁC 1907) xx *et seq.* Féach freisin *Seán na Ráithíneach* (BÁC 1954) xix *et seq.* agus B. Ó Buachalla, ' Dámhscoil na Blárnan ', *Feasta,* Eanáir 1962, 7 *et seq.*

a sholáthraigh filí dóibh i gcaitheamh na n-aoiseanna. Ba é an file deireanach den teaghlach seo ná Tadhg Ó Duinnín mar, nuair a thit an mí-ádh ar Chlann Chárthaigh, fearacht clanna uaisle eile na hÉireann, ní raibh aon ghnó oifigiúil feasta ag Tadhg agus chan sé mar a leanas: ' Mo cheard ó mheath le malairt dlighe in Éirinn,/ Mo chrádh go rach gan stad le bríbhéireacht '. D'fhreagair a chomhfhile Eoghan Ó Caoimh (1656-1726) é: ' A Thaidhg, ó bhraithim go rachair le bríbhéireacht/Rachadsa sealad ag bearradh gach cíléara '.[49]

Ba é an rud a thit amach, ámh, ná gur ghabh Tadhg le feirmeoireacht; tar éis bhás a mhná agus a chlainne ghlac Eoghan Ó Caoimh ord beannaithe agus ba shagart paróiste i nDún ar Aill é nuair a fuair sé bás i 1726.

Nuair a ghabh Tadhg Ó Duinnín le feirmeoireacht bhí deireadh, do réir cosúlachta, leis an scoil fhilíochta ar an sean-nós sa Bhlarnain. Ach tharla gur mhair an traidisiún san áit faoi mhalairt crutha. Na filí úd a raibh taithí acu ar chomrádaíocht na seanscoile, níorbh ionadh fonn a bheith orthu an chomrádaíocht agus an teagmháil a chaomhnú. Rinne siad é sin trí theacht le chéile i gcomhthionóil ar ocáidí agus bhain siad feidhm as téarmaíocht an dlí i ngach ar bhain leis na comhthionóil seo: ' cúirt ' a tugadh mar ainm ar an gcomhthionól agus gairmeadh ' sirriam ' nó ' ard-shirriam ' don té a bhíodh i gceannas ar na cruinnithe. Bhí de chúram air siúd na filí a thabhairt le chéile agus chuireadh sé féin nó oifigeach eile den chúirt ar a dtugtaí an ' reachtaire ' fógra amach á chur in iúl go mbeadh cruinniú ar siúl ina leithéid seo d'áit ar a leithéid seo de lá. I dtosach thugtaí ' gairm-scoile ' ar an bhfógra seo ach níos déanaí bhaintí feidhm as an téarma ' barántas ', ón bhfocal Béarla ' warrant '; go hiondúil thosaíodh na barántais seo leis an bhfocal ' whereas '. Is minic a bhíodh na barántais lán de chaint áibhéileach agus de mhagadh, ach níor chóir a mheas uaidh sin nach raibh meas ag na filí ar imeachtaí na cúirte; ní raibh sna barántais féin ach mar a bheadh cártaí cuiridh ag dul ó dhuine go duine i measc cairde.

Tá roinnt mhaith de na barántais seo ar marthain agus cuid acu, mar a dúramar cheana, lán de ghreann, ar nós an chinn seo le Seán Clárach ina mbaintear feidhm as nathanna cainte an dlí:

[49] *Dánta Sheáin Uí Mhurchadha na Ráithíneach,* xxi.

Whereas this day a great complaint is come before me
By our friend Diarmuid, an file aniar ó Bhun Leacaí,
That Seón Gallda millteoir mealltach de shíol na Seoirsí
Ba mhinic i dteannta tré a chuid geallta 's ag siubhal póirsí
Most felonious and erroneous *contemptor Juris*
Do ghoid an fleascach iubhrach leastair do bhí i gcumhdach
Ag Neillí insa bhfeircín i gcóir an chonntais. . . .[50]

Tá níos mó den dáiríre i gcuid eile de na barántais, ámh, mar an ceann atá luaite cheana againn a sheol Seán Ó Tuama ' do gach aon ler mian athnuadhadh na sean-nós nÉireannach ' á fhógairt dóibh teacht go Cromadh chun cuimhne Sheáin Chláraigh a mhóradh.

Cad ina thaobh gur gairmeadh ' cúirt ' do thionól na bhfilí? Is é an fáth a luaitear, agus is cosúil go bhfuil bunús leis, ná cúrsaí na linne in Éirinn. San 18ú haois sa chuid sin den tír a raibh an Ghaeilge faoi réim inti bhí formhór mór na seanuaisle imithe, a gcaisleáin agus a n-árais chónaithe tréigthe, nó scriosta; bhí an Eaglais Chaitliceach ag gníomhú faoi rún, gan fhoirgnimh, gan cheol, gan an liotúirge mhaorga thaibhseach is dual di; ní raibh ach an t-aon ionad amháin a raibh searmóin agus gradam ag roinnt leis, cúirt an dlí. Agus níorbh é an taibhsiúlacht amháin a chothaigh gradam chúirt an dlí; bhí a scáil mar ualach trom ar gach gné de ghnáthshaol na ndaoine. Má chuirtear leis sin an smaoineamh go raibh de chuspóir ag tionóil na bhfilí idirdhealú a dhéanamh idir an t-olc agus an mhaith chun caighdeáin na healaíne a chaomhnú, tuigfear cén fáth ar fhás an téarmaíocht nua seo i bhfilíocht na Gaeilge.

[50] R. Ó Foghludha, *Seán Clárach*, 98 *et seq.* Tá cuntas suimiúil ar na barántais sa litríocht tugtha ag P. Ó Fiannachta, *Léachtaí Cholm Cille* 1975, 132 *et seq.* Tá eolas sa bhreis ar na Cúirteanna Éigse i gCúige Mumhan san 18ú haois le fáil in ' Traidisiún i dTaobh Cúirteanna na mBurdúnach ', *Éigse* xi, 100 agus in ' Rialacha do Chúirt Éigse i gContae an Chláir ', *ibid.*, 216 *et seq.* Ba é an tOllamh Brian Ó Cuív a chuir an dá théacs seo in eagar, agus tá faisnéis shuimiúil le fáil iontu araon. Séard atá sa chéad cheann ná litir a sheol Dáibhí de Barra chuig William Hackett, Esq., Middleton, ar an 24 Lúnasa 1844. Seo sliocht aisti: ' And the latest I hear'd of them in this locality was in Middleton, and not many years since for it was in the recollection of my father, when an old hag of the Cahâns held the crozier (*bata na bachaille*) for a good many years and was called Máistreás na Cúirte '. Sampla amháin é seo de bhean a bheith i gceannas ar chúirt. Baineadh an dara téacs as lámhscríbhinn a scríobh Tomás Ó Míodhcháin. Sa bhliain 1780 is ea a cuireadh na rialacha le chéile, agus tá fianaise ann go raibh an Ghaeilge ag trá i gCo. an Chláir um an dtaca sin, óir tá socruithe sna rialacha chun an teanga a mhúineadh do dhaoine nach raibh sí acu. Gaeilge amháin, áfach, a bheadh á labhairt sa chúirt. Cf. S. Ó Dufaigh, ' Comhairle Commisarius na Cléire ', *Studia Hibernica* 10 (1970) 70 *et seq.*

Thagadh an chúirt fhilíochta le chéile sa ' teach mór ', má bhí a leithéid ann, nó i dteach an phríomhfhile nó in áit stairiúil éigin sa chomharsanacht. Níos déanaí d'fhás an nós í a thionól i dtábhairne. De ghnáth bhíodh na cruinnithe ar siúl ar ócáidí speisialta, lá aonaigh, cuir i gcás, nó nuair a bheadh duine éigin mór le rá sa cheantar á phósadh, nó ar aon ócáid den chineál nuair a d'oirfeadh do na filí teacht le chéile. Le linn an chruinnithe dhéanaidís na dréachtaí a bhí cumtha acu ón uair dheireanach a aithris don chomhluadar agus is ábhair áitiúla a bhain lena gcúrsaí pearsanta féin is mó a bhíodh faoi chaibidil acu.

Ba é Diarmaid mac Seáin Bhuí Mac Cárthaigh[51] (1632-1705) an chéad fhile a bhí i gceannas ar an gcúirt fhilíochta sa Bhlarnain. Sa seantraidisiún a tógadh é agus is caointe ar na baill de Chlann Chárthaigh a fuair bás lena linn is mó a chum sé. Cé nach raibh féith na filíochta róláidir ann tuilleann sé spéis inniu mar gheall ar an dá dhréacht dá chuid atá luaite cheana againn, ' Céad Buidhe re Dé ' a chum sé nuair tháinig an dara Séamas i gcoróin i Sasana agus a léiríonn go cruinn dúinn lúchair na nGael um an dtaca sin, agus ' An Fhalarta Ghorm '[52] inar chaoin sé bás a chapaill. Mheall an dréacht seo sraith dréachtaí óna chomhfhilí a thugann léargas éigin ar an athrú saoil a bhí ag teacht. Dála Uí Bhruadair, ba léir do Dhiarmaid an seansaol a bheith ag dul i léig; ' Oisín i ndiaidh na Féinne ' a thug sé air féin. Chonaic sé cúirt fhilíochta á dhéanamh de sheanscoil na Blarnan; chonaic sé na seanmheadarachtaí agus an tseanteanga liteartha ar an dé deiridh; bhain sé féin feidhm as na nua-mheadarachtaí agus as ' caint na ndaoine '.

Ní fios an raibh aon slí bheatha eile ag Diarmaid seachas ceapadh na filíochta, murab ionann agus a chomharba i nDámhscoil na Blarnan, Liam Mac Cáirteáin an Dúna (d'éag 1724). Saighdiúir in arm Rí Séamas ba ea eisean agus nuair a bhí an cogadh thart chuir sé faoi ag Teampall Geal agus bhí feirm ansin aige. Ba é Liam Ruadh Mac Coitir[53] a tháinig ina dhiaidh mar uachtarán ar an gcúirt fhilíochta agus nuair a cailleadh Liam Ruadh i 1738 lean Seán Ó Murchadha na Ráithíneach é. Sa bhliain 1700 is ea a rugadh Seán i gCarraig na bhFear agus is ann a chaith sé a shaol. Bhí an áit seo faoi anáil duine de Chlann Chárthaigh, Cormac

[51] T. Ó Donnchadha, *Amhráin Dhiarmada Mac Seáin Bhuidhe Mac Cárrthaigh* (BÁC 1916).

[52] *ibid.*, 54 *et seq.*

[53] R. Ó Foghludha, *Cois na Cora* (BÁC 1937).

Spáinneach, agus tá a rian sin ar shaothar Sheáin agus a chomhfhilí. Bhí aithne ag Seán ar éigse uile an cheantair thart timpeall agus ar chuid mhaith de na huaisle freisin. Bhídís siúd páirteach in imeachtaí na cúirte. Tar éis bhás Sheáin i 1762 ní chloistear a thuilleadh faoin gcúirt fhilíochta sa Bhlarnain, sa Teampall Geal ná i gCarraig na bhFear.

Comhthionól eile d'fhilí a bhfuil eolas ar fáil ina thaobh is ea Cúirt na mBurdún a bhí faoi stiúradh Phiarais Mhic Ghearailt,[54] *Ard-Sirriam Leithe Mogha*, ag Baile Uí Chionnfhaolaidh in oirthear Chorcaí. Tar éis bhás Phiarais timpeall 1788 ba é Éamann Ó Flaithbheartaigh a bhí mar chomharba aige.

Tá léargas maith ar ghnáthshaol mhuintir na hÉireann lena linn le fáil i saothar Sheáin na Ráithíneach. D'oibrigh sé féin go dian ag saothrú na feirme a bhí ag a mhuintir, ghníomhaigh sé mar chléireach ar feadh scaithimh, agus dealraíonn sé gur chaith sé seal gairid mar bháille i gcúirt an dlí sa cheantar. Níor thaitin an post sin leis, ámh, mar nuair a d'éirigh sé as i 1742 bhí an méid seo le rá aige:

> Ó's duine dhen dáimh sinn tá síos d'easbaidh na dtriath,
> Gan tideal i n-árd dhlighe d'fhagháil puinn eatortha riamh,
> Rithfead dom gháirdín, ránn mhín glacfad mar riaghail,
> Is cuirfead an bháillidheacht fá thrí i n-ainm an diabhail![55]

Ach in ainneoin a raibh de chúraim eile air shaothraigh Seán litríocht na Gaeilge go dúthrachtach ar feadh a shaoil, mar fhile agus mar scríobhaí, agus is iomaí lámhscríbhinn dá chuid atá ar marthain. Ag tagairt do shaothar Sheáin agus a chomhfhilí deir Torna:

> ... Dá bhrígh sin gheibhimíd san chéad chuid den leabhar so fiadhnaise luachmhar agus eolas tábhachtach ar an saoghal i gCarraig na bhFear agus in áiteanna eile ar fuid na tíre an uair sin; an tighearna agus a thionóntaithe ann; an sagart agus an máighistear; an file agus an ceárduidhe; comhar agus ceannach; cúrsaí gnótha agus spóirt; ceol agus seanchas agus béaloideas; baisteadh agus pósadh agus adhlacadh.[56]

Is féidir an rud céanna, geall leis, a rá faoi chuid mhór de shaothar éigse dheiscirt Uladh san 18ú haois. Níl ach beagán den

[54] R. Ó Foghludha, *Amhráin Phiarais Mhic Gearailt* (BÁC 1905).

[55] *Seán na Ráithíneach* (1954) 239.

[56] *ibid.*, vii. Tá léirithe ag T. Ó Fiaich freisin (*Studia Hibernica* 11, 80 *et seq.*) cé chomh luachmhar agus atá filíocht Uladh san 18ú haois mar fhoinse do stair shóisialta na linne.

saothar sin foilsithe go fóill, ach tá go leor ar fáil le na léiriú dúinn nár mhór an difríocht a bhí idir meon agus saol na nUltach agus meon agus saol a gcomhfhilí sa Mhumhain, dá fhad óna chéile a bhí siad, agus stiall leathan den ghalldachas mar fhál eatarthu.

Filí an Tuaiscirt

Comhaimsearach d'Aogán Ó Rathaille ba ea Séamas Dall Mac Cuarta[57] (d'éag 1732), agus dála Uí Rathaille, bhí cumas ar leith ann mar fhile. Chonaic sé an t-athrú saoil a tháinig i Leath Choinn tar éis Chath Eachroma (1691), agus tá a rian ar a shaothar. Cuirtear suim inniu sa tuireamh breá a chum sé ar Shomhairle Mac Domhnaill a cailleadh sa chath sin agus ina chuid dréachtaí úra neamhchoitianta faoin dúlra agus faoina áit dhúchais féin. Ach is fiú a thabhairt chun cuimhne freisin, mar a dúradh cheana, go raibh pátrúin aige agus gur chum sé dréachtaí dóibh, gur ghlac sé páirt in imeachtaí a chomhfhilí,[58] agus nár leasc leis daoine a cháineadh nuair nár thug siad dó an gradam ba chuí, dar leis.

Níor chuimhin le Art Mac Cumhaigh[59] an seansaol, óir ba i 1715 a rugadh é, ach bhí tuiscint aige don ómós ba dhual a thabhairt d'fhile, rud is follas ón aoir ' Máire Chaoch ' a chum sé ar dheirfiúr an tsagairt pharóiste nuair a chuir sí iachall ar an bhfile bláthach a ól sa chistin in ionad é a chur isteach sa pharlús. Ar ndóigh, ní raibh san fhile, dar le Máire, ach garraíodóir. Mar a dúramar cheana, ní foirmle úr is bun leis an aisling ' Úir-Chill an Chreagáin ', ach d'éirigh le Mac Cumhaigh an fhoirmle thraidisiúnta sin a mhúnlú agus a shéala féin a ghreamú uirthi. Is é an rud is mó a bhronnann blas an dúchais ar shaothar an fhile seo ná an cion daingean a bhí aige ar a áit dhúchais, an Creagán, agus a dhílseacht do na taoisigh a lonnaíodh ann tráth.

Nuair ba mhaith le Peadar Ó Doirnín (d'éag 1768) cuairt a thabhairt ar Dhún Dealgan, ní bhíodh de chóir taistil aige ach seanchapall caite a thugtaí ar iasacht dó. Rinne an file ábhar grinn

[57] L. Ua Muireadhaigh, *Amhráin Shéamuis Mhic Chuarta* (1925); S. Ó Gallchobhair, *Séamus Dall Mac Cuarta: Dánta* (BÁC 1971).

[58] Seachas na hagallaimh a chum sé i gcomhar le cuid acu ní miste suntas a thabhairt do na dánta gearra a chum sé féin agus Brian Ó Ceallaigh agus Séamus Mhag Uidhir mar ' Ghradam do Dhomhnall Ó Mhaoilriain ', *An tUltach*, Aibreán 1950. Ógláchas de dheibhí atá i ndréachtaí Mhic Cuarta agus Uí Cheallaigh.

[59] É. Ó Muirgheasa, *Abhráin Airt Mhic Chubhthaigh* (BÁC 1916); T. Ó Fiaich, *Art Mac Cumhaigh: Dánta* (BÁC 1973); *Art Mac Cooey and his Times* (arna fhoilsiú ag *Seanchas Ard Mhacha*, 1973).

de seo nuair a chum sé ' Eachtra an Ghearráin Bháin ',[60] dréacht inar ríomh sé na seanlaochra go léir a bhíodh ag marcaíocht anallód ar an gcapall céanna—bhí an t-ainmhí bocht chomh sean sin ' gur de na capaill bhí ag Ádamh é an lá do pheacaidh fon chrann '. Seo an saghas grinn áiféisigh a fhaightear go minic i litríocht na Gaeilge. Tá an magadh níos géire san aoir ' Suirghe Mhuiris Uí Ghormáin '.[61] Is cinnte go bhfuil an dréacht seo lán d'áibhéil ach, mar sin féin, faighimid léargas éigin ann ar ghné mhí-ádhmharach amháin de shaol na linne in Éirinn. File agus máistir scoile ba ea Muiris Ó Gormáin, agus scríobhaí a rinne mórshaothar ag caomhnú léinn na Gaeilge, ach tugann Ó Doirnín le fios dúinn sa ' Suirghe ' gur chleacht Ó Gormáin geáitsí áiféiseacha agus gur bhain sé feidhm as Béarla gránna briotach nuair ba mhaith leis a chur ina luí ar an gcailín gur dhuine uasal é a raibh tabhairt suas air. Máistir scoile agus scríobhaí ba ea Ó Doirnín freisin agus deirtear gur chaith sé seal i gCúige Mumhan ag foghlaim a cheirde. Cuirtear suim ar leith inniu in ' Úr-Chnoc Chéin Mhic Cháinte ', ceann de na hamhráin ghrá is binne sa Ghaeilge.

Ní dhearna filí Uladh faillí i gcúrsaí spóirt agus tá dhá dhréacht, ar a laghad, ar na cúrsaí sin a raibh iomrá orthu in Oirghialla, go dtí le déanaí. Ceann amháin díobh is ea ' Iomáin Áth na Sgaoitheán ' le Micheál Mac Mathghamhna (Micheál na Scoile) a thráchtann ar chluiche iomráiteach idir fir Lú agus fir Fhearnmhaighe ina raibh an bua ag fir Fhearnmhaighe.[62] Is é ' Iomáin Léana an Bhádhbhdhúin ' le Réadhmann Ó Murchadha (Réadhmann na Rann) an dara ceann. Ag scríobh dó thart faoi 1914 dúirt eagarthóir an dréachta seo go raibh an dréacht iomlán, nó sleachta as, de ghlanmheabhair ag gach cainteoir Gaeilge ' sna deich mbailte fearainn ' agus go dtiocfadh leis an uile dhuine in Ó Méith an pháirc (nó an léana) inar imríodh an cluiche a thaispeáint do chuairteoirí.[63]

[60] L. Ó Muireadhaigh, ' Poets and Poetry of the Parish of Kilkerley, Haggardstown ', *Journal of the County Louth Archæological Society* iii, 377 *et seq.*

[61] *ibid.*, 374. Le haghaidh cuntais ar shaol agus ar shaothar an fhile seo féach S. de Rís, *Peadar Ó Doirnín, a shaol agus a shaothar* (BÁC 1969) agus B. Ó Buachalla, *Peadar Ó Doirnín: Amhráin* (BÁC 1969). Tá léirmheas ar an dá leabhar seo le Alan Harrison le fáil in *Feasta,* Meitheamh 1969, 21-3. Féach freisin ' Dúiche Pheadair Uí Dhoirnín ', *Feasta,* Aibreán 1969, 6-8, 11.

[62] É. Ó Muirgheasa, ' The Modern Irish Poets of Oriel, Breffni and Meath ', *Journal of the Co. Louth Archæological Society* i, 54 *et seq.* Tá an tagairt do ' Iomáin Áth na Sgaoitheanna ' ar lch 58.

[63] ' Modern Irish Poets of Omeath ' *ibid.*, iii, 218 *et seq.*

I nDún Dealgan nó idir sin agus Iúr Chinn Trá a bhí cónaí ar Phádraig Ó Pronntaigh a chum an dán i 1738 don Dr Brian Mac Mathghamhna, Ardeaspag Ard Mhacha. Ní líonmhar iad na dréachtaí a chum Ó Pronntaigh, ach shaothraigh sé ar feadh geall le caoga bliain mar scríobhaí; chnuasaigh sé agus bhreac síos i lámhscríbhinn scothlitríocht Leath Choinn.

Bhí bean amháin ar a laghad ag saothrú na filíochta i ndeisceart Uladh, Máire (nó Mailligh), iníon Phádraig Mac a Liondain. Chum sise ' Fáilte Mháighistir Jó Pluinceat '[64] don duine uasal sin ' ar a theacht a chómhnuidhe dhó chum an Mhúinilte '. Tá roinnt dréachtaí eile curtha síos di freisin, ach seasann a cáil ar an sraith agallamh idir í féin agus Peadar Ó Doirnín.[65]

I ndeisceart Chontae Ard Mhacha a rugadh Pádraig Mac a Liondain[66] (1665-1733), agus bhí teagmháil aige ar feadh a shaoil le filí an cheantair sin agus filí ó thuaisceart Chontae Lú mar Shéamas Mac Cuarta, Brian Óg Mac Cana agus Fearghas Mac Bheatha. Bhí dlúthchairdeas idir é féin agus Mac Cuarta; chum an bheirt acu agallaimh ag freagairt a chéile, agus nuair a tháinig Cearbhallán ar cuairt go dtí an ceantar chum siad dréachtaí ag fáiltiú roimhe. Nuair a d'éag Mac Cuarta i 1732 scríobh Mac a Liondain marbhna air, agus d'éag sé féin tamall an-ghairid ina dhiaidh sin. I dteannta féith na litríochta bhí féith an cheoil i Mac a Liondain, agus ba chláirseoir oilte é. (Má thóg a iníon Máire bua na filíochta uaidh, thóg a mhac Pádraig bua an cheoil, mar ba chláirseoir eisean chomh maith.) Murab ionann agus a lán d'éigse an 18ú haois, bhí roinnt maoine ag Mac a Liondain agus bhíodh fáilte roimh fhilí uile na dúiche ina theach a bhí suite gairid do Chnoc Chéin Mhic Cáinte. Tugann Nioclás Ó Cearnaigh tuairisc shuimiúil dúinn ar na ' hiomarbhánna ' filíochta a bhíodh ar siúl ansin. Ní raibh deis ag cuid de na filí eolas ceart a chur ar a gceird agus is minic ab éigean do Mhac a Liondain a gcuid dréachtaí a leasú agus a scríobh síos dóibh. Uime sin gairmeadh

[64] *ibid.* iii, 388, *et seq.* Nuair a d'éag an duine uasal seo i 1771 chum Máire caoineadh air atá curtha in eagar ag É. Ó Tuathail, *An tUltach*, Samhain 1951, 9 *et seq.;* Eanáir 1952, 10 *et seq.;* Feabhra 1952, 11 *et seq.*

[65] Féach *Abhráin Ghrádha Cúige Connacht* (1893) 88 *et seq.*

[66] Tá an chuid is mó de dhréachtaí an fhile seo curtha i gcló ag an Ollamh É. Ó Tuathail ar *An tUltach* idir 1925 agus 1928. Thug sé cuntas ar bheatha an fhile, *ibid.*, v. 5, lch 1, v.6, lch 6. Féach freisin *Seanchas Ardmhacha* iii, 2 (1959) 380 *et seq.* Eagrán nua dá shaothar foilsithe ag S. Mag Uidhir, *Pádraig Mac a Liondain: dánta* (BÁC 1977).

' reacadóir na mbard ' de. Deirtear freisin go raibh ' scoil ' aige agus go raibh uair ann a raibh ocht bhfilí déag ag freastal ar an scoil sin. Tuilleann Pádraig Mac a Liondain ionad ar leith i stair na litríochta i nGaeilge mar is ró-dhócha gur dósan atá a lán den chreidiúint ag dul gur coinníodh sruth na héigse ag sileadh chomh fada sin i ndeisceart Uladh.[67]

Is cosúil gur ghnách ' iomarbhá ' a thabhairt mar ainm ar na comórtais a bhíodh ar siúl idir filí dheisceart Uladh nuair a thagaidís le chéile. I nDún Dealgan sa bhliain 1827 is ea a tharla an iomarbhá dheireanach a bhfuil iomrá uirthi sa cheantar seo agus duine darbh ainm Séamas Mac Giolla Choille[68] ó Chontae Ard Mhacha is mó a bhí freagrach as eagrú an tionóil. Bhí seisean ag obair mar phoitigéir i nDún Dealgan ach rinne sé cuid mhór scríbhneoireachta lena linn freisin. Bhí iomarbhá eile ar siúl níos déanaí fós ná sin, ámh. Gairid d'Ó Méith a tionóladh í, agus bhí triúr san iomaíocht, Peadar Dubh Ó hAnluain, Peig Ní Chuarta agus Peadar Ó Lorcáin. Deirtear gurbh í an bhean a rug an chraobh.[69]

Níorbh í an fhilíocht amháin a saothraíodh i Leath Choinn. Tá fianaise ann a léiríonn go raibh ealaín na scéalaíochta beo sa limistéar sin sa dara leath den 17ú agus sa chéad leath den 18ú haois. Tá tábhacht ar leith ag baint le cuid de na scéalta a ceapadh i dtrátha an ama sin de bhrí nach í an Fhiannaíocht ach an Rúraíocht is bun dóibh. Faoi mar atá ráite cheana againn, bhí dúil mhór ag éigse na nGael riamh i laochra na Féinne, agus níor staon siad ó bheith ag cumadh agus ag aithris scéalta mar gheall orthu, ag cur i gcónaí leis an méid a bhí ann cheana. Ach is beag forbairt a rinneadh ar an Rúraíocht i gcaitheamh na n-aoiseanna. Dealraíonn sé, ámh, gur tháinig fás sealadach i ndeisceart Uladh am éigin sa dara leath den 17ú haois nuair a cromadh ar scéalta nua a chumadh faoi laochra na hEamhna, scéalta inar tugadh cúl ar aithris lom chnámhach na Rúraíochta féin agus inar baineadh feidhm as an stíl fhoclach agus as an gcur síos áiféiseach a bhíonn le fáil go hiondúil sna scéalta rómánsaíochta. Am éigin roimh 1679 cumadh *Tóruigheacht Gruaidhe Griansholus*,[70] agus tamall níos déanaí

[67] *Journal of the County Louth Archæological Society* iv, 293.

[68] S. Ó Duibhginn, *Séamas Mac Giolla Choille. Circa* 1759-1828 (BÁC 1972); *Journal of the County Louth Archæological Society* iii, 390.

[69] *Amhráin Shéamuis Mhic Chuarta*, 31-2.

[70] In eagar ag C. O'Rahilly (London 1924). Tá cuntas ar an bhforbairt dhéanach ar an Rúraíocht le fáil sa réamhrá, xx *et seq.*

cumadh *Eachtra na gCuradh*[71] agus *Coimheasgar na gCuradh.*[72] Taobh amuigh de na trí scéalta seo agus de na ceithre cinn ghearra sa chnuasach a foilsíodh faoin teideal *Sgéalta Rómánsaíochta,*[73] is cosúil nach ndearnadh aon iarracht ar an Rúraíocht a fhorbairt mar ábhar nuascéalta. Ach cumadh scéalta den chineál céanna faoi ábhair eile i ndeisceart Uladh freisin. Thart faoi 1725 chum Brian Dubh Ó Raghallaigh, file ó Chontae an Chabháin, *Siabhradh Mhic na Míochomhairle*[74] i bprós agus i ndán inar ríomh sé na heachtraí áiféiseacha a bhain do Mhac na Míochomhairle i ráth sí. Tá a lán de na téamaí sa scéal seo le fáil sa scigscéal *Eachtra Aodha Mhic Gaoireachtuighe*[75] ina dtráchtar ar ar bhain d'Aodh Mac Gaoireachtuighe, feirmeoir ó Chnoc Sion gairid do Dhún Dealgan, le linn dó bheith ag fiach toirc. (B'fhéidir gurb ionann an duine seo agus an file Aodh Mhag Oireachtaigh a chum agallamh i gcomhar le Séamas Mac Cuarta.) Scigscéal den chineál céanna is ea *Eachtra buic Bhaile Bionnabhuidhe*[76] le Art Mac Cumhaigh.

Saothar neamhchoitianta de chineál eile ar fad is ea ' Eachtra Thomáis Mhic Chaiside '.[77] Ba de bhunadh Chaisideach Fhear Manach an Tomás seo (' An Caisideach Bán ' mar a thugtar air) agus gaol aige dá bhrí sin le hÉamann Ó Caiside. Ach is ag Leacht an Driseacháin gairid don Chaisleán Riabhach i gContae Ros Comáin a rugadh agus a tógadh é. Chuaigh sé isteach i gcoinbhint na nAgaistíneach (ag Béal Átha hAmhnais, meastar) ach níorbh fhada gur díbríodh é, agus chaith sé tamall ag taisteal mórthimpeall na hÉireann. Ansin fuadaíodh thar lear é, díoladh le hoifigeach Francach é, agus chaith sé roinnt blianta thart faoi 1733 agus 1734 ina ' thrúipéar armálta ' in arm na Fraince. Ina dhiaidh sin chaith sé tamall in arm na Prúise, d'fhill ar Shasana agus as sin tháinig go hÉirinn mar ar chaith sé an chuid eile dá shaol agus é ag taisteal mórthimpeall na tíre arís, más fíor dó féin. Scríobh sé cuntas bríomhar taitneamhach ar na himeachtaí seo go léir, saothar i bprós

[71] In eagar ag M. Ní Chléirigh (BÁC 1941).

[72] In eagar ag M. Ní Chléirigh (BÁC 1942).

[73] In eagar ag M. Ní Mhuirgheasa agus S. Ó Ceithearnaigh (BÁC 1952).

[74] In eagar ag S. Ó Ceithearnaigh (BÁC 1955). Scríobh an tOllamh Gearóid Ó Murchadha réamhrá tábhachtach don leabhar seo.

[75] *B.M. Cat. Ir. MSS* ii, 381; N. J. A. Williams, ' Eachtra Aodh Mhic Goireachtaidh ', *Éigse* xiii, 111 *et seq.*

[76] I gcló in *Abhráin Airt Mhic Chubhthaigh,* 81 *et seq.*

[77] M. Nic Philibín, *Na Caisidigh agus a gCuid Filidheachta* (BÁC 1938) 9 *et seq.* Tá léirmheas suimiúil ar an leabhar seo ag É. Ó Tuathail ar *Éigse* i, 150 *et seq.*

agus i véarsaíocht a bhfuil an prós i bhfad níos fearr ná an véarsaíocht ann. Chum Tomás saothar eile, i véarsaíocht ar fad an babhta seo, i.e. ' Sealg Mhór Lioss Branndóige '.[78]

Saothar fada eile i véarsaíocht, nach féidir ainm údair ná dáta cruinn a lua leis, is ea ' Seachrán Chairn tSiadhail '.[79] Is cinnte, ámh, gur i gCúige Uladh a cumadh é; i dTír Eoghain, b'fhéidir. Sa dréacht seo cuireann an file in iúl gur bhuail sé le cailín agus gur iarr uirthi suirí a dhéanamh leis. Ní raibh sise sásta, áfach, é sin a dhéanamh toisc an file a bheith chomh giobalach sin. Tugann an diúltadh seo deis don fhile a chur in iúl don chailín cé chomh eolach cliste agus atá sé mar gheall ar a bhfuil siúlta aige, cúig cúigí na hÉireann agus Sasana chomh maith.

[78] D'fhoilsigh D. de hÍde eagrán den ' Sealg ' freisin, mar aon lena lán nótaí ar na logainmneacha inti ar *Lia Fáil* (BÁC 1930) iii, 24 *et seq.*

[79] In eagar ag S. Laoide (BÁC 1904). Féach freisin É. Ó Muirgheasa, *Dhá Chéad de Cheoltaibh Uladh* (BÁC 1934) 457.

CAIBIDIL A DEICH

ATHRÚ SAOIL

Is féidir an t-athrú a bhí tar éis teacht ar chúrsaí litríochta a mheas ó staid na héigse a bhí á saothrú. Daoine gustalacha ba ea filí na Scoileanna; d'éiligh siad agus fuair siad cothú agus gradam ón bpobal. Ar an láimh eile, is ar éigean má bhí riar a gcáis ag formhór na héigse in aon áit sa tír sa 18ú haois. Chaith an chuid ba mhó acu, go fiú na coda ba stuama díobh, a saol faoi scáil na bochtaine. Bhí Eoghan Rua Ó Súilleabháin agus Cathal Buí Mac Giolla Ghunna, mar shampla, go beo bocht nuair a d'éag siad faoi ainnise, duine acu i mbothán fiabhrais, an duine eile i mbothán scolóige.

Shaothraigh filí na Scoileanna faoi smacht an traidisiúin. Chloígh siad go hómósach ina gcuid dánta leis na gnáis liteartha a bhí leagtha síos dóibh, ionas gur mó ár suim sa traidisiún a bhí mar thaca acu ná iontu féin mar ealaíontóirí. Bhí ar fhormhór na bhfilí a lean iad seasamh ar a mboinn féin agus, dá thoradh sin, bhí siad níos saoire chun a bpearsantacht agus cúrsaí a saoil féin a léiriú ina saothar. Is iomaí file díobh a d'fhág séala so-aitheanta ar ar chum sé, Ó Bruadair, Mac Cuarta agus Ó Rathaille, Eoghan Rua agus Cathal Buí Mac Giolla Ghunna agus filí eile nárbh iad.

Níl léirmheastóirí an lae inniu ar aon intinn faoi fhiúntas Eoghain Rua Uí Shúilleabháin[1] mar fhile. Admhaíonn cách gur mháistir ar cheird na meadarachta a bhí ann agus go bhfuil a chuid dréachtaí lán ceoil. Ach ansin tagann an t-easaontas. Tá a lán a dhearbhaíonn nach bhfuil ina shaothar ach sruth fuaime gan doimhneacht ná éagsúlacht smaointe ann,[2] agus daoine eile a thugann an chraobh dó i measc filí a linne i ngeall ar an gcruinneas

[1] P. Ua Duinnín, *Amhráin Eoghain Ruaidh Uí Shúilleabháin* (BÁC 1902); R. Ó Foghludha, *Eoghan Ruadh Ó Súilleabháin* (BÁC 1937). Féach freisin P. S. Dinneen, *Four Notable Kerry Poets* (*Filidhe Mhóra Chiarraighe*), (1929).

[2] Féach a bhfuil le rá ag Piaras Béaslaí faoi in *Éigse Nua-Ghaeilge* ii, 190 *et seq.*

foirme agus an binneas atá ina shaothar. Duine díobh sin is ea an Dr Ó Corcora a dúirt:

> Eoghan Ruadh's gifts, then, were manifold; there was that intellectuality that so effectively staved off the sentimental; there was that intuitional sense of form which accounts for the perfect articulation of his most winged lyrics; there was that freshness of vision which accounts for his daring epithets; there was, above all, his thirst for music, his lyric throat.[3]

Sna Mínteoga gairid do Chill Airne a rugadh Eoghan Rua Ó Súilleabháin i 1748. Bhí scoil cháiliúil sa cheantar sin san am, agus is cosúil gur ansin a fuair an file a chuid oideachais. Chaith sé féin tamall ag múineadh scoile ina dhiaidh sin agus tamall ag spailpíneacht ach ní fada a d'fhan sé in aon áit ná i mbun aon cheirde, ach é de shíor ar fán agus saol ragairneach á chaitheamh aige. Uair dá raibh sé i gCorcaigh chuaigh sé isteach i gcabhlach Shasana (is cosúil gur preasáileadh é), agus bhí sé i láthair ag an gcath mara a troideadh idir an Aimiréal Sasanach Rodney agus an tAimiréal Francach de Grasse gairid do Fort Royal, Martinique, sna hIndiacha Thiar. Is ag na Sasanaigh a bhí an bua sa chath, agus chum Eoghan Rua dréacht i mBéarla, ' Rodney's Glory ', ag móradh an Aimiréil chaithréimigh. (Is follas ón dréacht seo go raibh eolas maith ag an bhfile ar an mBéarla agus go raibh bunús leis an méid a dúirt Muiris Ó Gríofa ina thaobh sa chaoineadh a chum sé air—' Gan cháim do scríobhadh Gaoidhilge is go blasta Béarla '.)

Deirtear go raibh Rodney an-sásta leis an dréacht, ach má bhí féin, ní raibh sé sásta an file a scaoileadh saor ón gcabhlach. Nuair a d'fhill an loingeas go Sasana aistríodh Eoghan Rua go dtí an t-arm agus is ansin a bhí sé nuair a chum sé ceann de na haislingí is fearr dá chuid, ' I Sacsaibh na Séad '. Faoi dheireadh d'éirigh leis filleadh ar Éirinn agus ghabh sé le múineadh scoile athuair, ach fuair an dúil san ól agus sa ragairne an lámh in uachtar air, goineadh sa cheann é le linn achrainn, agus cuireach isteach i mbothán fiabhrais é. Nuair a bhí an bás ag druidim leis d'éirigh sé sa leaba agus d'iarr peann agus páipéar le go scríobhfadh sé a ' aithrighe ' (nós a chleacht a lán d'fhilí na Gaeilge). Ach ní raibh an neart ann chuige, agus níor bhreac sé síos ach na focail: ' Sin é an file go fann/

[3] *The Hidden Ireland*, 233. Féach freisin, S. Ó Tuama, ' Dónal Ó Corcora agus Filíocht na Gaeilge ', *Studia Hibernica* 5 (1965) 29 *et seq.*

Nuair a thuiteann an peann as a láimh '. Ansin thit sé siar marbh. Ní raibh ach tríocha a sé de bhlianta slánaithe aige.

Tuairim is fiche aisling a chum sé agus is orthu sin is mó a bhíonn trácht nuair a bhíonn a shaothar faoi chaibidil. Ach chum sé dréachtaí eile freisin a bhfuil fuinneamh agus daonnacht iontu. Rug a phearsantacht agus a shaothar greim ar shamhlaíocht na ndaoine (' Eoghan an Bhéil Bhinn ' a thugtaí mar ainm ceana air) agus is iomaí dréacht dá chuid a d'fhan i mbéal an phobail, is iomaí scéal a d'insítí faoi an fad a mhair an Ghaeilge féin beo.

File eile ar fhan a chuimhne i mbéaloideas na ndaoine ba ea Cathal Buí Mac Giolla Ghunna (d'éag 1756) a rugadh i gContae an Chabháin agus a raibh cónaí air i bhFearnmhaighe i gContae Mhuineacháin. File fáin a bhí ann a chaith cuid mhór dá shaol ag taisteal timpeall ina mhangaire ar fud Cúige Uladh. Dála Eoghain Rua bhí dúil san ól agus sa ragairne aige. Is beag eolas cruinn atá ar fáil i dtaobh cúrsaí a shaoil, cé gur iomaí scéal béaloidis a d'insítí faoi i measc lucht labhartha na Gaeilge ar fud Chúige Uladh uile. Is líonmhaire go mór na scéalta seo ná na dréachtaí dá chuid atá ar marthain anois. Seasann a cháil ar a phearsantacht aerach ragairneach féin agus ar dhá dhréacht, ' Aithreachas Chathail Bhuí ' a bhfuil fuinneamh agus dáiríre ann agus ' An Bunnán Buí ' dréacht a bhfuil cumha agus greann agus daonnacht ann, dréacht neamhchoitianta.[4]

Tá dornán file eile ann a bhfuil blas neamhchoitianta ar a saothar. Ní miste Tadhg Gaelach Ó Súilleabháin[5] (1715-1795) a áireamh ina measc siúd i ngeall ar a chuid dánta diaga agus is cóir suntas a thabhairt do chumas na meadarachta i gceann amháin, ar a laghad, de na dréachtaí sin, ' Duan Íosa '. Níor dhuine den choitiantacht ach oiread Donnchadh Rua Mac Conmara[6] (1715-1810) a rugadh i gContae an Chláir; sa bhliain 1740 chuaigh sé mar mháistir scoile go dtí na Déise mar ar chaith sé an chuid eile dá shaol ag múineadh in áiteanna éagsúla. Ní fios cá bhfuair sé féin a chuid oideachais ach, dála Sheáin Chláraigh, bhí eolas maith ar an Laidin aige agus mar a dúradh cheana scríobh sé feartlaoi

[4] É. Ó Muirgheasa, *Céad de Cheoltaibh Uladh* (BÁC 1915) 120 *et seq.*; 166 *et seq.*; 323 *et seq.* B. Ó Buachalla, *Cathal Buí: Amhráin* (BÁC 1975).

[5] R. Ó Foghludha, *Tadhg Gaedhealach Ó Súilleabháin* (BÁC 1929).

[6] *Eachtra Ghiolla an Amaráin;* Tomás Ó Flannghaile a chuir in eagar maraon le cuntas ar bheatha an fhile le Seán Pléimionn; R. Ó Foghludha, *Donnchadh Ruadh Mac Conmara* 2 (BÁC 1933); T. Ó Broin, ' Donnchadh Rua Mac Conmara agus Chaucer ', *Feasta*, Meitheamh 1961, 7.

sa teanga sin dá chara Tadhg Gaelach. Am éigin idir 1745 agus 1755 chaith sé seal i dTalamh an Éisc agus is ansin a chum sé ceann de na dánta deoraíochta is fearr sa Ghaeilge ' Bán-Chnuic Éireann Óighe '. As a thuras go Meiriceá is ea d'fhás an dréacht fada (geall le 300 líne ann) ' Eachtra Ghiolla an Amaráin ' atá scríofa sa mheadaracht éasca sho-lúbtha, an caoineadh. Tá cuntas greannmhar corraitheach ann ar na hullmhúcháin a rinne sé don turas agus ar ar bhain dó ar bhord loinge, míchompord, tinneas farraige, aisling a taibhríodh dó agus troid le *frigate* Francach. Faightear roinnt lochtanna teicniúla ar an ' Eachtra ', ach ba dheacair é a shárú ar nádúracht agus ar bheocht an chur síos ann.

Duine ann féin ba ea Brian Merriman,[7] údar ' Chúirt an Mheán Oíche ', dán fada a bhfuil 1,026 líne ann. San Fhiacail i gCo. an Cláir a rugadh é *c.* 1747, agus ba mhúinteoir matamaitice é i gcathair Luimnigh nuair a d'éag sé go hobann i 1805. Sa bhliain 1780 is ea a chum sé an ' Chúirt ', ach níor tháinig aon saothar eile ar fiú trácht air óna pheann, bíodh gur léir go raibh cumas neamhghnách ann mar fhile. D'fhan an ' Chúirt ' i gcuimhne an phobail, ach is beag eolas atá ar fáil sna lámhscríbhinní ná sa bhéaloideas faoi shaol an té a chum í.

Tá ábhar neamhchoitianta á phlé sa ' Chúirt '. Téann an file ag siúl cois abhann, éiríonn sé tuirseach, titeann a chodladh air agus feiceann sé chuige bean ábhalmhór ghránna: ' An mhásach bholgach tholgach thaidhbhseach,/Cnámhach cholgach ghoirgeadh ghaighdeach '. Is í báille chúirt an tslua sí í, a chuireann in iúl don fhile gur mór an chúis imní don chúirt sin a laghad daoine atá in Éirinn agus cuireann sí iachall air dul léi go dtí cruinniú den chúirt chun éisteacht leis an ábhar sin á phlé. Labhraíonn cailín óg os comhair na cúirte ag ionsaí fir óga na hÉireann de bhrí nach bhfuil siad toilteanach pósadh agus nuair a thagann fonn pósta orthu bíonn siad ró-aosta, dar léi, chun ainnir óg a shásamh, agus ní bhíonn suim acu in aon rud ach i spré agus i maoin. Labhraíonn ' seanduine suarach ' ina dhiaidh ag cosaint na bhfear. Ach tá sé fánach aige bheith ag caint mar tugann Aoibheall, giúistís na cúirte, a breith i gcoinne na bhfear, agus ceadaíonn sí do na mná a rogha pionóis a chur orthu. Tugtar an file—fear óg inphósta!—

[7] R. Ó Foghludha, *Cúirt an Mheadhon Oidhche* (1912). Féach an léirmheas ar an leabhar seo a scríobh T. Ó Rathile in *Gadelica*, 1. Cf. eagrán nua, D. Ó hUaithne (eag.), (BÁC 1968). Scríobh M. Ó Cadhain léirmheas suimiúil ar an eagrán seo faoin teideal ' Curamhír an Phobail ' in *Comhar* Nollaig 1968, 7 *et seq.*

faoi deara i gcúl na cúirte, agus táthar díreach chun pionóis uafásacha a chur air nuair a dhúisíonn sé.

Admhaítear go coitianta go bhfuil 'Cúirt an Mheán Oíche' ar cheann de na dánta is cumasaí i bhfilíocht na Gaeilge. Tá cruinneas meadarachta, rithim láidir agus friotal fuaimneach fuinneamhach ann, ach is é an bua is mó a luaitear leis de ghnáth ná úire na smaointe ann agus an chuma neamhbhalbh ina nochtann an file na smaointe sin. Moltar go minic é ar an ábhar gur thug sé an réalachas isteach i bhfilíocht na Gaeilge.

An amhlaidh a chuireann roinnt léarmheastóirí strus ró-mhór ar 'úire' smaointe Bhriain Merriman?[8] Is fíor go raibh smaointe úra 'san aer' ar fud na hEorpa sa dara leath den 18ú haois agus is fíor nár ró-dheacair do dhuine mar Bhrian eolas a chur ar na tuairimí réabhlóideacha a bhí á nochtadh ag údair mar Voltaire agus Rousseau. Ach an gá dul chomh fada sin ó bhaile chun foinsí cuid de smaointe Bhriain a lorg?[9] Nach bhfuil seans ann gur i mbéaloideas na ndaoine a bhí cuid de na foinsí sin? Agus cad mar gheall ar an 'réalachas'? Seo sliocht as an dán ina dtráchtar ar an mac a rugadh 'gan chuing na cléire':

Ní seirgtheach fann ná seandach feosach,
Leibide cam ná gandal geoiseach,
Meall gan chuma ná sumach gan síneadh é
Acht lannsa cumasach buinneamhach bríoghmhar.
Ní deacair a mheas nach spreas gan bhrígh
Bheadh ceangailte ar nasc ar teasc ag mnaoi,
Gan chnámh, gan chumas, gan chumadh, gan chom,
Gan ghrádh, gan chumann, gan fuinneamh, gan fonn,
Do scaipfeadh i mbroinn d'éanmhaighre mná
Le catachus draghain an groidhre bréagh.[10]

Dá oscailte an chaint í sin, níl sí puinn níos oscailte ná an chaint atá le fáil in 'An Chailleach Bhéara',[11] cuir i gcás, dán ón 8ú nó ón gcéad leath den 9ú haois. Níl litríocht na Gaeilge saor ón

[8] Féach an réamhrá a scríobh P. Béaslaí d'eagrán Uí Fhoghludha den dán. Féach freisin G. Murphy, *Éigse* i, 49 *et seq.;* M. Ní Mhuirgheasa, 'Cúirt an Mheadhon Oidhche agus Finnscéal an Róis', *Feasta,* Bealtaine 1951, 7 *et seq.;* H. R. McAdoo, 'Notes on the Midnight Court', *Éigse* i, 166 *et seq.;* T. Ó Broin, 'Twa Marit Wemen', *Feasta,* Iúil 1963, 8 *et seq.*

[9] Tá tagairt don cheist seo ag Ó Rathile sa léirmheas in *Gadelica* i.

[10] op. cit., líne 615 *et seq.* Cf. N. Williams, 'An Gháirsiúlacht i Litríocht na Gaeilge', *Comhar,* Aibreán, Meitheamh 1977.

[11] *Early Irish Lyrics,* 74. Féach freisin A. Haggerty-Krappe, 'La Cailleach Bhéara Notes de Mythologie Gaelique,' EC i, 292 *et seq.*

' réalachas '. Is minic a fhaightear é sna haortha, idir phrós agus dhán, agus i gcuid de na scéalta freisin.

Caoineadh Airt Uí Laoghaire

Is beag rian a d'fhág na mná ar litríocht na Gaeilge. Is fíor go bhfuil cuid de na hamhráin ghrá is áille sa teanga curtha síos do mhná, ach níl aon deimhniú againn gurb iad a chum iad, dáiríre. Ina choinne sin, is bean a chum ceann de na dréachtaí is neamhchoitianta dá bhfuil ar marthain, ' Caoineadh Airt Uí Laoghaire '[12] le hEibhlín Dubh Ní Chonaill. Aint do Dhomhnall Ó Conaill ba ea Eibhlín Dubh agus sa bhliain 1769 phós sí an fear óg uasal Art Ó Laoghaire a bhí tar éis tamall a chaitheamh in arm na hOstaire. Fear scléipeach a raibh dúil i spórt aige ba ea an Laoghaireach, agus bhí capall breá luachmhar aige. Ar chúis éigin nach bhfuil na heolaithe lánchinnte fúithi, d'éirigh naimhdeas idir é agus duine dá chomharsana, Abraham Morris, Ardshirriam Chorcaí. Shantaigh Morris an capall seo. Faoi sheanreacht a bhí i bhfeidhm ó aimsir an tríú Liam ní raibh cead ag Caitliceach capall a bheith ina sheilbh arbh fhiú níos mó ná £5 é. Thairg Morris £5 don Laoghaireach ar an gcapall ach dhiúltaigh seisean é a dhíol agus bhí ina raic idir an bheirt. Faoi dheireadh d'ionsaigh Morris agus buíon saighdiúirí Art agus mharaigh siad é (1773). An oíche chéanna, meastar, is ea a chum a bhean cuid den chaoineadh, cuid eile ag an tórramh an oíche ina dhiaidh sin agus cuid eile fós nuair a haistríodh corp Airt ó Chill na Martra go dtí Cill Chré. Chuir deirfiúr agus athair Airt beagán leis an gcaoineadh freisin.

Bhain Eibhlín Dubh feidhm as ceann de na meadarachtaí is ársa i bhfilíocht na Gaeilge, an rosc,[13] sraith de línte gearra a bhfuil dhá bhéim nó trí i ngach líne agus an fhuaim chéanna faoin mbéim ag deireadh gach líne. Dá sheandacht é an rosc is annamh a bhíonn sé le fáil sa chumadóireacht a ghnóthaigh ionad sna lámhscríbhinní. Dhealródh sé gurb iad na mná caointe is mó a bhain-

[12] In eagar ag S. Ó Tuama (BÁC 1961). Sular foilsíodh an t-eagrán seo bhí trí eagrán eile ar fáil a raibh miondifriochtaí eatarthu, (a) Mrs. Morgan John O'Connell, *The Last Colonel of the Irish Brigade* ii, 327 *et seq.;* (b) O. J. Bergin, *Ir. na G.*, vii, 18; (c) S. Ó Cuív, *Caoine Airt Uí Laoire* (BÁC 1923). Cf. A. Mac Lochlainn, ' Caoineadh Airt Uí Laoghaire ', *Studia Hibernica* 12 (1972) 109 *et seq.* Tá léirmheas suimiúil le B. Ó Buachalla ar eagrán Uí Thuama le fáil in *Feasta*, Meán Fómhair 1961, agus tá freagra ó Ó Tuama, *ibid.*, Deireadh Fómhair 1961, 21 *et seq.* Féach freisin litreacha ó Frank O'Brien agus Seán Ó hÉigeartaigh, *ibid.* Samhain 1961, 26.

[13] T. Ó Donnchadha, *Prosóid Gaedhilge* (Corcaigh 1925) 43 *et seq.*

eadh feidhm as, ach tá sé le fáil i sleachta áirithe sa dán ' Duan Íosa ' le Tadhg Gaelach Ó Súilleabháin. Láimhsigh Eibhlín Dubh an mheadaracht seo go hoilte chun doimhneacht a cumha agus chun an fuath a bhí aici do na daoine ba chiontach le bás a fir a chur in iúl. Ní aon chúis iontais é an oilteacht seo i saothar Eibhlín, mar bhí féith na véarsaíochta ó dhúchas inti ó thaobh a máthar, Máire ní Dhuibh. Ba de mhuintir Dhonnchadha Ghleann Fleisce ise (an teaghlach céanna ónar shíolraigh Séafra Ó Donnchadha an Ghleanna sa 17ú haois), agus chum a deirfiúr (aint Eibhlín) caoineadh ar bhás a mic.

Ba nós coitianta é i measc na nGael an duine marbh a chaoineadh,[14] agus is suimiúil an tuairisc a thugann Ó Comhraí dúinn ar uair amháin a raibh sé féin i láthair agus an nós seo á chleachtadh.[15]

> I once heard in West Muskerry, in the county of Cork, a dirge of this kind excellent in point of both music and words, improvised over the body of a man who had been killed by a fall from a horse, by a young man, the brother of the deceased. He first recounted his genealogy, eulogised the spotless honour of his family, described in the tones of a sweet lullaby his childhood and boyhood, then changing the air suddenly, he spoke of his wrestling and hurling, his skill at ploughing, his horsemanship, his prowess at a fight in a fair, his wooing and marriage, and ended by suddenly bursting into a loud piercing, but exquisitely beautiful wail, which was again and again taken up by the bystanders.
>
> Sometimes the panegyric on the deceased was begun by one and continued by another, and so on, as many as three or four taking part in the improvisation. . . .

Is follas ón tuairisc sin nach faoi na mná amháin a d'fhágtaí caoineadh na marbh i gcónaí. San am céanna dealraíonn sé gurb iad is mó a chleachtadh an nós, go háirithe an caoineadh *ex tempore* os cionn an choirp. Agus ní in Éirinn amháin a tharla sé sin ach in Albain[16] agus ina lán tíortha eile freisin. Mar a deir Seán Ó Súilleabháin, ' Bhíodh na mná caointe go gnóthach, leis, ar thórraimh agus ar shochraidí ar fuaid na hEorpa agus san Aifric '.[16a]

[14] S. Ó Súilleabháin, *Caitheamh Aimsire ar Thórraimh* (BÁC 1961) 110 *et seq.* Féach freisin T. Ó hAilín, ' Caointe agus Caointeoirí ', *Feasta*, Feabhra 1971, 5 *et seq.*

[15] *Manners and Customs* i, réamhrá, cccxxiv-cccxxv. agus Ó Madagáin, *An Ghaeilge i Luimneach* 1700-1900, 54 *et seq.*

[16] J. Ross, ' The Sub-Literary Tradition in Scottish Gaelic Song-Poetry ', *Éigse* vii, viii.

[16a] *Caitheamh Aimsire ar Thórraimh*, 114.

Mar sin, is féidir a rá nach aon úrnós a bhí á chleachtadh ag Eibhlín Dubh nuair a chum sí an caoineadh ar a fear. Is é an fáth a bhfuil blas neamhchoitianta ar ' Caoineadh Airt Uí Laoghaire ' ná gur sampla foirfe é de thraidisiún nár ghnóthaigh mórán aitheantais sna lámhscríbhinní. Míníonn Donncha Ó Cróinín conas mar a bhí an scéal nuair a deir sé:[17] ' Is é fírinne an scéil ná raibh meas file—aitheantúil ná eile—ag éinne de na filí ar aon bhean chaointe. Dhá cheard ar leithligh ab ea chleachtadar, agus tá bunús leis an dtéarma úd "sub-literary tradition". Níl ainm Eibhlín Dubh luaite ag éinne de na filí, agus bhíodar líonmhar sa bhall san, ná níl an caoineadh in aon chnuasach dár dhein na Longánaigh '.

Is trí bhéal-aithris a caomhnaíodh ' Caoineadh Airt Uí Laoghaire '. Deir an Dr Ó Tuama linn go mbíodh sleachta as á n-aithris caoga bliain ó shin ag na daoine i nGaeltachtaí Chiarraí agus Chorcaí, ach is beag eolas cruinn a bheadh againn inniu ar an dán ina iomláine mura mbeadh go raibh sé de ghlanmheabhair ag bean chaointe amháin, Nóra Ní Shíndile, a fuair bás i 1873 nuair a bhí timpeall céad bliain d'aois slánaithe aici. Dhá leagan den chaoineadh a bhí aici siúd.

Caoineadh eile a bhíodh á aithris ag na daoine ba ea ' Caoine Dhiarmada mhic Eoghain na Tuinne ' a chum máthair an fhir óig seo nuair a cailleadh i gCorcaigh é le linn dó bheith ag díol ime sa chathair sin.[18] Deir an tOllamh Ó Murchadha linn gur cosúil gur mó an meas a bhíodh ar an gcaoineadh seo i gCúil Aodha fadó ná mar a bhíodh ar ' Caoineadh Airt Uí Laoghaire ' féin.[19] Is i rosc atá an caoineadh seo cumtha freisin, murab ionann agus caoineadh eile atá tagtha anuas chugainn, is é sin an ceann a chum Máire Ní Dhonnagáin ó na Déise nuair a cailleadh a dearthair.[20] Tá dhá chuid sa chaoineadh seo, an chéad chuid a cumadh ag an tórramh i nDún Garbhán agus an dara cuid a cumadh os cionn na huaighe. Bhí cáil mhór ar Mháire Ní Dhonnagáin mar bhean chaointe lena linn, ach ní fios go cruinn cathain a mhair sí. Dúirt eagarthóir an dréachta seo, agus é ag scríobh i 1888, go mb'fhéidir gur céad go

[17] I léirmheas ar eagrán Uí Thuama, *Éigse* x, 246 *et seq.*

[18] Ó Conaill agus Ó Cuileanáin, *Éigse* i, 90 *et seq.* Féach freisin *ibid.*, 185 *et seq.*

[19] A. Ó Loinsigh, ' Caoine Dhiarmad 'Ic Eóghain ', *ibid.* i, 22 *et seq.* Tá réamhrá leis an Ollamh Ó Murchadha roimh an leagan seo.

[20] *Ir. na G.* iii, 104 *et seq.;* iv, 29.

leith bliain roimhe sin a mhair sí.[21] Is as lámhscríbhinn an-lochtach a chóipeáil sé an dréacht.

Ní miste a rá gur trí thionóisc a caomhnaíodh ' Caoineadh Airt Uí Laoghaire ', agus is ámharach mar a tharla, mar ní amháin go bhfuil buanna liteartha neamhghnácha aige, ach tugann sé léargas dúinn freisin ón taobh istigh ar chuid de stair ' cheilte ' na tíre agus roinnt eolais ar shaol na n-uaisle san am. Tá sé sin le fáil, cuir i gcás, sa chuntas seo ar an gcóir a cuireadh ar Eibhlín Dubh i dteach a fir nuair a pósadh iad:

Chuiris parlús á ghealadh dhom,
Rúmanna á mbreacadh dhom,
Bácús á dheargadh dhom,
Brící a gceapadh dhom,
Rósta ar bhearaibh dom,
Máirt á leagadh dhom;
Codladh i gclúmh lachan dom
Go dtíodh an t-eadartha
Nó thairis dá dtaitneadh liom.[22]

Nuair a chúlaigh an Ghaeilge roimh an mBéarla san 18ú haois tháinig cúngú dá réir ar réim na litríochta. Cuireann an Dr Ó Corcora[23] pictiúr os ár gcomhair den chruinniú deireanach i gceann éigin de na cúirteanna filíochta, na filí ag teacht le chéile, ag malartú smaointe agus ag aithris dréachtaí, ag baint sásaimh as cuideachta a chéile agus gan aon choinne ag aon duine acu nach mbeidís ag teacht le chéile arís; ansin iad ag fágáil slán ag a chéile agus ag imeacht leo sa dorchadas. Ach roimh an gcéad chruinniú eile bheadh an Sirriam marbh nó an Reachtaire sínte ar a leaba go breoite faon agus gan aon duine ann chun an chéad chruinniú eile a ghairm sa cheantar sin.

Ní miste a mheas gur mar sin a tharla ina lán áiteanna, na lasracha i lóchrann na litríochta á múchadh diaidh ar ndiaidh. Ach níor múchadh an lóchrann ar fad. Anuas go dtí ár linn féin[24] mhair iarsma den litríocht agus den dúil i gcomhchumadóireacht ba bhunchloch tráth do thionóil na bhfilí.

[21] Deir an tAthair P. de Paor linn gur cara agus comhaimsearach do Uilliam Ó Móráin agus do Dhonnchadh Rua ba ea í. *Ir. na G.* xiv (1904) 729. Tá dréacht léi, ' Faoisdaoin Mháire Ní Dhonagáin ' le fáil i gceann de na lámhscríbhinní atá luaite ag an Athair de Paor ina alt.

[22] Ó Tuama, 33.

[23] *The Hidden Ireland.*

[24] Féach mar shampla D. Ó Ceocháin, *Saothar Dhámh-Sgoile Mhuscraighe* (BÁC 1933).

Éigse ag Saothrú gan Staonadh

Formhór na héigse a rabhamar ag trácht orthu go dtí seo, is daoine iad a bhfuil a bheag nó a mhór d'eolas ag an bpobal orthu. Ach, go hiondúil, ní mór an tsuim a chuirtear ina gcomharbaí, na daoine sin a bhí ag saothrú na litríochta um dheireadh an 18ú haois agus sa chéad leath den 19ú haois.

Deir Piaras Béaslaí nach raibh i bhfilí na linne sin ach mionfhilí,[25] agus is cruinn an breithiúnas sin más snas liteartha agus doimhneacht smaointe atá i gceist. Mar sin féin is fiú suntas a thabhairt do shaothar na bhfilí seo de bhrí go bhfaightear ann léargas ar mheon agus ar shaol na ngnáthdhaoine agus, i gcásanna áirithe, ar stair na linne. Lena chois is cóir a mheabhrú gurb iad na daoine seo a bhí freagrach as sruth na litríochta a choimeád ag gluaiseacht ar aghaidh gan staonadh.

Fuair Tadhg Gaelach Ó Súilleabháin bás sa bhliain 1795 agus seacht mbliana ina dhiaidh sin cuireadh cnuasach dá dhánta diaga i gcló i gCluain Meala faoin teideal *The Irish Pious Miscellany.* Bhí éileamh leathan leanúnach ar an gcnuasach seo agus foilsíodh eagráin iomadúla de ina dhiaidh sin i gCorcaigh, i mBaile Átha Cliath agus in áiteanna eile. Tuairim na bliana 1819 d'fhoilsigh an Déiseach Pádraig Denn (1756-1828) eagrán den *Pious Miscellany* agus roinnt dréachtaí cráifeacha agus deabhóideacha dá chuid féin curtha leis. Máistir scoile agus cléireach séipéil i gCeapach Choinn ba ea Pádraig Denn.[26] Chum sé roinnt mhaith saothair, idir phrós agus fhilíocht, ar ábhair chráifeacha, agus d'fhan cuid dá dhréachtaí, go háirithe ' Aighneas an Pheacaigh leis an mBás ' i mbéal na ndaoine sna Déise go dtí le fíordhéanaí. Sholáthraigh sé freisin leagan Gaeilge de *Think Well on 't* leis an Dr Challoner, Easpag Londain. Foilsíodh an leagan seo i gCluain Meala sa bhliain 1819[27] agus dhá bhliain ina dhiaidh sin foilsíodh i mBaile Átha Cliath leagan Gaeilge eile den saothar céanna le hEoghan Caomhánach

[25] *Éigse Nua-Ghaedhilge* ii (BÁC agus Corcaigh 1932) 225.

[26] D. Ó hÉaluighthe, *Stiúrtheoir an Pheacuig re Pádraig Din* (Corcaigh 1945); R. Ó Foghludha, *Duanta Diadha Phádraig Denn* (BÁC 1941); Canon P. Power, *Eachtra an Bháis* (Port Láirge 1909); L. Ó Míodhcháin, ' Pádraig Din ', *Irisleabhar na Gaedhilge,* Abrán 1907; M. Ó Faoláin, *An Phaidir agus an tAifreann Naomhtha agus Aitheanta Dé* (BÁC 1908).

[27] *Machtnuig go maih air* . . . sgriovha roive seo le Ristard Challoner, D.D., agus aistriythe go Gaoyailge le Padruig Din.

ó Chontae Luimnigh.[28] (Bhí an-ghlaoch i measc lucht labharta an Bhéarla in Éirinn ar bhunsaothar an Dr Challoner.)[29] Tuilleann Pádraig Denn spéis ar leith toisc gurbh eisean, do réir cosúlachta, an chéad fhile Gaeilge a chonaic a shaothar féin i gcló.

Sa bhliain 1805 i gcathair Luimnigh d'éag Brian Merriman, údar ' Cúirt an Mheán Oíche ', a bhí tar éis bheith ina thost le fada an lá. Cúig bliana níos déanaí d'éag Donnchadh Rua Mac Conmara agus aois mhór sroiste aige. Sa bhliain 1817 d'éag Seán Ó Coileáin a scríobh an aisling ' An Buachaill Bán ' agus an dán neamhchoitianta sin ' Machnamh an Duine Dhoilgheasaigh '. Bhí aois mhór sroiste freisin ag Riocard Bairéad[30] ó Chontae Mhaigh Eo nuair a d'éag sé i 1819.

Máistir scoile a cheap dréachtaí i nGaeilge agus i mBéarla ba ea an Bairéadach, ach seasann a cháil inniu ar an dá dhréacht ' Eoghan Cóir ' agus ' Preab san Ól '. Connachtach eile a chum dréachtaí éadroma binne agus a raibh roinnt léinn aige ba ea Micheál Mac Suibhne (*c.* 1760-1820).[31] I gContae Mhaigh Eo a rugadh an Suibhneach ach chaith sé an chuid ba mhó dá shaol i gConamara. Bhí dúil mhór ag an muintir thiar sa dréacht bríomhar úd leis ' Banais Pheigí Uí Eadhra '.

I gContae Mhaigh Eo is ea a rugadh Antoine Rafteirí freisin (*c.* 1784-1835) agus, dála an tSuibhnigh, ba i gContae na Gaillimhe a chaith sé an chuid ba mhó dá shaol, é ag taisteal timpeall ó áit go háit ag seinm ceoil ar an veidhlín agus ag ceapadh dréachtaí. Tá cuimhne ar Rafteirí agus ar a shaothar go fóill i measc na muintire thiar. Is cuid dá n-oidhreacht é. Ar an ábhar sin tuilleann sé ionad speisialta i stair na litríochta, ní mar gheall ar úire a chuid smaointe ná ar fheabhas a cheirde ach mar gheall ar an taitneamh atá le baint as a shaothar acu siúd a bhfuil tuiscint acu do shaíocht dhúchais na nGael. Ós rud é go bhfuil a shaothar bailithe agus curtha i gcló ag Dubhghlas de hÍde agus go bhfuil roinnt mhaith

[28] Eagrán nua-aimseartha le M. Breathnach (BÁC 1943). Tá eolas ar Eoghan Caomhánach le fáil in aiste le P. de Brún ar *Studia Hibernica* 12 (1972) 142 *et seq.* Féach freisin *An Ghaeilge i Luimneach* 1700-1900, 42 *et seq.*

[29] T. Wall, *The Sign of Doctor Hay's Head* (BÁC 1958).

[30] Féach M. Ó Tiománaidhe, *Abhráin Ghaedhilge an Iarthair* (BÁC 1906); féach freisin *Gadelica* i, 112 *et seq.;* ' Richard Barret, the Bard of Mayo ', *Irisleabhar na Gaeilge* v, 136 *et seq.*

[31] T. Ó Máille, *Mícheál Mhac Suibhne agus Filidh an tSléibhe* (BÁC gan dáta).

le rá ag Piaras Béaslaí[32] ina thaobh ceapaimid nach gá cuntas níos faide a scríobh air anseo.

Bhí Rafteirí muinteartha leis na Callanánaigh,[33] Pádhraic (Peatsaí) Ó Callanáin agus a dheartháir Marcas, a raibh cónaí orthu cúpla míle siar ó Chreachmhaoil i gContae na Gaillimhe. Bhí féith na filíochta sa bheirt seo, freisin, agus tá cuimhne fós ar chuid de na dréachtaí a chum siad. Ag scríobh dó i 1950 bhí an méid seo le rá ag an Ollamh Tomás Ó Raghallaigh faoina saothar: 'I gCo. na Gaillimhe 30 bliain ó shoin ní raibh cion amhránaí le fáil ag an nGaedhilgeoir nach raibh i riocht roinnt de shaothar na gCallánach a ghabháil, "Máire Brún", agus "A Sheáin, a mhic mo chomharsan' go speisialta".' Is féidir dáta cruinn a lua le cuid de shaothar na beirte seo, mar shampla, 'An Láidhe' (1825), 'An Sgiolladóireacht' (1828), 'Oileán Éide nó Páidín Ó Catháin' (1830), 'An tSlis' (1844-5), 'Rann na bhFataí Dubh' (1846) agus 'Na hAoiseanna' (1850). Ba mhinic a sholáthraigh na Callanánaigh leagan fileata Béarla dá gcuid amhrán Gaeilge, agus is follas ó na leaganacha sin gur maith an t-eolas a bhí acu ar an mBéarla. (Ní cúis iontais é sin, i gcás Phádhraic ar aon nós, mar fuair seisean scolaíocht i scoil cois claí ina áit dúchais féin agus ansin i mBaile Átha an Rí.)

Níl tugtha anseo againn ach roinnt samplaí de chuid de na filí a bhí ag saothrú i gConnachta sa chéad leath den 19ú haois. Tá samplaí eile le fáil i gcuid de na cnuasaigh atá luaite againn ach tá a lán eile nach bhfuil tagairt dóibh i gcló ach a maireann a gcuimhne i measc na ndaoine. Nár chóir féachaint leis an eolas seo a chur ar fáil don phobal i gcoitinne?

I gCúige Mumhan i dtrátha an ama chéanna bhí Máire Bhuí Ní Laoghaire[34] (1774-1849) ag ceapadh dréachtaí bríomhara ceol-mhara ar chúrsaí a dúiche féin agus ar chúrsaí na hÉireann i gcoitinne, agus is soiléir an pictiúr d'anchás na tíre a leagann sí os ár gcomhair i gcuid dá dréachtaí. Bhí sí ar dhuine de na filí is déanaí dár chleacht an aisling, ach inniu is ar 'Cath Chéim an Fhiaidh' a sheasann a clú, dréacht fuinneamhach faoi chath a

[32] *Éigse Nua-Ghaedhilge* ii, 228 *et seq.*

[33] S. Ó Ceallaigh, *Filíocht na gCallanán* (BÁC 1967). Chuir T. Ó Raghallaigh cuid de shaothar na gCallanán i gcló faoin teideal 'Saothar Filidheachta na gCallánach' in *The Galway Reader*, Vol. 2, Nos. 3 and 4 (1950) 180 *et seq.*; Vol. 3, Nos. 1 and 2 (1950) 41 *et seq.*; Vol. 3, No. 3 (Spring 1951) 30 *et seq.*

[34] An tAthair D. Ó Donnchú, *Filíocht Mháire Bhuidhe Ní Laoghaire* (BÁC 1933).

troideadh ina ceantar féin le linn chogadh na ndeachúna, cogadh a d'eascair in áiteanna ar fud na tíre tar éis fuascailt na gCaitliceach. Comhaimsearach do Mháire Bhuí ba ea Diarmaid na Bolgaí Ó Sé (*c.* 1760-1848) ó Thuath Ó Siosta i gContae Chiarraí, file atá luaite cheana againn. Bhí ainm an léinn ar an bhfile seo, agus is follas óna shaothar go raibh eolas aige ar *Foras Feasa ar Éirinn* agus ar an mBíobla. Ciarraíoch eile ó Dhoire Fhionáin ba ea Tomás Rua Ó Súilleabháin[35] (1785-1848). Comharsa agus cara do Dhomhnall Ó Conaill a bhí ann agus chum sé roinnt dréachtaí ag moladh an taoisigh sin. Máistir scoile ba ea Tomás Rua agus bhí an-dúil i leabhair aige. Is fiú a mheabhrú gur fhan dréachtaí an triúir seo, agus filí eile nach iad, i mbéal na ndaoine anuas go dtí ár linn féin.

Sampla maith d'éigeas a chleacht an fhilíocht agus an scríbhneoireacht is ea Micheál Óg Ó Longáin[36] (1766-1837) ó Chontae Corcaí a bhí ina bhall de na hÉireannaigh Aontaithe agus ar an gcéad fhile Gaeilge a chomhairligh do Chaitlicigh agus do Phrotastúnaigh cur le chéile san iarracht chun cumhacht na Sasanach in Éirinn a bhriseadh. Dála a athar (Micheál) roimhe agus beirt dá chlann mhac (Pól agus Seosamh) ina dhiaidh, scríobhaí oilte a bhí ann. Tá os cionn céad go leith lámhscríbhinn ar fáil inniu a raibh baint aige leo. Mar bharr air sin tá timpeall trí chéad go leith de dhréachtaí filíochta againn óna pheann. Dála Mháire Bhuí, braitheann a cháil mar fhile inniu ar cheann amháin díobh, ' Maidin Luan Chincíse ', a chum sé tar éis an Éirí Amach i Loch Garman i 1798. Shaothraigh a bheirt mhac, Pól agus Seosamh, mar scríobhaithe in Acadamh Ríoga na hÉireann i mBaile Átha Cliath ar feadh i bhfad, agus ba é Pól a thug ceachtanna Gaeilge do Thomás Dáibhis roimh 1845.

Ba as Contae Chorcaí freisin do Dháibhi de Barra[37] a rugadh i gCarraig Thuathail timpeall 1758 agus a scríobh mórán, idir phrós agus fhilíocht. Is iomaí dán diaga a chum sé; ina measc tá ' Bealach Fairsing na Croise ', ' Somharbhthacht an Duine ', ' Ciall na Croise ' agus an ceann a chum sé faoi chuairt ar reilig. Mhol sé

[35] S. Ó Fiannachta, *Amhráin Thomáis Ruaidh Uí Shúilleabháin* (BÁC 1914). Féach freisin A. Ó Beoláin, ' Tomás Rua Ó Súilleabháin ', *Feasta,* Lúnasa 1971, 5 *et seq.*

[36] T. Ó Murchadha, ' Mícheál Óg Ó Longáin ', *Féilscríbhinn Torna* (Corcaigh 1947), 11 *et seq.*

[37] An tAthair P. de Barra, ' Dáith an Ghleanna ', *An Lóchrann,* Meán Fómhair-Mí na Nollag 1930.

Dia agus an Mhaighdean Mhuire i ndánta, freisin, agus chum sé dréachtaí i bhfoirm agallaimh idir é féin agus a chomharsana faoi chúrsaí creidimh. Tá 4,000 líne i ndán fada dá chuid ina dtráchtar ar shaol ár gcéad shinsear agus a sleachta tar éis a ndíbeartha as Gairdín Pharthais. Tá an dán seo roinnte i ' leabhair ', agus deirtear linn gur aistriúchán é ar shaothar éigin Béarla. In ainneoin a bhfuil cumtha d'fhilíocht ag Dáibhí de Barra, tá tráchtairí ann a thabharfadh tús áite, i stair na litríochta, dá shaothar próis. Is é an dréacht próis is cáiliúla dá chuid ná *Párlaimint na bhFigheadóirí*,[38] aoir ar fhíodóirí Chorcaí. Chomh maith leis sin scríobh sé dréacht dar teideal *Corraghliocas na mBan Léirmhínithe* agus cuntas ar racán nó cath a troideadh sa bhliain 1833 le linn chogadh na ndeachún.[39] Tá an dréacht deireanach seo an-suimiúil mar gheall ar an léargas a thugann sé dúinn ar intinn ghnáthmhuintir na linne agus mar gheall ar an stíl ina bhfuil sé scríofa, aithris ar stíl na scéalta laochais.

Lean Dáibhí de Barra air ag saothrú go dtí go raibh sé os cionn ochtó bliain d'aois, agus bhí os cionn nócha bliain slánaithe aige nuair a fuair sé bás sa bhliain 1851.

Roimh lár na haoise seo caite bhí beirt ag saothrú i gContae an Chláir ar chóir tagairt a dhéanamh dóibh. Is iad an bheirt sin Séamas Mac Cruitín a rugadh i 1815 agus a fuair bás i dTeach na mBocht, agus an tAthair Jonathan Furlong a rugadh 1796 agus a bhí ina churáideach i gCill Rois roimh 1841 agus a d'fhoilsigh cuid mhaith saothair dheabhóidigh. Ní miste bheith ag súil nach fada go bhfaighidh an Cruitíneach an t-aitheantas atá tuillte aige, mar tá a lán dá shaothar, idir Ghaeilge agus Bhéarla, bailithe ag an Athair Pádraig Ó Fiannachta agus rún aige é a fhoilsiú. Sa chuntas atá scríofa cheana aige ar an gCruitíneach tá an méid seo le rá ag an Athair Pádraig: ' Mhair a sheanchas agus a amhráin, a amhráin Bhéarla go háirithe, i dTuamhain go dtí ár linn féin. Ba cheangal é idir file an léann dúchais Ghaeilge agus an file tuaithe Béarla; ba bhard Gaelach é agus ba gheocach sráide Béarla é.[40]

[38] I gcló ar an *Irish Rosary*, August-December, 1913.

[39] B. Ó Cuív, ' A Contemporary Account in Irish of a Nineteenth-century Tithe Affray ', PRIA, 61 C 1 *et seq.* Is é an teideal atá ar an téacs ná *Cath na Deachmhún air Thráig Rosa Móire an ttara lá dho Mhithiomh a mbliaghain* 1833.

[40] Ó Fiannachta, *Léas ar ár Litríocht*, 182.

Priontáladh saothar an Athar Furlong[41] lena linn. Is díol suime é an cló a d'úsáid sé iontu. Ina Theagasc Críostaí agus sa chéad eagrán dá Phriméar is é an cló Gaelach a d'úsáid sé, ach sna foilseacháin a tháinig amach níos déanaí bhain sé feidhm as foirm mhionathraithe den chló Rómhánach, ach go raibh ponc aige in ionad ' h ' chun an séimhiú a léiriú. Cló den chineál seo a bhí i nGraiméar William Neilson a tháinig amach i 1808 agus sa nuachtán iomráiteach *The Tuam News* sa cheathrú dheireanach den 19ú haois.

[41] Féach alt le S. Ua Casaide in *Journal of the North Munster Archæological Society*, iii (1915) 362 *et seq*. Is i bhfonótaí ar lch 368 atá an t-eolas faoin Athair Furlong le fáil. Tá roinnt eolais tugtha freisin ag B. Ó Madagáin in *An Ghaeilge i Luimneach* 1700-1900, 35, fonóta 61 agus san Index.

CAIBIDIL A hAON DÉAG

CAOMHNÚ AN LÉINN

Díspeagadh agus díothú teanga na gciníocha cloíte, ba chuid de pholasaí na n-impireachtaí riamh. ' D'fhéach an chathair impiriúil ní amháin lena cuing ach lena teanga chomh maith a chur i bhfeidhm ar na ciníocha cloíte mar cheangal síochána ', a dúirt Naomh Agaistín.[1] Míle bliain níos déanaí mhol an file Sasanach Spenser an polasaí céanna in Éirinn, ' for it hath bene ever the vse of the Conqueror to destroy the language of the Conquered and to force him by all means to learne his '. Agus míníonn sé go soiléir fáth an mholta: ' the speache being Irishe the harte muste nedes be Irishe for out of the abundance of the harte the tonge speakethe '.[2] Faoi anáil an pholasaí chéanna, sa bhliain 1536, scríobh an tOchtú hAnraí mar a leanas chuig buirghéisigh na Gaillimhe: ' that every inhabitant within the saide towne indevor theym selfe to spek Englyshe, and to use theym selffe after the Englyshe Facion; and specyally that you, and every of you, do put forth your childe to scole, to lerne to speke Englyshe '.[3]

Chloígh údaráis Shasana go dlúth leis an bpolasaí seo i gcaitheamh na n-aoiseanna, agus lean siad orthu ag brú an Bhéarla ar mhuintir na hÉireann, á léiriú gur aithin siad gurb í an Ghaeilge an príomhbhac lena n-iarrachtaí chun an tír a smachtú agus a shacsanú. Cérbh é toradh an bhuanpholasaí seo ? I ndiaidh tubaistí polaitiúla an 17ú agus péindlíthe an 18ú haois níorbh ionadh teanga agus traidisiúin na nGael a bheith go lagbhríoch. Ní raibh siad fós, ámh, i riocht bháis. Sa bhliain 1801 as daonra de chúig mhilliún áirítear go raibh ceithre mhilliún in ann an

[1] *Civitas Dei*, lib xix, Cap. 7. At enim opera data est, ut imperiosa civitas non solum iugum verum etiam linguam suam domitis gentibus per pacem societatis imponeret.

[2] *Spenser's Prose Works* (ed. R. Gottfried, Baltimore 1949) 118-19.

[3] *S.P. Henry VIII*, ii, pt. iii A, 310.

Ghaeilge a labhairt,[4] agus dealraíonn sé gur dócha go raibh níos mó daoine ag labhairt na Gaeilge thart faoin mbliain 1831 ná mar a bhí riamh roimhe sin.[5] Idir sin agus deireadh na haoise, áfach, tháinig laghdú ábhalmhór ar líon lucht labhartha na teanga i dtreo nach raibh ach beagáinín os cionn sé chéad daichead míle Gaeilgeoir ann san bhliain 1901. Dhá rud go speisialta ba chúis leis an laghdú tubaisteach seo. An chéad rud ba ea bunú Bhord an Oideachais Náisiúnta sa bhliain 1831. Bhí dearcadh an Bhoird chomh frith-náisiúnta sin nár ceadaíodh na línte seo a leanas le Sir Walter Scott a fhoilsiú sna leabhair scoile:

> Breathes there the man with soul so dead
> Who never to himself hath said,
> This is my own, my native land.

Cuireadh isteach na línte a chum an tArdeaspag Whateley d'aon ghnó do na leabhair:

> I thank the goodness and the grace,
> Which on my birth have smiled,
> And made me in these Christian days
> A happy English child.[6]

Albanaigh agus Sasanaigh a d'ullmhaigh na téacsleabhair do na scoileanna seo, agus ní raibh tagairt dá laghad iontu do stair ná do shaíocht na hÉireann.[7] Mar bharr ar gach éagóir bhí cosc ar labhairt agus ar mhúineadh na Gaeilge féin. I ndeireadh na dála, i 1878, tugadh cead í a mhúineadh,[8] ach b'fhada ina dhiaidh sin féin a coimeádadh taobh amuigh de na scoileanna í, mar is follas ón bhfianaise a thugann daoine mar Cholm Ó Gaora,[9] ' Máire '[10] agus ' Loch Measca '[11] dúinn.

[4] Kenny, *Sources* i, 51 *et seq.;* féach freisin D. Hyde ' Irish as a Spoken Language ', i *Literary History of Ireland,* 608 *et seq.;* B. Ó Cuív, *Irish Dialects and Irish-speaking Districts* (BÁC 1951) caib. a haon; D. Piatt, *Stair na Gaedhilge* (BÁC 1933); D. Corkery, *The Fortunes of the Irish Language* (BÁC 1954) caib. xi; B. Ó Madagáin, *An Ghaeilge i Luimneach* 1700-1900.

[5] Corkery, op. cit., 114. An méadú ar líon an phobail i gcoitinne ba chúis leis an méadú seo.

[6] D. Coffey, *Douglas Hyde* (BÁC, Cor. 1938) 32; D. Hyde, *Literary History of Ireland,* 636.

[7] Batterbury, op. cit., 207.

[8] *ibid.,* 211.

[9] *Mise* (BÁC 1943) 26.

[10] *Nuair a Bhí Mé Óg* (BÁC 1942) 33.

[11] *Eachtra Múinteora* (BÁC 1929) 3 *et seq.*

Is léir gur éirigh leis na Scoileanna Náisiúnta an Ghaeilge a chur ar gcúl agus an Béarla a chur á labhairt go forleathan ar fud na tíre. Is cuí a admháil, ámh, go bhfuair an Bord tacaíocht thoilteanach óna lán de mhuintir na hÉireann féin—ó chinnirí polaitíochta agus ó fhormhór na cléire. Deirtear go raibh dhá chúis le seasamh na cléire i leith na Gaeilge, mar atá, na Cumainn Bhíobla a bheith ag cothú na teanga chun eolas ar léamh an Bhíobla a chraobhscaoileadh[12] agus toisc gur mheas an chléir go macánta gurbh é leas a dtréad é an Béarla a fhoghlaim chun go rachaidís chun cinn sa saol. Ar aon nós, ní raibh ach corrGhael ann a chuir i gcoinne bunú na scoileanna, daoine mar an Dr Seán Mac hÉil, Ardeaspag Thuama (a mheas gur bhagairt don Chreideamh iad) agus Pilib Barún (1802-? 1860), an Déiseach a fuair a chuid oideachais i gColáiste na Tríonóide agus a chaith a shaol ag iarraidh an Ghaeilge a chur á múineadh sna scoileanna, a bhunaigh iris,[13] a chuir roimhe sraith téacsleabhar ar ábhair éagsúla i nGaeilge a chur ar fáil agus a bhunaigh coláiste Gaeilge i nGleann na Machan, i gCo. Phort Láirge.[14] Rinne an Dr Mac hÉil[15] iarracht freisin chun ábhar léitheoireachta a sholáthar do na Gaeil. I ngiorracht deich míle do Chaisleán an Bharraigh a rugadh é i 1789 nó 1790, agus ba bhuan an chuimhne a bhí aige ar na Francaigh ag gabháil thar teach a athar ar a mbealach ó Chill Ala go Caisleán an Bharraigh. Chuaigh sé go Maigh Nuad sa bhliain 1807 agus rinne sagart de i 1814. Fiche bliain ina dhiaidh sin (1834), ceapadh é ina Ardeaspag ar Thuaim. Bhí an-dúil sa litríocht chlasaiceach aige, agus d'aistrigh sé cuid d'*Iliad* Hóiméir go Gaeilge agus cuid de ' Mhelodies ' Thomáis Uí Mórdha freisin. Ba mhí-oiriúnach na hábhair a thogh sé mar ghnáthábhar léitheoireachta agus ní féidir a rá gur éirigh leis iad a láimhsiú go hoilte, ionas gur dócha gur beag duine a léigh le fonn riamh iad. Ba thábhachtaí go mór an

[12] Sa bhliain 1818, cuir i gcás, bunaíodh ' The Irish Society for the education of the Native Irish through the Medium of their own tongue '. Féach T. Ó hAilín, ' Teagasc tré Ghaeilge san 19ú haois ', *Comhar*, Nollaig 1949, 20-21.

[13] *Antient Ireland.* Níor foilsíodh ach cúig uimhir den iris seo.

[14] D. Ryan, *The Sword of Light* (London 1939) 111 *et seq.* ' The first Gaelic Leaguer ', a thug Eoin Mac Néill ar an mBarúnach. Rugadh seasca bliain ró-ró-luath é, dar le Desmond Ryan. Féach freisin P. Ó Méalóid, ' Pilib Barún. An Chéad Chonrathóir ', *Feasta*, 1961, 12 *et seq.*

[15] Scríobh an Canónach Uileag de Búrca cuntas ar bheatha an Dr. Mac hÉil ar *Irisleabhar na Gaedhilge*, i, 24, 43, 120, 137, 209, 289, 305; ii, 294 ,375; Rev. Bernard O'Reilly, *John MacHale, Archbishop of Tuam, his Life and Correspondence* (New York 1890).

Teagasc Críostaí[16] agus an leabhar Urnaithe a scríobh sé i nGaeilge. Bhí an Teagasc Críostaí in úsáid sna scoileanna i gConnachta anuas go dtí ár linn féin. Ba thábhachtach freisin an beart a rinne an tArdeaspag ar son litríocht na Gaeilge nuair a spreag sé an tAthair Peadar Ó Laoghaire chun suim a chur i litríocht a theanga dúchais féin.[17]

Nuair a fuair an Dr Mac hÉil bás 1881 chum an Craoibhín Aoibhinn caoineadh air a foilsíodh ar an gcéad eagrán de *Irisleabhar na Gaedhilge* i Mí na Samhna 1882. Is beag bua liteartha atá ag roinnt leis an gcaoineadh seo, ach tá sé suimiúil toisc nach miste glacadh leis mar nasc idir an sean agus an nua, i stair na teanga.

Ardeasboig dhílis, grádh na cléire,
Grádh na ndaoineadh ⁊ croidhe na féile,
Mórdháil Chonnacht, mórdháil Éireann,
Mo mhíle thruagh, a Sheáin Mhic Héil thú.

. . . .

Is tusa bhí críonna ciallmhar gach am
Ag seoladh na ndaoine san tslighe nach raibh cam,
Is tusa do scríobhfadh mar naomh le peann,
Mar fuair tú ó Dhia do chiall ⁊ do cheann.

Ach b'fhearr ná sin uile, is nach breágh í le rádh,
Nár chaill tú ariamh do spéis agus grádh
Do theangain na hÉireann tá caoin mhilis árd,
Sean-teanga siúlach na nGaedheal ⁊ na mbárd.

An tráth nach raibh bárd ann bhí tusa id bhárd,
Ár dteanga leath-chráidhte do thóg tú go hárd,
Ba tú an fear d'fhéadfadh ár gceol do thógáil,
Ní thiocfaidh go deo linn do shamhail-se d'fhagháil.

Má ba bhuille tubaisteach i gcoinne na Gaeilge bunú Bhord an Oideachais Náisiúnta, ba thubaistí go mór an dara buille, Gorta Mór na bliana 1846-7.[18] I dtrátha an ama seo bhí na scoláirí san Ardchathair ag saothrú go dícheallach ag caomhnú seantraidisiúin agus saíocht na teanga, agus bhí lucht a labhartha mar theanga bheo ag fáil bháis ina mílte leis an ocras nó de thoradh na ngalar uafásach

[16] *An Teagasg Críosdaighe de réir chomhairle Ard-easboig Thuama agus Easbog na Cúige sin* (BÁC 1839). Eagrán eile i mBéarla agus i nGaeilge (BÁC 1862).

[17] *Mo Scéal Féin* (1915) 104-5.

[18] R. D. Edwards, T. Desmond Williams, *The Great Famine* (BÁC 1956). Féach freisin C. Woodham Smith, *The Great Hunger* (1962).

a lean an t-ocras.[19] Agus bhí méadú ábhalmhór ag teacht ar an imirce go tíortha an Bhéarla. Áirítear go bhfuair thart faoi 729,000 duine bás de bharr an Ghorta.[20] Idir 1846 agus 1901 d'fhág geall le cúig mhilliún duine an tír.[21]

Múscailt Suime sa Ghaeilge

San fhiche bliain dheireanach den 18ú haois, tráth a raibh an Ghaeilge ag dul in ísle bhrí mar theanga bheo i measc an ghnáthphobail, bhí an t-aos léinn agus litríochta ag tosú ar shuim a chur inti. Chuidigh nithe éagsúla leis an tsuim seo a mhúscailt. Bhí maolú tar éis teacht ar ghéire na bPéindlíthe, bhí spiorad an náisiúnachais ag borradh sa Pharlaimint i mBaile Átha Cliath agus fiosracht ag fás dá réir sin faoi ársaíocht agus faoi sheanstair na hÉireann. Tuigeadh gur sa Ghaeilge agus i seanlámhscríbhinní na Gaeilge amháin a bhí sásamh na fiosrachta sin le fáil. I dtrátha an ama seo d'fhág an státaire Henry Flood suim mhór airgid le huacht ag Coláiste na Tríonóide le cathaoir Ghaeilge a bhunú, chun duaiseanna a sholáthar do cheapadóireacht Ghaeilge agus chun lámhscríbhinní Gaeilge a cheannach. Cuireadh i gcoinne na huachta agus ní bhfuair an Coláiste an t-airgead riamh, ach bhí toradh fónta amháin ar bheart Flood. An fad a bhí an dóchas ann go mbeadh an t-airgead le fáil bhí lear mór lámhscríbhinní á sheoladh go Baile Átha Cliath as gach aird den tír. Ar an gcuma sin caomhnaíodh a lán díobh nach mbeadh iomrá orthu anois mura mbeadh sin, agus bhí siad mar mhianach ag scoláirí ina dhiaidh sin.[22]

Aisteach go leor, ba é an Ginearál Charles Vallancey (1721-1812), saighdiúir Sasanach de phór Protastúnach Francach, a bhí chun tosaigh sa ghluaiseacht chun lámhscríbhinní Gaeilge a chnuasach

[19] *The Great Famine*, caib. v.

[20] Dar le heolaithe an lae inniu is deacair uimhir chruinn a mheas: ' It is difficult to know how many men and women died in Ireland in the famine years between 1845 and 1852. Perhaps all that matters is the certainty that many, very many, died. This famine, which saw the destruction of the cottier class and forced some 3,000,000 people to live on charity, in the year 1847 was something which went to the very basis of Irish society ', *ibid.*, vii.

[21] *Sources* i, 51-2. Féach freisin *The Great Famine*, caib. vi.

[22] Tá cuntas ar an uacht seo, mar aon le tuairisc ar fhormhór na scoláirí a bhí ag saothrú i mBaile Átha Cliath ar son na Gaeilge um dheireadh an 18ú agus thosach an 19ú haois, le fáil i Whitelaw, Warburton agus Walsh, *History of the City of Dublin* ii (London 1818) 928 *et seq*. Féach freisin S. Puirséil, *Henry Flood* (An Cabhán 1973).

agus a chaomhnú.[23] Is suimiúil an rud é gurbh é Edmund Burke a ghríosaigh chun na hoibre sin é, agus ní miste a lua freisin gur thacaigh an Dr Johnson le Cathal Ó Conchubhair ina shaothar ar sheanlitríocht na nGael.

Tá sé ráite faoin nGinearál Vallancey go ndearna sé gach rud ar son na Gaeilge ach amháin í a fhoghlaim. Theip glan air é sin a dhéanamh. Déanta na fírinne, ní raibh ann ach amaitéarach aineolach i gcúrsaí seandachta freisin, ach nuair a bhí a shaothar *Collectanea de Rebus Hibernicis* (1770-1804) á chur i dtoll a chéile aige chuidigh scoláirí dúchasacha mar Chathal Ó Conchubhair ó Bhéal Átha na gCarr, an Dr Seán Ó Briain, easpag Chluana, agus an scríobhaí Ultach Muiris Ó Gormáin leis chun an taighde riachtanach a dhéanamh sna lámhscríbhinní.

Ní raibh na scoláirí dúchasacha féin díomhaoin. Mar a fheicfear ar ball bhí a lán acu sin go dícheallach i mbun pinn ag scríobh agus ag cóipeáil ach, de cheal airgid, níorbh acmhainn dá bhformhór toradh a saothar a chur i gcló.[24] Léiriú air sin is ea cás Mhuiris Uí Ghormáin,[25] fear atá luaite cheana againn. Máistir scoile a chaith seal i ndeisceart Chontae Ard Mhacha ba ea é. Is le linn dó bheith ansin a chum Peadar Ó Doirnín an dréacht magúil faoi na geáitsí a bhíodh ar siúl ag an nGormánach agus é ag suirí le cailín sa cheantar. Nuair a tháinig an Gormánach go Baile Átha Cliath ghabh sé gan staonadh leis an scríbhneoireacht agus rinne obair do Vallancey, do Chathal Ó Conchubhair agus do dhaoine eile, agus chuidigh sé le Charlotte Brooke (1740-1795) agus í ag déanamh staidéir ar litríocht na Gaeilge. Bhí post aige freisin mar chléireach sa séipéal i Lána Mhuire, agus ba i seomra suarach sa lána sin a d'éag sé sa bhliain 1794 agus é go dearóil bocht. Is éachtach an méid saothair a rinne Ó Gormáin, agus tá lámhscríbhinní iomadúla

[23] Is fiú tuairim Airt Uí Ghríofa faoi shaothar Vallancey a lua: ' His extravagences and blunders are recalled, his pioneer work is forgotten. He is weighed in the balance of scholarship and found lacking. The value of the enthusiasm, energy and fearlessness which he displayed for over forty years in an unpopular and unprofitable cause is overlooked. It is forgotten that he was the first man of weight and influence in Anglo-Ireland to espouse the claim of the despised native Irish to an illustrious place among the nations . . . the first champion of the Irish language in the house of its enemies '. *Evening Telegraph,* 15-3-1913.

[24] Kenney, *Sources* i, 54 *et seq.;* E. Cahill, ' Irish Scholarships in the Penal Age ', *Irish Ecclesiastical Record,* V. Ser. lvi, 20-48.

[25] *B.M. Cat. Irish MSS* i, 597-8; ii, 48; S. P. Ó Mórdha, ' Maurice O'Gorman in Monaghan ', *Clogher Record,* Vol. ii, No. i (1957) 20 *et seq.* Féach freisin T. McCaughey, ' Muiris Ó Gormáin's English-Irish Phrase Book ', *Éigse* xii, 203 *et seq.*

óna pheann i dtaisce anois san Acadamh Ríoga, sa Leabharlann Náisiúnta agus i gColáiste na Tríonóide i mBaile Átha Cliath agus i Músaem na Breataine freisin.

Ní mór tagairt do rud amháin eile a chuidigh le suim a mhúscailt i saíocht ársa na nGael, mar atá, an úr-anáil liteartha a bhí ag séideadh anall ón gcoigrích sa dara leath den 18ú haois. Bhí an Ghluaiseacht Rómánsúil ag bailiú nirt sa Bhreatain Mhór um an dtaca sin; bhí *Fragments of Ancient Poetry* (1760) agus *Reliques of Ancient Poetry* (1765) leis an Easpag Percy tar éis teacht amach; bhí bréagleaganacha an Albanaigh, Séamas Mac an Phearsain,[26] de sheanlaoithe na nGael (*Fingal*, 1761; *Temora*, 1763) ina n-ábhar iontais agus díospóireachta ag aos liteartha na hEorpa. Is fíor go raibh daoine sna hoileáin seo, go háirithe iad siúd a raibh baint acu le lámhscríbhinní Gaeilge, a thuig go maith gur cuma bhréige a bhí ar leaganacha Mhic an Phearsain.[27] Ba é an botún ba mhó a rinne sé ná an dá shraith, sraith na Craoibhe Rua agus Sraith na Féinne, a mheascadh. Ach níorbh é sin an méid. I lámhscríbhinn i Músaem na Breataine, tá litir shuimiúil ó Chathal Ó Conchubhair ina ríomhann sé, faoi shé theideal, na lochtanna atá, dar leis, ar na leaganacha. Ach don choitiantacht bhí séala na fírinne orthu, dála mar a bhí, dar leo, ar theoiricí rómánsúla, áiféiseacha an Ghinearáil Vallancey, agus músclaíodh suim sna cáipéisí bunaidh ina raibh deimhniú nó bréagnú saothar na beirte sin le fáil. Ar an gcuma chéanna spreagadh scoláirí chun seanfhilíocht a chuardach i nGaeilge cosúil leis an bhfilíocht a bhí bailithe ag an Easpag Percy.

Ba é an chéad chnuasach a léirigh do phobal an Bhéarla a leithéid a bheith ann ná *Reliques of Irish Poetry* (1789) le Charlotte Brooke. Tháinig Miss Brooke faoi anáil Phercy; i litir a scríobh sí chuig an Easpag i 1787 tagraíonn sí don chomhairle a thug seisean di na dréachtaí a fhoilsiú.[28] Tháinig sí faoi anáil an Ghaelachais freisin.[29] Nuair a léigh sí saothar Mhic an Phearsain cuireadh i gcuimhne di na Laoithe Fiannaíochta a chloiseadh sí le linn a hóige

[26] *D.N.B.* s.n. MacPherson; féach freisin E. Hull, *A Textbook of Irish Literature* ii, 66-7; D. Ryan, *The Sword of Light*, 27 *et seq.*; Russell K. Alspach, *Irish Poetry from the English Invasion to* 1798 (London 1943) 96 *et seq.*

[27] Féach D. S. Thomson, *Gaelic Sources of Macpherson's Ossian* (London 1952).

[28] J. and J. B. Nicholls, *Illustrations of the Literary History of the Eighteenth Century* (London 1817-58), viiii, 250.

[29] Féach O'Connell, *The Schools and Scholars of Breiffne*, 372 *et seq.* Féach freisin R. A. Breatnach, 'Two Eighteenth-century Irish Scholars', *Studia Hibernica* 5 (1965) 88 *et seq.*

ó scológ a bhí ag obair ar fheirm a hathar i gContae an Chabháin, scológ a raibh dhá imleabhar de lámhscríbhinní Gaeilge ina sheilbh aige. Fuair sí lámhscríbhinní ó J. C. Walker, údar *Memoirs of the Irish Bards*, ó Sylvester O'Halloran ó Luimneach a raibh roinnt leabhar ar sheanstair na hÉireann scríofa aige, agus ó Theophilus Ó Flannagáin; ina theannta sin, mar a dúramar cheana, fuair sí cabhair agus teagasc sa Ghaeilge ó Mhuiris Ó Gormáin. Ansin chuaigh sí i mbun an aistriúcháin, agus d'fhoilsigh sí ina leabhar leaganacha Béarla de roinnt mhaith Laoithe Fiannaíochta mar aon le roinnt amhrán de chuid na ndaoine agus dán grá amháin. Tá na haistriúcháin seo scríofa i stíl ardnósach na linne nach n-oireann do spiorad na mbundánta, ach chuidigh siad le heolas a thabhairt do lucht an Bhéarla ar chuid de litríocht na Gaeilge. Breis agus daichead bliain ina dhiaidh sin rinne Tomás Ó Mórdha beart den chineál céanna nuair a d'fhoilsigh sé *Irish Melodies* i 1834. D'éirigh leis na *Melodies* suim i seanstair na nGael a mhúscailt i measc na n-uaisle. Mar a dúirt Dubhghlas de hÍde: 'He had rendered the past of Ireland sentimentally interesting without arousing the prejudices of or alarming the upper classes'.[30]

De thoradh na suime sa Ghaeilge a músclaíodh i measc lucht léinn agus litríochta, bunaíodh a lán cumann nua san Ardchathair a raibh de chuspóir acu gnéithe éagsúla de sheansaíocht na hÉireann a chaomhnú agus a chothú.[31] I 1772 cheap an *Dublin Society* coiste le taighde a dhéanamh ar ársaíocht na nGael. Níor mhair an coiste seo i bhfad, ach thug cuid de na baill cabhair do Vallancey chun *Collectanea* a fhoilsiú. Sa bhliain 1782 bhunaigh dream daoine cumann beag i mBaile Átha Cliath. Scoláirí ó Choláiste na Tríonóide a bhí i bhformhór na mball agus chuir siad rompu scoláireacht na Gaeilge a chur chun cinn. As an gcumann beag seo d'fhás Acadamh Ríoga na hÉireann i 1785. Ceapadh an Tiarna Charlemont, cinnire na nÓglach, mar chéaduachtarán ar an Acadamh, agus bhí daoine mar Chathal Ó Conchubhair, Sylvester O'Halloran agus an Ginearál Valleancey ina mbaill de.

[30] 'Irish Language Movement. Some Reminiscences'. *Manchester Guardian Commercial*, European Reconstruction Series: Ireland (10 May 1923) pt. 2, p. 38.

[31] Is suimiúil an rud é gur bunaíodh Club i mBaile Átha Cliath chomh luath le 1752 a raibh de chuspóir aige an teanga féin a chaomhnú. I measc na rialacha bhí uimhir a 3 a d'ordaigh 'That no language be spoken in the Club room, but the Irish language, on pain of one penny for every such offence'. Féach J. Carney, *A Genealogical History of the O'Reillys* (1959) 21-2.

Seoda liteartha na Gaeilge a chosaint a bhí mar chuspóir ag *The Gaelic Society of Dublin* a bunaíodh i 1807. Ba é Tadhg (Theophilus) Ó Flannagáin, cainteoir dúchais ó Chontae an Chláir,[32] a fuair a chuid oideachais i gColáiste na Tríonóide, a bhí mar chéad rúnaí air. Nuair a d'fhág seisean Baile Átha Cliath ghlac Pádraig Ó Loingsigh cúram na rúnaíochta air féin. Ba i gContae an Chláir freisin a rugadh an Loingseach[33] (1757-1818) agus fuair sé a chuid scolaíochta trí mheán na Gaeilge sa Chontae sin ó Dhonnchadh (an Chairn) Ó Mathghamhna, múinteoir a raibh eolas aige ar an Laidin, ar an nGréigis agus ar an Eabhrais, ach nach raibh aon Bhéarla aige. Ghabh an Loingseach leis an múinteoireacht chomh maith, agus tar éis dó bheith ag múineadh in áiteanna éagsúla ar fud na tíre chuir sé faoi i gCarraig na Siúire, agus bhunaigh acadamh do scoláirí lae agus cónaithe ansin. Timpeall 1808 tháinig sé go Baile Átha Cliath áit ar chuir sé scoil eile ar bun ag 30 Cé Urmhumhan Íochtarach. D'fhoilsigh sé cuid mhór saothair ar ábhair léannta i mBéarla agus roinnt i nGaeilge.

Ní féidir a rá go ndearna an Gaelic Society[34] aon mhóréacht mar chumann, óir níor foilsíodh faoina choimirce ach aon imleabhar amháin, *The Transactions of the Gaelic Society*, ach, dála an Loinsigh, rinne formhór na mball saothar fónta as a stuaim féin. D'fhoilsigh an tAthair Pól Ó Briain, Uilliam Mac Néill (Neilson) agus William Haliday leabhair ghramadaí agus d'ullmhaigh ball eile, Denis Taafe, graiméar nár foilsíodh riamh ach atá ar caomhnú i lámhscríbhinn i Músaem na Breataine (Egerton 116). Ba thábhachtach an foclóir[35] a sholáthraigh ball eile, Eadbhard Ó Raghallaigh, agus an cuntas a scríobh sé ar suas le ceithre chéad scríbhneoir Gaeilge ón tús go dtí timpeall 1750.[36]

File agus scoláire ó Chontae na Mí ba ea an tAthair Pól Ó Briain[37] (1763-1820), a ceapadh ina ollamh le Gaeilge i gColáiste Phádraig, Maigh Nuad, agus a rinne a lán ar son na teanga sa choláiste sin.[38]

[32] M. Bean Uí Seanacháin, 'Theophilus Ó Flannagáin', *Galvia* iii, 19 *et seq.*

[33] S. Ó Casaide, 'Patrick Lynch, Secretary to the Gaelic Society of Dublin', *Journal of the County Waterford Archæological Society* (1912) 47 *et seq.*; 107 *et seq.*

[34] *ibid.*, 56 *et seq.* mar a bhfuil cuntas suimiúil ar imeachtaí an Chumainn.

[35] Foilsíodh é i mBaile Átha Cliath i 1817. Eagrán leasaithe mar aon le forlíonadh le Seán Ó Donnabháin (BÁC 1864). Féach freisin *B.M. Cat. Irish MSS* ii, 88, 141, 622, 629.

[36] *Transactions of the Iberno-Celtic Society*, Vol. i, Part 1 (BÁC 1820).

[37] Féach É. Ó Muirgheasa, *Amhráin na Midhe* (BÁC 1934) 64 *et seq.*

[38] T. Ó Fiaich, 'Saothrú na Gaeilge sna hIolscoileanna, 5. Coláiste Phádraig, Mánuat', *Feasta*, Meán Fómhair 1958.

Ministir Preispitéireach a rugadh i gContae an Dúin ba ea an tUrramach Uilliam Neilson. Ós rud é go mbeimid ag trácht air siúd ar ball, nuair a bheidh na scoláirí ó Chúige Uladh faoi chaibidil ní gá a rá anseo ach gur foilsíodh a ghráiméar, *Introduction to the Irish Language*, i 1808.[39]

I mBaile Átha Cliath a rugadh William Haliday, agus thosaigh sé ag foghlaim na Gaeilge nuair bhí sé sé bliana déag d'aois. Ní raibh ach naoi mbliana déag slánaithe aige nuair a d'fhoilsigh sé *Uraicecht na Gaedhilge* i 1808. Trí bliana ina dhiaidh sin d'fhoilsigh sé imleabhar amháin de *Foras Feasa ar Éirinn* maille le haistriúchán. Ní raibh sé ach ceithre bliana ar fhichid d'aois nuair a fuair sé bás i 1813.

Sa bhliain 1818 bunaíodh *The Iberno-Celtic Society*, cumann nár fhoilsigh ach aon imleabhar amháin (i 1820, saothar Eadbhard Uí Raghallaigh mar atá luaite thuas). Ansin i mbliain a 1840 bunaíodh *The Archæological Society* agus cúig bliana ina dhiaidh sin *The Celtic Society*. Chuidigh an dá chumann seo le saothar Sheáin Uí Dhonnabháin a fhoilsiú. Nascadh an dá chumann le chéile i 1853, agus sa bhliain chéanna cuireadh *The Ossianic Society* ar bun, cumann a rinne obair luachmhar trí sheantéacsanna Fiannaíochta a fhoilsiú.

Bhí lámh ag William Elliot Hudson[40] (1796-1853) i mbunú *The Irish Archæological Society* agus *The Celtic Society*. Ba sa teach stairiúil, The Hermitage i Ráth Fearnáin, a rugadh é, agus bhí a athair cairdiúil le John Phillpot Curran, a chónaigh ar an taobh thall den bhóthar uaidh. Níor chaill an mac, William Elliot, a dhúil i gcúrsaí cultúrtha agus náisiúnta na hÉireann riamh. Mar shampla, thug sé £300 chun cuidiú le foilsiú *The Spirit of the Nation* agus deir Seán Ó Dálaigh[41] linn gurbh é Hudson a d'íoc as a phóca féin eagarthóirí na dtéacsanna a tháinig amach faoi choimirce *The Celtic Society*. Ní amháin sin, ach chaith sé dúthracht mhór ag iarraidh aitheantas a fháil ón bpobal do na heagarthóirí seo agus don saothar luachmhar a bhí á dhéanamh acu. D'fhág sé a chuid leabhar agus lámhscríbhinní le huacht ag Acadamh Ríoga na

[39] Chuir Coiste na bhFoilseachán de Chonradh na Gaeilge athchó ar shleachta as an leabhar seo faoin teideal *Ráiteachas*.

[40] *The Sword of Light*, 179 *et seq.*

[41] J. O'Daly, *Laoithe Fiannuigheachta* (1859), mar a bhfuil cuntas suimiúil ar Hudson sa réamhrá. Is cóir a mheabhrú nárbh é Hudson an t-aon duine amháin a d'fhág airgead ag an Acadamh chun cuidiú le foclóir a chur ar fáil. Féach M. Ní Mhuiríosa, ' Fágaim le hUacht ', *Feasta*, Meitheamh 1970, 15.

hÉireann mar aon le suim airgid chun cuidiú le foclóir údarásach Gaeilge a chur ar fáil. Lá 'le Pádraig 1853 bhí sé i láthair ag cruinniú i Sráid Anglesea chun an *Ossianic Society* a bhunú agus, mar ba dhual dó, gheall sé lántacaíocht don chumann nua. Fuair sé bás, ámh, trí mhí ina dhiaidh sin, ar 23 Meitheamh. Ag seo sliocht as an bhfógra ar a bhás a foilsíodh ar *The Nation* ar 2 Iúil 1853:

> Of all systematic attempts to encourage the ancient or modern literature of Ireland made in the last twenty years, or to create a wider interest in our arts, history and antiquities, one thing may always be safely assumed, whoever shines like a dial-plate on the front of the transaction, William Elliot Hudson was hard at work at the rear; the organizers of it were gathered around his hospitable board; his pen was slaving on its behalf; and his purse opened with a princely munificence to pay its way to success. . . . And he had the singular property, in common with Davis, of being totally indifferent, to any reputation for his share in the work, if only it were done.

Is dócha gur follas ón méid sin cén fáth nach bhfuair Hudson riamh an t-aitheantas a bhí tuillte aige—' the silent patriot of whom the public of his time knew little and a later public know nothing ', mar a dúirt Art Ó Gríofa ina thaobh.[42]

I gContae Phort Láirge sa bhliain 1800 is ea a rugadh Seán Ó Dálaigh[43] a bhí ag obair i gcomhar le Hudson agus le daoine eile ag stiúradh *The Celtic Society* agus *The Ossianic Society*. Ba i scoil cois claí a fuair an Dálach a chuid oideachais, agus sa bhliain 1833 chuaigh sé ag múineadh i scoil a bunaíodh i gCill Chainnigh faoi choimirce an *Irish Society*, rud a d'fhág smál ar a chlú ar feadh cuid mhaith dá shaol. Am éigin i dtosach na ndaicheadaí tháinig sé go Baile Átha Cliath agus sa bhliain 1844 d'oscail sé siopa leabhar i Sráid Anglesea. As sin go lá a bháis i 1878 bhí an siopa sin ina ionad teagmhála ag formhór na ndaoine a bhí ag saothrú ar son na Gaeilge ar fud na tíre san am. Is go dtí an siopa freisin a thagadh an file James Clarence Mangan chun treoir a fháil ón Dálach nuair a bhí na leaganacha Béarla de chuid de sheandánta na Gaeilge á n-ullmhú aige.

[42] *Evening Telegraph*, 7-6-13.

[43] D. Ryan, *The Sword of Light*, 172 *et seq*. Féach freisin Torna, ' Congantóirí Sheáin Uí Dhálaigh ', *Éigse* i, 96, 173, 258; ii, 15, 96, 213, 274; iii, 8, 117, 193, 257; iv, 24, agus *Mise agus an Connradh*, 15 *et seq*., 151 *et seq*.

Rinne an Connachtach Séamas Ó hArgadáin[44] (Hardiman) (1782-1855) saothar fónta mar staraí agus mar scríobhaí. I mbliain 1820 d'fhoilsigh sé *A History of Galway;* tháinig *Irish Minstrelsy* uaidh i 1831, agus i 1845 chuir sé *A Chorographical Description of West or H-iar gConnacht* le Ruaidhrí Ó Flaithbheartaigh in eagar don *Irish Archæological Society.* Le linn dó bheith ag obair in Oifig na nIrisí Poiblí i mBaile Átha Cliath thug sé cuireadh do Sheán Ó Donnabháin cuidiú leis in obair na hoifige sin, cuireadh a thug deis don Donnabhánach óg tosú ar a mhórshaothar ar son scoláireacht na Gaeilge. Bhí Hardiman go díograiseach ag bailiú agus ag cóipeáil lámhscríbhinní; agus i measc na scríobhaithe a chuidigh leis bhí Séamas Ó Scoraidh[45] agus Finghin Ó Scanaill. Nuair a bunaíodh Coláiste na Ríona i nGaillimh i 1849 ceapadh Hardiman mar leabharlannaí ann, agus is sa chathair sin a fuair sé bás sé bliana níos déanaí.

Um an dtaca seo bhí Seán Ó Donnabháin (1806-1861) ó Chill Chainnigh agus a chomhscoláire Eoghan Ó Comhraí (1794-1862) ó Chontae an Chláir i mbarr a réime.[46] Is éachtach an méid saothair a d'éirigh leis an mbeirt seo a chur i gcrích, saothar atá sárluachmhar fós in ainneoin an dul chun cinn i gcúrsaí scoláireachta atá déanta le céad bliain anuas. Bhí sé de bhuntáiste acu go raibh an Ghaeilge ó dhúchas acu araon, murab ionann agus formhór na scoláirí a tháinig ina ndiaidh. Mar bharr air sin bhí tuiscint acu i seantraidisiún liteartha na teanga agus i ndualgais an fhile, an tseanchaí agus an scríobhaí ghairmiúil. De thoradh saothar na beirte seo mhair an seantraidisiún fada go leor lena nascadh leis an teangeolaíocht stairiúil agus nua-aimseartha a bhí ag teacht faoin am seo ó ollscoileanna na hEorpa.

Ní mór an cúiteamh a fuair an bheirt ar a saothar. Dealraíonn sé go raibh an Donnabhánach go speisialta ar bheagán maoine ar feadh a shaoil go léir, agus ní raibh an tsláinte go maith aige ach oiread de dheasca an mhéid taistil a rinne sé do chois ar fud na tíre

[44] C. Ó Túinléigh, 'Séamas Ó hArgadáin,' *Galvia* iii, 47 *et seq.*, *B.M. Cat. Irish MSS* iii, 20.

[45] John O'Donovan, *A Grammar of the Irish Language* (BÁC 1845). Tá cuntas ar Ó Scoraidh sa réamhrá.

[46] Bráthair Críostamhail, *Na Síoladóirí* (BÁC 1947); Rev. P. MacSweeney, *A Group of Nation Builders* (BÁC 1913); H. Dixon, 'John O'Donovan', *An Leabharlann* ii; S. Atkinson, 'Eugene O'Curry', *Essays* (BÁC 1896) 1 *et seq.;* É. de hÓir, *Seán Ó Donnabháin agus Eoghan Ó Comhraí* (BÁC 1962); M. Tierney, 'Eugene O'Curry and the Irish Tradition', *Studies* 51 (1962) 449 *et seq.*

thart faoi 1833 ag bailiú ábhair ar chúrsaí seandachta le linn dó bheith ag obair don tSuirbhé Ordanáis. Bhí sé d'ádh air, ámh, go raibh an Archæological Society agus an Celtic Society ann chun cuidiú lena shaothar a fhoilsiú agus aitheantas a ghnóthú dó. Fuair Ó Comhraí aitheantas freisin. Nuair a bunaíodh an Ollscoil Chaitliceach i mBaile Átha Cliath thug an Cairdinéal Newman post dó mar ollamh le Stair agus le Seandálaíocht na hÉireann. Idir na blianta 1855 agus 1862 thug sé sraith léachtaí san Ollscoil, agus foilsíodh na léachtaí sin níos déanaí ar chostas na hOllscoile faoi na teidil *Manuscript Materials of Early Irish History* agus *Manners and Customs of the Ancient Irish.*

Tamall de bhlianta roimh bhás na beirte seo (sa bhliain 1853) d'fhoilsigh an scoláire Gearmánach Zeuss[47] a mhór-shaothar, *Grammatica Celtica,* atá mar bhunchloch ag an staidéar go léir a rinneadh ó shin ar na teangacha Ceilteacha. Spreag an saothar seo cuid de scoláirí na hEorpa chun staidéar a dhéanamh ar an nGaeilge agus, aisteach go leor, bhí suim na scoláirí eachtrannacha seo sa teanga ina taca láidir níos déanaí ag na Gaeil anseo in Éirinn a bhí ag iarraidh í a choinneáil á múineadh sna scoileanna.

An Tuaisceart

Is ar an lucht léinn agus litríochta a bhí ag saothrú i mBaile Átha Cliath is mó a bhíomar ag trácht go dtí seo. Is cuí anois dul siar arís go dtí deireadh an 18ú haois chun léargas a thabhairt ar scéal na Gaeilge sa tuaisceart, agus go háirithe i mBéal Feirste i dtrátha an ama chéanna.[48] Dála mar a tharla i mBaile Átha Cliath, is follas go raibh suim i dteanga agus i saíocht na nGael ag borradh i measc cuid de mhuintir an tuaiscirt freisin. Duine de na daoine ba mhó a chothaigh an tsuim sin ba ea Séamas Mac Domhnaill, dochtúir leighis, a rugadh i nGlinntí Aontroma i 1762 agus arbh í an Ghaeilge a theanga dhúchais. Bhí dúil mhór sa cheol Gaelach aige agus fuair sé oiliúint i seinm na cláirsí ón gcláirseoir cáiliúil Art Ó Néill. Níor chaill sé riamh a shuim i gceol agus i dteanga na nGael, agus nuair a fuair sé bás i 1845 d'fhág sé cnuasach mór leabhar agus lámhscríbhinní ina dhiaidh.[49]

[47] Rev. F. Shaw, S.J. 'Johann Kaspar Zeuss', *Studies,* 1954, 194 *et seq.*

[48] Tá an cuntas ar an ábhar seo bunaithe cuid mhór ar *The Irish Language in Belfast and Co. Down,* le S. Ó Casaide (BÁC 1930). Tá breis eolais le fáil ar chúrsaí na Gaeilge sa tuaisceart agus ar na daoine a bhí gníomhach i slánú na teanga ansin sa leabhar *I mBéal Feirste Cois Cuain* (BÁC 1968) le B. Ó Buachalla.

[49] Tá cuntas fada air le fáil in *Dhá Chéad de Cheoltaibh Uladh,* 417 *et seq.* Féach freisin *An Leabharlann* iii (1909) agus *I mBéal Feirste Cois Cuain, passim.*

Bhí an Dochtúir Mac Domhnaill chun tosaigh ag eagrú Feis na gCláirseoirí a bhí ar siúl i mBéal Feirste ar feadh cúig lá i Mí Iúil 1792. Bhí Bunting i láthair ag an bhFeis seo, agus bhreac sé síos an ceol a bhí á sheinm. Ghlac an Cumann um Leathadh Eolais mar chúram air féin airgead a sholáthar chun an ceol seo a fhoilsiú, agus tháinig an chéad imleabhar de *Ceol Gaedhealach* amach i 1796.

Ba i 1788 a bunaíodh an cumann seo agus ón mbliain 1791 nuair a tosaíodh ar chuntas ar chúrsaí an chumainn a bhreacadh síos i leabhar, tá roinnt mhaith eolais ar fáil faoin obair a rinneadh. Bhunaigh na baill cumann léitheoireachta (The Belfast Reading Society, as ar fhás an Linen Hall Library atá ann anois), agus chuir siad rompu bailiúchán de leabhair fhiúntacha a chur le chéile. Ní leabhair Bhéarla amháin a cheannaigh siad. Sa bhliain 1793 ritheadh an rún seo a leanas ag cruinniú: ' That Mr. Callwell be requested to write, in the name of the society, to such gentlemen as he knows to be possessed of Books or MSS. in the Irish Language, intimating the desire of the Society to procure such. . . .'[50]

Níorbh fhada go raibh cnuasach chomh luachmhar bailithe ag an gcumann go raibh gá le leabharlannaí. Ar mholadh an Dr Shéamais Mhic Dhomhnaill tairgeadh an post do Thomás Ruiséil.[51] Ghlac seisean leis agus thosaigh ar an obair i Mí Feabhra 1794. Am éigin i gcaitheamh na bliana céanna thug fear darbh ainm Pádraig Ó Loingsigh[52] cuairt ar an leabharlann agus chuir aithne ar an Ruiséalach. Scríobhaí agus scoláire maith Gaeilge ó Loch an Oileáin i gContae an Dúin ba ea an Loingseach, agus deirtear gur thug sé ceachtanna Gaeilge don Ruiséalach. Ní fios go cruinn ar éirigh leis siúd eolas maith a chur ar an teanga (cé gur cosúil gur minic a chuala sé í á labhairt le linn a óige i gContae Chorcaí), ach is cinnte go raibh bá aige léi.

Sa bhliain 1792 tháinig an chéad uimhir den *Northern Star*, iris na nÉireannach Aontaithe, amach, agus ba mhinic a scríobhadh Tomás Ruiséil don iris sin. Trí bliana ina dhiaidh sin faoi choimirce an *Northern Star* tháinig leabhrán i nGaeilge amach: *Bolg an tSolair* (tSoláthair) a bhí mar ainm air.[53] Is cosúil go raibh ar intinn ag lucht a tháirgthe leanúint ar aghaidh lena fhoilsiú, ach ar chúis

[50] Ó Casaide, op. cit., 32.

[51] S. N. Mac Giolla Easpaig, *Tomás Ruiséil* (BÁC 1957) caib. viii.

[52] S. Ó Casaide, *Patrick Lynch of Co. Down* (BÁC 1927); *I mBéal Feirste Cois Cuain*, *passim*, go háirithe 37-9.

[53] *Tomás Ruiséil*, 91.

éigin níor tháinig ach aon uimhir amháin amach. (Cuireadh an *Northern Star* féin faoi chois i Mí Bealtaine 1797.) Ar an gcéad leathanach tugtar an t-eolas seo a leanas faoina raibh ann: *Bolg an Tsolair: or Gaelic Magazine; containing Laoi na Sealga: Or the Famous Fenian Poem called The Chase; With A collection of Choice Irish Songs, Translated by Miss. Brooke. To Which Is Prefixed An Abridgment Of Irish Grammar. With a Vocabulary, And Familiar Dialogues. Belfast: Printed At the Northern Star, 1795.*[54] I ndiaidh na n-agallamh tá leagan Gaeilge de Phaidir an Tiarna, den Chré agus de téacsanna ón Scrioptúr.

Meastar go raibh an Ruiséalach taobh thiar den iarracht seo chun ábhar i nGaeilge a chur ar fáil do léitheoirí, agus is cinnte gurbh é an Loingseach a bhí freagrach as cuid mhór den ábhar, go háirithe na hagallaimh.

An bhliain ina dhiaidh sin (1796) bhí an Dr Whitley Stokes ag gabháil do leagan Gaeilge de Shoiscéal Naomh Lucás agus de Ghníomhartha na nAspal. Chuidigh an Loingseach leis an obair seo, agus bhí Tomás Ruiséil mar eadarghabhálaí eatarthu. Tháinig an leabhar amach i 1799 faoin teideal *An Soisgeal Do Réir Lucais, Agus Gníovarha na nEasbal*, ach níor thug an Dr Stokes aon aitheantas ann don chabhair a bhí faighte aige ón Loingseach. B'shin nós na linne, do réir dealraimh, mar tharla an rud céanna don Loingseach i gcás ghraiméir William Neilson. Timpeall na bliana 1800 bhí sé i nDún Dealgan ag cóipeáil lámhscríbhinní do Samuel Coulter (' do réir thrí bpingin an duillthaobh nó dhá sgilline an chairt ', mar atá scríofa aige féin). Meastar gur le linn na tréimhse seo a chaith sé i nDún Dealgan a chuidigh sé le Neilson in ullmhú an Ghraiméir. Ach ní bhfuair sé aitheantas poiblí ar an obair seo ach oiread.

Nuair a bhí Feis na gCláirseoirí ar siúl ní raibh aon duine i láthair chun focail na n-amhrán a bhreacadh síos, agus nuair a tháinig an chéad imleabhar den cheol amach i 1796 bhí a lán daoine ann a cheap gur mhór an t-easnamh ar na foinn gan na focail a bheith leo. Dá bhrí sin cuireadh mar chúram ar Phádraig Ó Loingsigh dul timpeall na tíre ag bailiú focal na n-amhrán don cheol a bhí breactha síos ag Bunting. (Sa chás seo arís, is cosúil gurbh é Tomás Ruiséil a chuir Bunting agus an Loingseach in aithne dá chéile.) Ba sa bhliain 1802 a rinne an Loingseach an turas seo; thug sé cuairt ar Chontae na Mí, Contae an Chabháin, Contae Fhear Manach agus ar chuid mhór do Chúige Chonnacht, agus thug

[54] Ó Casaide, op. cit., 32.

an Dr Mac Domhnaill, muintir Mhic Reachtain agus daoine eile síntiúis uathu chun costais an turais a ghlanadh. D'éirigh leis cnuasach mór amhrán a bhailiú, ach nuair a tháinig imleabhar eile ceoil amach i 1809 ní raibh tásc ná tuairisc ar na focail ann. Meastar gurbh é staid chorraithe na tíre agus ainm an Loingsigh a bheith faoi smúid san am a thug ar Bhunting na focail a fhágáil ar lár. Cibé cúis a bhí leis, d'fhan saothar luachmhar an Loinsigh faoi cheilt go ceann breis agus céad bliain ina dhiaidh sin.

Sa bhliain 1803 nuair a bhí an Ruiséalach faoi thriail i nDún Pádraig b'éigean don Loingseach fianaise a thabhairt ina choinne. Ní dá dheoin a rinne sé sin, mar is léir ón gcuntas ar an triail atá tagtha anuas chugainn. Bhí seanchara eile a chlis ar an Ruiséalach freisin, b'shin an Dr Séamas Mac Domhnaill. Nuair a fógraíodh i 1803 go dtabharfaí £1,500 mar chúiteamh don té a thabharfadh eolas do na húdaráis faoin Ruiséalach thug an Dochtúir caoga gine mar shíntiús don chiste.[55]

Scoláire den chéad scoth ba ea an Dr William Neilson, mac don Urramach Moses Ne(i)lson, ministir Preisbitéireach ag Rademon i gContae an Dúin. Sa bhliain 1774 is ea rugadh William agus tar éis dó oideachas clasaiceach sármhaith a fháil óna athair chuaigh sé go Coláiste Ghlaschú chun é féin a ullmhú don mhinistreacht. Dhá bhliain a d'fhan sé ansin agus is iomaí duais agus gradam a ghnóthaigh sé ann. D'fhill sé ar Éirinn i 1797 agus chuir faoi i nDún Dealgan, áit ar bhunaigh sé scoil lae agus aíochta. An bhliain ina dhiaidh sin thug sé seanmóir uaidh i nGaeilge agus dá bharr sin gabhadh é, coimeádadh faoi ghlas ar feadh tamaill ghairid é, agus tógadh a chuid lámhscríbhinní uaidh. Chaith sé breis agus fiche bliain ag múineadh scoile agus ag saothrú mar mhinistir i nDún Dealgan agus bhí meas agus cion ag cách air. Sa bhliain 1818 fuair sé post ag múineadh Gréigise agus Eabhraise sa Royal Belfast Academical Institution agus mhúin sé Gaeilge ansin chomh maith. I 1821 fuair sé cuireadh glacadh le Cathaoir na Gréigise in Ollscoil Ghlaschú, rud nár éirigh leis a dhéanamh, mar bhí sé ar leaba a bháis san am. Tá tábhacht ar leith ag roinnt leis an nGraiméar Gaeilge a d'fhoilsigh sé i 1808 mar gheall ar an eolas atá le fáil ann ar chanúint Chontae an Dúin.

[55] *Tomás Ruiséil*, 185, 216-17.

Sna blianta tosaigh den 19ú haois is mó a rinne Somhairle Mac Briosáin[56] (Samuel Bryson) saothar ar son na Gaeilge. Ministir Preisbitéireach ó Ard Mhic Nasca i gContae an Dúin ba ea a athair, James Bryson. Chuaigh seisean chun cónaithe i mBéal Feirste i 1773 agus is ansin a rugadh Somhairle i 1788. Ní fios cá bhfuair sé a chuid oideachais ach is cosúil go raibh céim sa leigheas aige (bhí sé ar fhoireann Ospidéal Bhéal Feirste, 1836), agus is cinnte go raibh eolas maith aige ar an nGaeilge agus go raibh sé an-oilte ar í a scríobh. Meastar go raibh teagmháil éigin aige le Contae an Dúin agus gur ansin a bhailigh sé na hamhráin agus na lámhscríbhinní a bhí aige. Idir 1803 agus 1810 scríobh sé féin naoi gcinn de lámhscríbhinní agus tá an pheannaireacht ar fheabhas iontu. Tá ocht gcinn díobh seo ar caomhnú anois sa Central Public Library i mBéal Feirste,[57] ach is leis an Natural History and Philosophical Society iad, mar is ar an gcumann sin a bronnadh iad nuair a fuair an Briosánach bás i 1853. Ball den chumann sin lena linn ba ea é, agus bhí sé gníomhach freisin san Irish Harp Society agus sa Literary Society. Bhí togha na Gaeilge freisin ag a dheartháir, Aindrias Mac Briosáin; ministir i nDún Dealgan ba ea Aindrias agus bhí sé féin agus Somhairle muinteartha leis an Dr William Neilson.

Fear eile a bhfuilimid faoi chomaoin aige as soláthar agus caomhnú lámhscríbhinní is ea Roibeard Mac Ádhaimh[58] a rugadh i mBéal Feirste i 1808. Bhí siopa earraí iarainn ag a athair sa chathair sin agus nuair a bhí a thréimhse scolaíochta san Royal Belfast Academical Institution críochnaithe aige, chuaigh Roibeard ag obair sa siopa sin. Rinne sé roinnt mhaith taistil ar fud an tuaiscirt ar ghnó dá athair agus de thoradh an taistil sin chuir sé aithne ar sheanchaithe agus ar éigse Ghaeilge, músclaíodh a shuim sa teanga, chuir sé eolas uirthi agus chrom ar amhráin, seanfhocail agus lámhscríbhinní a bhailiú. D'fhoilsigh sé cnuasach mór seanfhocal san *Ulster Journal of Archæology*, iris a raibh lámh aige féin ina bunú i 1852 agus a raibh sé ina eagarthóir uirthi ar feadh deich mbliana. Ní sa teanga amháin a chuir Mac Ádhaimh suim,

[56] B. Ó Buachalla, ' Samuel Bryson ', *An tUltach*, Eanáir 1964, 3-4; *I mBéal Feirste Cois Cuain*, go háirithe 53 *et seq.*

[57] *idem*, *Clár na Lámhscríbhinní Gaeilge i mBéal Feirste* (BÁC 1962).

[58] Ó Casaide, op. cit. 53; S. Mac Airt, *An tUltach*, Márta, 1951; S. P. Ó Mórdha, ' Arthur Bennett's Correspondence with Robert S. Mac Adam ', *Seanchas Árdmhacha* ii, 360 *et seq.*; ' Robert S. Mac Adam's Louth Correspondents ', *ibid.*, iii, No. i (1958) 155 *et seq.*; *I mBéal Feirste Cois Cuain, passim.*

ach sa cheol agus san ársaíocht freisin, dála Hudson i mBaile Átha Cliath agus a lán eile dá chomhaimsirigh. Bhí sé ina bhall den Irish Harp Society agus den Belfast Harmonic Society. Ach ba le saothrú na Gaeilge féin is mó a chaith sé a dhúthracht, agus bhí suim ar leith aige i gcaomhnú agus i bhforbairt na teanga beo agus in ábhar léitheoireachta a chur ar fáil inti.

Nuair a bunaíodh *Cuideachta Gaedhilge Uladh* (The Ulster Gaelic Society) i 1830 bhí Mac Ádhaimh agus an Dr Mac Brise (Bryce) mar chomhrúnaithe uirthi. Foilsíodh leabhar amháin faoi phátrúnacht an chumainn seo agus léiríonn an teideal Gaeilge a bhí air cad é an t-ábhar a bhí ann. *Maith Agus Dearmad, Sgeul beag d'ar b'ughdar Maria Edgeworth. Rosanna ón ughdar chéadna. Air na d-tarruing go fírinneach ó Bhéurla go Gaoidheilg air iarratas ⁊ fa thearmonn na Cuideachta Gaoidheilge Uladh a m-Béul-ferrsaide le Tomás O Fíannachtaigh, Oide Gaoidheilge a m-Beul-ferrsaide. Clodh-bhuailte a m-Baile-athcliath.* 1833.[59] Bhí baint ag an bhfile Samuel Ferguson (a rugadh i mBéal Feirste 1810) leis an gcumann seo, agus bhí sé ar dhuine den dream a chuir rang ar bun chun staidéar a dhéanamh ar an nGaeilge. Mhair a shuim sa teanga ar feadh a shaoil do réir dealraimh mar i 1875 nuair a bhí Cathaoir le Litríocht Cheilteach á bunú i nDún Éideann sheol sé síntiús chuig an gciste agus an nóta seo a leanas maille leis: ' We have done our endeavour to found such a Chair here; but all things Celtic are regarded by our educated classes as of questionable *ton*, and an idea exists that it is inexpedient to encourage anything tending to foster Irish sentiment '.[59a]

Múinteoir Gaeilge sa Royal Belfast Academical Institution ba ea Tomás Ó Fiannachtaigh, aistritheoir *Forgive and Forget*. Nuair a chinn an Chuideachta ar ghraiméar Gaeilge a chur ar fáil chuidigh seisean agus daoine eile le mac Ádaimh san ullmhúchán.

Timpeall 1838 bhunaigh Roibeard Mac Ádaimh agus a dheartháir, Séamas, monarcha iarainn, an Soho Foundry, in Townsend Street, agus is sa Foundry seo a bhíodh sé ag plé leis an scríobhaithe agus na scoláirí Gaeilge a bhíodh ag obair dó. Mar ní amháin gur shaothraigh Mac Ádaimh féin ar son na Gaeilge, ach rinne sé pátrúnacht ar dhaoine eile chomh maith trí iad a fhostú chun obair a dhéanamh agus luach saothair a sholáthar dóibh. Nuair a fuair sé bás i 1895 fuair an Natural History and Philosophic Society

[59] Ó Casaide, op. cit., 49.
[59a] *ibid.*

formhór a chuid lámhscríbhinní agus dála lámhscríbhinní Mhic Bhriosáin tá siad siúd ar caomhnú anois sa Central Public Library i mBéal Feirste. Tá lámhscríbhinní eile leis in Ollscoil na Banríona, san R.I.A., agus sa Leabharlann Náisiúnta i mBaile Átha Cliath.

I measc na ndaoine a rinne obair do Mhac Ádaimh bhí Aodh Mac Domhnaill[60] a rugadh i gContae na Mí[61] sa bhliain 1802 agus a fuair bás i dTeach na mBocht i Muinchille, Contae an Chabháin, i 1867. Bhí cuid mhaith de Chúige Uladh, agus cuid de Chúige Connacht freisin, do réir dealraimh, siúlta ag Aodh sula ndeachaigh sé ag obair do Mhac Ádhaimh i mBéal Feirste i 1842. Bhí sé ag saothrú sa chathair sin go dtí 1853. Níor scoláire maith é—ní raibh scríobh na Gaeilge ar a thoil aige—ach ní miste a rá go ndeachaigh cuid dá chomhscríbhneoirí (Peadar Ó Gealacáin agus Nioclás Ó Cearnaigh mar shampla) thar fóir leis an gcáineadh a rinne siad ar a shaothar.[62] Bhí féith na cumadóireachta ann agus scríobh sé tráchtas ar an bhfealsúnacht[63] agus roinnt mhaith dréachtaí véarsaíochta. Ina measc siúd tá dán a chum sé in ómós do Shomhairle Mac Briosáin (' Moladh an Dochtúir Brís '), caoineach a chum sé ar bhás an Dr Séamas Mac Domhnaill (' Tuireadh an Dochtúir Mhic Dhomhnuill ')[64] agus dhá ' Thaibhreadh ', dréachtaí véarsaíochta a bhfuil sleachta próis iontu.[65] I gceann amháin díobh seo (' Fáilte Pheadair Uí Ghealacáin ') tá cur síos ar ' bhruidhean ', agus glactar leis gur cur síos magúil ar an Soho Foundry atá ann.

Sa bhliain 1818, mar a dúramar cheana, bunaíodh cumann i mBaile Átha Cliath ar a dtugtaí go comair *The Irish Society*. Ceithre bliana ina dhiaidh sin is ea chuir an cumann seo an chéad scoil Ghaeilge ar bun agus ba ghairid go raibh scoileanna eile dá chuid go líonmhar ar fud na tíre, a lán múinteoirí iontu agus na mic léinn

[60] C. Beckett, *Fealsúnacht Aodha Mhic Dhomhnaill* (BÁC 1967); S. Laoide, *Duanaire na Midhe* (1914) 117; S. Mac Airt, ' Filíocht Aoidh Mhic Dhomhnaill ', *An tUltach*, Márta 1951.

[61] Ní raibh É. Ó Muirgheasa cinnte gur sa Mhí a rugadh é, *Dhá Chéad de Cheoltaibh Uladh* (1934) 457, ach féach a bhfuil le rá faoin gceist ag É. Ó Tuathail i *Lia Fáil* i, 108 *et seq.*, agus ag C. Beckett, op. cit., 1.

[62] *Céad de Cheoltaibh Uladh*, 162, 314-5.

[63] In eagar ag C. Beckett, op. cit.; Canon F. W. O'Connell, ' The Philosophy of Aodh Mac Domhnaill ', *Louth Archæological Journal* iii (1915) 311 *et seq.*

[64] Foilsíodh i mBéal Feirste i 1845 i bhfoirm paimfléid cheithre leathanach; i gcló in *Dhá Chéad de Cheoltaibh Uladh*, 412 *et seq.* Féach freisin Beckett, op. cit., 13 *et seq.*

[65] É. Ó Tuathail, ' Dhá Thaibhreadh do chum Aodh Mhac Domhnaill ' *Lia Fáil* i, 108 *et seq.*

ag freastal orthu ina sluaite. D'éirigh go breá leis na scoileanna go ceann roinnt blianta go dtí gur chuir an chléir Chaitliceach go láidir ina gcoinne[66] agus, dá thoradh sin, tháinig meath orthu do réir a chéile. Níor chuir an meath seo drochmhisneach ar Phreispitéirigh an tuaiscirt do réir dealraimh, mar timpeall na bliana 1836 chuir Sionad Chúige Uladh tús le scéim dá chuid féin chun léamh an Bhíobla a chur chun cinn i measc lucht labhartha na Gaeilge—The Home Mission a tugadh uirthi. Theip ar an scéim seo freisin i ndeireadh na dála, agus ar an gcúis chéanna, freasúra na cléire. Tá cuntas ar ar tharla i nGlinntí Aontroma, cuir i gcás, tugtha ag Breandán Ó Buachalla[67] agus is mí-ámharach ar fad an scéal é. Is é an chuid is truamhéilí de, b'fhéidir, ná ráiteas an Athar Luke Walsh, an sagart paróiste i gCúl Eachtrann. Dhearbhaigh seisean go raibh scéim an Home Mission tar éis deireadh a chur leis an dea-mhéin idir na Caitlicigh agus a gcomharsana agus naimhdeas a chothú eatarthu, 'I was educated myself', a deir sé, 'by a Presbyterian clergyman, a man of as great moral worth and sterling integrity as Ireland could boast of, the late Dr Moses Nelson of Redemon in the County Down well known as one of the first classical scholars of his day'.[68] (Is ag trácht ar athair William Neilson atá sé, ar ndóigh.)

[66] Ghlac an scríobhaí, Peadar Ó Gealacáin, post mar mhúinteoir i scoil a bhunaigh an cumann seo san Obair i gCo. na Mí. Ach chuir an sagart paróiste go tréan in aghaidh na scoile, agus theip ar an nGealacánach aon mhic léinn a fháil. Tamall níos déanaí scríobh sé an cuntas seo a leanas ar scéim scolaíochta an chumainn: 'About 1820 there was an Irish Society established in Dublin for the purpose of extending and propagating a knowledge of the native language through Irish. This society established superintendents and local inspectors in many districts for the purpose of inspecting Irish schools. The schools were taught by Irish scholars, of course, whom Thornton (a local satirist) terms "Thady Connellan's volunteers". Thady Connellan was a roman Catholic and the first rate (*sic*) Irish scholar in Ireland; he was a professor of Hebrew, Greek, Latin and other languages. These Irish teachers were under the greatest persecution everywhere by priests and their hearers, as it was considered a Protestant scheme'. *Louth Archæological Journal*, 1928, 170.

Is suimiúil an rud é gur éirigh thar barr leis an scéim i dtosach sa cheantar a dtagann Co. an Chábháin, Co. na Mí agus Co. Lú le chéile ann. Bhí an Ghaeilge go han-láidir sa cheantar sin san am. Le haghaidh cur síos ar 'Thady Conneelan's Volunteers' féach É. Ó Tuathail, *Louth Archæological Journal*, vii, no. 4, 538. Féach freisin T. Ó hAilín, 'The Irish Society agus Tadhg Ó Coinnialláin', *Studia Hibernica* 8, lgh 60 *et seq.;* D. O'Sullivan, 'Thaddeus Connellan and His Books of Irish Poetry', *Éigse* iii, 278 *et seq.* Ba i gCo. Shligigh sa dara leath den 18ú haois a rugadh Tadhg Ó Caoindhealbháin. Fuair sé bás sa chontae céanna sa bhliain 1854.

[67] 'An Bíobla i nGlinntí Aontroma', *Feasta*, Deireadh Fómhair, Samhain, Nollaig, 1963 agus *I mBéal Feirste Cois Cuain*, 104 *et seq.*

[68] Ó Casaide, op. cit., 65.

Is é an fáth a ndearnamar tagairt do na cúrsaí sin ag an bpointe seo ná go raibh fear darbh ainm Aodh Mac Domhnaill (Hugh McDonnell) ag obair mar chigire faoi scéim an Home Mission, agus baint aige leis an achrann i nGlinntí Aontroma. Is ró-dhócha gurb é siúd an fear a bhí faoi chaibidil againn ó chianaibh, an fear a bhí ag obair do Mhac Ádhaimh i mBéal Feirste idir 1842 agus 1853.

Chaith Peadar Ó Gealacáin[69] tamall gairid (ráithe, a deirtear) ag obair do Mhac Ádhaimh i mBéal Feirste freisin. Máistir scoile agus scríobhaí ba ea an Gealacánach. I gContae na Mí a rugadh é i 1792 agus chaith sé an chuid ba mhó dá shaol ag taisteal ó áit go háit i dtuaisceart an Chontae sin ag múineadh scoile agus ag scríobh nó ag bailiú lámhscríbhinní. Níor mhór an teacht isteach a bhí aige de bharr a shaothair go léir mar is follas ón bhfaisnéis a thugann sé féin. Ar lámhscríbhinn amháin, a raibh sé ag gabháil di ó Mhí Lúnasa 1841 go dtí Mí Feabhra 1844, bhreac sé síos an nóta seo leanas: ' And what a vast quantity of ink and pens have been used in the work, together with the price of candles in the winter season. Therefore, to value all the labour attending it, (it) has been truly and correctly estimated that the MS. is lawfully and honestly worth £5 sterling '.[70]

Thug scoláire ó Dhroichead Átha, Bernard Ó Tomaltaigh, cuireadh don Ghealacánach teacht go dtí an baile sin chun roinnt amhrán Gaeilge a scríobh síos dó. Scilling sa lá a bhí mar thuarastal aige, agus é an-sásta leis, do réir dealraimh.[71] Fuair sé bás i gContae na Mí sa bhliain 1860 agus é go beo bocht.

Is cosúil go ndearna Art Mac Bionaid[72] obair do Mhac Ádaimh freisin agus tá ar marthain fós trí cinn ar fhichid de na litreacha a sheol sé chuig Mac Ádhaimh idir 1844 agus 1850. In aice le Foirceal i ndeisceart Chontae Ard Mhacha a rugadh Mac Bionaid sa bhliain 1793. Saor cloiche a bhí ann, ach ba le saothrú na Gaeilge a chaith sé a dhúthracht, agus bhí suim ar leith aige i litríocht a cheantair dhúchais féin. Bhí bailiúchán mór aige de

[69] H. Morris, ' P. Ó Gealacáin: A great Irish Scribe ', *Louth Archæological Journal*, 1928, 167 *et seq.; Céad de Cheoltaibh Uladh*, 340-41. Féach freisin É. Ó Tuathail, *Lia Fáil* i, 108 *et seq.*

[70] *Louth Archæological Journal* 1928, 172.

[71] B. Ó Buachalla, ' Lámhscríbhinn a D'fhill ', *Feasta*, Nollaig 1964. Tá cuntas an-suimiúil san aiste seo ar ar tharla do dhá lámhscríbhinn a scríobh Ó Gealacáin do Ghaeilgeoir eile i nDroichead Átha, an dlíodóir J. T. Rowland.

[72] *Seanchas Ardmhacha* ii, 360 *et seq.; Céad de Cheoltaibh Uladh*, 160 *et seq.* Féach freisin *Seachrán Chairn tSiadhail* (in eagar ag S. Laoide), 12; É. Ó Tuathail, *Irish Book Lover*, March-April 1934, 32.

lámhscríbhinní Aodha Uí Néill, an scríobhaí cáiliúil a bhí ag saothrú idir 1785 agus 1803.[73] Ní amháin gur chaomhnaigh Mac Bionaid saothar daoine eile i lámhscríbhinní, ach chum sé féin roinnt mhaith freisin, dánta ag moladh a chairde, ag cáineadh na ndaoine a chuir fearg air agus ag trácht ar chúrsaí an lae.[74] Sa bhliain 1879 is ea fuair sé bás agus ba í an Ghaeilge an teanga a labhraíodh ag a thórramh.

Bhí Mac Bionaid agus Nioclás Ó Cearnaigh páirteach sa chonspóid fhileata a bhí ar siúl timpeall 1854 idir na hUltaigh agus na scoláirí Muimhneacha (go háirithe Seán Ó Dálaigh i mBaile Átha Cliath): na Muimhnigh ag maíomh as saothar Sheáin Chláraigh agus Eoghain Rua Uí Shúilleabháin, na hUltaigh ag cosaint clú Pheadair Uí Dhoirnín, Mhic a Liondain agus Shéamais Mhic Cuarta.[75] I mBaile Thomáis gairid do Dhún Dealgan a rugadh Nioclás Ó Cearnaigh. Chaith sé roinnt blianta ag obair i gCoimisiún an Mháil ach, nuair a foilsíodh litir leis ar an *Nation* ag cosaint ' Repeal ', b'éigean dó éirí as a phost. Chuir sé faoi i mBaile Átha Cliath agus chaith sé a shaol ansin ag saothrú na Gaeilge, ag scríobh agus ag bailiú lámhscríbhinní agus ag gabháil don chumadóireacht.[76] Chomh maith leis sin chuir sé roinnt sean-téacsanna in eagar, *Cath Gabhra* (1853), *Feis Tighe Chonáin* (1855) agus *The Prophecies of St. Columkille* (1856). Tar éis a bháis fuair Ó Donnabháin Rosa beart mór dá chuid lámhscríbhinní. I litir a sheol sé chuig an *Skibbereen Eagle* tugann Ó Donnabháin Rosa eolas ar ar tharla do na lámhscríbhinní sin:

> When I was arrested in 1865 the police took away all the papers and pictures that I had in the house, and that is the last I saw of them. I had a large bag of manuscript Irish-English papers that belonged to Nicholas O'Kearney, a Gaelic Language Scholar. The English have these papers in Dublin Castle, and I wish that you or somebody would try to get them—for the sake of the Irish Language.

[73] S. P. Ó Mórdha, ' A Co. Down Transcript of Egerton 127 ' *Éigse* vii, 205 *et seq.*

[74] Mar shampla, timpeall na bliana 1844 chum sé dréacht faoi bhoinn (' medals ') an Athar Maitiú, agus sheol sé chuig Seán Ó Dálaigh i mBaile Átha Cliath é. *Dánta Diadha Uladh* (BÁC 1936) 222-3.

[75] L. Ó Muireadhaigh, S.P., ' O'Kearney, O'Daly and Bennett ', *Éigse* ii, 79 *et seq.*

[76] Tá roinnt samplaí dá shaothar i gcló in *Céad de Cheoltaibh Uladh;* ina measc tá an dréacht measartha fada dar teideal ' Cáineadh Phara Joe, nó Patsan a' Bharraigh ', 125 *et seq.*, 279.

Ní miste a rá go raibh an litríocht á saothrú go dícheallach thart faoi Chontae na Mí, Contae Lú agus deisceart Chontae Ard Mhacha, sa chéad leath den 19ú haois. Chomh maith leis na daoine atá luaite cheana againn bhí, mar shampla, an tAthair Pádraig Ó Luain[77] a rinne gach dícheall chun a chuid paróisteach a ghríosadh chun leanúint de labhairt na Gaeilge agus chun a gcuid paidreacha a rá sa teanga sin. Ba i nGaeilge a thugadh sé féin seanmóir uaidh i gcónaí agus bhí de nós aige an *Nation* a léamh do na daoine agus a raibh ann a mhíniú dóibh. Bhreac sé síos dánta, scéalta agus seanchas den uile shórt, agus nuair a fuair sé bás i 1860 d'fhág sé carn mór lámhscríbhinní ina dhiaidh. Faraoir, cailleadh nó scriosadh a bhformhór. Bhí an tAthair Pádraig agus Art Mac Bionaid an-mhuinteartha le chéile.

File agus scríobhaí ó Chontae na Mí ba ea Peadar Dubh Ó Dálaigh.[78] Dála Uí Ghealacáin, máistir i scoil cois claí ba ea Peadar Dubh. Chum sé dréacht amháin á gcáineadh siúd ' a ghlacann tuarasdail nó bríb ó chuallacht bhrocach eiriceach Shráid Chill Dara i mBaile Átha Cliath '.[79] Is cosúil, ámh, gur ghabh sé féin leis an bProtastúnachas níos déanaí, mar chuidigh sé le hobair an chumainn trí leabhar iomann agus salm a aistriú go Gaeilge.[80]

Meastar gur faoi Pheadar Dubh a scríobh Art Mór Ó Murchaidh ' Laoi an Ghiosdaire Mhaoil '.[81] Scológ bhocht a raibh cónaí air i mbothán suarach i mBaile Thomáis ba ea Art Mór.[82] (' Grotto Place ' nó ' Grottoplace Castle ' a thugadh cuid dá chairde ar an mbothán seo.) Scoláire agus scríobhaí oilte Gaeilge a bhí ann agus eolas maith aige ar an mBéarla freisin. Tá roinnt lámhscríbhinní san Acadamh anois ón scoil fhilíochta a bhí aige i mBaile Thomáis idir 1820 agus 1830. D'fhreastail Nioclás Ó Cearnaigh agus fear óg darb ainm Mata Mórdha Ó Graeme ar an scoil sin. Ghlac Art páirt san iomarbhá filíochta a bhí ar siúl i nDún Dealgan sa bhliain

[77] *ibid.*, 319 *et seq.* Tá eolas suimiúil faoi éigse Uladh le fáil in dhá aiste le T. Ó Fiaich, ' The Poetical and Social Background of the Ulster Poets ', *Léachtaí Cholm Cille* 1970, 23 *et seq.* agus ' The Ulster Poetic Tradition in the Nineteenth Century ', *ibid.* 1972, 19 *et seq.*

[78] Ba é Peadar Dubh a scríobh an lámhscríbhinn Eg. 208 sa bhliain 1826. Féach *Brit. Mus. Cat. Irish MSS* ii, 134. Féach freisin *ibid.*, 137-8 agus 117.

[79] *Amhráin na Midhe*, 175.

[80] Tá roinnt samplaí díobh in *Cláirseach Naomhtha na hÉireann* curtha i gcló ag M. Goodwin (BÁC 1835).

[81] *Dhá Chéad de Cheoltaibh Uladh*, 425.

[82] *Amhráin Airt Mhic Chubhthaigh* ii (1926) 78; *Dhá Chéad de Cheoltaibh Uladh*, 421 *et seq.*

1827 agus rug sé an chraobh sa chomórtas deireanach ó mhac léinn leis, an Dr Séamas Mac Giolla Choille, an poitigéar ó Dhún Dealgan a ndearnamar tagairt dó cheana. Chum an Dochtúir roinnt mhaith véarsaíochta ach, mar a deir an tAthair Tomás Ó Fiaich, ' ar éigean a scríobh Séamus Mac Giolla Choille oiread agus líne amháin filíochta ina shaothar ar fad '.[83]

Ní fios go cruinn an raibh an Ghaeilge ó dhúchas ag Mata Ó Graeme ach, ar aon nós, bhí sí ar a thoil aige, agus is cosúil gur bhain sé tairbhe as an tréimhse a chaith sé i scoil Airt Mhóir i mBaile Thomáis ag gabháil do chúrsaí litríochta, mar is iomaí dán a chum sé féin ina dhiaidh sin, agus foilsíodh cuid mhaith acu ar an *Tuam News* (an páipéar nuachta ba Ghaelaí in Éirinn an tráth úd).[84] Bhí sé muinteartha leis an Dr Mac hÉil agus leis an gCanónach Uileag de Búrca. Nuair a fuair sé bás i 1882 d'fhág sé bailiúchán mór lámhscríbhinní ina dhiaidh ach dódh a lán acu. D'éirigh le Énrí Ó Muirgheasa a raibh fágtha díobh a shlánú.

Ní cuí críoch a chur le haon chuntas ar shaothrú na Gaeilge sa tuaisceart gan tagairt a dhéanamh don obair a rinne baill an chumainn a bunaíodh i nDroichead Átha chun an Ghaeilge agus ceol na nGael a shaothrú.[85] The Drogheda Gaelic (nó Bardic) Society a thugtaí mar ainm ar an gcumann sin agus, cé gur cosúil nach raibh na baill ró-líonmhar, rinne siad a gcion chun suim sa teanga agus sa cheol a choimeád beo sa cheantar sin ar feadh tamaill mhaith. Chuir siad lámhscríbhinní á scríobh; chuir siad rompu duanaire a sholáthar agus sa bhliain 1843 chuir siad fleá cheoil ar siúl.

I measc na mball bhí Bernard Ó Tomaltaigh, péintéir agus scoláire a raibh labhairt na Gaeilge go maith aige ach nach raibh ró-oilte ar í a scríobh, J. T. Rowland, aturnae a raibh baint aige le Young Ireland agus arbh éigean dó teitheadh go Meiriceá dá bharr sin i 1855, agus an tAthair Tomás de Búrca, O.P. (1801-44), cláirseoir a raibh dúil chomh mór sin sa cheol aige go mbíodh ranganna ceoil ar siúl aige sa seomra suí i bpriòireacht na nDoiminiceach. É féin a bhíodh i mbun na ranganna i dtosach ach tar éis tamaill chuir sé fios go Béal Feirste ar mhúinteoir láncháilithe.

[83] Sa léirmheas a scríobh sé ar leabhar Sheosamh Uí Dhuibhginn, *Inniu*, 15-9-'72, 4.

[84] É. Ó Muirgheasa, ' Mata Mórdha Ó Graeme ', *Éigse* i, 183-4.

[85] S. P. Ó Mórdha, *Seanchas Ardmhacha*, iii, No. 1 (1958) 160; B. Ó Buachalla, *Feasta*, Nollaig 1964, 6.

Is suimiúil an rud é gur ar Bhéal Feirste agus nach ar Bhaile Átha Cliath a bhí súile Ghaeil Dhroichead Átha dírithe. Deimhniú air sin is ea an ceangal agus an caidreamh a bhí idir an Drogheda Gaelic Society agus Cuideachta Gaedhilge Uladh (The Ulster Gaelic Society), an cumann úd a ndearnamar tagairt dó ó chianaibh.

CAIBIDIL A DÓ DHÉAG

ATHBHEOCHAN

Um dheireadh na bliana 1876 is ea bunaíodh *The Society for the Preservation of the Irish Language* i mBaile Átha Cliath. Lá 'le Pádraig 1877 an dáta atá luaite ag an gCraoibhín,[1] ach is follas ón gcuntas atá tugtha ag Dáithí Coimín[2] go raibh cruinnithe ar siúl roimhe sin. I measc na ndaoine a chuidigh le bunú an chumainn bhí an Coimíneach féin, Risteard Ó Dubhthaigh, Diarmuid S. Mac Suibhne, Brian Ó Luanaigh, Seosamh Ó Longáin, Tomás Ó Néill Ruiséal, An Dr George Sigerson, an Canónach Uileag de Búrca, an tUrramach Maxwell Close agus an tAthair Eoin Ó Nualláin, O.D.C. Ceapadh an tAthair Ó Nualláin ina rúnaí, agus ina sheomraí siúd i gCoinbhint na gCairmilíteach i Sráid Clarendon a thagadh na baill le chéile ar dtús. Ina dhiaidh sin bhí roinnt cruinnithe acu i seomraí an Butt Testimonial Committee ar Bachelors' Walk. Ansin chuir fiaclóir darbh ainm Mr Ryding seomraí ar fáil dóibh ina theach féin, 9 Sráid Chill Dara.

Mar a léiríonn ainm an chumainn, is é buanchoimeád nó caomhnú na Gaeilge a bhí mar chuspóir ag na baill agus leagadh amach scéimeanna éagsúla chun an cuspóir sin a thabhairt i gcrích.[3] Is cosúil, ámh, go raibh ganntanas airgid ar an gcumann ó thosach, rud a chuir moill nó bac ar chuid de na scéimeanna a bhí á mbeartú. Ar 5 Meitheamh 1877 scríobh Dáithí Coimín mar a leanas chuig a

[1] *Mise agus an Connradh* (BÁC 1937) 20. Féach freisin M. Ní Mhuiríosa, *Réamhchonraitheoirí* (BÁC 1968). Tá cuntais níos iomláine ar chuid de na daoine a bhí gníomhach sa chumann le fáil in *Feasta*, Márta, Aibreán 1969; Feabhra 1970; Iúil 1971. Féach freisin *ibid.*, Iúil 1970.

[2] J. J. Doyle, *David Comyn*, 1854-1907 (BÁC g.d.) agus litreacha an Choimínigh sa Leabharlann Náisiúnta.

[3] Tá cuntas ar scéimeanna an chumainn tugtha ag Brian Mac Giolla Phádraig in aiste leis, ' Bunaitheoirí an Chonartha ', *Feasta*, Márta 1956. Féach freisin *Réamhchonraitheoirí*.

chara Séamus Ó Dubhghaill[4]: ' Money comes in very slowly, and it really seems ridiculous for us to go in for preserving the Irish language on £110, which is the outside of the subscriptions yet received '.[5] Dealraíonn sé, ámh, gur éirigh go maith le scéim amháin, scéim neamhchoitianta a beartaíodh chun úsáid na Gaeilge a phoibliú. Tá tagairt don scéim ag Dáithí Coimín i litir eile chuig Séamus Ó Dubhghaill ar 27 Nollaig 1877: ' I saw Russell [i.e. Ó Néill Ruiséal] on Saturday. He is preparing the Irish for the Conversation Lozenges that Grubb the confectioner is getting out. They will be a novelty '.[6] Deir Ó Dubhghaill linn go raibh éileamh mór ar na ' lozenges ' seo.

Ba é an beart ba thábhachtaí dá ndearna *The Society for the Preservation of the Irish Language* ná a áiteamh ar Bhord an Oideachais Náisiúnta agus ar Bhord an MheánOideachais an Ghaeilge a chur mar ábhar ar chlár na scoileanna i 1878. Ba sa bhliain sin a chláraigh Dubhghlas de hÍde (An Craoibhín Aoibhinn) mar bhall den chumann; sa bhliain chéanna, faraoir, d'éirigh easaontas idir na baill, agus tharla scoilt eatarthu.[7] D'fhan na baill ba dhíograisí le chéile agus bhunaigh siad cumann nua, *The Gaelic Union* (Aondacht na Gaeilge) sa bhliain 1880. Dála an chéad chumainn, ba é an príomhchuspóir a bhí ag an Aondacht ná an Ghaeilge a shlánú, agus chun an cuspóir sin a thabhairt i gcrích chuaigh siad ar aghaidh le scéimeanna chun leabhair scoile a chur ar fáil ar phraghas íseal, chun leabhar urnaithe a ullmhú (thóg an tAthair Ó Nualláin an cúram áirithe seo air féin, Dáithí Coimín ag cuidiú leis), chun iris nua a bhunú etc. Nuair a aistríodh an tAthair Ó Nualláin go Baile Locha Riach i 1881 dealraíonn sé gur ar an gCoimíneach a thit tromlach na hoibre.

Ní raibh cúrsaí na tíre idir 1878 agus 1893 fábharach do chuspóir an chumainn. Ba ar cheisteanna polaitiúla agus eacnamaíocha, ar Chonradh na Talún, ar an bhFéinrialtas, ar éirí agus titim Pharnell, a bhí aire an phobail dírithe. Mar bharr ar gach donas, ba ghearr go raibh fiacha ar an gcumann. I Mí Feabhra 1882 scríobh an

[4] Is é seo an Séamus Ó Dubhghaill a ghnóthaigh aitheantas mar scríbhneoir faoina ainm cleite ' Beirt Fhear '. I gCo. Chiarraí a rugadh é, 1855, agus chaith sé an chuid ba mhó dá shaol ag obair sa Chustum agus Mál i Sasana, in Albain agus i gCúige Uladh. Is iad an dá leabhar dá chuid is mó a bhí i mbéal an phobail ná *Beirt Fhear ón dTuaith* agus *Tadhg Gabha*. Fuair sé bás i 1929.

[5] *David Comyn*, 1854-1907, 10.

[6] *ibid.*, 13.

[7] *ibid.*, 22 *et seq.* agus *Réamhchonraitheoirí.*

Coimíneach arís: ' We are now one way or another about £130 in debt. Rev. Mr. Close gave me £20 to-day, but not to publish his name '.[8]

Deirtear linn nach raibh focal Gaeilge ag an Urramach Maxwell Close ach is cinnte go raibh dúil as cuimse aige sa teanga mar chaith sé go fial le gach iarracht dá ndearnadh lena linn chun í a shlánú, ag glanadh fiacha na hAondachta agus *Irisleabhar na Gaedhilge*, ag soláthar airgid chun scéimeanna éagsúla a chur chun cinn, ag ceannach leabhar etc.—' crann taca an iomláin é . . . ár Maecenas ' a thug Dubhghlas de hÍde air.[9] Nuair a fuair sé bás i 1903 d'fhág sé £1,000 le huacht ag Acadamh Ríoga na hÉireann chun cuidiú le foclóir Gaeilge a chur i gcló. Tá an ciste seo ann go fóill agus feidhm á bhaint as do réir mar is gá.[10]

Réamhchonraitheoirí

In ainneoin na ndeacrachtaí go léir d'éirigh leis an gcumann iris nua *The Gaelic Journal* (*Irisleabhar na Gaedhilge*)[11] a bhunú, agus tháinig an chéad uimhir di amach ar an gcéad lá de Mhí na Samhna 1882. Ba thábhachtach ilghnéitheach an saothar a foilsíodh san iris seo. Bhí nuacheapadóireacht i nGaeilge inti agus eagráin de théacsanna, ailt agus aistí i mBéarla agus i nGaeilge ar fhadhbanna gramadaí agus litríochta agus ar an teanga féin.[12] Dhearbhaigh Dubhghlas de hÍde gur sa chéad uimhir d'*Irisleabhar na Gaeilge*, i Mí na Samhna 1882, a ' thosuigh ath-bheodhughadh agus saothrughadh na nua-theanga '.[13]

Bhí drochbhail ar an nGaeilge san am, í ag fáil bháis go scioptha agus gan aon mheas ag an ngnáthphobal uirthi mar ghléas beo-litríochta. Is fíor go raibh saothar mór curtha i gcrích ag scoláirí mar Ó hArgadáin, Ó Donnabháin, Ó Comhraí, an Dr J. H. Todd agus daoine eile sa bhaile agus i gcéin, chun iarsmaí na sean-litríochta a chaomhnú, ach níor mhór an tsuim a bhí ag formhór na scoláirí sin i saothrú na teanga beo.

[8] op. cit., 27.

[9] op. cit., 21. Féach freisin *Réamhchonraitheoirí.*

[10] Appendix to the Minutes of Proceedings of R.I.A., 1958-9, 19.

[11] Tugann Séamus Ó Dubhghaill an fhaisnéis seo a leanas dúinn i dtaobh ainm na hirise: At first it was to be called ' Gaelic Union Journal '—I have a specimen page with this title—but on the advice of Archbishop Croke, who became patron after the death of John of Tuam, the ' Union ' was omitted as the word had an evil odour in Ireland, op. cit., 28.

[12] Féach E. M. Ní Chiaragáin, *Index, Irisleabhar na Gaedhilge* (BÁC 1935).

[13] *Mise agus an Connradh,* 25.

Ina dteannta siúd bhí daoine eile ann a d'oibrigh ar a ndícheall ar son na teanga beo agus na saíochta dúchais. Tá cuid acu luaite cheana againn, An Dr Mac hÉil, Pilib Barún, Roibeard Mac Ádhaimh, W. E. Hudson, Seán Ó Dálaigh etc. Is cóir anois cur síos a dhéanamh ar chuid de na daoine a lean iad siúd sa troid chun an teanga a choimeád á labhairt agus á scríobh sa 19ú haois.

Tuilleann an Canónach Uileag de Búrca[14] focal ar leith mar gheall ar na hiarrachtaí a rinne sé chun cion agus eolas ar an nGaeilge a leathnú, go háirithe i measc na cléire. I gContae Mhaigh Eo is ea a rugadh é i 1829 agus fuair sé a chuid oideachais i gColáiste Iarfhlatha i dTuaim agus i gColáiste Phádraig, Maigh Nuad, agus chaith sé seal ina dhiaidh sin ina ollamh le Gaeilge i gColáiste Iarfhlatha. Le linn dó bheith i Maigh Nuad d'ullmhaigh sé an *College Irish Grammar* chun cuidiú lena chomh-mhic léinn chun an Ghaeilge a fhoghlaim. Foilsíodh an leabhar sin i 1856, agus d'fhoilsigh sé freisin *Easy Lessons: or Self-Instruction in Irish.* Is suimiúil an méid a bhí le rá aige sa réamhrá a scríobh sé don cheathrú heagrán den leabhar sin i 1865:

> In five years this little work has gone through three editions. The demand has been steadily increasing. On this account the fourth thousand is now issued. . . . In several districts through Ireland persons who ought to encourage the cultivation of the mother tongue . . . actually neglect or despise it; still there are found many young men, after the manner of the learned and lamented Thomas Davis, endeavouring by private study to acquire a knowledge of that tongue which it was their misfortune, in earlier days, not to have heard. . . . Of our own Knowledge, we are aware that there exists a patriotic rivalry in this respect among the students of several colleges in Ireland, France, Rome, Spain, in the Canadas, New Brunswick, the United States. The 'Easy Lessons' have found their way to the 'ends of the earth'.

D'fhonn a chomhshagairt a ghríosadh chun seanmóirí a thabhairt i nGaeilge d'ullmhaigh an Canónach eagrán de sheanmóirí

[14] Sa chás seo arís is fiú ráiteas Airt Uí Ghríofa a lua: 'Ulick Bourke was a man after Archbishop McHale's own heart, and had it been the good fortune of the great Archbishop to have had other priests of his diocese cast in Bourke's mould, the decree of the Provincial Synod of Tuam, exhorting the priests to establish throughout Connacht classes for the teaching of Irish would have had practical effect given it, and the greater part of the Province would to-day furnish an Irish-reading public'. *Evening Telegraph,* 15-11-1913.

an Dr Ó Gallchobhair. Shaothraigh sé freisin san Ossianic Society agus níos déanaí sa Gaelic Union.[15] Fuair sé bás sa bhliain 1887.

I bparóiste Mhaothail i gCo. Phort Láirge is ea rugadh Seán Pléimeann[16] timpeall 1814. Bhí an teanga agus an tseansaíocht beo fós sa cheantar sin agus Seán ag fás suas. Fuair sé a chéad cheachtanna ó Aindrias Ó Loingsigh, fear a bhí mar dhalta ag Donnchadh Rua tráth agus a raibh aithne aige ar Thadhg Gaelach. Ansin chuaigh Seán ar scoil go Cill mar ar chuir sé eolas ar an Laidin agus ar an mBéarla. D'éirigh chomh maith sin leis nárbh fhada go raibh sé oilte go leor chun gabháil leis an múinteoireacht é féin, agus chaith sé tamall ag múineadh sa Chorrach Dubh i gcistin feirmeora darbh ainm Dáithí de Bhaldún. Nuair a bunaíodh an chéad scoil náisiúnta ag Ráth Cormaic sa bhliain 1849 ceapadh Seán ina mhúinteoir ann, agus chaith sé dhá bhliain agus tríocha ansin ag obair mar mhúinteoir agus mar chléireach paróiste, agus é ag saothrú na Gaeilge ar gach bealach ab fhéidir leis i rith an ama. Nuair a d'éirigh sé as an múinteoireacht i 1881 tháinig sé go Baile Átha Cliath, agus lean air ag saothrú na teanga níos dúthrachtaí ná riamh.

Fuair sé post ag cóipeáil lámhscríbhinní in Acadamh Ríoga na hÉireann agus £80 sa bhliain mar thuarastal aige. Sin a raibh de theacht isteach aige. Ina ainneoin sin is saor in aisce a rinne sé an obair go léir ar son na teanga. Bhí sé an-ghníomhach in Aondacht na Gaeilge, scríobh sé a lán den ábhar d'*Irisleabhar na Gaeilge* agus chaith tamall ina eagarthóir ar an iris sin. Mar a deir An Craoibhín linn, fear ciúin cúthail a bhí ann ach amháin nuair a bhíodh peann ina láimh aige, agus is ansin a d'éiríodh sé trodach teasaí.[17]

Nuair a bhí 78 mbliana slánaithe aige bhí an aois agus an droch-shláinte ag goilliúint chomh mór sin air go raibh air éirí as a phost san Acadamh, agus mura mbeadh an pinsean beag a thug an tUrramach Maxwell Close dó as a phóca féin, ní bheadh pingin rua ag an bPléimeannach sna blianta deireanacha dá shaol. Ba i Mí

[15] ' Canon Bourke's share in all our work was very great, and he was with us to the last in the Gaelic Union ', *David Comyn*, 1854-1907, 34. Tá eolas sa bhreis faoin gCanónach le fáil in ' Seán Mag Fhlainn agus an Tuam News ', *Comhar*, [...]mhain 1972, 20 *et seq.* Is éachtach an méid saothar a rinne Mag Fhlainn ar son [...]aeilge, agus is mór an fhoighne a bhí aige agus é ag déileáil leis an gCanónach.

[...] Power, *The Irish Booklover* XXV (July-Dec. 1937) 77 *et seq.; Réamh-* [...] P. Ó Nuatáin, ' Seán Pléimion, Déiseach ', *Feasta*, Bealtaine 1961.

[...] *an Conradh*, 39.

Eanáir 1896 a fuair sé bás. Bhí Seán Pléimeann ar dhuine de na scoláirí Gaeilge ab fhearr lena linn, ach mar sin féin ní raibh focal Gaeilge ag a chlann. Ní ligfeadh a bhean dó í a mhúineadh dóibh.

Fear trodach teasaí eile ba ea Tomás Ó Néill Ruiséal—' That Prince of Cranks ' mar a tugadh air.[18] In aice le Móta Gráinne Óige a rugadh é sa bhliain 1827. Bhí roinnt Gaeilge á labhairt fós sa cheantar sin le linn a óige agus d'fhoghlaim sé í. Theip air, áfach, eolas cruinn a chur uirthi, ach ina ainneoin sin níor leasc leis riamh argóintí a dhéanamh faoi phointí gramadaí agus faoi cheart na teanga. Taistealaí tráchtála a bhí ann agus chaith sé cuid mhór dá shaol ag gabháil timpeall i mbun a ghnó sa tír seo, sna Stáit Aontaithe agus i Sasana freisin. I rith an ama go léir níor tháinig aon mhaolú ar a chuid iarrachtaí chun an Ghaeilge a chur chun cinn. Ar 11 Aibreán 1878, scríobh Dáithí Coimín chuig Séamus Ó Dubhghaill: ' Russell is in London and is doing great work with O'Connor Power. They are to have a meeting of M.P's. on Monday night and other influential folk to see how the cause can be forwarded '.[19] Ach ba sna Stáit Aontaithe is mó a shaothraigh an Ruiséalach, ag bunú ranganna Gaeilge, ag iarraidh a thabhairt ar na Gaeil an teanga a labhairt lena chéile, ag scríobh, ag tabhairt léachtaí agus ag cuidiú le hirisí a mbíodh an Ghaeilge á foilsiú iontu. D'fhill sé ar Éirinn i 1888, ach roimhe sin féin bhí sé an-ghníomhach in Aondacht na Gaeilge. Bhí sé i láthair i Mí Iúil 1893 nuair a bunaíodh Conradh na Gaeilge.[20] I samhradh na bliana 1908 is ea a fuair sé bás. Chomh maith leis na haistí iomadúla a tháinig óna pheann scríobh sé timpeall dosaen leabhar freisin idir Bhéarla agus Ghaeilge.

Mar is léir ó shaothar an Ruiséalaigh, ní in Éirinn amháin a bhí an Ghaeilge á saothrú sa leath deireanach den 19ú haois, ach sna Stáit Aontaithe freisin. I stair na gluaiseachta thall tá ionad onórach tuillte ag Micheál Ó Lócháin as Contae na Gaillimhe, an fear a bhunaigh an míosachán dátheangach, *An Gaodhal*, i Nua-Eabhrac. I Mí Dheireadh Fómhair 1881 is ea a foilsíodh an chéad uimhir den iris seo, breis agus bliain sular tháinig *Irisleabhar na Gaedhilge* ar an saol, agus bhí sí á foilsiú go rialta anuas go dtí 1903, cé go bhfuair an Lóchánach féin bás i 1899. Tá ábhar i nGaeilge i gcolúin na hirise seo arbh fhiú go maith staidéar a dhéanamh air

[18] *ibid.*, 44 *et seq.*; 162 *et seq.*; *Réamhchonraitheoirí.*
[19] op. cit., 15.
[20] Féach ' Bunaitheoirí an Chonartha ', *Feasta,* Márta 1956, 3 *et seq.*

chun teacht ar bhreis eolais ar staid na teanga san am. Lena chois sin, tugann cuid den ábhar seo léargas éigin dúinn ar roinnt den oidhreacht liteartha a thug deoraithe ó Éirinn leo thar sáile. Faighimid freisin sna dréachtaí i nGaeilge agus i mBéarla faisnéis faoi chúrsaí na teanga thall agus abhus agus faoi a lán de na daoine a bhí ag obair ar a son sa dá thír.[21] Duine díobh sin ba ea Ó Donnabháin Rosa, a thug tacaíocht láidir do chúis na Gaeilge sna Stáit.[22]

Duine eile a raibh eolas maith ag lucht léite *An Gaodhal* air ba ea an tUrramach Euseby D. Cleaver (1826-94). I nDeilgne i gContae Chill Mhantáin a rugadh an Cliabhrach, ach chaith sé an chuid ba mhó dá shaol i Sasana agus sa Bhreatain Bheag i mbun a ghairme mar mhinistir. Ina ainneoin sin níor chaill sé riamh a shuim ná a dhúil sa Ghaeilge. Agus é ina fhear óg bhí sé ina leas-uachtarán ar an Ossianic Society i mBaile Átha Cliath agus ina bhall den Celtic Society i mBaile Átha Cliath agus ina bhall den Celtic Society i Londain. Ó 1878 amach bhí sé gníomhach in obair Aondacht na Gaeilge agus chuir sé airgead ar fáil chun scéimeanna na heagraíochta sin a chur chun cinn. B'fhial an chabhair a thug sé chun ábhar léitheoireachta i nGaeilge a sholáthar do na scoileanna sa Ghaeltacht. Agus ní amháin gur dháil sé na leabhair saor in aisce ach, d'fhonn na múinteoirí a spreagadh agus a mhisniú, thairg sé duaiseanna airgid dóibh siúd a mbeadh an toradh ab fhearr acu sna scrúduithe Gaeilge i ngach ceann de na contaetha ar an gcósta theas agus thiar a raibh ceantar Gaeltachta ann. De bharr na scéime seo, bhí eolas maith ag lucht na Gaeilge i gcéin is i gcóngar ar shaothar an Chliabhraigh agus, nuair a fuair sé bás, ní in Éirinn amháin a caoineadh é. I Nua-Eabhrac cumadh dán i nGaeilge á chaoineadh. Rinneadh an dán seo a aithris ag cruinniú den Philo-Celtic Society sa chathair sin agus foilsíodh ar *An Gaodhal* é (Eanáir 1895).

Is don Chliabhrach a thiomnaigh an Craoibhín a chéad leabhar, *Leabhar Sgeulaigheachta* (1889), ní nárbh ionadh, mar ba é an Cliabhrach a sheas costas an fhoilsithe. Nuair a bunaíodh Conradh na Gaeilge ceapadh an Cliabhrach ina leas-uachtarán air. Beagán cionn bliana a bhí an post sin aige agus, nuair a fuair sé bás i

a lán eolais den chineál céanna le fáil in *The Tuam News*. Féach *Comhar*, 972, 20 *et seq*.

in *Feasta*, Lúnasa 1967, 15 *et seq*., léiríonn Seán Ua Cearnaigh gur Donnabháin Rosa, John O'Mahony agus John Devoy tacaíocht aeilge.

Mí na Samhna 1894, ba é an tAthair Eoghan Ó Gramhnaigh (1863-99) a ceapadh mar leas-uachtarán ina áit.

I bparóiste Bhaile Átha Buí i gContae na Mí a rugadh an tAthair Eoghan.[23] Níor chuala sé focal Gaeilge á labhairt ina theach féin nó sa chomharsanacht le linn a óige, agus músclaíodh a shuim sa teanga don chéad uair nuair a tháinig sé ar na ceachtanna Gaeilge a d'fhoilsigh an tAthair Eoin Ó Nualláin agus Seán Pléimeann san iris *Young Ireland*. As sin amach níor staon sé dá iarrachtaí chun eolas a chur ar an teanga. Fuair sé cabhair i dtosach ó roinnt seandaoine a raibh labhairt na teanga acu agus ina dhiaidh sin, le linn dó bheith ina mhac léinn i gColáiste Phádraig, Maigh Nuad, ba ghnáth dó a chuid laethanta saoire a chaitheamh i gceann éigin de na ceantair Ghaeltachta, thuaidh, thiar nó theas. Chuir sé eolas ar leith ar Oileáin Árann, agus scríobh sé cuntas orthu in *Irisleabhar na Gaedhilge*. Nuair a athbhunaíodh Cathaoir na Gaeilge i Maigh Nuad ba é an tAthair Eoghan a ceapadh chun í a líonadh. Shaothraigh sé go dúthrachtach mar ollamh sa Choláiste agus mar eagarthóir ar *Irisleabhar na Gaedhilge*. I gceann achair ghairid, ámh, bhris ar a shláinte, agus b'éigean dó imeacht ar saoire tinnis go Meiriceá ar thóir na gréine agus an leighis. Is beag feabhas a tháinig air thall agus i 1896 d'éirigh sé go foirmiúil as an ollúnacht i Maigh Nuad. Trí bliana ina dhiaidh sin fuair sé bás, ach i gcaitheamh na dtrí bliana sin níor tháinig maolú ar bith ar a shuim sa Ghaeilge ná i gcúrsaí na Gaeilge. Is iomaí aiste a scríobh sé faoi na cúrsaí sin in irisí éagsúla thall agus abhus; is iomaí litir a scríobh sé chuig a chairde sa dá thír, á ngríosú, á misniú, á gcomhairliú. Ceithre bliana tar éis a bháis (i 1903) tugadh a chorp anall ó Mheiriceá agus adhlacadh é i gColáiste Phádraig, Maigh Nuad. Ar a bhealach ar ais bhí na Gaeil i gcathracha Mheiriceá agus anseo in Éirinn ag sárú a chéile ag tabhairt ómóis chuí dó. Tuilleann an tAthair Ó Gramhnaigh ionad tábhachtach i stair na Gaeilge mar gheall ar an gcabhair as cuimse a thug sé don athbheochan lena *Simple Lessons in Irish*, sraith leabhrán do lucht foghlama na teanga, sraith a d'fhág a ainm i mbéal na ndaoine ar feadh na mblianta ina dhiaidh.

[23] A. O'Farrelly, *Leabhar an Athar Eoghan* (BÁC, London 1904). Tá cuntais ar shaol an Athar Uí Ghramhnaigh, mar aon le samplaí dá shaothar, sa leabhar seo. Féach freisin, *An Sagart*, Geimhreadh 1963, agus M. Uí Chonmhidhe, ' Soiscéal an Athar Eoin ', *Comhar*, Deireadh Fómhair 1963, 5 *et seq*. agus S. Ó Ceallaigh, *Eoghan Ó Gramhnaigh* (BÁC 1968). Foilsíodh cuid mhaith dá shaothar in *The Tuam News*.

Ag cur le hiarrachtaí na ndaoine seo, agus daoine eile nach iad, chun an Ghaeilge a chaomhnú, bhí corr-scríobhaí ag cóipeáil seanlámhscríbhinní san Acadamh Ríoga i mBaile Átha Cliath nó in áiteanna éagsúla ar fud na tíre agus taobh amuigh di[24]; bhí corrfhile mar Cholm de Bhailís[25] (1796-1904) i gConamara (i dTeach na mBocht is ea a fuair seisean bás), agus Riobard Weldon[26] (1838-1915) sna Déise ag ceapadh dréachtaí. Is féidir a rá, mar sin, nach ndeachaigh sruth na litríochta i ndísc ar fad riamh. Ach dóbair dó. Léiríonn Tadhg Ó Donnchadha (Torna) chomh dona agus a bhí an scéal thart faoi 1882: ' Má bhí leathchéad daoine in Éirinn go léir an uair sin ', a deir sé, ' go raibh léamh agus scríobh na Gaeilge acu san chló Gaelach, déarfainn gurbh é an t-iomlán é. Ní raibh aon cheapadóireacht á dhéanamh inti ach fíorbheagán filíochta san Gaeltacht, a bhí maith go leor ina háit dúchais, ach ní cuirfí suim inti in aon áit eile.'[27]

B'fhéidir nach raibh iomlán an chirt ag Torna nuair a dhearbhaigh sé nach raibh ach timpeall leathchéad duine a raibh léamh agus scríobh na Gaeilge acu sa chló Gaelach. Tá a lán staidéir le déanamh fós ar riocht na teanga sa 19ú haois; tá a lán eolais le bailiú agus le meá sula mbeifear ábalta an scéal a léiriú go cruinn. Ach cibé taighde sa bhreis a dhéanfar ar an gceist, is cinnte nach mbréagnófar tuairim Thorna faoin drochbhail a bhí ar an nGaeilge i dtrátha an ama seo.

[24] Féach mar shampla S. Ó Conchubhair, ' An Rud a bhí Rómham ', *Béaloideas* xv, 102-126, go háirithe 120-124. Is cóir freisin ómós a thabhairt do shaothar an tsárfhir úd Pádraig Feiritéar a rugadh i gCorca Dhuibhne i 1856 agus a fuair bás i Nua-Eabhrac i 1924. Idir 1889 agus 1893 chuaigh sé timpeall ag bailiú béaloidis ó na daoine ina cheantar dúchais féin agus á scríobh síos agus san am céanna ag fáil lámhscríbhinní ar iasacht agus á gcóipeáil. Sa bhliain 1893 bhí air imeacht go Meiriceá chun riar a cháis a bhaint amach. Is mar seo a thráchtann Breandán Ó Buachalla ar a shaothar sa tír sin: ' Lean air thall ar an obair chéanna. Thaistil sé gach cuid de Mhass. ag teacht suas le cainteoirí ó dhúchas chun a raibh de bhéaloideas acu a mhealladh uathu agus ag ceannach ar tháinig de lámhscríbhinní ina threo; Post suarach mar sclábhaí a bhí aige, ach cibé airgead a bhí á thuilleamh aige chaith sé arís é ar na lámhscríbhinní ' (*Feasta*, Nollaig 1964, 6-8). Tríocha a hocht lámhscríbhinn a bhí bailithe aige, agus d'fhág sé le huacht iad ag Ollscoil na hÉireann (nó ag an gCraoibhín. Féach *Lia Fáil*, iii, 126). Tá siad ar caomhnú anois sa Leabharlann i gColáiste na hOllscoile, Baile Átha Cliath.

[25] S. Ó Laoide (eag.) *Amhráin Chuilm de Bhailís* (BÁC 1904; athfhoilsiú ar ...lobhualadh lithó ag Clódhanna Teo. 1967).

... P. Ó Dálaigh (eag.), *File an Chomaraigh. R. Bheldon* (BÁC 1903).

... *do Irisleabhar na Gaedhilge*, vii. Is cóir a rá, ámh, go gcuirtear suim inniu ... cheapadóireacht áitiúil seo, den chineál atá bailithe, cuir i gcás, ag ... a in *Duanaire Duibhneach* (1933). Féach freisin B. Ní Shúilleabháin, ... Chorca Dhuibhne ', *Feasta*, Meitheamh 1963, 11, 16.

Bíodh go ndearna an S.P.I.L. agus Aondacht na Gaeilge (agus cumainn eile rompu) dea-shaothar, theip orthu a bpríomhchuspóir a chur i gcrích; sa dara leath den aois bhí an Ghaeilge ag dul in ísle bhrí gan staonadh. Nochtann na figiúirí oifigiúla seo ón daonáireamh a rinneadh gach deich mbliana an laghdú tubaisteach a tháinig ar lucht a labhartha idir 1851 agus 1891:

	Líon na nDaoine	*Lucht Labhartha na Gaeilge amháin*	*Lucht Labhartha Gaeilge agus Béarla*
1851.	6,552,385	319,602	1,204,684
1861.	5,798,967	164,275	942,261
1871.	5,412,377	103,562	714,313
1881.	5,174,836	64,167	885,765
1891.	4,704,750	38,192	642,053

Conradh na Gaeilge

Ní foláir nó bhí na figiúirí seo ar eolas ag an dream beag díograiseoirí a bhí ag iarraidh fóirithint ar an teanga, agus is cinnte nárbh aon chúis dóchais dóibh iad. Níor chaill siad misneach, ámh; is amhlaidh a chinn siad ar iarracht eile a dhéanamh. Sa bhliain 1893 chuir Eoin Mac Néill fógraí amach ag glaoch cruinnithe i mBaile Átha Cliath. Tionóladh an cruinniú i seomra i 9 Sráid Uí Chonaill Íochtarach ar 31 Iúil; bhí Dubhghlas de hÍde sa chathaoir, agus cuireadh tús le Conradh na Gaedhilge.[28] Toghadh de hÍde mar uachtarán ar an eagraíocht nua agus an tUrramach Euseby Cleaver mar leas-uachtarán; ghníomhaigh Eoin Mac Néill mar rúnaí onórach agus Seosamh Laoide mar chisteoir.

Le cois ranganna agus imeachtaí eile a chur ar siúl i mBaile Átha Cliath, chuir lucht stiúrtha an Chonartha rompu craobhacha den eagraíocht nua a bhunú ar fud na hÉireann agus taobh amuigh di freisin. D'fhás agus leathnaigh an ghluaiseacht nua do réir a chéile, agus thart faoin mbliain 1902 bhí os cionn dhá chéad craobh bunaithe; um an mbliain 1908 bhí cúig chéad go leith ann. Chomh maith le díograis an lucht stiúrtha féin, bhí nithe eile a chothaigh fás an Chonartha sna blianta tosaigh. Sholáthraigh

[28] *Mise agus an Connradh* (BÁC 1937) 35 *et seq.* go háirithe 53 *et seq.;* Brian Mac Giolla Phádraig, 'Bunaitheoirí an Chonartha', *Feasta,* Márta 1956, 3 *et seq.* Féach freisin M. Ó Cadhain, 'Conradh na Gaeilge agus an Litríocht', *Inniu,* Eanáir 1969; *Comhar,* Eanáir, Feabhra 1973.

roinnt iriseoirí ábalta poiblíocht luachmhar d'aidhmeanna an Chonartha, go háirithe D. P. Ó Móráin san iris a bhunaigh sé féin, *The Leader.*[29] Ach thar aon ní eile ba é dúthracht agus dílseacht na dtimirí agus na múinteoirí taistil ba mhó a chuir bláth ar obair an Chonartha. Mar a deir Dubhghlas de hÍde: ' Níl fhios ag an gcuid is mó againn an obliogáid mhór chuir na timthirí seo orainn, agus an méid oibre do rinne siad. Agus níl mé ag dearmad na múinteoirí taistil do chuir na Timthirí ag obair, " an fear ar an rothar ", ag dul tré ghleanntaibh agus thar sléibhtibh de ló agus d'oidhche ó sgoil go sgoil ag múineadh Gaedhilge. Níor chóir dúinn dearmad do dhéanamh go deo ar obair na ndaoine seo, ná ar a n-ainmneachaibh '.[30] Agus rinne an file Alice Milligan a ngníomhartha a mhóradh i mBéarla mar a leanas:

And the fire he has brought to-night through the winter rain and storm
Is the rallying hope that our race shall live and shall yet prevail—
See the eyes of the young men glisten, and the aged lean to listen
To the glorious glowing speech of the yet unconquered Gael.
So here, at the end of the book I have gathered of hero lays
That tell of great deeds done in battle 'mid flash of steel,
I set the last of my songs, the one I have made to praise
The man whom I saw through rain and wind go past on his flying wheel.[31]

Tá sé curtha síos go gonta i miontuairiscí an chéad chruinnithe gur bunaíodh an Conradh ' le haghaidh Theangadh na Gaedhilge do chongbháil dá labhairt in Éirinn '.[32] Is féidir cur leis an méid sin agus a rá gur fhéach lucht stiúrtha an Chonartha le ceithre ní a dhéanamh d'fhonn an cuspóir sin a chur i gcrích, (1) An Ghaeilge a chaomhnú sa Ghaeltacht, (2) í a chothú agus a neartú sa Bhreac-Ghaeltacht, (3) í a chur á labhairt arís sa Ghalltacht agus (4) litríocht nua-aimseartha a chur ar fáil inti. Chun cuidiú leis an aidhm dheireanach seo bunaíodh Féile an Oireachtais sa bhliain 1897 agus faoi choimirce na Féile seo reachtáladh comórtais liteartha

[29] de hÍde, op. cit., 100-101; Ó Céileachair agus Ó Conluain, *An Duinníneach* (BÁC 1958) *passim*, ach go háirithe 170 *et seq.*

[30] op. cit., 101. Le haghaidh cuntais ar shaothar chuid de na múinteoirí seo féach, Loch Measga, *Eachtra Múinteora* (BÁC 1929); C. Ó Gaora, *Mise* (BÁC 1943); P. Ó hAnnracháin, *Fé Bhrat an Chonnartha* (BÁC 1944). Féach freisin A. Ó Muimhneacháin, 'Na Múinteoirí Taistil', *Feasta*, Márta, Aibreán, Bealtaine 1965.

[31] *We Sang for Ireland* (BÁC 1950) 141.

[32] de hÍde, *op. cit.*, 53.

iomadúla chun nua-cheapadóireacht i nGaeilge a chur chun cinn. Sa bhliain 1895 ghlac na Conrathóirí cúram eagarthóireacht *Irisleabhar na Gaedhilge* orthu féin, agus chuir siad rompu iris dá gcuid féin a chur amach freisin. An 6 Eanáir 1898 foilsíodh an chéad uimhir den chéad pháipéar seachtainiúil i nGaeilge, *Fáinne an Lae*, agus ar 18 Márta 1899 foilsíodh an chéad uimhir de sheachtanán eile, *An Claidheamh Solais*. I Mí Lúnasa na bliana 1900 rinneadh foilseachán amháin den dá iris seo,[33] foilseachán a bhí mar iris oifigiúil ag an gConradh go ceann breis agus tríocha bliain ina dhiaidh sin.

Rinne lucht an Chonartha beart níos tábhachtaí fós ar son na litríochta nuair a bhunaigh siad comhlacht foilsitheoireachta dá gcuid féin i 1900 faoin ainm ' Coiste na gClódhanna ' nó ' Coiste na bhFoilseachán '. Ceapadh Pádraig Mac Piarais mar chéad rúnaí ar an gcoiste seo agus Seosamh Laoide mar eagarthóir ginearálta. I measc na ndaoine ba dhúthrachtaí ag soláthar ábhair le foilsiú bhí An tAthair Pádraig Ua Duinnín, Risteárd Ó Foghludha (Fiachra Éilgeach), Tadhg Ó Donnchadha (Torna), Pádraig Ó Conaire, An Laoideach, agus an Piarsach féin. Gné amháin d'obair an choiste seo ba ea foilsiú paimfléidí i mBéarla le teagasc agus cuspóirí an Chonartha a chur in iúl don phobal i gcoitinne. Chuidigh daoine mar an Dr Micheál Ó hIcí, Edward Martyn agus an Dr Breathnach, Ardeaspag Bhaile Átha Cliath, leis an obair seo. Ní aon áibhéil é saothar Choiste na gClóanna a áireamh ar mhór-éachtaí cine Gael.[34] Mar a dúirt Proinsias Ó Conluain:

> Fiú amháin má fhágaimíd as an áireamh an ceol, na téacsleabhra scoile agus an béaloideas, is éachtach an liosta leabhar a chuir Coiste na gClóanna amach—liosta nár mhiste do Chlub Leabhar an lae inniu bheith bródúil as. Sa bhliain 1909, bhí tuairim's 150 leabhar foilsithe ag an Choiste, is é sin, meán-chur amach de chúig leabhar déag sa bhliain, agus nuair a chuirtear bunúsacht agus éagsúlacht agus tábhacht na leabhar sa chuntas agus nuair a dhéantar comparáid idir an iarracht agus iarracht eile lenár linn féin a raibh tacaíocht iomlán an stáit léi, is fearr a thuigfear

[33] Féach *An Duinníneach*, 133-4.

[34] Féach P. Ó Táilliúir, ' Ceartliosta de Leabhair, Paimfléid etc. Foilsithe in Éirinn ag Connradh na Gaeilge, 1893-1918 ', *Comhar*, Feabhra-Lúnasa 1964 agus D. Ó Súilleabháin, ' Foilseacháin agus Foilsitheoireacht Chonradh na Gaeilge ', *Feasta*, Márta 1971, 15 *et seq.*, Aibreán-Bealtaine 1971, 13 *et seq.*

ansin cad é an t-éacht a rinneadh. Rud eile, bhí *díol* maith ar na leabhair a chuir Coiste na gClóanna amach. . . . Is cinnte go raibh daoine ag ceannach leabhar Gaeilge san am úd '.[35]

Sa bhliain 1898 cuireadh Coimisiún ar bun i mBaile Átha Cliath chun cúrsaí an mheánoideachais in Éirinn a fhiosrú, agus ceann de na ceisteanna ab achrannaí dár pléadh os comhair an choimisiúin ba ea ionad na Gaeilge sna meánscoileanna.[36] Thug an Dr Mahaffy, Propast Choláiste na Tríonóide, agus an Dr Robert Atkinson fianaise, agus labhair siad araon go binbeach i gcoinne na teanga, á rá nárbh ábhar oiriúnach í le cur ar chlár na scoileanna. Sasanach ba ea an Dr Atkinson, a bhí ina ollamh le Teangeolaíocht Chomparáideach agus le Sanscrait i gColáiste na Tríonóide san am. Scoláire Ceilteach a bhí ann freisin, agus bhí an saothar luachmhar *Passions and Homilies from the Leabhar Breac* (1885) foilsithe aige mar aon le macsamhla den Leabhar Laighneach agus de lámhscríbhinní eile. Mar dheimhniú ar an meas a bhí air mar scoláire[37] ní gá ach a lua go raibh sé ina uachtarán ar Acadamh Ríoga na hÉireann ó 1901 go dtí 1906. Thrácht sé os comhair an Choimisiúin ar na téacsanna a bhí curtha in eagar aige féin agus dúirt sé: ' it would be difficult to find [i measc na dtéacsanna sin] a book in which there was not some passage so silly or so indecent as to give you a shock from which you would not recover for the rest of your life '. Níorbh fhurasta san am sin tuairimí duine chomh húdarásach leis an Dr Atkinson a bhréagnú, ach chuir lucht an Chonartha chuige le díograis. Bhailigh Dubhghlas de hÍde fianaise ar son na Gaeilge ó scoláirí Ceilteacha taobh amuigh d'Éirinn, daoine ar nós Heinrich Zimmer, Ernst Windisch, L. C. Stern, Holger Pedersen, Georges Dottin, Kuno Meyer, John Rhŷs, agus chuir sé an fhianaise sin go léir i láthair an Choimisiúin. I ndeireadh na dála bhí an bua ag lucht an Chonartha.[38]

Rug siad bua níos tábhachtaí fós, b'fhéidir, sa bhliain 1908 nuair a d'éirigh leo a chinntiú tar éis conspóidí fíochmhara go mbeadh an Ghaeilge ina hábhar riachtanach don scrúdú máithreánach in Ollscoil nuabhunaithe na hÉireann. Bhí an tAthair Micheál Ó hIcí, ollamh le Gaeilge i gColáiste Mhaigh Nuad, chun

[35] Clár Faisnéise a craoladh ó Radio Éireann ar an 6ú lá de Mhárta, 1956. Féach freisin *An Duinníneach*, 210 *et seq.*

[36] *Mise agus an Connradh*, 77 *et seq.*

[37] Féach, áfach, an fogha a tugadh faoi ar *An Gaodhal*, Eanáir 1903, lch 30.

[38] Tá cuntas ar an scéal le fáil in *Mise agus An Connradh*, 77 *et seq.* agus in *An Duinníneach*, 106 *et seq.*

tosaigh i measc lucht tacaíochta na Gaeilge an babhta seo. I léacht phoiblí a thug sé uaidh i mBaile Átha Cliath ar an 4 Márta 1959 dúirt Aindrias Ó Muimhneacháin an méid seo a leanas faoin gcoimheascar seo: ' Dob é sin an cath ba dhéine agus ba dhíbheirgí de chathanna uile an Chonartha, agus ba mhaith é cúnamh na gComhairlí Contae agus na gComhairlí Cathrach i gcoinlinne an choimheascair sin.'[39]

Má bhí rath ar shaothar an Chonartha sna blianta tosaigh tá a lán dá chreidiúint sin ag dul do Dhubhghlas de hÍde a bhí ina chéad uachtarán agus ina threoraí ar feadh breis agus fiche bliain. Agus níor bheag le rá é, ach oiread, an cuidiú a sholáthraigh sé do scéimeanna uile an Chonartha tríd an tsuim mhór airgid a d'éirigh leis a bhailiú ó na Gaeil i Stáit Aontaithe Mheiriceá.[40] Ar feadh tamall de bhlianta roimh an Éirí Amach, ámh, ba léir go raibh easaontas ag fás idir é féin agus cuid dá chomhbhaill faoi pholasaí an Chonartha.[41] Ba é a thuairim féin i gcónaí gur chóir do na Conrathóirí cúrsaí polaitíochta a sheachaint agus a ndúthracht iomlán a chaitheamh le slánú na teanga. D'aontaigh cuid de na baill leis an tuairim sin, ach mheas a lán eile gurbh é dualgas na heagraíochta é tacaíocht a thabhairt don ghluaiseacht chun saoirse pholaitiúil na tíre a bhaint amach. Mar gheall ar an deighilt bhunúsach seo faoi chúrsaí polasaí d'éirigh Dubhghlas de hÍde as uachtaránacht an Chonartha sa bhliain 1915.

Bíodh go ndearna an Conradh, faoi stiúradh de hÍde, cúram den teanga amháin, chuaigh a shaothar, a shampla agus a theagasc go mór i bhfeidhm ar threoraithe Sinn Féin agus na n-eagraíochtaí eile a bhí ag ullmhú go dícheallach chun troid ar son na saoirse. D'fhág na rudaí sin a rian chomh maith ar intinn an phobail i gcoitinne. Ní gan bhunús a scríobh Pádraig Mac Piarais, ath-eagarthóir *An Claidheamh Solais*, an méid seo a leanas sa chéad uimhir de *The Irish Volunteer* ar 7 Feabhra 1914:

> The Irish Revolution really began when seven proto-Gaelic Leaguers met in O'Connell Street. . . . Whatever happens to the Gaelic League it has left its mark upon Irish history and the things that will be dreamt of and attempted in the new Ireland by the men and the sons of the men that went to school to the

[39] I gcló ar *Feasta*, Aibreán 1959, 12.

[40] de hÍde, *Mo Thuras go hAmerica* (BÁC 1937).

[41] Tá roinnt faisnéise faoin easaontas seo le fáil in *An Duinníneach*, 188 *et seq.*

> Gaelic League will be dreamt of and attempted—yes, and accomplished—just because the Gaelic League has made them possible.

Má cuireadh tús le réabhlóid i saol na hÉireann nuair a bunaíodh Conradh na Gaeilge, ba lánchuí mar sin, nuair a cuireadh bunreacht nua i bhfeidhm i 1937, gurbh é Dubhghlas de hÍde a ceapadh gan freasúra mar chéad uachtarán ar Éirinn faoin mbunreacht sin ar 6 Bealtaine 1938.

Cé go raibh a lán de bhaill an Chonartha páirteach i gcogadh na saoirse agus iad as láthair ag troid nó i bpríosún, agus cé go raibh a lán cúramaí eile ar an lucht stiúrtha sa bhaile, ní dearnadh faillí i gceist na Gaeilge sna scoileanna. Rinneadh fiosrúchán ar an gceist agus um Cháisc na bliana 1920, thar cheann an Chonartha, cuireadh scéim faoi bhráid Chomhdháil na Múinteoirí Náisiúnta. Shocraigh ardchomhairle an chumainn seo ar choiste speisialta a cheapadh leis an scéim a scrúdú agus toghadh Máire Ní Chinnéide, duine de leasuachtaráin an Chonartha, mar chathaoirleach. Bhí gnó an choiste seo curtha i gcrích i Mí Eanáir 1922, agus ghlac an Rialtas Sealadach nuabhunaithe leis an gclár a bhí molta acu, agus d'ordaigh an clár sin a chur i bhfeidhm sna Scoileanna Náisiúnta ó mhí Aibreáin ina dhiaidh sin.

An Stát Nua

Bhí de chuspóir ag an Rialtas nua dúchasach ó thosach ionad speisialta a thabhairt don Ghaeilge sna scoileanna agus níorbh fhada gur bhunaigh siad coiste dá gcuid féin faoi cheannas an Athar S. Mac Cionnaith, S.J., scoláire a chuir a lán d'fhilíocht na Scoileanna in eagar agus a d'fhoilsigh *Foclóir Béarla-Gaedhilge* níos déanaí. Níorbh fhéidir anseo mionchuntas a thabhairt ar na hathruithe go léir a rinneadh ar an gcóras oideachais de thoradh moltaí an choiste seo. Ach is féidir a rá go hachomair go ndearnadh iarracht stuama ar fhreastal ar an nGaeilge sna meánscoileanna trí ábhar riachtanach a dhéanamh di in aon scoil a bheadh ag fáil deontais ón stát agus trí na deontais sin a mhéadú do réir an mhéid ama a thugtaí do mhúineadh na Gaeilge agus do mhúineadh ábhar eile trí Ghaeilge.

Bhí a lán constaicí sa bhealach i dtosach, ámh, ganntanas múinteoirí cáilithe, easpa téacsleabhar, easpa gnáthábhair léitheoireachta a shásódh pobal líonmhar, easpa caighdeáin litrithe agus gramadaí. Féachadh le cuid de na constaicí sin a shárú. Cuireadh tús le cúrsaí samhraidh do na múinteoirí agus bunaíodh coláist ullmhúcháin do na hábhair múinteoirí (1925). Ina theannta sin cinneadh ar scéim chun cuidiú leis an nGaeilge sa Ghaeltacht trí dheontais a dháileadh in aghaidh na bliana ar na teaghlaigh arbh í an Ghaeilge gnáth-theanga na bpáistí. Tá an scéim sin i bhfeidhm go fóill.

Sa bhliain 1926 cuireadh tús le scéim eile a raibh de chuspóir aige leabhair Ghaeilge den uile chineál a chur ar fáil. *An Gúm* a tugadh mar ainm ar an scéim seo; ba faoi stiúradh na Roinne Oideachais a d'oibrigh sí, agus tá sé i réim go fóill freisin. Is iomaí locht a fuarthas ar an nGúm ó bunaíodh é. Cuireadh ina leith gur cloíodh ró-mhór i dtosach le foilsiú aistriúchán ó theangacha iasachta, go háirithe an Béarla, nach raibh a lán de na foilseacháin ar chaighdeán sásúil liteartha agus go raibh lámh na státseirbhíse ró-throm ar an eagraíocht, ag cur moille ar fhoilsiú na leabhar agus ag cosc neamhspleáchais smaointe na scríbhneoirí. Bhí, gan amhras, bunús éigin le cuid den cháineadh sin, ach ar an iomlán, tá obair fhónta luachmhar déanta ag an nGúm chun nualitríocht i nGaeilge a chothú.

In ainneoin na n-iarrachtaí agus na scéimeanna go léir, is gá a admháil nach aon chúis sásaimh staid na Gaeilge i láthair na huaire. Tá sí ag cailliúint nirt go sciobtha sa Ghaeltacht de dheasca brú an Bhéarla ar na limistéir sin agus de dheasca na himirce astu. I gcomparáid leis an gcailliúint seo is beag le rá é an dul chun cinn atá déanta sa Ghalltacht. Is follas go raibh na húdaráis imníoch faoin scéal go léir mar sa bhliain 1958 bhunaigh siad *An Coimisiún um Athbheochan na Gaeilge* a raibh de chúram air gach taobh de cheist na hathbheochana a scrúdú agus moltaí a chur faoi bhráid an rialtais. Foilsíodh Tuarascáil an Choimisiúin seo i 1964, agus is tábhachtach an doiciméad é. Tá léiriú ann ar stair na Gaeilge, ar an staid ina bhfuil sí faoi láthair agus ar na fadhbanna atá ag gabháil leis an Athbheochan. Tá moltaí ann faoi na bealaí is fearr chun na fadhbanna sin a shárú agus chun an teanga a chur chun cinn sna blianta atá romhainn. De thoradh na tuarascála seo d'eisigh an rialtas Páipéar Bán inar léiríodh cad iad na scéimeanna oifigiúla a chuirfí i bhfeidhm chun caomhnú agus slánú na teanga a chinntiú. Is maith is fiú d'aon duine a bhfuil suim aige sa Gaeilge an Tuarascáil agus an Páipéar Bán a scrúdú go cúramach. Dhealródh sé ón bPáipéar Bán gur stát dátheangach atá leagtha síos mar chuspóir oifigiúil. Feicfear sna blianta atá romhainn cad é an tacaíocht a gheobhaidh an cuspóir seo ó mhuintir na hÉireann i gcoitinne.

Tá gné shuntasach amháin d'obair na hathbheochana nach miste tagairt di, is é sin, gur daoine a d'fhoghlaim an Ghaeilge mar dhara teanga is mó a bhí agus atá ag stiúradh na gluaiseachta. Ní minic a bhíonn an cainteoir dúchais Gaeilge chun tosaigh i ngníomh ná i dteagasc. Is furasta a dhearcadh siúd a thuiscint agus a ndearnadh d'iarrachtaí i gcaitheamh na n-aoiseanna chun a chur ina luí ar mhuintir na hÉireann nach raibh sa Ghaeilge ach teanga na bochtaine agus an aineolais. Cuimhnítear nach raibh inti ar feadh cúpla céad bliain ach teanga aicme a bhí cloíte, aicme a raibh gach buntáiste polaitiúil agus eacnamaíoch á séanadh orthu. Cuimhnítear freisin, go fiú sa lá atá inniu ann, gur beag seans atá ag an té nach labhraíonn ach Gaeilge amháin dul ar aghaidh sa saol i gcomparáid lena chomhÉireannach a labhraíonn Béarla amháin. Tig le fear an Bhéarla an Ghaeilge a fhoghlaim mar shaothar cultúrtha a bhfuil bua breise an náisiúnachais agus an tírghrá ag roinnt leis. Ach is riachtanach d'fhear na Gaeilge eolas a chur ar an mBéarla, go fiú in Éirinn féin, más mian leis dul chun cinn sa saol.

Thagraíomar ó chianaibh don mhaolú a tháinig ar dhíograis an phobail i leith na Gaeilge tar éis bhunú Shaorstát Éireann sa bhliain 1922, agus luamar cuid de na fáthanna a bhí leis sin. Ní miste fáth eile a chur san áireamh freisin, an claonadh a bhí sna daoine cúram iomlán na hAthbheochana a chaitheamh ar an rialtas agus ar na scoileanna. I gcaitheamh na dtríochaidí, ámh, tháinig corraíl bheag i measc lucht na Gaeilge, i mBaile Átha Cliath ach go háirithe. Tháinig scair éigin den bheocht arís i gConradh na Gaeilge. Cuireadh tús le Feis Átha Cliath, agus d'éirigh chomh maith sin léi gur cinneadh ar Fhéile an Oireachtais a aththionól, rud a rinneadh i 1939 don chéad uair ó 1924, agus tá sí á tionól gach bliain gan bhriseadh ó shin. Sa bhliain 1941 athbheodh iris an Chonartha faoin ainm *An Glór*. Athraíodh foirm agus ainm na hirise sa bhliain 1948, agus tá sí ag teacht amach ó shin faoin ainm *Feasta*, agus í ar cheann de na hirisí is suimiúla dá bhfuil á bhfoilsiú in Éirinn. Míosachán is ea é, agus, mar is dual, tugann sé tús áite d'fhadhbanna na teanga agus na litríochta. Míosachán tábhachtach eile a bunaíodh faoi choimirce an Chomhchaidrimh (comhdháil de Chumainn Ghaelacha na nOllscoileanna) is ea *Comhar*. Foilsítear an uile shaghas ábhair san iris seo, ach cuirtear béim ar leith ar cheisteanna eacnamaíochta agus polaitíochta an lae, agus tugtar spás freisin do chúrsaí ceoil, ailtireachta, péintéireachta, etc. Tá tréimhseacháin eile ann a dhéanann freastal ar leith ar cheantair áirithe ar nós *Agus* i gCúige Mumhan, *Ar Aghaidh*[42] i gConnachta agus *An tUltach* i gCúige Uladh, agus *Amárach*[43] a fhreastalaíonn ar na Gaeltachtaí ar fud na tíre. Déanann *An Timire* (iris na nÍosánach) cúram ar leith d'ábhar spioradálta, agus díríonn an ráitheachán *Deirdre* aire ar chúrsaí na mban.

I Mí Márta 1943 foilsíodh an chéad uimhir de *Inniu*, an chéad nuachtán seachtainiúil i nGaeilge. Tá líon maith léitheoirí ag *Inniu* um an dtaca seo, agus is é dóchas a lucht stiúrtha nach fada go n-éireoidh leo nuachtán laethúil a dhéanamh de. Ina theannta sin bíonn colúin nó aiste i nGaeilge le fáil ó am go chéile ar fhormhór na bpríomhnuachtán i mBaile Átha Cliath.[44] I gcás nuachtáin amháin díobh bíonn aiste amháin, ar a laghad, le fáil gach lá sa tseachtain. Fás eile atá le tabhairt faoi deara le déanaí is ea gur minic anois a fhoilsítear aiste nó aistí i nGaeilge i gcuid de na hirisí léannta.

[42] Éiríodh as an iris seo a fhoilsiú cúpla bliain ó shin. Ba mhór an chailliúint í go háirithe mar gheall ar an méid spáis a thugtaí inti d'ábhar ón nGaeltacht.

[43] D'éag an iris seo chomh maith.

[44] Ní fás nua é na colúin seo, ar ndóigh. Chomh fada siar le 1901 thosaigh an *Freeman's Journal* ar sraith díobh a fhoilsiú, agus roimhe sin féin bhí ábhar i nGaeilge á fhoilsiú ar chuid de na nuachtáin áitiúla ar nós *The Tuam News*, *The Clonmel Nationalist*, *The Donegal Vindicator* agus ar *The Weekly Freeman*. Thiar sna Stáit Aontaithe i measc na nuachtán a bhí ag foilsiú ábhair i nGaeilge roimh bhunú Chonradh na Gaeilge bhí *The Irish American* i Nua-Eabhrac, *The Citizen* in Chicago agus *The Monitor* in San Francisco. Foilseachán ar leith is ea *An Gaodhal* i Nua-Eabhrac, mar atá léirithe cheana againn sa chaibidil seo. Luaitear na nuachtáin seo ó am go chéile i gcolúin *Irisleabhar na Gaeilge*. Ba shuimiúil agus ba thábhachtach an rud é dá bhféadfaí teacht ar an ábhar seo go léir agus é a chnuasach. Thabharfadh sé sin léargas níos cruinne dúinn ar a raibh á scríobh agus á fhoilsiú i nGaeilge sa dara leath den 19ú haois. Agus thabharfadh sé léargas freisin ar staid na teanga sa tír seo agus sna Stáit Aontaithe.

CAIBIDIL A TRÍ DÉAG

LITRÍOCHT NA hATHBHEOCHANA

I láthair na huaire is féidir a rá go bhfuil dhá chineál litríochta á saothrú in Éirinn, an litríocht i mBéarla ar a dtugtar ar uaire litríocht AnglaÉireannach agus a shíolraíonn ón nGalltacht, agus an litríocht i nGaeilge. Is ón nGaeltacht a thagann cuid den litríocht i nGaeilge, ach bhí, agus tá, lámh ag lucht na Galltachta ina saothrú freisin ó aimsir na hAthbheochana anuas.[1]

Is sna ceantair neamhthorthúla ar chósta an iarthair is mó atá an Ghaeltacht suite, agus ba bhocht, ba chrua an saol a bhí ag a muintir riamh. Dá ainneoin sin d'éirigh leo taisce luachmhar liteartha, taisce sainiúil, a chaomhnú anuas go dtí ár linn féin. Ní i lámhscríbhinní amháin a caomhnaíodh an litríocht seo, ach i gcuimhne na ndaoine chomh maith, agus seoladh ar aghaidh í ó ghlúin go glúin trí bhéalaithris. Ba mhinic a chuaigh an t-ábhar sna lámhscríbhinní i bhfeidhm ar an mbéaloideas agus *vice versa*, i dtreo nach féidir i gcónaí an saothar a caomhnaíodh ar bhealach amháin a idirdhealú ón saothar a tháinig anuas ar an mbealach eile.[2] Ach, ar aon nós, de thoradh saothar na scríobhaithe agus cuimhne na seanchaithe (agus dúil na ndaoine féin san ábhar, dúil a spreag an dá dhream), tá litríocht le fáil i nGaeilge a bhfuil cuid dá

[1] Is iad lucht na Galltachta is mó atá ag gabháil do scríobh na Gaeilge faoi láthair. Mar a dúirt an tOllamh Proinsias Mac Cana in aiste leis ar *Inniu*, 10-7-1963: ' Anois féin is rud annamh an scríbhneoir Breatnaise nach cainteoir dúchais é; anseo in Éirinn is beag má tá cainteoir dúchais ar bith ag gabháil don scríbhneoireacht '.

[2] Bhí an méid seo le rá at Máirtín Ó Cadhain faoin bpointe seo: ' D'fhéadfainn féin chomh maith lena lán eile fianaise a thabhairt faoin gcaoi a ndeacha na lámhscríbhinní agus an béaloideas i bhfeidhm ar a chéile (ar Bhaile an Chláir atá mé ag cuimhniú) '. Tabhair faoi deara freisin a bhfuil le rá ag an Ollamh Ó Duilearga faoin mbealach inar chuir Seán Ó Conaill eolas ar *Thóraidheacht Dhiarmada agus Ghráinne*. Féach *infra*, lch 357. Féach freisin *Mise agus an Connradh*, 97, fonóta, agus cf. J. Szoverffy, ' Rí Naomh Seoirse: Chapbook and Hedge-Schools; *Éigse* 9, 114 *et seq.*

fréamhacha bunaithe sa seantaisce liteartha a bhí coiteann don Eoraip tráth.[3]

Is iad na seanscéalta béaloidis an chuid is fairsinge den taisce seo i nGaeilge, agus ní áibhéil a rá nach bhfuil aon tír eile san Eoraip a bhfuil díolaim scéalta chomh saibhir, chomh ilchineálach aici agus atá ag Éirinn.[4]

Níor tuigeadh ar feadh i bhfad a luachmhaire a bhí an oidhreacht liteartha seo; le fírinne dóbair nach dtuigfí riamh é, óir bhain sé le saol a bhí ag dul i léig go sciobtha agus atá anois geall le bheith imithe ar fad, saol nach bhfuair an meas ba dhual dó go dtí go raibh sé ar an dé deiridh. Anuas go dtí 1927 fágadh slánú na hoidhreachta seo faoi dhaoine aonaracha, agus d'ainneoin a ndearna siad siúd, is cinnte go bhfuil cuid mhór di caillte. I measc na ndaoine a shaothraigh sa 19ú haois agus a d'fhoilsigh cnuasaigh de sheanscéalta na nGael i mBéarla bhí Patrick Kennedy (1801-73), Sir William Wilde (1815-76), Jeremiah Curtin (1835-1906) agus William Larminie (1843-1900). Sa bhliain 1889 d'fhoilsigh Dubhghlas de hÍde (' An Craoibhín Aoibhinn ') (1860-1949) a *Leabhar Sgeulaigheachta*, agus uaidh sin amach go ceann breis agus daichead bliain lean sé air ag foilsiú ábhair bhéaloidis den uile shórt i leabhair agus i bpaimfléidí. I dtrátha an ama chéanna bhí daoine eile ann a raibh mórshaothar á dhéanamh acu ag caomhnú an bhéaloidis, daoine mar Fhionán Mac Coluim, Pádraig Ó Siochfhradha (An Seabhac), Pádraig Ó Dálaigh agus Seán Mac Giollarnáth.

Sa bhliain 1927, a bhuí go speisialta le hiarrachtaí An Chraoibhín agus a chomh-oibrithe Fionán Mac Coluim, Pádraig Ó Siochfhradha agus Séamus Ó Duilearga, bunaíodh *An Cumann le Béaloideas Éireann*, cumann atá ag feidhmiú go fóill agus a bhfuil an iris *Béaloideas* á foilsiú aige ó shin i leith. I 1935 bhunaigh an Rialtas *Coimisiún Béaloideasa Éireann*. Ceapadh Séamus Ó Duilearga, Ollamh le

[3] J. E. Caerwyn Williams, *Y Storiwr Gwyddelig A'I Chwedlau* (Caerdydd 1972); J. Szoverffy, *Irisches Erzahlgut im Abendland; Studien zur vergleichenden Volkskunde und Mittelalterforschung* (Berlin 1957), go háirithe an daichead leathanach deireanach den leabhar; Reidar Th. Christiansen, *Studies in Irish and Scandinavian Folktales.* Agus féach freisin S. Ó Tuama, *An Grá in Amhráin na nDaoine* (BÁC 1960).

[4] J. H. Delargy, *The Gaelic Storyteller* (Sir John Rhŷs Memorial Lecture) *Proceedings of the British Academy* 31 (1945); *idem*, ' An Untapped Source of Irish History'; *Studies*, 1936, 399 *et seq.;* S. Ó Súilleabháin, ' Béaloideas mar Ábhar Litríochta ', *Studia Hibernica* 2 (1962) 221 *et seq.;* Seán Ó hEochaidh, ' An Seanchas Beo ', *Feasta*, Meitheamh 1966, 7 *et seq.;* Seán O'Sullivan, *The Folklore of Ireland* (London 1974). Féach freisin B. Almqvist, B. Mac Aodha agus G. Mac Eoin (eag.), *Hereditas*, cnuasach dréachtaí in ómós do Shéamus Ó Duilearga.

Béaloideas i gColáiste na hOllscoile, Baile Átha Cliath, mar Stiúrthóir ar an gCoimisiún. Faoina stiúradh siúd táthar tar éis na mílte scéal agus carn mór béaloidis den uile shórt a bhailiú agus a chaomhnú, ceann de na cnuasaigh bhéaloidis is mó ar domhan. Ní dearnadh mionscrúdú ar an gcnuasach seo go fóill, ach nuair a dhéanfar ní miste bheith ag súil le toradh luachmhar as.

Ceann de na bealaí ba choitianta leis an mbéaloideas a choinneáil beo ba ea an ' céilí ' nó an t-' airneán ', ainmneacha a thugtaí ar an gcaidreamh a bhíodh á chleachtadh cois tine i dtithe áirithe i gcaitheamh an gheimhridh ó Shamhain go Márta. Siamsa agus ceol, seanchas agus scéalaíocht a bhíodh ar siúl ag an gcéilí nó an oíche airneáin, agus is cosúil gurbh é an scéalaí go hiondúil an té ba thábhachtaí sa chomhluadar. Is suimiúil an cuntas a sholáthraigh Seán Ó hEochaidh don Choimisiún Béaloideasa faoi na gnáis a chleachtaí le linn oíche airneáin i nGaeltacht Teilinn i dTír Chonaill seasca éigin bliain ó shin.[5]

Ní raibh léamh ná scríobh ag muintir na háite sin san am, ach bhí saíocht fhiúntach dá gcuid féin acu. Ní raibh rud a b'fhearr leo ná teacht le chéile oíche i ndiaidh oíche sa gheimhreadh chun éisteacht le seanscéalta á n-insint agus seanamhráin á gcanadh. Ar chúis éigin, ní ina theach féin a d'insíodh an scéalaí a chuid scéalta. Théadh sé go teach comharsan mar a mbíodh compord agus cuideachta roimhe gan aon chur isteach ón aos óg. Daoine a fuair cuireadh a bheith ann a bhíodh i láthair, agus dhéanadh na haíonna seo cóir na hoíche a chúiteamh trí miondualgais a chomhlíonadh timpeall an tí—ag tabhairt isteach na móna nó an uisce ón tobar, ag cur na gcathaoireacha agus na stól i bhfearas agus mar sin de.

Bhíodh an scéalaí in ionad na honóra sa teach ar chathaoir chluthair le hais na tine, agus nuair a bhíodh gach duine ina shuí dheargadh fear an tí a phíopa, agus bhronnadh sé ar an té ba mhó gradam sa chomhluadar é. Tar éis dósan cuid de a chaitheamh thugadh sé ar ais d'fhear an tí é, agus chuireadh seisean sa timpeall é, ó dhuine go duine, nó go mbíodh a chion caite ag an uile dhuine sa chomhluadar. Le linn don tsearmóin seo a bheith ar siúl bhíodh gnáthchúrsaí an lae á bplé, ach a thúisce bhíodh sí thart thosnaítí ar phríomhghnó na hoíche, insint na scéalta. Bhíodh dhá chineál ann, na cinn fhada faoi laochra a mhair anallód agus na cinn faoi

[5] *The Gaelic Story-teller*, 18 *et seq.*

dhaoine nó faoi áiteanna iomráiteacha. D'éistí go fonnmhar, ar ndóigh, le hábhar de gach saghas,[6] seanchas, orthaí, seanamhráin agus eile, ach níl amhras ar bith ná gurb é an fear a d'fhéadfadh na Scéalta Fiannaíochta a aithris an té ba mhó a thaitneodh leis an lucht éisteachta.

Duine de na scéalaithe ab fhearr dár chas ar an Ollamh Ó Duilearga ba ea Seán Ó Conaill ó Chiarraí a bhí seachtó bliain d'aois nuair a chéadchuir an tOllamh aithne air. Níor thaistil sé riamh taobh amuigh den áit inar rugadh é, cé is moite d'uair amháin ar aistear gairid. Ní raibh aon Bhéarla aige ná aon tuiscint aige air, agus, ar bhealach amháin, d'fhéadfaí fear neamhliteartha a thabhairt air. Ach bhí na scórtha scéal de ghlanmheabhair aige, agus d'insíodh sé i gcónaí san fhoirm chéanna iad, focal ar fhocal geall leis. Teist ar fheabhas a chuimhne is ea an scéal seo a leanas a insítear faoi. Nuair bhí sé an-óg chuala sé duine éigin ag léamh an leagain de *Tóraíocht Dhiarmada agus Ghráinne* a d'fhoilsigh O'Grady; dhá uair a chuala sé an leagan agus caoga bliain ina dhiaidh sin bhí ina chumas é a aithris focal ar fhocal. D'fhoilsigh an tOllamh Ó Duilearga na scéalta go léir a fuair sé uaidh mar aon le roinnt bheag véarsaíochta i *Leabhar Sheáin Í Chonaill* (1949), leabhar toirteach a bhfuil geall le ceithre chéad leathanach ann. Bhí scéalaithe maithe, ar ndóigh, i ngach cearn den Ghaeltacht. Duine eile díobh ba ea Pádraig Mac an Iomaire as Carna a raibh idir 300 agus 350 scéal de ghlanmheabhair aige,[7] uimhir a chuireann i gcuimhne dúinn an líon scéalta ab éigean don ollamh nó don phríomhfhile anallód a fhoghlaim le linn a chúrsa staidéir.

In ainneoin bearna na mblianta eatarthu is cosúil nach lú an dúil a bhí ag seanchaí na haoise seo ina chuid scéalta ná dúil an ollaimh fadó. I léacht a thug sé tamall ó shin thug an tOllamh Ó Duilearga léargas ar an dúil sin agus ar an mbealach inar éirigh

[6] In *An Béal Beo* (BÁC 1936), thug an tOllamh Tomás Ó Máille tuairisc ar na saghsanna éagsúla d'ábhar liteartha a bhíodh á n-aithris ag céilí in iarthar Chonnacht. Tá léargas an-mhaith ar na seanscéalaithe agus na seanscéalta le fáil i gcnuasaigh Sheáin Mhic Giollarnáth: *Peadar Chois Fhairrge* (1934), *Loinnir mac Leabhair agus scéalta gaisgidh eile* (1936) agus *Annála Beaga ó Iorrus Aithneach* (1941). Féach freisin *Scéalta Mhuintir Luinigh* (1933) le Éamonn Ó Tuathail agus *Sgealaidhe Fearmhuighe* (1901) le S. Laoide.

[7] *The Gaelic Story-teller*, 16. Luaigh Máirtín Ó Cadhain scothscéalaithe eile linn a raibh aithne aige féin orthu, daoine mar Sheán Ó Briain, Loch Con Aora (Carna) agus Seán Mhac Conaola, Doire Giomla (An Clochán) agus Seán Ó Lorcáin as Leitir Móir i gConamara a bhí i Halla Damer cúpla bliain ó shin agus a bhí chomh maith, dar le Máirtín, le haon scéalaí dár chuala sé riamh. Thagair sé freisin do chuid de na scéalaithe maithe atá fós i dTír Chonaill.

le cuid de sheanchaithe na linne seo a n-ealaín a chaomhnú. Nuair nach mbíodh aon lucht éisteachta ag Seán Ó Conaill, cuir i gcás, bhíodh de nós aige na scéalta a aithris do na fallaí ina theach féin nó dá chapall le linn dó bheith ag teacht abhaile ar a thrucail. Agus bhí aithne ag an Ollamh ar sheanchaí eile a bhí ag fáil bháis. Nuair a mhothaigh sé nach raibh ach achar gearr i ndán dó, chuir an seanchaí seo fios ar chara leis agus d'inis ceann dá scéalta fada dó. Nuair a bhí an scéal inste focal ar fhocal aige mhínigh sé dá chara go ndearna sé amhlaidh i dtreo go mairfeadh cuimhne ar an scéal. B'shin na focail dheireanacha a labhair sé.

Ní faoi na fir amháin a d'fhágtaí saothrú an bhéaloidis. Dhéanadh na mná a gcion de freisin, agus bhí cuid acu an-oilte ar aithris ginealach, orthaí, seanphaidreacha agus a leithéid. Go hiondúil, ámh, níor ghnáth dóibh na scéalta a insint. Eisceacht ba ea Peig Sayers a rugadh i nDún Chaoin agus a chaith an chuid ba mhó dá saol ar an mBlascaod Mór. Bailíodh 375 scéal uaithi sin (daichead scéal fada ina measc), mar aon le carn mór ábhair eile de gach saghas.[8]

Saothrú an Phróis

Faoi mar atá curtha in iúl againn cheana ba é Dubhghlas de hÍde (An Craoibhín Aoibhinn) an duine ba mhó a shaothraigh i dtosach na hAthbheochana chun an taisce liteartha a bhí fágtha sa Ghaeltacht a léiriú don phobal.[9] Luamar a *Leabhar Sgeulaigheachta* (1889); tháinig *Beside The Fire* (1890), *Cois na Teineadh* (1891) agus bailiúcháin eile scéalta óna pheann ina dhiaidh sin. Chomh maith le féith na scoláireachta, bhí féith na litríochta sa Chraoibhín, rud a chuir ina chumas buanna na filíochta a mhair ar bhéal agus i gcuimhne na ndaoine sa Ghaeltacht a aithint. Sa bhliain 1893 d'fhoilsigh sé *Abhráin Ghrádha Chúige Connacht*, cnuasach d'amhráin i nGaeilge mar aon le leaganacha Béarla díobh a chum sé féin. Bhí tionchar do-mheasta ag an leabhar seo. Dhírigh sé aire an phobail ar an stór liteartha a bhí fós sa Ghaeltacht, agus chuaigh sé go mór i bhfeidhm, ní amháin ar scríbhneoirí Gaeilge na linne, ach ar na scríbhneoirí AnglaÉireannacha chomh maith.[10] Ba luachmhar

[8] K. Jackson, *Scéalta ón mBlascaod* (BÁC 1939); athchló ó *Béaloideas* viii, uimh. 1; M. Ní Chinnéide, ' Peig Sayers ', *Feasta*, Eanáir 1959, 2, 8.

[9] D. Coffey, *Douglas Hyde* (BÁC, Corcaigh 1938); D. Ó Dálaigh, ' The Young Douglas Hyde ', *Studia Hibernica* 10, 108 *et seq.*; *idem*, ' Príntíseacht an Chraoibhín i Litríocht na Gaeilge ', *Éigse* xiv (1971) 39 *et seq.*

[10] Deirtear gur ghnáth do Synge an leabhar a thabhairt timpeall leis gach áit dá dtéadh sé. Féach D. Corkery, *Synge and Anglo-Irish Literature* (Corcaigh 1931) 56.

freisin na bailiúcháin eile a d'fhoilsigh sé ina dhiaidh sin, *Abhráin Diadha Chúige Connacht* (1906) agus *Amhráin Chúige Chonnacht: An Leathrann* (1922).[11] Idir an dá linn scríobh sé *The Story of Early Gaelic Literature* (1895) agus *A Literary History of Ireland* (1899), saothar nár chaill a thábhacht fós, saothar a thug eolas ar bhealach taitneamhach inléite don phobal ar sheoda seanlitríochta na nGael.[12]

Ba chuí gurb é an duine a nocht seoda folaithe na Gaeltachta don phobal a nocht freisin seoda glórmhara na seanlitríochta, óir ba i dtraidisiún na Gaeltachta a mhair an Éire Ghaelach a bhí ann tráth; déanta na fírinne, is sa Ghaeltacht atá cibé iarsma atá ar marthain fós den Éirinn sin. Is inti agus inti amháin atá traidisiún na teanga agus na litríochta beo gan bhriseadh, cé nach bhfuil fágtha inniu ach traidisiún a bhfuil an chuid is mó dá neart agus dá fhuinneamh caillte aige. Céad bliain ó shin ba chosúil nach raibh ann ach traidisiún a bhí ag dul in éag do réir a chéile:

> A hundred years ago Irish Literature, once the greatest in Western Europe, had declined to a collection of folk-songs and traditional stories. There was little new writing, the language had lost its standards, and the dialects (which presumably had always existed) were now its only living form. Although modern Irish writing is historically related to the writing of previous centuries, the immediate succession is through a peasant society and a folk-literature.[13]

'Lár geimhridh na Gaedhilge' a thugann Muiris Ó Droighneáin[14] ar an achar sin roimh 1882, sular bunaíodh *Irishleabhar na Gaedhilge* agus, mar atá ráite cheana againn, bhí drochbhail ar an teanga agus ar an litríocht araon san am. Gníomh dóchais, mar sin, ba ea foilsiú an *Irisleabhar*, gníomh a raibh toradh fónta air.

[11] I measc na gcnuasach luachmhara den chineál céanna tá *Amhráin Chlainne Gaedheal* (1905) le Mícheál agus Tomás Ó Máille, *Abhráin Ghaedhilge an Iarthair* (1906) le M. Ó Tiománaidhe, *Ceol na nOileán* (1931) leis an Athair T. Ó Ceallaigh. Tá taisce tábhachtach curtha le chéile ag É. Ó Muirgheasa freisin sna cnuasaigh *Céad de Cheoltaibh Uladh* (1915), *Dhá Chéad de Cheoltaibh Uladh* (1934) agus *Dánta Diadha Chúige Uladh* (1936).

[12] Tá eagrán nua de (1967) ar fáil anois.

[13] D. Greene, 'The Background to modern writing in Irish'. *International P.E.N., Bulletin of Selected Books* iii (1952-3) 37.

[14] *Taighde i gComhair Stair Litridheachta na Nua-Ghaedhilge* (1936) 9. Tá cuntas ar ar scríobhadh i nGaeilge idir 1882 agus timpeall 1930 le fáil sa leabhar seo. Féach freisin A. de Blácam, *Gaelic Literature Surveyed* (1929-1933); M. Mhac an tSaoi, 'Scríbhneoireacht sa Ghaeilge Inniu', *Studies* (1955) 86 *et seq.;* M. Sjoestedt-Jonval 'La Littérature qui se fait en Irlande', *Études Celtiques* ii, 334 *et seq.*

Ba é Dáithí Coimín an chéad eagarthóir (1882-4), agus ba é Seán Pléimeann a lean é (1884-91).[15] Bhí constaicí achrannacha le sárú acu siúd mar eagarthóirí, agus ag na scríbhneoirí a sholáthraigh ábhar i nGaeilge don iris sna blianta tosaigh. Daoine a d'fhoghlaim an Ghaeilge mar dhara teanga ba ea a lán acu—an Coimíneach féin, Dubhghlas de hÍde, Ó Néill Ruiséal—agus ba ar an mBéarla go hiondúil a bhí a bhfriotal agus a gcuid smaointe bunaithe. Constaic eile ba ea staid na Gaeilge féin. Nuair a bhí sí i mbuaic a nirt dob fhéidir cúrsaí creidimh agus staire, cúrsaí leighis agus dlí a phlé gan dua inti; fiú amháin nuair a bhí an fuinneamh ag imeacht aisti mar ghléas liteartha san 18ú haois, ba ghléas fós í trínarbh fhéidir teagasc i gcúrsaí creidimh a chur ar fáil do lucht a labhartha. Ach do réir mar bhí sí ag dul in ísle bhrí bhí a réim agus a scóip ag cúngú, agus tháinig dá bharr sin meathlú ar fhás nádúrtha an phróis.

Nuair a chuaigh scríbhneoirí an *Irisleabhar* i mbun pinn bhí cuid acu nach raibh an teanga ar a dtoil acu, cuid eile acu a raibh labhairt na teanga go maith acu ach nach raibh taithí acu ar í a scríobh. Agus bhí an teanga féin easnamhach. Is fíor gur mhair inti fós mórán den saibhreas dúchais ba dhual di; bhí raidhse focal agus coraí cainte inti, í lán de bheocht agus de sholúbthacht chun déileáil le gnáthchúrsaí na muintire a bhíodh á labhairt. Ach, cheal taithí, níorbh éasca í a láimhsiú chun saol nua-aoiseach na cathrach a phlé. D'fhan an fhadhb seo ina laincis ar scríbhneoirí na Gaeilge go ceann i bhfad, agus is iomaí iarracht a rinneadh i rith na mblianta ar í a réiteach agus an teanga a chur in oiriúint do shaol iomlán an 20ú haois. Is cinnte go ndeachaigh na hiarrachtaí seo chun sochair don teanga; ní féidir a bheith chomh cinnte sin faoi chás na scríbhneoirí a rinne iad. An amhlaidh a chaith siad leis na hiarrachtaí sin an dúthracht agus an saothar ba chóir dóibh a chaitheamh ar fheabhsú a gceirde agus a n-ealaíne féin mar scríbhneoirí?

Agus bhí constaic de chineál eile fós ag cur as do scríbhneoirí tosaigh an *Irisleabhar*. D'éirigh easaontas fíochmhar eatarthu faoin

[15] Is iad seo na heagarthóirí a lean an bheirt sin: An tAthair Eoghan Ó Gramhnaigh (1892-94), Eoin Mac Néill (1894-99), Seosamh Laoide (1899-1902), Tadhg Ó Donnchadha (1902-09). I Mí Lúnasa 1909 is ea a tháinig an uimhir dheireanach amach. Le linn don Athair Ó Gramhnaigh a bheith i mbun na heagarthóireachta tosaíodh ar bhreis Gaeilge a úsáid san iris. (*Index do Irisleabhar na Gaedhilge*, lch viii).

saghas friotail ba chóir a chleachtadh.[16] Ghabh cuid acu siar go dtí na seanlámhscríbhinní agus bhain siad feidhm as na focail agus na coraí cainte a fuair siad iontu. Níorbh ionadh, mar sin, boladh na hársaíochta a bheith ar a gcuid Gaeilge go minic. Mheas cuid acu gur chóir Gaeilge an 17ú haois, mar a scríobh an Céitinneach í, a ghlacadh mar chaighdeán; cuid eile a d'fhéach le haithris a dhéanamh ar stíl fhoclach na Scéalta Fiannaíochta. Ach bhí dream amháin ann a dhearbhaigh gur chóir feidhm a bhaint as an nGaeilge mar a bhí sí á labhairt san am sa Ghaeltacht. ' Caint na nDaoine ' a bhí mar rosc catha ag an dream seo agus i ndeireadh na dála is acu sin a bhí an bua, a bhuí go háirithe leis an gCanónach Peadar Ó Laoghaire (1839-1920).[17]

I Lios Caragáin gairid do Mhaigh Chromtha i gContae Chorcaí is ea a rugadh an tAthair Peadar, agus bhí an Ghaeilge ó dhúchas aige. Ní ionadh mar sin gur bheag blas a fuair sé ar an nGaeilge ársa mhínádúrtha a bhí á labhairt agus á scríobh ag a lán dá chomhaimsirigh. Chuaigh sé féin i mbun pinn agus scríobh sé aistí agus scéalta agus dréachtaí den uile chineál, idir bhunsaothar agus aistriúcháin, a bhí lán de chasanna agus de choraí cainte na canúna a thug sé leis ón gcliabhán. Is fearr a thuigfear éacht an Athar Peadar má chuimhnítear gur dhóbair go n-éireodh leis gléas liteartha na hAthbheochana a dhéanamh dá chanúint áitiúil féin. Ní áibhéil a rá gurb eisean an scríbhneoir Gaeilge ba thábhachtaí dá raibh ann ar feadh fiche bliain nó mar sin agus, ar an iomlán, ní miste a rá go ndeachaigh a shaothar chun leasa na teanga agus na litríochta. Níl aon amhras ná gur riachtanach san am é strus a chur ar thábhacht na teanga beo. Ach tá a lán daoine inniu a mheasann go ndeachaigh an tAthair Peadar thar fóir leis an scéal.

[16] Seo leanas sampla amháin de chuid de na tuairimí a nochtadh san am: ' Another great want of the time is a popular literature. Irish lost its mainstay when, after centuries of activity it ceased to be written and fell entirely under the feeble guardianship of oral transmission to suffer the rapid wearing process fated to all rude tongues lacking the backbone of a fixed literary canon. This want of a living literature must be supplied as quickly as may be. Our native speakers, of what province soever, can easily by training correct their vernacular to the normal of the last classical writers, subsidizing insensibly by the way much of the splendid fruits of recent philological study, whereby voice could be given once more to a stored up wealth of words that have long lain silent '. R. Henebry, ' A Plea for Prose ', *Ir. na G.*, iv, 142.

[17] Tá cuntas iomlán ar shaothar an Athar Peadar le fáil in ' Maol Muire ', *An tAthair Peadar Ó Laoghaire agus a Shaothar* (BÁC 1939). Féach freisin a bhfuil le rá ag an Aimhirgíneach faoi ar *Studies* xvi, 18-19 agus ag an gCraoibhín ar *Studies* ix, 297 *et seq.* agus P. A. Breatnach, ' Séadna: Saothar Ealaíne ', *Studia Hibernica* 9 (1969) 109 *et seq.*

Nuair a chuir sé an strus ar ‘ chaint na ndaoine ’ rinne sé faillí i dteanga na seanlitríochta agus, ó tharla ‘ caint na ndaoine ’ a bheith scoilte i gcanúintí d’fhág an seasamh sin gach canúint ar chomhchéim mar ghléas liteartha. Cuireadh moill dá bharr sin ar teanga liteartha caighdeánaithe den chineál atá i réim i dteangacha eile.[18] Le himeacht aimsire chuir saothrú na gcanúintí bac mór ar scríbhneoirí, ar eagarthóirí agus ar mhúineadh na teanga sna scoileanna. Cuireadh an méid sin ina luí ar na húdaráis do réir a chéile agus roinnt blianta ó shin rinneadh iarracht inmholta ar chaighdeán litrithe agus gramadaí a leagadh síos. Is dóchasach an comhartha é go bhfuil formhór na scríbhneoirí sásta glacadh leis an gcaighdeán seo.[19]

Níl sna hiarrachtaí go léir a rinneadh chun caighdeán a chur ar fáil sa Ghaeilge ach rud a rinneadh cheana nó atá á dhéanamh i dteangacha eile an lae inniu. Ní miste bheith ag súil, ámh, nach gcuirfidh fás an chaighdeáin cosc ar leas a bhaint as saibhreas na Gaeilge mar atá sí fós sa Ghaeltacht.

Is fairsing ilghnéitheach é an saothar a d’fhág an tAthair Peadar Ó Laoghaire ina dhiaidh,[20] idir aistí agus scéalta, cuntas ar a bheatha féin agus dráma bunaithe ar scéal na Tána, saorleaganacha NuaGhaeilge de chuid de na seanscéalta, agus roinnt aistriúchán, go háirithe ón mBíobla. Inniu, áfach, is ar *Séadna*[21] (1894-1901, 1904) is mó a luíonn a cháil. Ní saothar fíorchruthaitheach é *Séadna*; séard atá ann go bunúsach ná pictiúr den saol ab eol don údar féin le linn a óige agus scéal béaloidis fite tríd faoi dhuine a dhíol a anam leis an diabhal. Bíodh nár scríbhneoir cruthaitheach den chéad scoth an tAthair Peadar tá buanna suntasacha ag a chuid próis, é go fuinneamhach snasta i gcónaí agus fíormhaorgacht ag roinnt leis ar uaire. Cruthúnas is ea an prós seo, ní amháin ar fheabhas an Athar Peadar mar scríbhneoir, ach ar shaibhreas na Gaeilge féin freisin, in ainneoin ar caitheadh de tharcaisne léi.

[18] Le haghaidh tuairimí faoi sholáthar canúna liteartha féach G. Lehmacher, S.J., ‘ Some thoughts on an Irish Literary language ’ with comments by Most Rev. Dr. Sheehan, Osborn Bergin, F. W. O’Connell, T. F. O’Rahilly and Tomás Ó Máille, *Studies* 1923, 26 *et seq.*

[19] Chun tuairimí Néill Uí Dhónaill faoi cheist an chaighdeáin a thuiscint is maith is fiú *Forbairt na Gaeilge* (1951) a léamh. Feicfear conas mar d’éirigh leis na tuairimí sin a chur i ngníomh sa chuntas a scríobh sé ar stair a dhúiche féin, *Na Glúnta Rosannacha* (1952).

[20] S. Ó Cuív, ‘ Materials for a Bibliography of the Very Reverend Peter Canon O’Leary ’, *Celtica* ii, pt. 2, supplement.

[21] Cf. S. Ó Tuama, ‘ Cré na Cille agus Séadna ’, *Comhar* Feabhra 1955, 7-8, 29; Pádraig A. Breatnach, ‘ Séadna: Saothar Ealaíne ’, *Studia Hibernica* 9, lgh 109 *et seq.*

Mar thírghrathóir bhí dúil mhór ag Pádraig Mac Piarais[22] (1879-1916) sa Ghaeilge; mar mhúinteoir chreid sé gurbh é an cuspóir ba cheart a bheith ag an oideachas ná Gaeil mhaithe a dhéanamh de mhuintir na hÉireann, agus d'aithin sé tábhacht na teanga mar mheán cultúir. Thuig sé freisin go gcaithfí beolitríocht a chur ar fáil agus nach bhféadfaí bheith ag brath ar sheanscéalta béaloidis chun aos óg nó aos fásta na linne a shásamh. Ba chun freastail ar na riachtanais sin a chum an Piarsach mórchuid dá shaothar liteartha i nGaeilge. Ní líonmhar an saothar sin—cúpla dráma, bailiúchán gearrscéalta do dhaoine óga, cúig cinn déag de dhréachtaí filíochta agus cnuasach aistí leis a foilsíodh in *An Barr Buadh*.[23] Chuir sé eagar freisin ar chúpla scéal as an seanlitríocht (*Bodach an Chôta Lachtna*, 1906, agus *Bruidhean Chaorthainn*, 1912). Tuilleann na gearrscéalta suim ar leith de bhrí go raibh siad ar na cinn ba thúisce i nGaeilge inar baineadh feidhm as an oscailt obann phléascach agus inar tugadh cúl ar an réamhrá fadálach ba choitianta sna seanscéalta.[24] Is follas ó ghearrscéalta an Phiarsaigh gur fhan cuid mhór de mheon agus d'fhís an linbh ann; ba gheal leis go háirithe intinn an linbh agus an duine shimplí neamhurchóidigh a léiriú. Is ina chuid filíochta is fearr a léirítear a mheon féin. Taispeánann an cnuasach dá chuid dréachtaí, *Suantraidhe agus Goltraidhe* (1914), chomh cruinn, chomh fáidhiúil agus a bhí a fhís. Ach bíodh go raibh féith na litríochta sa Phiarsach ba le cúrsaí tírghrá agus

[22] S. Ó Searcaigh, *Pádraig Mac Piarais* (BÁC 1938), Le Roux, *Life of P. H. Pearse* (BÁC 1932) aistriúchán le D. Ryan de *l'Irlande Militante* (Rennes 1932); Patrick Pearse, *The Story of a Success*, eag. D. Ryan (BÁC, London 1917); D. Ryan, *The Man Called Pearse* (BÁC 1923); F. O'Brien, ' An Piarsach Óg agus Conradh na Gaeilge ', *Studia Hibernica* 9, lch 76 *et seq.;* P. Mac Cárthaigh, ' Dánta an Phiarsaigh ', *Feasta*, Lúnasa 1966, 11 *et seq.;* S. Ó hAodha, *Pádraic Mac Piarais, Sgéalaidhe: Patrick H. Pearse, Storyteller* (gan dáta).

[23] *Scríbhinní* (Collected Works in Gaelic) (BÁC, London 1919).

[24] Ba é an scríbhneoir Pádraig Ó Séaghdha (' Conán Maol ') a chuir tús leis an oscailt nua-aoiseach i ngearrscéalta na Gaeilge sa chnuasach leis a ghnóthaigh duais dó in Oireachtas na bliana 1899, cnuasach a d'fhoilsigh An Conradh faoin teideal *An Buaicheas* (1903). Bhí an méid seo a leanas le rá ag an bPiarsach i dtaobh na scéalta sa chnuasach sin ar *An Claidheamh Solais*, 14-3-1903: ' In ionad teacht ar imeall an sgéil agus trácht do dhéanamh ar shinnsear an ghaisgidhigh is amhlaidh a bhuaileann sé isteach láithreach i gceartlár an sgéil. . . . Sid é díreach an chuma 'na n-innstear an gearr-sgéal fé láthair. . . .' Is fiú á thabhairt chun cuimhne gur scríobh ' Conán Maol ' cuid mhaith i mBéarla. Agus é ina fhear óg, ag obair mar oifigeach sa Chustam agus Mál i gCathair Caerdydd, foilsíodh altanna agus aistí leis ar an *Western Mail* agus an *Cardiff Mail*. Le haghaidh cuntais ar a shaothar féach Ó Droighneáin, op. cit., *passim*, go háirithe 113-15.

polaitíochta, agus ní leis an litríocht, a chaith sé tromlach a dhúthrachta; ní chun an fhéith liteartha a bhí ann a shaothrú is mó a ghabh sé le scríbhneoireacht.[25]

Dála an Phiarsaigh, d'fhéach Pádraig Ó Conaire[26] (1883-1928) le crot nua-aoiseach a chur ar litríocht na Gaeilge i dtosach na haoise seo. Bhí an Ghaeilge níos fearr aige ná bhí ag an bPiarsach mar, cé gur i gCathair na Gaillimhe a rugadh é, chaith sé cuid dá óige i nGaeltacht Chonamara. Cuirtear ina leith ar uaire go bhfuil an saibhreas agus an cruinneas in easnamh ar a chuid Gaeilge; ina choinne sin, tá bua na simplíochta aige, agus chleacht sé stíl éasca sholéite atá saor ón ró-chanúnachas. Bhí sé níos dílse do cheird an scríbhneora ná an Piarsach; ní miste a rá gurbh eisean an chéad scríbhneoir gairmiúil a tháinig chun tosaigh le linn na hAthbheochana. Ba mhó a shuim sa litríocht féin ná in aon cheann de na ceisteanna a bhíodh ag déanamh buartha dá chomhaimsirigh, agus ní raibh aon ' teagasc ' le craobhscaoileadh aige. Chuir sé eolas ar chuid den litríocht a bhíodh faoi chaibidil san am, litríocht i dteangacha eile seachas an Béarla, agus tá a rian sin ar chuid dá shaothar. Scríobh sé timpeall leathdhosaen cnuasach de ghearrscéalta, agus cuireann an teicnic agus an t-atmasféar dubhach iontu saothar de Maupassant i gcuimhne dúinn. San aon úrscéal amháin dá chuid, *Deoraidheacht* (1910),[27] ina dtugann sé léiriú ar shaol deoraí ó Éirinn i Londain, tá sleachta a thabharfadh *Les Misérables* chun cuimhne. Bhí taithí aige ar shaol na tuaithe agus ar shaol na mbailte, ar uaigneas an fhásaigh agus ar ghleithearán na cathrach, agus le linn dó bheith ag scríobh ar cheann amháin díobh níor dhearmad sé an ceann eile. Thar aon duine eile dá chomhaimsirigh bhí an dearcadh iltíreach aige.[28] Is tuisceanach géarchúiseach mar

[25] C. Ó Braonáin, ' Poets of the Insurrection, 11. Patrick H. Pearse ', *Studies* v, 339 *et seq.*

[26] Tá tuairisc ar shaol agus ar shaothar an Chonairigh tugtha ag A. Ní Chnáimhín in *Pádraic Ó Conaire* (BÁC 1947); tá aiste fhada léirmheasa air in *Pádraic Ó Conaire agus Aistí Eile* (BÁC, dara eagrán 1939) le Seosamh Mac Grianna: cuireadh athchló ar an aiste seo i *Scothscéalta* (BÁC 1956), cnuasach de ghearrscéalta Uí Chonaire atá roghnaithe agus curtha in eagar ag Tomás de Bhaldraithe. Is suimiúil, tábhachtach an réamhrá a sholáthraigh an t-eagarthóir don chnuasach seo. Féach freisin S. Ó Tuama, ' Pádraic Ó Conaire ', *Comhar*, Feabhra 1953, 7-10, 23; R. Ó Glaisne, ' P. Ó Conaire—Eorpach ', *Feasta*, Eanáir 1962, 14 *et seq.*; P. Breatnach, ' An Dá Phadraic (Ó Conaire) ', *Feasta*, Meitheamh-Iúil 1972.

[27] Tá eagrán nua (BÁC 1967) ar fáil anois.

[28] '. . . you have in P. Ó C. absolutely the only writing you can imagine a European reading. . . . P. is often grammatically careless and inconsistent, sometimes confused . . . but he belongs to the European kind '. E. R. Dobbs (eag.), *Journals and Letters of Stephen MacKenna* (London 1936) 218-19.

a léiríonn sé a chuid carachtar, go háirithe na mná. Tá lochtanna ar a shaothar gan amhras; tá sé míchothrom, é leamh agus neamhchúramach ar uaire. Ach tá fíorchumas sa chuid is fearr de, agus is beag dár scríobh sé nach bhfuil an daonnacht agus an greann ag soilsiú tríd. Ag dearcadh siar anois ar ar cumadh ó 1882 i leith, caithfear a admháil gur as saol na Gaeltachta a fáisceadh mórchuid den saothar is fearr agus is bunúsaí go nuige seo. Cáineadh an Conaireach lena linn toisc gur thogh sé cúrsaí an tsaoil lasmuigh den limistéar sin le cur síos orthu. Measadh, do réir dealraimh, nár chuí agus nárbh fhéidir plé lena leithéid i nGaeilge, ach bhí dul amú ar an dream a raibh an tuairim sin acu. Réitigh Pádraig Ó Conaire an bealach dóibh siúd ar mhian leo scóip na nualitríochta a leathnú agus a thuig nach dtiocfadh bláth uirthi dá gcloífí de shíor le limistéar cúng amháin agus leis na sean-nósanna litríochta a bhí faoi réim ann. Sin é an rud is mó a thugann tosach do Phádraig Ó Conaire ar scríbhneoirí eile na linne sin.

Tá saothar liteartha ilchineálach déanta ag An Seabhac (Pádraig Ó Siochfhradha, 1883-1964). D'fhoilsigh sé meascra béaloidis, *An Seanchaidhe Muimhneach* (BÁC, 1932), d'aistrigh sé *Beatha Wolfe Tone* go Gaeilge (BÁC, 1932), chuir sé nuachruth ar chuid de na seanscéalta liteartha (mar shampla *Eachtra Thaidhg Mhic Chéin*, (BÁC, 1933), agus bhí sé ina eagarthóir ar shrathanna de chnuasaigh fhilíochta agus de théacsanna scoile. Seasann a cháil inniu, ámh, ar dhá leabhar go speisialta, *An Baile Seo 'Gainne* (1913), cnuasach scéalta agus dréachtaí faoin muintir i sráidbhaile tuaithe, agus *Jimín Mháire Thaidhg* (1921), cuntas ar na heachtraí a bhain do gharsún óg. Tá *Jimín* (mar a thugtar de ghnáth air) ar cheann de na leabhair is taitneamhaí dár foilsíodh riamh i nGaeilge, agus is cinnte gurbh é an ceann ba mhó agus ba bhuaine a raibh éileamh ag an bpobal air.

Is iomaí gné don litríocht a chleacht Piaras Béaslaí (1883-1965); an eagarthóireacht (bhí sé ina eagarthóir ar iris an Chonartha 1917-20), an iriseoireacht, an fhilíocht (*Bealtaine 1916*, 1920), an ghearrscéalaíocht (*Earc agus Áine*, 1946), an léirmheastóireacht liteartha (*Éigse Nua-Ghaedhilge* i, ii, BÁC, 1933-4) agus an drámaíocht. Scríobh sé a chéad dráma, *Coramac na cuile* (i.e., Cormac na Coille) chomh fada siar le 1906, agus foilsíodh é i 1909. Sa bhliain 1929 cuireadh amach sé cinn dá dhrámaí le chéile faoin teideal *An Sgaothaire agus Cúig Drámaí Eile*. Ní lena pheann amháin a chuidigh sé le fás an dráma i nGaeilge. Bhí sé gníomhach mar léiritheoir agus mar aisteoir freisin.[29]

Go ceann breis agus fiche bliain tar éis bunú Chonradh na Gaeilge ba í canúint na Mumhan ba mhó a bhí chun tosaigh i scríbhneoireacht na Gaeilge. Tháinig athrú ar an scéal sin nuair a chrom beirt dearthair ó Thír Chonaill ar cheapadóireacht i dtosach fichidí na haoise seo. Ba iad an bheirt sin Séamus Ó Grianna (' Máire ') agus Seosamh Mac Grianna (' Iolann Fionn '). Chuir ' Máire ' tús lena thuras ar bhóthar na litríochta nuair a d'fhoilsigh sé an dá úrscéal, *Mo Dhá Róisín* (1921) faoi fhear óg ó Ghaeltacht Thír Chonaill a ghlac páirt in Éirí Amach na Cásca, agus *Caisleáin Óir* (1924) a raibh an Ghaeltacht féin mar shuíomh aige. Go ceann breis agus daichead bliain ina dhiaidh sin níor staon sé den cheapadóireacht, agus tá idir úrscéalta agus gearrscéalta foilsithe aige.[30] Is follas gur fearr a oireann an gearrscéal dó mar mheán ná an t-úrscéal, mar níl an chumadóireacht sna húrscéalta saor ó locht. Muintir na Gaeltachta is mó a léirítear dúinn ina shaothar, agus is gá a rá go bhfuil méid áirithe ionannais ag roinnt leis na carachtair; dar le léirmheastóir amháin is scáileanna daoine iad ' ná fuil iontu ach iolrú ar Shéamus Ó Grianna '.[31] Tríd is tríd, áfach, is maith an sás é chun scéal a insint. Tá stíl éasca bheoga aige, agus an magadh géar searbhasach mar chosaint aige go minic ar an ró-mhaoithneas. Thug sé cuntas ar a bheatha i *Nuair a Bhí Mé Óg* (1942) agus i *Saoghal Corrach* (1945), agus sholáthraigh sé roinnt aistriúchán faoi scéim an Ghúim.

Níl Seosamh Mac Grianna chomh hoilte le ' Máire ' ar cheird na gearrscéalaíochta, ach is coinsiasaí an scríbhneoir é. Dála Mháire, rinne sé a lán aistriúchán faoi scéim an Ghúim. Chomh maith leo sin agus lena chuid gearrscéalta[32] scríobh sé tuairisc ar chuairt a thug sé ar an mBreatain Bheag (*An Bhreatain Bheag*, 1937), beathaisnéis, *Eoghan Ruadh Ó Néill* (1931) agus a dhírbheathaisnéis, *Mo Bhealach Féin* (1940). I dtuairim a lán daoine tá an cuntas seo ar a

[29] Féach Ó Droighneáin, op. cit., 102-3.

[30] *Cioth is Dealán* (1926); *Thiar i dTír Chonaill* (1940); *Scéal Úr agus Sean-Scéal* (1945); *An Teach nár Tógadh* (1948); *Ó Neamh go hÁrainn* (1953); *Fód a Bháis* (1955); *Fallaing Shíoda* (1956); *Tarngaireacht Mhiseoige* (1958); *An Bhrotach* (1959); *Ó Mhuir go Sliabh* (1961); *Cúl le Muir agus Scéalta Eile* (1961); *Úna Bhán agus Scéalta Eile* (1962); *Le Clap-sholus* (1967); *An Sean Teach* (1968) etc.

[31] F. Mac an tSaoir, *Comhar*, Bealtaine 1952, 28. ' Is scríbhneoir teoranta é ' Máire ', dar le léirmheastóir eile. Féach D. Ó Doibhlin, ' Séamus Mac Grianna agus Aigne na Gaeltachta ', *Irishleabhar Muighe Nuadhat* 1966, 19 *et seq.*

[32] *An Grádh agus an Ghruaim* (1929); *Dochartach Dhuibhlionna* (1924); *An Druma Mór* (1969).

bheatha ar cheann de na leabhair is fearr dár foilsíodh go dtí seo sa NuaGhaeilge. Nuair a tháinig eagrán nua de amach i 1965, ba shuimiúil an méid a bhí le rá ag na léirmheastóirí ina thaobh, cuid acu á chur in iúl go cumhach gur mheas siad nach raibh sé chomh maith lena cháil, agus an ghlúin óg ar malairt tuairime faoina fheabhas.[33] Cibé ionad a bheidh i ndán dó i stair na litríochta amach anseo ní féidir a shéanadh gur leabhar tábhachtach a bhí ann lena linn agus go ndeachaigh sé i bhfeidhm ar léitheoirí na linne sin.

I dtrátha an ama seo bhí scríbhneoirí Ultacha eile i mbun pinn. Orthu sin bhí Maghnus Mac Cumhaill (' Fionn Mac Cumhaill ') a rugadh sna Rosa i dTír Chonaill. Scríobh seisean na leabhair seo a leanas, leabhair a bhfuil éileamh orthu go fóill—*Tusa a Mhaicín* (1922), *Maicín* (1924), *'Sé Dia an Fear is Fearr* (1928), *Na Rosa go Bráthach* (1939). Ba as Tír Chonaill freisin do Sheaghán Mac Meanman ar foilsíodh cnuasach gearrscéalta leis, *Scéalta Goiride Geimhridh*, chomh fada siar le 1915. Leabhair eile dá chuid ba ea *Indé agus Indiu* (1929), *Fear Siubhail* (1931) agus *Mám as mo Mhála* (1940). Sa réamhrá ar an gceann deireanach seo scríobh sé: ' An rud a bhí ar m'intinn nuair a bhí mé ag scríobhadh na scéaltach seo amharc nó sraic fhéachaint bheag a thabhairt do'n Gaedheal óg ar an tsean-saoghal Gaedhealach sin a d'imthigh agus nach bhfeicfimind arís go deo '.

As Contae Aontroma do Sheán Mac Maoláin (' Gartan ', ' Brighid '). Rinne seisean a lán aistriúchán faoi scéim an Ghúim agus scríobh sé roinnt mhaith aistí in irisí éagsúla. I 1935 is ea a tháinig cnuasach gearrscéalta leis amach faoin teideal *Ceannrachán Cathrach*, agus seacht mbliana ina dhiaidh sin foilsíodh *I mBéal Feirsde Domh*—' cuntas ar chuid dá bhfaca mé tráth bhí mé in mo chomhnaidhe i mBéal Feirsde agus cuid de na smaointe a rinne mé le na linn sin '. Chuidigh saothar na scríbhneoirí seo go léir le heolas a scaipeadh i measc an phobail ar chanúint Chúige Uladh.

I measc na gConnachtach a chum saothar a raibh dúil ag an lucht léite ann bhí Seán Ó Ruadháin a scríobh *Pádhraic Mháire Bhán*

[33] Féach mar shampla, M. Mac Conghail, *Feasta*, Iúil 1966 agus O. Ó Croiligh, ' Idir Dhá Cheann na hImní ', *Irisleabhar Mhá Nuad*, 1967, 12 *et seq*. Agus dar le Máirtín Ó Cadhain níor tháinig ach triúr scríbhneoir den chéad scoth i réim ó thosach na hAthbheochana, Pádraig Mac Piarais, Pádraig Ó Conaire agus Seosamh Mac Grianna, *Feasta*, Samhain 1949, 9-11, 20-22, go háirithe 9. Féach freisin P. Mac an Bheatha, *Seosamh Mac Grianna agus Cúrsaí Eile* (1970).

(1932), Pádhraic Óg Ó Conaire a bhfuil saothar mór,[34] idir ghearrscéalta, úrscéalta agus aistriúcháin scríofa aige, agus Tomás Bairéad a d'fhoilsigh ceithre bhailiúchán gearrscéalta.[35] Tá saothar an Bhairéadaigh míchothrom—cuid de na scéalta go han-mhaith, cuid díobh lag, neamhshuimiúil—ach tá cruinneas ar leith ann nuair is éanacha nó ainmhithe a bhíonn á léiriú. Fearacht a lán dá chomhscríbhneoirí, ní maith a éiríonn leis saol na cathrach a láimhsiú; is údarásaí go mór é nuair is ag cur síos ar shaol na Gaeltachta atá sé.

Cibé laige a mheasfaí a bheith ar shaothar an triúir seo, ó thaobh ábhair nó teicnice de, tá taitneamh ar leith le baint as an nGaeilge ina gcuid leabhar toisc blas an dúchais a bheith uirthi. Tá an blas céanna ar an nGaeilge in *Cladaigh Chonamara* (1938) le S. Mac an Iomaire. Is suimiúil an rud é gur scríobhadh an leabhar seo le linn don údar bheith sínte ar leaba i Meiriceá agus taom eitinne air. I gcaitheamh na mblianta a chaith sé mar sin níor chuala sé oiread agus focal amháin Gaeilge á labhairt.

Ba mhinic bochtaine agus ainnise an tsaoil sa Ghaeltacht á léiriú ag scríbhneoir i ndiaidh scríbhneora ina dtuairiscí ar a mbeatha nó ina gcuid scéalta. Faoi dheireadh spreagadh fear óg ón nGalltacht, ' Myles na gCopaleen ', chun aoir a scríobh ar an gcineál seo saothair, agus d'fhoilsigh sé *An Béal Bocht* (1941) ina ndearna sé magadh cliste faoi shíorainnise litríocht na linne.[36]

Scríbhneoir ilghnéitheach is ea Séamus Ó Néill. Bhí sé ar feadh scaithimh ina eagarthóir ar irisí éagsúla, agus rinne sé roinnt mhaith iriseoireachta é féin; tá filíocht, gearrscéalta agus drámaí cumtha aige.[37] Ach b'fhéidir gurb é an t-úrscéal *Tonn Tuile* (1947) a thugann ionad ar leith dó i measc scríbhneoirí na linne. Níorbh eisean an chéad duine a rinne iarracht ar mhuintir na cathrach a léiriú go nádúrtha i nGaeilge. Bhí an iarracht sin déanta cheana

[34] I measc na mbunleabhar atá foilsithe ag an gConaireach tá *Mian a Croidhe* (1922), *Solus an Ghrádha* (1923), *Éan Cuideáin* (1936), *Ceol na nGiolcach* (1939), *Athaoibhneas* (1959), *Fuine Gréine* (1967), *Déirc an Díomhaointis* (1972). Rinne sé roinnt drámaí a aistriú ón mBéarla. Orthu sin bhí ' Lord Edward ' le Christine Longford, ' Summer's Day ' le Maura Molloy agus ' Spanish Gold ' le George A. Bermingham.

[35] *An Geall a Briseadh* (1938), *Cruithneacht is Ceannabháin* (1940), *Cumhacht na Cinneamhna* (1936), *Ór na hAitinne* (1949). Féach P. Breatnach, *Feasta*, Iúil 1975, 7 *et seq.*

[36] Féach P. Ó Conchubhair, ' An Béal Bocht ', *Irisleabhar Muighe Nuadhat* 1966, 25 *et seq.* agus M. Ó Cadhain, ' Leabhar atá ar Aora Móra Phróis na Gaeilge ', *Feasta*, Aibreán 1965, 25 *et seq.* Tá eagrán nua den leabhar ar fáil anois.

[37] Tá léirmheas suimiúil ar cheann amháin de na drámaí sin, ' Iníon Rí Sobhairce ', scríofa ag M. Ó Duibhir, *Irisleabhar Mhá Nuad*, 1967, 37 *et seq.*

féin ag Barra Ó Caochlaigh, cuir i gcás, i *Lucht Ceoil* (1932). Ach ba é Séamus Ó Néill an chéad duine a d'fhéach le déileáil go macánta le cuid d'fhadhbanna mheánaicme na cathrach sa lá atá inniu ann. Cuirtear os ár gcomhair in *Tonn Tuile* lánúin nuaphósta a bhfuil barrshamhail dá gcuid féin acu araon, ise agus dúil aici bheith páirteach i gcúrsaí taobh amuigh de chiorcal cúng a dualgas cois teallaigh, agus eisean ag tnúth le cáil a bhaint amach dó féin mar scríbhneoir. Léirítear na nithe a scriosann na barrshamhla sin do réir a chéile, na deacrachtaí eacnamaíochta a ghabhann le cothú clainne, neamhéifeacht an fhir mar scríbhneoir agus, i ndeireadh na dála, an peaca neamhghlan a dhéanann sé. Is móide é tubaiste na lánúine na seandaoine sa scéal a bheith ag síorthrácht ar laethanta glórmhara Chogadh na Saoirse.

San úrscéal is deireanaí dá chuid (*Máire Nic Artáin*, 1959) déanann Séamus Ó Néill fadhb eile a phlé, mar atá, an pósadh meascaithe, agus an saol i mBéal Feirste le linn an Chogaidh Mhóir 1914-18 mar shuíomh aige. Feicfear mar sin gur thogh sé ábhar nárbh fhurasta do scríbhneoir Gaeilge, ag scríobh do lucht léite na Gaeilge, a léiriú go hoscailte macánta. Agus bíodh nach bhfuil an chumadóireacht saor ó locht in áiteanna agus gur theip air domhainscrúdú a dhéanamh ar fhréamhacha na faidhbe, d'éirigh leis cúlra an scéil agus dearcadh na ndaoine a nochtadh le comhbhá agus le daonnacht.

Níl aon amhras ná gurb é Máirtín Ó Cadhain an scríbhneoir is tábhachtaí dár shaothraigh prós na NuaGhaeilge le breis agus daichead bliain anuas; tá daoine ann a rachadh níos faide agus a déarfadh gurb é is tábhachtaí ó thosach na hAthbheochana. Ar aon nós is údar é atá ina mháistir ar ollshaibhreas chanúint Chonnacht; is scríbhneoir é atá ionraic agus lándáiríre faoina ghairm.[38] Is é an cumas i léiriú na gcarachtar an bua is suntasaí i ngearrscéalta an Chadhnaigh. Mar a dúirt léirmheastóir amháin faoi, ' Is féidir leis, mar adéarfá, seilbh a ghlacadh ar anam agus ar chorp an phearsain atá á shoilsiú aige agus a chonaí a dhéanamh istigh

[38] Is iad seo na cnuasaigh gearrscéalta dá chuid: *Idir Shúgradh agus Dáiríre* (1939); *An Braon Broghach* (1948), *Cois Caoláire* (1953), *An tSraith ar Lár* (1967), (Ghnóthaigh an cnuasach seo an Duais Ghael-Mheirceánach), *An tSraith Dhá Tógáil* (1970), a fuair Duais an Chraoibhín. Sa bhliain 1953 is ea tháinig an t-úrscéal *Cré na Cille* amach. Tá paimfléidí suimiúla i mBéarla agus i nGaeilge foilsithe aige freisin.

ann '.[39] Nocht léirmheastóir eile an tuairim chéanna, geall leis, nuair a dúirt sé, ' Bíonn cíocras croí air taighde a dhéanamh i nduibheagán aigne a chuid caractaerí. Agus minic go maith bíonn an taighde seo aige ana-thuisceannach, ana-ábalta '.[40] Deirtear ar uaire go bhfuil a shaothar ró-bhriathardha, agus is fíor nach gcleachtann sé an ghontacht ach go ritheann na focail ina gcaisí óna pheann. Cuirtear ina leith freisin nach bhfuil an teicnic i gcuid de na gearrscéalta saor ó locht. Tá bunús éigin leis an dá ghearán seo, ach is suarach iad na lochtanna i gcomparáid le mórthábhacht an tsaothair i gcoitinne.

Is é an t-úrscéal *Cré na Cille*[41] an chuid is tábhachtaí b'fhéidir, den saothar sin. Tá sé scríofa i bhfoirm agallaimh idir na coirp i reilig i mbaile beag i gConamara, agus trí mheán na n-agallamh seo cuirtear os ár gcomhair pictiúr de shaol atá bocht agus cúng. Mar aon leis an mbochtaine agus an ainnise léirítear an t-éad, an fuath agus an t-achrann a éiríonn idir teaghlaigh do réir mar a bhíonn cuid acu ag éirí sa saol agus cuid acu ag titim ar gcúl. D'fhéadfaí a rá nach bhfuil an saol i nGaeltacht Chonamara chomh dubh duairc leis an saol atá léirithe in *Cré na Cille*, ach de thoradh cumas agus ealaín an údair cuirtear fírinne an phictiúir go daingean ina luí orainn.

Bíodh go bhfuil cáil idirnáisiúnta ar Liam Ó Flaithearta mar údar *The Informer*, *Famine* agus leabhar eile i mBéarla, is í an Ghaeilge a theanga dhúchais. Tamall de bhlianta ó shin chas sé ar an nGaeilge agus d'fhoilsigh sé cnuasach gearrscéalta sa teanga sin faoin teideal *Dúil* (1953), saothar ar chuir an pobal léite an-spéis ann. Is trua gur fada anois ó d'fhoilsigh sé aon leabhar i nGaeilge, mar d'fhéadfadh scríbhneoir mar eisean maitheas as cuimse a dhéanamh d'fhás na teanga agus na litríochta araon sna laethanta criticiúla seo nuair atá méid áirithe dul chun cinn déanta agus tuilleadh fós le déanamh. In Éirinn, fearacht na Breataine Bige,

[39] F. Mac an tSaoir, *Comhar*, Meitheamh 1952, 8. Tá cuntas tábhachtach ar shaothar Uí Chadhain san aiste seo agus in eagrán Bhealtaine na bliana céanna de *Comhar*. Is suimiúil an méid atá le rá ag C. Ó hÁinle freisin san aiste ' Mná i nGearrscéalta Uí Chadhain ', *Irisleabhar Muighe Nudhat* 1966, 38 *et seq.*

[40] S. Ó Tuama, *Feasta*, Samhain 1953, 13. Tá breithiúnas cothrom ar ghearrscéalta Uí Chadhain le fáil sa léirmheas seo ar *Cois Caoláire*. Cf. léirmheas le L. Ó Flaithbheartaigh ar *An Braon Broghach*, ar *Comhar*, Bealtaine 1949, 5, 30.

[41] Féach léirmheas Dh. Uí Chorcora, *Feasta*, Bealtaine 1950, 14-15. Cf. S. Ó Tuama, ' Cré na Cille agus " Séadna " ', *Comhar*, Feabhra 1955, 7-8, 29; B. Ó Doibhlinn, ' Athléamh ar Chré na Cille ', *Léachtaí Cholm Cille* 1974, 40 *et seq.*

is sárluachmhar don teanga agus don litríocht aon scríbhneoir a bhfuil éileamh ag an bpobal ar a shaothar.

Scríbhneoir a bhfuil saothar i nGaeilge agus i mBéarla foilsithe aige is ea Eoghan Ó Tuairisc. Is iomaí gné den litríocht atá cleachta aige i nGaeilge, an iriseoireacht, an dráma, an t-úrscéal, an fhilíocht. Cé gurbh fhada é i mbun pinn ní féidir a rá go bhfuair sé aitheantas ceart ón bpobal nó gur ghnóthaigh a úrscéal fileata stairiúil *L'Attaque* (1962) Duais an Chlub Leabhar agus Gradam an Oireachtais i 1961. Sa bhliain 1964 nuair a foilsíodh cnuasach dá chuid filíochta faoin teideal *Lux Aeterna*[42] cuireadh suim ar leith sa dán fada ' Aifreann na Marbh ', dán faoi scaoileadh an bhuama adamhaigh ar Hiroshima, dán inar féachadh le foirm, le friotal agus le hábhar úr a láimhsiú i nGaeilge. Cuireadh suim freisin i leabhar eile leis, *Dé Luain*, cuntas samhlaíoch ar Sheachtain na Cásca 1916. I léacht a thug sé uaidh i gCaerdydd sa bhliain 1969 dúirt Máirtín Ó Cadhain an méid seo: ' Two novelists in particular who have emerged are Diarmaid Ó Súilleabháin and Eoghan Ó Tuairisc, both of them poets and dramatists as well, and both having several novels to their names already. Both of them are evidently influenced by the modern French School of Malraux and Camus, and both deal with *la condition humaine*, with an awareness and a sophistication never before displayed in Irish writing '.

Tá an dá thuairim ann faoi shaothar Dhiarmada Uí Shúilleabháin: daoine a deir gur scríbhneoir cumasach nua-aoiseach é agus daoine eile a dhearbhaíonn go bhfuil an teanga féin agus modhanna cumadóireachta á gcur as a riocht aige leis na triaileacha atá ar siúl aige. ' Is deacair Ó Súilleabháin a mholadh nó a cháineadh mar ní féidir é a thuiscint ', a dúirt an file Seán Ó Ríordáin (*Irish Times* 12-8-1972). Cibé acu an dtuigtear nó nach dtuigtear é, is cinnte go gcuirtear suim ina shaothar, agus is iomaí duais atá gnóthaithe aige i gcomórtais liteartha an Oireachtais. Ag seo a leanas cuid de na leabhair atá foilsithe aige idir úrscéalta agus chnuasaigh ghearrscéalta: *Súil le Muir* (1959), *Dianmhuilte Dé* (1964), *Caoin Tú Féin* (1967), *Trá agus Tuilleadh* (1967), *An Uain Bheo* (1968), *Muintir* (1971), *Maeldún* (1972).

Taobh ar taobh leis an litríocht chruthaitheach tá litríocht fhíorasach de chineálacha éagsúla curtha ar fáil. Tá samplaí áirithe i roinn na dírbheathaisnéise luaite cheana againn, *Mo Scéal Féin*,

[42] Féach F. Mac an tSaoir, *Comhar* 1952, agus S. Ó Cearbhalláin, ' Idir Dhá Chith ', *Irisleabhar Mhá Nuad* 1967, 25 *et seq.*

Saoghal Corrach, *Mo Bhealach Féin*. I gcaitheamh na dtríochadaí foilsíodh samplaí iomráiteacha ón mBlascaod Mór, mar atá, *An tOileánach* (1929) le Tomás Ó Criomhthain,[43] *Fiche Bliadhan ag Fás* (1933) le Muiris Ó Súilleabháin agus *Peig* (1936) le Peig Sayers. I mbliain a 1939 tháinig cnuasach eile de chuimhní Pheig amach faoin teideal *Machtnamh Seana-mhná*. Tá neart agus saibhreas Gaeilge sna leabhair seo, go háirithe i leabhar Uí Chriomhthain, agus tugtar léargas lom macánta iontu ar mheon agus ar shaol crua uasal mhuintir an oileáin.[44]

Tá an Blascaod Mór tréigthe anois, ach tá cúpla tuairisc eile tar éis teacht ón limistéar ar an míntír gairid do, *Is Truagh ná Fanann an Óige* (1953) le Mícheál Ó Gaoithín[45] (mac do Pheig Sayers), *Na hÁird Ó Thuaidh* (1960) le Pádraig Ua Maoileoin (garmhac do Thomás Ó Criomhthain), agus *An tOileán a Tréigeadh* (1974) le Seán Sheáin Uí Chearnaigh, leabhair a fuair ardmholadh ar fheabhas na Gaeilge iontu. Tá togha na Gaeilge freisin in *Sgéal Mo Bheatha* (1940) leis an seanchaí Domhnall Bán Ó Céilleachair ó Chontae Chorcaí. As Gaeltacht Thír Chonaill is ea a tháinig *Rotha Mór an tSaoil* (1959) le Micí Mac Gabhann,[46] ach ní hé saol crua cúng na Gaeltachta amháin a léirítear dúinn sa leabhar seo. Rinne an t-údar cuid mhór taistil lena linn, agus tugann sé tuairisc bhríomhar ar na heachtraí a bhain dó sa bhaile agus i gcéin go háirithe sa Klondyke nuair a bhí tóir ar an ór san áit sin.

Ní in Éirinn amháin a cuireadh suim sna leabhair ón nGaeltacht mar aistríodh cuid díobh, ní amháin go Béarla ach, i gcás Thomáis Uí Chriomhthain agus Mhuiris Uí Shúilleabháin, go teangacha eile na hEorpa freisin. Is fíor go gcaillfí cuid mhór de shainbhlas na leabhar seo in aistriúchán, ach is cosúil gur chúis suime agus iontais do léitheoirí na linne seo i dtíortha eile an cineál saoil a léirítear iontu. Cruthúnas air sin is ea an sliocht seo as an réamhrá a scríobh

[43] Sholáthraigh sé freisin *Allagar na hInise*. An Seabhac a chuir in eagar (1928)—tá cuntas suimiúil ar an leabhar seo ag P. Ó Fiannachta, *Léas ar ár Litríocht*, 8 *et seq.*—agus *Dinnsheanchas na mBlascaodaí* (1935). Féach freisin *Seanchas ón Oileán Thiar* (T. Ó Criomhthain do dheachtaigh. Robin Flower do sgríobh. S. Ó Duilearga do chuir in eagar maille le réamhrá agus nótaí, 1956).

[44] Féach R. Flower, *The Western Island or the Great Blasket* (1944); T. Ó Dúshláine, ' Litríocht as Ithir an Dúchais ', *Léachtaí Cholm Cille* 1974, 54 *et seq.*

[45] Foilsíodh cnuasach filíochta le Mícheál Ó Gaoithín i 1968 faoin teideal *Coinnle Corra*.

[46] Micí Mac Gabhann d'inis; Seán Ó hEochaidh a scríobh. Proinsias Ó Conluain a chuir in eagar.

an t-úrscéalaí cáiliúil E. M. Foster don leagan Béarla de leabhar Mhuiris Uí Shúilleabháin, *Twenty Years A-growing:*

> . . . it is worth saying ' This book is unique ', lest he [the reader] forget what a very odd document he has got hold of. He is about to read an account of neolithic civilisation from the inside. Synge and others have described it from the outside, and very sympathetically, but I know of no other instance where it has itself become vocal and addressed modernity.

Is tábhachtach an léargas atá le fáil ar ghné amháin de stair na linne sna cuntais dhírbheathaisnéiseacha—nó leath-dhírbheathaisnéiseacha—a scríobh cuid de na daoine a bhí páirteach in obair Chonradh na Gaeilge i dtosach na haoise seo agus i gCogadh na Saoirse ina dhiaidh sin. Tá cuntais den chineál sin i *Mise agus an Connradh* (1935) agus *Mo Thuras go hAmerice* (1937) le Dubhghlas de hÍde, i *Mise* (1943) le Colm Ó Gaora agus i *Fé Bhrat an Chonnartha* (1940) le Peadar Ó hAnnracháin. Thug Ó hAnnracháin cuntas freisin ar a chuid eachtraí le linn Chogadh na Saoirse agus i bpríosún i Sasana i *Mar Mhaireas É* (i, 1953; ii, 1955), saothar a bhfuil crot dialainne air; scéal a bheatha atá inste ag Seán T. Ó Ceallaigh sna leabhair *Seán T.* i (curtha in eagar ag Proinsias Ó Conluain, 1963) agus *Seán T.* ii (in eagar ag P. Ó Fiannachta 1972). An pháirt a ghlac sé in Éirí Amach na Cásca 1916 atá mar ábhar ag Liam Ó Briain in *Cuimhní Cinn* (1951). *B'fhiú an Braon Fola* an teideal a thug Séamus Ó Maoileoin ar an gcuntas ar a shaol agus ar a chuid eachtraí i gCogadh na Saoirse a foilsíodh i 1958. Is díol suime freisin na cuimhní cinn a scríobh Earnán de Blaghd, *Trasna na Bóinne* (1957), *Slán le hUltaibh* (1970) agus *Gaeil á Múscailt* (1973). Beidh lear mór eolais le baint astu ag na staraithe amach anseo. Tugann Liam Ó Murchú cuntas dúinn ar a óige sna slumanna i gCorcaigh agus ar a shaol mar státseirbhíseach i mBaile Átha Cliath in *Cosmhuintir* (1975).[46a]

I Londain a rugadh agus a tógadh Tarlach Ó hUid[47]; chuir sé eolas ar an nGaeilge sa Chonradh thall, i nGaeltacht Thír Chonaill agus i bpríosún i mBéal Feirste mar ar chaith sé seal i ngéibheann toisc é a bheith páirteach in eagras aindleathach. Tá cuntas ar na nithe seo go léir curtha síos aige in *Ar Thóir Mo Shealbha* (1960). Dhá leabhar shuimiúla a thugann eolas ar shaol na n-údar féin agus ar chúrsaí na Gaeilge i mBaile Átha Cliath sna daicheadaí is ea

[46a] A mhalairt de shuíomh atá sa chuntas taitneamhach ag Déiseach, S Ó Maolchathaigh, *An Gleann is a raibh ann* (BÁC 1963).

[47] D'fhoilsigh Ó hUid cnuasach gearrscéalta, *Taobh Thall den Teorainn* (1950) agus dhá úrscéal, *An Bealach chun a' Bhearnais* (1949) agus *An Dá Thrá* (g.d.).

Ag Scaoileadh Sceoil le Seosamh Ó Duibhginn agus *Téid Focal le Gaoith* le Proinsias Mac an Bheatha. Tá léargas suimiúil ar ghnéithe áirithe den Éirí Amach in 1916 le fáil sa dá leabhar *Comhghuaillithe na Réabhlóide* (1966) le Pádraig Ó Snodaigh agus *Na Sasanaigh agus Éirí Amach na Cásca* (1967) le Leon Ó Broin.

Tuilleann an dá leabhar staire leis an Athair Colmcille, O.C.S.O. *Trodairí na Treas Briogáide* agus *Comhcheilg na Mainistreach Móire* tagairt ar leith, ní amháin mar gheall ar an eolas atá iontu ach ar fheabhas na stíle iontu freisin. Ní fios an ceart leabhar staire nó beathaisnéis a thabhairt ar *Rógaire Easpaig* (1975) le Odhrán Ó Duáin, O.F.M., leabhar ina bhfuil cuntas ar bheatha an Ard-easpaig, Maoilre Mac Craith, agus léargas le fáil ar chúrsaí na tíre agus cúrsaí creidimh sa 16ú haois.

Deimhniú ar éifeacht na Gaeilge mar theanga liteartha is ea feabhas cuid mhaith de na beathaisnéisí atá á scríobh inti. Níor saothraíodh an ghné sin i litríocht na Gaeilge go dtí tosach na haoise seo, mar is ar éigean is féidir an teideal sin a thabhairt ar bheathaí na naomh sa chian-aimsir, nó ar Bheatha Cholm Cille a scríobhadh faoi stiúradh Mhaghnais Uí Dhomhnaill nó go fiú Beatha Aodha Rua Uí Dhomhnaill le Lughaidh Ó Cléirigh. Níl mórán samplaí den ghné curtha ar fáil go nuige seo, ach is inspéise an saothar atá sa chuid is mó acu. Ina measc tá *Tomás Ó Flannghaile* (1940) le Donnchadh Ó Liatháin, *Domhnall Ó Conaill* (1949) leis an Athair Antoine Ó Duibhir, *Parnell* (1937), *Emmet* (1954) agus *An Maidíneach* (1971) le Leon Ó Broin, *Tomás Ruiséil* (1957) le S. N. Mac Giolla Easpaig, *Fiontán Ó Leathlobhair* (1962) le Tomás Ó Néill, *Kao Er Wen* (1965) le Pádraig Mac Caomhánaigh, *Tart na Córa* (cuntas ar bheatha Shéamuis Uí Chonghaile) le Proinsias Mac an Bheatha, *Art Ó Gríofa* (1953) le Seán Ó Lúing agus *An Duinníneach* (1959) le Donncha Ó Céileachair agus Proinsias Ó Conluain. Tá an dá leabhar dheireanacha seo fíorthábhachtach. Faighimid iontu cuntas cruinn iomlán ar shaol an té atá mar ábhar acu mar aon le léargas ar mhórchuid de stair na Gaeilge, de stair an Chonartha agus de stair na hÉireann féin lena linn. Is leathan an léargas ar chúrsaí staire atá le fáil freisin in *De Valera*, i (1968) le Tomás Ó Néill agus Pádraig Ó Fiannachta. Beathaisnéis de shaghas neamhchoitianta is ea *Mo Chara Stiofán* (1939) an cuntas taitneamhach a scríobh Liam Ó Rinn[48] ar an teagmháil a bhí aige

[48] Cuireadh suim i leabhair eile de chuid Uí Rinn, *Turas go Páras* (1931), *Peann agus Pár* (1940), *So Súd* (1953).

leis an scríbhneoir Béarla Stiofán Mac Enna. Aon duine a léifeadh *Art Ó Gríofa* agus *An Duinníneach* agus an díolaim d'oibreacha scoláiriúla atá ag méadú in aghaidh na bliana ba léir dó nach teanga mharbh í an Ghaeilge, in ainneoin na faillí a rinneadh inti ar feadh na n-aoiseanna agus in ainneoin tuairimí lucht a cáinte a dhearbhaíonn nach bhfuil sí oiriúnach mar ghléas chun cúrsaí liteartha nó ábhair scoláiriúla a phlé.

Ní leis an Athbheochan a cuireadh tús le scríobh dialainne i nGaeilge; rinneamar tagairt cheana do chúpla sampla, i.e. *Cín Lae Ó Mealláin* ó lár an 17ú aois agus *Cinnlae Amhlaoibh Uí Shúilleabháin*[49] a breacadh síos idir 1828 agus 1836. Is iomaí ábhar atá faoi chaibidil ag an Súilleabhánach ina dhialann, a shaol féin i gCallainn i gContae Chill Chainnigh, na nósanna a bhíodh á gcleachtadh sa chomharsanacht, an bia a d'ití, na barraí, an luibheolaíocht, cúrsaí taistil agus trádála agus cuid de chúrsaí na hEorpa lena linn, ach thar aon ní eile ba bhreá leis mionchuntas a thabhairt faoin aimsir. Níor cuireadh ar fáil ach dornán samplaí de dhialanna[50] ó thosach na haoise seo, ach, más tearc a líon is fairsing a réim, ó shaol na mBlascaod in *Allagar na hInise* (1938, athchló 1978) le Tomás Ó Criomhthain go dtí aisteoireacht san Éigipt in *Aisteoirí Faoi Dhá Sholas* (1956) le Micheál Mac Liammóir, ó shaol na nGael atá ag obair mar sclábhaithe i Sasana in *Dialann Deoraí* (1960) le Dónall Mac Amhlaigh[51] go dtí turas chun na Róimhe le linn na Bliana Naofa 1950 in *Dialann Oilithrigh* (1955) le Donncha Ó Céileachair.[52] B'fhéidir nach miste tús áite sa roinn seo a thabhairt do leabhar Uí Chéileachair. Le linn dó bheith ag trácht ar a chuid eachtraí ar a bhealach chun na Róimhe tugann sé léargas taitneamhach dúinn ar a mheon féin. Tá an t-iomlán curtha síos i stíl ghlé shnoite nua-aimseartha a bhfuil dúchas na teanga caomhnaithe ann. Ní ionadh lorg an dúchais a bheith ar shaothar an scríbhneora seo mar ba mhac é don seanchaí Domhnall Bán Ó Céilleachair a luamar ó chianaibh.

[49] In eagar maille le haistriúchán ag an Athair M. Mac Craith, S.J., *C.Sc.G.* xxx, xxxi, xxxii, xxxiii. Eagrán nua de shleachta as foilsithe ag T. de Bhaldraithe faoin teideal *Cín Lae Amhlaoibh.*

[50] Féach *idem.* ' Focail atá i nGaeilge na leabhar ar " Diary " ', *Éigse* ix, 81-2.

[51] Scríobh sé cuntas ar an tréimhse a chaith sé san arm faoin teideal *Saol Saighdiúra* (1962), agus foilsíodh dhá úrscéal leis, *Diarmaid Ó Dónaill* (1965) agus *Schnitzer Ó Sé* (1974) agus cnuasach gearrscéalta, *Sweeney* (1970).

[52] Cnuasach gearrscéalta le Síle agus Donncha Ó Céileachair, *Bullaí Mhártain,* foilsithe sa bhliain 1955.

Forbairt na Drámaíochta

Níor saothraíodh an dráma riamh i nGaeilge roimh 1895. Sa bhliain sin chuir Eoghan Ó Neachtain tús le gluaiseacht nua i litríocht na teanga nuair a d'aistrigh sé *An Cailín Bán* go Gaeilge. Ní raibh ansin ach lagthosú. Ceithre bliana ina dhiaidh sin bunaíodh 'The Irish Literary Theatre' i mBaile Átha Cliath, agus chuir lucht stiúrtha na gluaiseachta sin an-suim i seanscéalta na nGael mar ábhar dá gcuid ceapadóireachta féin i mBéarla. B'fhéidir gurb é seo a chuir ina luí ar lucht na Gaeilge go raibh faillí á dhéanamh acu féin san ábhar seo, nó b'fhéidir gurb amhlaidh a thuig siad cheana tábhacht an dráma mar ghléas san Athbheochan. Ar aon nós, i dtrátha an ama seo, ghabh siad orthu féin drámaí a chur ar fáil,[53] agus bhí an tosach ag an Athair Peadar orthu go léir leis an gcéad bhundráma Gaeilge, *Tadhg Saor*, a scríobhadh agus a léiríodh i 1900. Lean an tAthair Peadar air ag soláthar drámaí, ach theip air máistreacht a fháil riamh ar an gceird agus i ndeireadh na dála d'éirigh sé as. Bhí an locht céanna, easpa ceirde agus teicnice, ar shaothar na ndaoine eile, mar Thomás Ó hAodha, 'Conán Maol' (i.e. Pádraig Ó Séaghdha), An tAthair Pádraig Ó Duinnín, a d'fhéach le drámaí a sholáthar. Ba é An Craoibhín an duine ab oilte orthu, agus baineadh taitneamh as *Casadh an tSúgáin* (an chéad dráma Gaeilge a léiríodh in amharclann, 1901), *An Pósadh* (a céadléiríodh i nGaillimh i 1902) agus na píosaí gearra eile a scríobh sé, agus ar sholáthraigh Lady Gregory leaganacha Béarla de chuid díobh.[54]

Tríd is tríd, áfach, is beag dul chun cinn a rinneadh sna deich mbliana tosaigh den aois, agus is follas óna raibh le rá acu faoin gceist gur thuig scríbhneoirí na linne laige na gluaiseachta; ní raibh siad dall ar aon chor ar na lochtanna a bhí ar a lán de na drámaí. D'fhonn cuidiú leis an scéal a leigheas cuireadh comórtas ar chlár an Oireachtais i 1911 le haghaidh aiste ar chúrsaí drámaíochta. Ba é Pádraig Ó Conaire a bhuaigh an duais ar aiste inar thug sé comhairle chiallmhar dóibh siúd ar mhian leo drámaí a scríobh. Bhí fear eile ámh, nár leor leis comhairle a thabhairt, Piaras Béaslaí, an fear a rinne níos mó ar son an dráma i nGaeilge ná aon duine eile roimhe ná ó shin. Bheartaigh seisean gníomh a dhéanamh, agus i 1913 bhunaigh sé 'Na hAisteoirí', complacht a léiríodh

[53] Ó Droighneáin, op. cit., caib. viii.; D. Ó Súilleabháin, 'Tús agus Fás na Drámaíochta i nGaeilge', *Ardán*, Eagrán an Earraigh, 1972, 16 *et seq.*

[54] *Poets and Dreamers* (BÁC 1903).

drámaí go tráthrialta i mBaile Átha Cliath agus ó am go chéile i nGaeltacht na Mumhan. Sholáthraigh Piaras Béaslaí ábhar don chomplacht seo, idir bhundrámaí agus aistriúcháin, agus ghníomhaigh sé mar léiritheoir agus mar aisteoir freisin. Níor staon sé dá shaothar idir 1913 agus 1920 ach amháin ar feadh an achair 1916-17 a chaith sé i bpríosún i Sasana.

Ghlac sé páirt ghníomhach freisin sa Chomhar Drámaíochta a bunaíodh i mBaile Átha Cliath i 1923, agus léirigh raidhse drámaí i rith na tréimhse inar mhair an complacht gníomhach. I measc na ndaoine eile a ghlac páirt sa chomplacht seo, ag saothrú mar scríbhneoirí nó mar aisteoirí, bhí Leon Ó Broin, Séamus de Bhilmot, Gearóid Ó Lochlainn, Muiris Ó Catháin, Liam Gógan, Máire Ní Chinnéide, Mícheál Ó Siochfhradha agus Liam Ó Briain. Sa bhliain 1926 léirigh ' An Comhar ' dráma nuacheaptha le Liam Ó Flaithearta, ' Dorchadas ', agus cheap a lán daoine san am go raibh an dráma i nGaeilge tagtha in aois. Ba mhór an t-ábhar dóchais freisin bunú Thaibhdhearc na Gaillimhe in 1929. Tá an Taibhdhearc go beo bríomhar fós. Is ansin a chéadléiríodh *Diarmuid agus Gráinne* le Micheál Mac Liammóir, dráma a mheastar a bheith ar cheann de na bundrámaí Gaeilge is fearr dár scríobhadh go nuige seo.

Mhair An Comhar Drámaíochta i bhfad, ach ní raibh ag feidhmiú go neamhspleách mar i 1942 cuireadh mar chúram ar Amharclann na Mainistreach freastal ar léiriú drámaí i nGaeilge thar a cheann. Chomhlíon an Mhainistir an dualgas sin trí ghearrdhráma Gaeilge a léiriú ó am go chéile tar éis an dráma i mBéarla, trí dhráma speisialta éigin a léiriú ar ócáidí—cé gur annamh a tharla sin—agus trí gheamaireacht i nGaeilge a stáitsiú gach Nollaig. Tá beartaithe ag stiúrthóirí na Mainistreach níos mó a dhéanamh ar son an dráma i nGaeilge feasta, anois ó tá foirgneamh nua acu, agus amharclann bheag, An Phéacóg, ag gabháil leis.

In ainneoin a raibh déanta go dtí sin bhí drochbhail ar an dráma um lár na dtríochadaí. Tháinig feabhas éigin ar an scéal le hathbhunú an Oireachtais i 1939. De thoradh na gcomórtas liteartha ó shin tá drámaí inspéise faighte ó Labhrás Mac Brádaigh, Séamus Ó Néill, Máiréad Ní Ghráda, Seán Ó Tuama,[55] Diarmaid Ó Súilleabháin, Eoghan Ó Tuairisc, Criostóir Ó Floinn[56] agus ó

[55] Bronnadh Gradam an Oireachtais ar dhráma Uí Thuama, *Gunna Cam agus Slabhra Óir.*

[56] Bronnadh Duais an Chraoibhín ar dhráma Uí Fhloinn, *Cóta Bán Chríost.*

dhaoine eile nach iad. De thoradh na gcomórtas drámaíochta cuireadh agus cuirtear fós drámaí á léiriú ar feadh seachtaine mar chuid den Fhéile gach bliain. Ach taobh amuigh de sin is beag deis a bhí ann ar feadh i bhfad chun dráma a léiriú, rud a chuir cosc le fás na gluaiseachta. Chuidigh Gael-Linn leis an easnamh seo a leigheas nuair a thóg siad mar chúram orthu féin halla a chur ar fáil i mBaile Átha Cliath do chomplachtaí ón gcathair agus ó gach aird den tír.

Tá eagraíochtaí eile gníomhach freisin. Rinne Comhdháil Náisiúnta na Gaeilge a cion trí chúrsaí drámaíochta a chur ar siúl in áiteanna éagsúla ar fud na tíre agus trí chuidiú le hathbhunú Chumann Drámaíochta na Scol. Tugann an Chomhdháil lán-tacaíocht d'Fhéile bhliantúil an Chumainn seo. Tá lucht Chonradh na Gaeilge ag saothrú freisin, agus tá eagraíocht nua bunaithe acu chun freastal ar gach gné den drámaíocht. Tá mar chúram ar an eagraíocht seo leabharlann iomlán de dhrámaí i nGaeilge a bhailiú, féiltí áitiúla a reachtáil agus a cheangal le Féile Náisiúnta an Oireachtais agus cúrsaí oiliúna a chur ar fáil do gach dream a bhíonn ag plé leis an dráma, idir scríbhneoirí, léiritheoirí agus aisteoirí.

I 1953 chuir Stiúrthóir Chomhdháil Náisiúnta na Gaeilge san am, Brian Mac Cafaid, roimhe liosta a dhéanamh de na drámaí go léir a scríobhadh nó a léiríodh i nGaeilge ó thosach na gluaiseachta, agus d'fhoilsigh sé an liosta mar aon le cuntas ar gach dráma i leabhrán, *An Drámadóir*. Tá os cionn 400 teideal sa liosta sin. Is fíor gur aistriúcháin cuid mhór díobh; is fíor freisin go bhfuil an caighdeán íseal ina lán acu ach, ar an iomlán, ní ró-shuarach an toradh é sin ar obair seasca bliain. Níor scríobhadh aon mhór-dhráma ar chaighdeán idirnáisiúnta i nGaeilge go fóill, ach tá saothar dúthrachtach á dhéanamh ar son na drámaíochta le tamall de bhlianta anuas, agus ba chóir go mbeadh toradh éigin ar an saothar sin amach anseo.

Cumadh na Filíochta

Mhair traidisiún na filíochta i nGaeilge i bhfad níos faide ná an prós. Le fírinne, faoi mar a dúramar cheana, ní dheachaigh sé riamh go hiomlán i ndísc, agus anuas go dtí deireadh an 19ú haois, nó níos déanaí, bhíodh filí áitiúla ag ceapadh véarsaí mar chaitheamh aimsire dóibh féin agus dá gcomharsana. Cruthúnas amháin ar bhuaine agus ar neart an traidisiúin is ea an t-ábhar in *Amhráin*

Ó Dheireadh an Domhain (1954) le Fionán Mac Cártha, fear a bhí tar éis fiche bliain a chaitheamh san Astráil gan caidreamh aige le Gaeil ná le Gaeilge.[57]

Nuair a thosaigh an athbheochan i mBaile Átha Cliath chrom cuid mhaith den lucht foghlama ar véarsaí a cheapadh,[58] ach ní raibh mórán dealraimh ar a n-iarrachtaí. Is fiú tuairimí an Athar de Hindeberg fúthu a chur síos:

> An enemy to modern Irish prose more energetic than even the unconsidered efforts of Neo-Irish writers, is modern Irish poetry. Wonderful is the portent, and unusual in our day, but the little literature we can afford to support has run unduly, almost entirely, into poetry. . . . A literature that finds its sole expression in song is in a state of unhealthy action . . . much of the body of contemporary song is worthless, much of it in such vicious taste as positively to be charged with untold possibilities of harm, that must debase and subvert purity of style in the future. Correct, commonplace English sentiment it is, in greater part, with a miserably tortured poor shred of Irish for veneering. In its production all the requirements of Irish verse-building are ignored, and instead, the whole scheme of English prosody . . . is regarded as essential. This vitiated taste derives its origin from the example set by Dr McHale's translation of Moore's *Irish Melodies.* Now without venturing on an opinion on the broader question as to whether these translations are poetry at all, one may with perfect confidence assert that they are not Irish poetry.[59]

Ar na daoine a ghabh le ceapadh véarsaí sna blianta tosaigh ba é An Craoibhín ab fhearr agus ba mhó saothar. D'fhoilsigh sé na céadta dréacht i dtréimhseacháin agus i nuachtáin, agus cuireadh cuid díobh amach i bhfoirm leabhair faoin teideal *Ubhla den Chraoibh* (1900). Níor chualathas glór údarásach an dúchais san fhilíocht, ámh, nó gur fhoilsigh Torna *Leoithne Andeas* (1905). Bhí blas Gaelach ar dhréachtaí Thorna, cruinneas meadarachta agus friotail iontu agus, bíodh nach raibh mórán úire san ábhar, bhí siad ceolmhar taitneamhach. D'fhreastal Torna ar phobal léite

[57] Scríobh Máire Mhac an tSaoi léirmheas suimiúil ar an leabhar seo, *Feasta,* Meán Fómhair 1954, 10. Le haghaidh samplaí eile de dhaoine a thug an traidisiún leo thar sáile féach R. Ó Foghludha, *Pádraig Piarais Cúndún,* 1777-1856 (BÁC 1932), agus E. Ní Dhonnchadha, *Tomás Ó Conchubhair agus a chuid Filidheachta* (1953). Chuaigh an Cúndúnach go Meiriceá i 1826 agus chaith an chuid eile dá shaol ann. Chaith Tomás Ó Conchubhair na blianta idir 1820 agus 1865 i Londain.

[58] Le haghaidh cuntais ar an bhfilíocht a cumadh idir 1882 agus *c.* 1930 féach Ó Droighneáin, op. cit., caib. iii, vi, vii agus F. O'Brien, *Filíocht Ghaeilge na Linne Seo,* caib. ii.

[59] R. Henebry, ' A Plea for Prose ', *Ir. na G.* iv, 143.

na Gaeilge freisin nuair a sholáthraigh sé cnuasaigh d'aistriúcháin ó theangacha eile[60] agus nuair a chuir sé eagar ar shaothar chuid d'fhilí an 17ú agus an 18ú haois.[61]

Ceann de na rudaí atá le tabhairt faoi deara i litríocht na linne seo is ea an dúil a bhí ag na scríbhneoirí i bhfeabhsú agus i bhforbairt. Sa bhliain 1906 bhí staid na filíochta á suathadh ag daoine mar Thomás Ó Máille, An Piarsach, Torna agus Piaras Béaslaí[62] agus cúig bliana ina dhiaidh sin, le linn Oireachtas na bliana 1911, bhí an cheist á cíoradh fós ag an mbeirt deireanach. Ag seo ceann de na tuairimí a nocht Piaras Béaslaí sa chaint a thug sé uaidh le linne na Féile: ' agus is dóich liom gur cheart an dán díreach do chur in oireamhaint do ghnáthchaint Ghaedhilgeoirí an lae inniu '.[63]

Dála mar a tharla i gcás an dráma, níor leor le Piaras Béaslaí an teoiric. Rinne sé iarracht an teoiric a chur i bhfeidhm ina chuid ceapadóireachta féin, agus tá toradh na hiarrachta sin le fáil sa chnuasach *Bealtaine 1916* (1920), mar ar bhain sé feidhm as meadaracht ' Chúirt an Mheán Oíche ' agus leaganacha simplithe den dán díreach. Ba chosúil i dtrátha an ama seo go raibh bláth ag teacht faoi dheireadh ar an bhfilíocht, mar, taobh istigh de cheithre bliana, chomh maith le cnuasach Phiarais Bhéaslaí, foilsíodh na cinn seo a leanas: *Maidin i mBéarra* (1918), (dréachtaí ceolmhara cruinne ó pheann an Aimhirgínigh, fear a ghnóthaigh cáil idirnáisiúnta mar scoláire Ceilteach faoin leagan Béarla dá ainm, O. J. Bergin), *Caitheamh Aimsire* (1918) le Torna, *Nua-Dhánta* (1919) le Liam Gógan, *An Chaise Gharbh* (1918) le Peadar Ó hAnnracháin, *Féile na nÓglach* (1921) le Liam P. Ó Riain agus *Idir na Fleadhanna* (1922) le Áine Ní Fhoghludha. Mar aon leis na cnuasaigh seo foilsíodh *Cuisle na hÉigse* (1920), bailiúchán dréachtaí ó fhilí éagsúla curtha in eagar ag Éamonn Cuirtéis. (I measc na ndréacht sa leabhar seo bhí ceann de na caointe is fearr dár scríobhadh san aois seo, ' Ochón a Dhonnchadh ',[64] a chum an deoraí Pádraig Ó hÉigeartaigh nuair a bádh a mhac óg i Meiriceá.)

[60] *Duanaire Phádraig, Amhráin Diadha ar na n-aistriú ón mBéarla* (1902); *Guth ón mBreatain .i. Llais ó Gymru* (1912); *Fíon Gearmánach* (1930).

[61] *Seán Ó Murchadha na Ráithíneach* (1907, dara eagrán, 1954), *Saothar Filidheachta an Athar P. Haicéad* (1916), *Diarmaid Mac Sheáin Bhuidhe Mac Carrthaigh* (1916), ' Mícheál Ó Longáin, a Cork poet of the Eighteenth Century ', Reprinted from *Journal of the Ivernian Society* i, no. 4 (Corcaigh 1909).

[62] Ó Droighneáin, op. cit., 74 *et seq.*

[63] *ibid.*, 81.

[64] Cuireadh i gcló don chéad uair ar *An Claidheamh Soluis*, 7-3-1906.

Ní fada a mhair an borradh, ámh. Sna fichidí agus sna tríochadaí is beag dul chun cinn a bhí le tabhairt faoi deara i gcúrsaí filíochta. Is fíor go raibh dréachtaí á gcumadh ag daoine mar Pheadar Ó hAnnracháin, Donnchadh Ó Liatháin agus filí Dhámhscoile Mhúscraí,[65] dréachtaí a bhí ceolmhar agus snasta. Bhí de locht ar a bhformhór, ámh, go raibh an t-ábhar iontu cúng, éadomhain, gan aon rian de shaol ná de shainfhadhbanna an 20ú haois orthu. Bhí Liam Gógan[66] ar dhuine de na filí a d'fhéach le séala a linne a chur ar a saothar. Is minic a chuirtear ina leith go bhfuil an stíl ró-chraptha ina chuid véarsaí agus go bhfuil blas na leabharlainne ar na focail a úsáideann sé. Tá bunús, gan amhras, leis an gcáineadh seo; mar sin féin, is cuí a admháil go ndearna sé iarracht inmholta ar fhilíocht na linne a scaoileadh ó chuid de na cuibhreacha a bhí á ceangal. Duine eile a rinne iarracht ar anáil na húire a chur i bhfilíocht na linne ba ea an tAthair Pádraig de Brún. Chuidigh seisean chun an teanga agus an litríocht araon a shaibhriú leis na leaganacha meadaracha a sholáthraigh sé de chuid de mhórdhrámaí na hEorpa.[67] Ní bhfuair na haistriúcháin seo riamh an t-aitheantas a bhí ag dul dóibh.

Le hathbhunú an Oireachtais[68] i 1939 agus le teacht na dtréimhseachán tháinig beocht arís i ngluaiseacht na filíochta. Ghnóthaigh Séamus Ó hAodha,[69] a bhí ag cleachtadh na filíochta le fada, cáil agus gradam lena dhán fada ' Speal an Ghorta '; tháinig ainmneacha nua os comhair an phobail, Eoghan Ó Tuairisc, Seán Mac Fheorais,[70] Séamus Ó Céilleachair,[71] Seán Ó Tuama, Tomás Tóibín agus daoine eile.[72] Sa bhliain 1950 foilsíodh bailiúchán de chuid

[65] Féach D. Ó Ceocháin, *Saothar Dhámh-Sgoile Mhúscraighe* (1933).

[66] Chomh maith le *Nua-Dhánta* (1919) atá luaite cheana d'fhoilsigh Liam Gógan na cnuasaigh seo a leanas: *Dánta agus Duanóga* (1929), *Dánta an Lae Indiu* (1936), *Dánta Eile* (1946), *Dánta agus Duanta, 1941-1947*, agus *Duanaire a Sé* (1966).

[67] *Aintioghoine*, dráma le Sofoicléas (1926), *Rí Oidiopús* (1928), *Oidiopús i gColón* (1929), *Atáile*, dráma le Racine (1930), *Poiléacht*, dráma le Corneille (1932), *Íodhbairt Ifigéine* (1935). Foilseachán eile leis is ea *Beathaí Phlútairc* (1936), *Cúpla Laoi as Edda* (1940) agus *Coiméide Dhiaga Dante. Leabhar i. Ifreann* (1963).

[68] M. Ní Mhuirgheasa, ' Na Comórtais Liteartha ', *Feasta*, Márta 1964.

[69] Foilsíodh cnuasach de shaothar filíochta Shéamuis Uí Aodha faoin teideal *Ceann an Bhóthair* (1966).

[70] S. Mac Fheorais, *Gearrcaigh na hOíche* (1954), *Léargas* (1964).

[71] S. Ó Céilleachair, *Bláth an Bhaile* (1952), *Coillte an Cheoil* (1955), *Mil na mBláth* (1956).

[72] Tá samplaí de shaothar cuid de na filí seo agus filí eile nach iad le fáil i *Nua-Fhilí* (1942-1952), (1956), agus *Nua-Fhilí* 2 (1953-1963), (1968). S. Ó Ceilleachair a chuir an dá chnuasach in eagar. Féach freisin F. O'Brien, *Duanaire Nuafhilíochta* (BÁC 1969) agus E. Ó Tuairisc, *Rogha an Fhile* (1974).

de na dánta ab fhearr dár cumadh idir 1939 agus 1949 faoin teideal *Nuabhéarsaíocht*. Cibé rud a bheidh le rá ag an staraí liteartha amach anseo i dtaobh na ndréachtaí seo, léiríonn an cnuasach ina iomláine cúpla rud dúinn anois. Ceann amháin díobh is ea go raibh cúl á thabhairt ag formhór na bhfilí ann ar na foirmeacha agus ar na meadarachtaí a bhí á gcleachtadh ar feadh na gcianta i bhfilíocht na Gaeilge, agus go raibh siad ag iarraidh foirmeacha agus meadarachtaí nua a láimhsiú. I gcásanna áirithe d'éirigh leis na hiarrachtaí; i gcásanna eile, theip orthu. Dhealródh sé freisin go raibh a lán de na filí beag beann ar a ndúchas féin agus go raibh siad ag glacadh caighdeáin agus inspioráid ó fhilíocht an Bhéarla nó, i gcás nó dhó, ó fhilíocht na Fraince agus na Gearmáine. Dhá dhréacht agus caoga atá sa chnuasach ó dhuine agus fiche d'fhilí. Is suimiúil a thabhairt faoi deara go bhfuil dréachtaí ann ó Liam Ó Flaithearta, Mhicheál Mac Liammóir agus ó Riobárd Ó Faracháin, triúr ar mó an cháil atá orthu mar scríbhneoirí Béarla ná mar scríbhneoirí Gaeilge. As an gcnuasach ar fad éilíonn triúr tús áite; Seán Ó Ríordáin, Máirtín Ó Direáin, agus Máire Mhac an tSaoi.

Trí chnuasach de bhundánta[73] atá foilsithe ag Seán Ó Ríordáin *Eireaball Spideoige* (1952), *Brosna* (1964) agus *Línte Liombó* (1971). Is é an príomhthéama a bhíonn á shuathadh aige ná an coimheascar in anam an duine idir an tOlc agus an Mhaith, agus tá de bhua aige an téama sin agus a chuid smaointe i gcoitinne a léiriú le samhailteacha úra cumasacha. Go hiondúil is focail shimplí choitianta a úsáideann sé, ach éiríonn leis brí agus cumas neamhghnách a bhronnadh ar na focail sin. Is sna dréachtaí fada, ' Cnoc Mellerí ', ' Oilithreacht fan Anam ' agus ' Oileán agus Oileán Eile ', is fearr a léirítear fadhbanna an fhile á suathadh.

I dtuairim a lán léirmheastóirí is é Seán Ó Ríordáin mórfhile Gaeilge na linne; tá cuid acu a dhearbhaíonn gurb eisean is fearr ó aimsir Uí Bhruadair i leith. Ach ceapann léirmheastóirí eile gur máchail ar a shaothar an mheadaracht ghliogarach, an rithim neamhdhúchasach atá, dar leo, i gcuid dá dhréachtaí. Cibé ionad a thabharfar dó san am atá le teacht, tá rud amháin cinnte faoi, is é sin, gurb eisean is mó a spreag caint agus díospóireacht i dtaobh

[73] I gcomhar leis an Athair S. S. Ó Conghaile, C.Ss.R. d'fhoilsigh sé *Rí na nUile* (1964), Cnuasach d'aistriúcháin ón MeánGhaeilge. I Mí Bealtaine 1977 foilsíodh eagrán speisialta de *Comhar* in ómós don Ríordánach. Féach freisin S. Ó Tuama, ' Seán Ó Ríordáin agus an Nuafhilíocht ', *Studia Hibernica* 13, 100 *et seq.*

na filíochta i measc phobal léite na Gaeilge,[74] ní amháin lena chuid dánta ach leis an réamhrá a scríobh sé do *Eireaball Spideoige*, réamhrá inar léirigh sé nádúr agus brí na filíochta do réir mar a tuigeadh dó féin iad.

File liriciúil is ea Máirtín Ó Direáin, agus tá nóta an mhíshásaimh agus an uaignis in uachtar ina shaothar. Is minic a léiríonn sé cumha agus uaisleacht na muintire ina áit dúchais, Oileáin Árann, i bhfriotal atá lom agus ceolmhar in éineacht. Cuirtear ina leith ar uaire go bhfuil an iomad ionannais ina dhréachtaí, go bhfuil raon ró-chúng á shaothrú aige, ach léiríonn sé in *Ó Mórna agus Dánta Eile* (1957)[75] go bhfuil sé toilteanach agus, san am céanna, ábalta a scóip a leathnú agus triail a bhaint as ábhar agus as foirmeacha nua. Ach in ainneoin a fheabhas a d'éirigh leis sa dréacht fada fuaimneach ' Morna ', b'fhéidir nach miste a rá gurb é an dréacht gairid snoite is fearr a oireann d'fhéith an Direánaigh. Tá substaint, cuir i gcás, sa dréacht gonta ' Ionraiceas ':

> Dúirt file mór tráth
> Go mba oileán is grá mná
> Ábhar is fáth mo dháin
> Is fíor a chan mo bhráthair.
>
> Coinneod féin an t-oileán
> Seal eile im dhán,
> Toisc a ionraice atá
> Cloch, carraig is trá.

Sa bhliain 1961 d'fhoilsigh an Direánach cnuasach d'aistí taitneamhacha próis faoin teideal *Feamainn Bhealtaine*.

I 1956 is ea a foilsíodh *Margadh na Saoire*, cnuasach dréachtaí le Máire Mhac an tSaoi, agus aithníodh láithreach gur file tábhachtach a bhí ag labhairt, ag plé ábhair úir go macánta dáiríre. Ach dá shuimiúlacht an t-ábhar ba shuimiúla fós, dar lena lán, an friotal. Seo duine a bhí ábalta ábhar nua-aimseartha a phlé go héasca gan aon chuid de dhúchas na teanga a chailliúint. Ní cainteoir dúchais

[74] Féach mar shampla, *Comhar*, Nollaig 1951, 7-8, 29; Feabhra 1952, 7-8, 25-26; Bealtaine 1953, 5-6; *Feasta*, Márta, Aibreán, Bealtaine 1953; *Irisleabhar Mhá Nuad* 1967, 43 *et seq.*; F. Mac an tSaoir, ' Ríordánachas ', *Feasta*, Eanáir 1966, 24 *et seq.* agus aiste le M. Mhac an tSaoi ar *Scríobh* 1 (eag. S. Ó Mórdha, BÁC 1974).

[75] Seachas an cnuasach seo tá na cnuasaigh seo a leanas foilsithe ag Máirtín Ó Direáin: *Coinnle Geala* (1942), *Dánta Aniar* (1943), *Rogha Dánta* (1949), *Ár Ré Dhearóil* (1962), *Cloch Choirnéil* (1966) agus *Crainn Is Cairde* (1970). Féach freisin an léacht leis ' Filíocht Ghaeilge an Lae Inniu ', *Feasta,* Iúil, Lúnasa 1953, agus an aiste ' Cás an Fhile Gaeilge ', *Feasta*, Lúnasa 1950, 7 *et seq.* Tá cuntas suimiúil ar an Direánach le hArt Ó Beoláin ar *Feasta*, Bealtaine 1972.

í Máire Mhac an tSaoi, ach is fada í ag saothrú na Gaeilge i nDún Chaoin mar a labhraítear fós go snasta í. Thairis sin is scoláire Gaeilge í a bhfuil tuiscint aici do shaibhreas na seanteanga liteartha agus bá aici leis an tseanlitríocht. Is iad na rudaí sin, ní foláir, a bhronnann fuinneamh agus údarás neamhchoitianta ar a friotal.

Sa réamhrá ar *Nuabhéarsaíocht* thug an t-eagarthóir, Seán Ó Tuama, cuntas cothrom meáite ar fhilíocht Ghaeilge na linne sin.[76] Ba chóir an réamhrá seo a léamh i dteannta an réamhrá a sholáthraigh Dónall Ó Corcora do *Éigse na Máighe* agus na n-aistí a scríobh sé ar *Feasta* faoin teideal ' Smaointe Fánacha ar an bhFilíocht '. Bíodh gur mar ollamh le Béarla i gColáiste na hOllscoile i gCorcaigh a chaith an Corcorach a shaol agus gur mar údar Béarla a ghnóthaigh sé cáil, bhí sé riamh ina thaca agus ina chomhairleoir ag scríbhneoirí na Gaeilge. Ina leabhar *The Hidden Ireland* thug sé léargas ar thraidisiún liteartha na nGael i gCúige Mumhan san 18ú haois. Thuig seisean, mar a thuig Saunders Lewis sa Bhreatain Bheag, gur barr maise ar an bhfilíocht é, í a bheith fréamhaithe i dtraidisiún atá ag síneadh siar breis agus míle bliain agus gur filíocht chlasaiceach í sa mhéid go bhfuil na filí aonair sásta cloí leis an traidisiún sin in ionad a bheith ag plé a gcuid fadhbanna pearsanta féin.

Nuair a tháinig *Nuabhéarsaíocht* amach i 1950 bhí saothar ann ó fhilí nua, agus bhí blas na húire ar a lán de na dréachtaí, comhartha go raibh fás faoin bhfilíocht. B'shin tríocha bliain ó shin, beagnach agus ní miste a fhiafraí anois ar mhair an fás sin. Ar an iomlán is féidir a rá gur mhair. Deimhniú amháin air sin is ea an rud a tharla nuair a thairg an Chomhairle Ealaíon duais ar an gcnuasach filíochta ab fhearr a d'fhoilseofaí idir 1962 agus 1964. Aon cheann déag de chnuasaigh a bhí san iomaíocht. Chomh maith le cnuasaigh ó Sheán Ó Ríordáin, ó Mháirtín Ó Direáin agus ó Sheán Mac Fheorais, a raibh cnuasaigh dá gcuid i gcló cheana, tháinig cnuasaigh ó na daoine seo a leanas: Eoghan Ó Tuairisc (*Lux Aeterna*, 1964); Seán Ó Tuama (*Faoileán na Beatha*, 1962); Réamonn Ó Muireadhaigh (*Athphreabadh na hÓige*, 1964); Seán Ó hÉigeartaigh (*Cama-Shiúlta*, 1964); Caoimhín Ó Conghaile (*Dánta*, 1964); Micheál Mac Liammóir (*Bláth agus Taibhse*, 1964), agus Art Ó Maolfhabhail

[76] Féach freisin F. O'Brien, *Filíocht Ghaeilge na Linne Seo* (1968); T. Ó Floinn, ' Nua-Fhilíocht na Gaeilge ', *Comhar*, Meitheamh 1955, 17-24, agus cf. a bhfuil le rá ag an léirmheastóir céanna faoin bprós in ' Úrscéalaíocht na Gaeilge ', *ibid.* Aibreán 1955, 6-18.

(*Aistí Dána*, 1964). Ba ar an Direánach a bronnadh an duais as *Ár Ré Dhearóil*. Níorbh fhéidir cuntas ceart a thabhairt anseo ar an saothar seo go léir, ach is féidir a rá go bhfuil dánta suimiúla fiúntacha sna cnuasaigh seo agus go bhfuil a shainghlór féin ag gach duine de na filí, rud a léiríonn go bhfuil brí agus beocht san fhilíocht fós.[77] Ach an féidir a bheith sásta gur leor an méid sin ?

Ag breathnú ar fhilíocht Ghaeilge an lae inniu ina hiomláine, b'fhéidir nach ró-shimpliú ar an scéal a rá go bhfuil dhá shruth le tabhairt faoi deara ann, sruth tuaithe, saothar na bhfilí ar féidir leo a mhaíomh go bhfuil traidisiún na gcéadta bliain á choimeád beo acu, dá laige an chuma atá air inniu, agus sruth na cathrach, saothar na bhfilí úd ar mhaith leo filíocht idirnáisiúnta, filíocht den chineál atá á saothrú i mBéarla nó i bhFraincis faoi láthair, a bheith á cumadh i nGaeilge. Samhlaítear dúinn go bhfuil an baol ann go bhfuil an dream deireanach seo ag cumadh *in vacuo* nó, ar an gcuid is fearr de, ag cumadh dá chéile, mar ní líonmhar iad na léitheoirí atá acu. Thiocfadh feabhas ar an scéal b'fhéidir dá n-éireodh le file éigin an dá shruth a thabhairt le chéile.

Tá a lán den litríocht a cumadh i nGaeilge ó 1882 i leith lag nó triaileach, tá cuid di leamh, cuid di leanbaíoch, ach má chuimhnítear ar staid na teanga agus na litríochta mar a bhí sí céad bliain nó mar sin ó shin is follas go bhfuil dul chun cinn an-mhór déanta. Nuair a chuirtear i gcóimheas í leis an litríocht a scríobhadh i mBéarla in Éirinn i gcaitheamh an achair chéanna, is fíor go bhfeictear a lán de na heasnaimh atá uirthi. Níor tháinig, cuir i gcás, aon mhórfhile chun tosaigh ar nós Yeats ná aon mhórdhrámadóir ar nós Synge nó Seán Ó Cathasaigh.

[77] Tháinig cnuasaigh shuimiúla eile amach ó shin, e.g. *Éirí Amach na Cásca*, 1916 (1967) le Críostóir Ó Floinn; *Súil le Cuan* (1967) le Tomás Tóibín (Is ar an gcnuasach seo a bronnadh Duais na Comhairle Ealaíon, 1968); *Faoistin Bhacach* (1968) le Pearse Hutchinson; *Bláth an Fhéir* (1968), *An Dara Cloch* (1969) agus *Saol na bhFuíoll* (1973) le Seán Ó Leocháin; *Ponc* (1970) le P. Ó Fiannachta; *Arán ar an Tábla* (1970) le Réamonn Ó Muireadhaigh; *Go dTaga Léas* (1971) le Mícheál Ó hUanacháin; *Éiric Uachta* (1971) le Máire Áine Nic Ghearailt; *Ceantair Shamhalta* (1971) le Pádraig Ó Croiligh; *An tÁr sa Mhainistir* (1972) le S. E. Ó Cearbhaill; *Fíon as Seithí Oir* (1972) le Liam F. Prút; *Feartlaoi* (1973) le Conchubhar Ó Ruairc (tá cnuasaigh ghearrscéalta, *An Stáca ar an gCarraigín* agus *Gort na Gréine*, foilsithe ag an údar seo freisin); *Díbirt Deamhan* (1973) le Séamas Mac Gearailt; agus *Codladh an Ghaiscígh* (1973) le Máire Mhac an tSaoi; *Susanne sa Seomra Folctha* (1973) le Gabriel Rosenstock; *Damhna agus Dánta Eile* (1974) le Tomás Mac Síomóin agus *Bánta Dhún Urlann* (1975) le Seán Ó Lúing. Tá dán fada, *Quo Vadis Hibernia* le Seán Ó Téacháin i gcló freisin. Ghnóthaigh formhór mór na bhfilí seo duaiseanna i gComórtais Liteartha an Oireachtais.

Is fiú an cheist a chur, céard atá i ndán don litríocht sa dá theanga sa tír seo. Braitheann sé sin cuid mhór ar a bhfuil i ndán don Ghaeilge féin. Tar éis an tsaoil, níl sa litríocht AnglaÉireannach ach litríocht Shasanach a bhfuil blas dá cuid féin uirthi toisc dealbh Ghaelach agus a lán de dhul na Gaeilge a bheith uirthi. Dá n-imeodh an difríocht idir an saol Gaelach agus an saol Sasanach, chaillfeadh an litríocht AnglaÉireannach an sainbhlas sin, agus ní bheadh gá leis an teideal AnglaÉireannach, óir ní bheadh inti feasta ach brainse de litríocht an Bhéarla.

Ní féidir bheith ag súil go mairfidh an Ghaeilge in áiteanna iargúlta in Éirinn d'aon ghnó chun cúlra a sholáthar don chultúr Sasanach in Éirinn, cúlra a dhéanfaidh é a idirdhealú ón gcultúr céanna i Sasana. Le fírinne, níl de rogha ag muintir na hÉireann ach Éire Ghaelach nó Éire Shasanach a bheith acu, cé gur cosúil nach go ró-mhaith a thuigeann siad é sin.

Chun labhairt na Gaeilge a leathnú ar fud na tíre is é polasaí oifigiúil an Stáit anois an dátheangachas a chothú, an cuspóir céanna agus atá ag muintir na Breataine Bige agus, cé go bhfuil daoine sa dá thír a chreideann nach leor é sin chun an teanga dhúchais a shlánú, an féidir a rá go bhfuil a mhalairt de rogha ann? Agus an dtuigtear go cruinn nach mbeidh sé éasca cuspóir an dátheangachais féin a bhaint amach? Is dúshlán é, dúshlán a gcaithfear dul i ngleic leis go hoilte agus go héifeachtach.

De thoradh spiorad na náisiúntachta cinntíodh rialtas dá cuid féin do chuid d'Éirinn. Ach ba é an cuspóir tráth Éire a bheith Gaelach chomh maith le bheith saor. An dtabharfar an cuspóir sin i gcrích? Ar éigin é a déarfaí, b'fhéidir, agus cúrsaí mar atá siad faoi láthair. Ach, mar sin féin, d'fhéadfadh spiorad na náisiúntachta éachtaí móra a dhéanamh, go háirithe dá mbeadh an Stát mar thaca aige.

Tá rud amháin cinnte. Beidh gá le hÉire Ghaelach sula bhféadfar breathnú ar shaothar liteartha na hAthbheochana mar bhlátha an earraigh agus sula bhfíorófar ráiteas An Craoibhín: ' Tá an samhradh le teacht fós le congnamh Dé '.

INNÉACS